걸프 사태

아주지역 동향

걸프 사태

아주지역 동향

한국학술정보

| 머리말

걸프 전쟁은 미국의 주도하에 34개국 연합군 병력이 수행한 전쟁으로, 1990년 8월 이라크의 쿠웨이트 침공 및 합병에 반대하며 발발했다. 미국은 초기부터 파병 외교에 나섰고, 1990년 9월 서울 등에 고위 관리를 파견하며 한국의 동참을 요청했다. 88올림픽 이후 동구권 국교 수립과 유엔 가입 추진 등 적극적인 외교 활동을 펼치는 당시 한국에 있어 이는 미국과 국제 사회의 지지를 얻기 위해서라도 피할 수 없는 일이었다. 결국 정부는 91년 1월부터 약 3개월에 걸쳐 국군의료지원단과 공군수송단을 사우디아라비아 및 아랍 에미리트 연합 등에 파병하였고, 군 · 민간 의료 활동, 병력 수송 임무를 수행했다. 동시에 당시 걸프 지역 8개국에 살던 5천여 명의 교민에게 방독면 등 물자를 제공하고, 특별기 파견 등으로 비상시 대피할 수 있도록 지원했다. 비록 전쟁 부담금과 유가 상승 등 어려움도 있었지만, 걸프전 파병과 군사 외교를 통해 한국은 유엔 가입에 박차를 가할 수 있었고 미국 등 선진 우방국, 아랍권 국가 등과 밀접한 외교 관계를 유지하며 여러 국익을 창출할 수 있었다.

본 총서는 외교부에서 작성하여 30여 년간 유지한 걸프 사태 관련 자료를 담고 있다. 미국을 비롯한 여러 국가와의 군사 외교 과정, 일일 보고 자료와 기타 정부의 대응 및 조치, 재외동포 철수와 보호, 의료지원단과 수송단 파견 및 지원 과정, 유엔을 포함해 세계 각국에서 수집한 관련 동향 자료, 주변국 지원과 전후복구사업 참여 등 총 48권으로 구성되었다. 전체 분량은 약 2만 4천여 쪽에 이른다.

2024년 3월

한국학술정보(주)

| 일러두기

· 본 총서에 실린 자료는 2022년 4월과 2023년 4월에 각각 공개한 외교문서 4,827권, 76만 여 쪽 가운데 일부를 발췌한 것이다.

· 각 권의 제목과 순서는 공개된 원본을 최대한 반영하였으나, 주제에 따라 일부는 적절히 변경하였다.

· 원본 자료는 A4 판형에 맞게 축소하거나 원본 비율을 유지한 채 A4 페이지 안에 삽입하였다. 또한 현재 시점에선 공개되지 않아 '공란'이란 표기만 있는 페이지 역시 그대로 실었다.

· 외교부가 공개한 문서 각 권의 첫 페이지에는 '정리 보존 문서 목록'이란 이름으로 기록물 종류, 일자, 명칭, 간단한 내용 등의 정보가 수록되어 있으며, 이를 기준으로 0001번부터 번호가 매겨져 있다. 이는 삭제하지 않고 총서에 그대로 수록하였다.

· 보고서 내용에 관한 더 자세한 정보가 필요하다면, 외교부가 온라인상에 제공하는 『대한민국 외교사료요약집』 1991년과 1992년 자료를 참조할 수 있다.

| 차례

정 리 보 존 문 서 목 록					
기록물종류	일반공문서철	등록번호	2012090044	등록일자	2012-09-03
분류번호	772	국가코드	XF	보존기간	영구
명 칭	걸프사태 동향 : 아주지역, 1990-91. 전4권				
생 산 과	중근동과/동북아1과/동북아2과	생산년도	1990~1991	담당그룹	
권 차 명	V.1 일본				
내용목차					

0001

원 본

외 무 부

종 별 : 초긴급

번 호 : JAW-4764 일 시 : 90 0802 1522

수 신 : 장 관(중근동,아일,정일)

발 신 : 주 일 대사(일정)

제 목 : 이락의 쿠웨이트 침공

연: JAW(F)-2323

당지 NHK 15:00 뉴스는 이락의 전격적인 쿠웨이트 침공으로 쿠웨이트 주요 정부기관 및 군사거점이 점령됨으로써, 사실상 쿠웨이트 수도는 이라크에 완전 제압된것으로 보인다고 보도하고, 한편 미국은 금번 이락의 군사행동을 '침략'이라고 규정하면서 긴급 안보리 소집을 요구한 것으로 보도하였음. 끝

(대사 이원경-국장)

중아국 차관 1차보 2차보 아주국 국기국 정문국 청와대 총리실 안기부

PAGE 1

90.08.02 15:37 BB

외신 1과 통제관

0002

駐 日 大 使 館

(Page 2 - 1)

JAW(F) : 2323

日時 :

"지급"

受 信 : 長 官 (중근동, 정원, 아일)

発 信 : 駐日大使 (일정)

題 目 이락, 쿠웨이트 침공

'90 8 - -2 14 :57

刊)

표제관련, 당지 공동통신의 별첨 기사를

지급 참고하시기 바랍니다.

첨부 : 상기 1 매

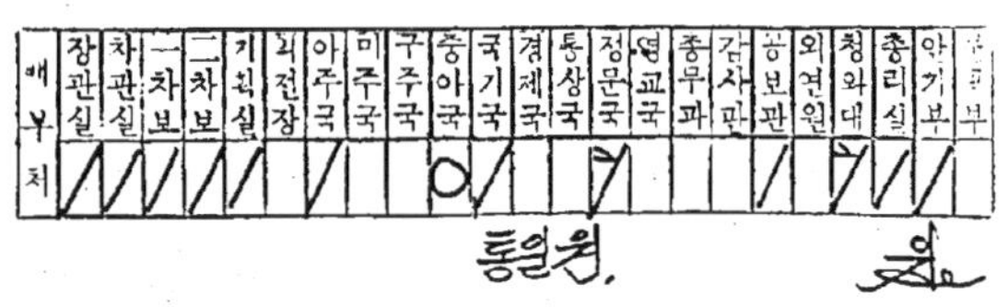

0003

'90 08/02 14:38 ☎03 582 8706 KyodoNewsキサラギカイ →→→ カンコクタイシカン セイムブ ☒001/001

2-2

共X1T352外信73S

◎フラ㋡シ㋓2号

▽クウ㋓ート打倒と発表

【バグダ㋡ド二日AP＝共同】

イラク革命評議会は二日、クウ㋓ート政府が打倒されたと発表した。。

（了）㋭（5）90 8 2 14 8

0004

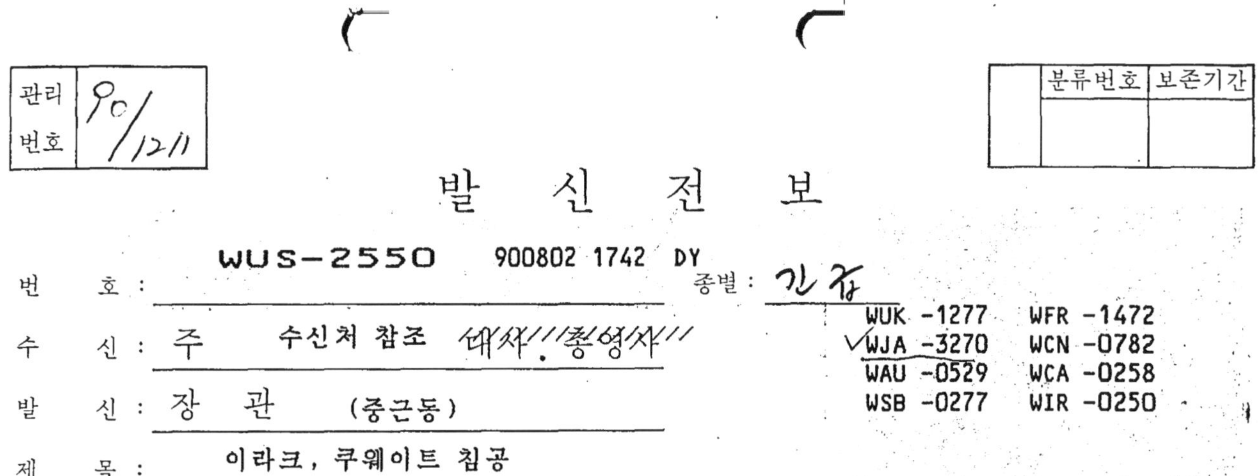
관리번호 90/1211

분류번호 | 보존기간

발 신 전 보

번 호 : WUS-2550 900802 1742 DY 종별 : 긴급

수 신 : 주 수신처 참조 대사 . 총영사

발 신 : 장 관 (중근동)

제 목 : 이라크, 쿠웨이트 침공

WUK -1277 WFR -1472
WJA -3270 WCN -0782
WAU -0529 WCA -0258
WSB -0277 WIR -0250

표제 사태 관련, 주재국 반응(영문) 및 사태 평가 내용 긴급 파악 보고 바람. 끝.

(중동아프리카국장 이 두 복)

수신처 : 주미, 영, 불, 일, 카나다, 호주, 이집트, 사우디, 이란

1990.12.31. 에 예고문에 의거 일반문서로 재 분류됨.

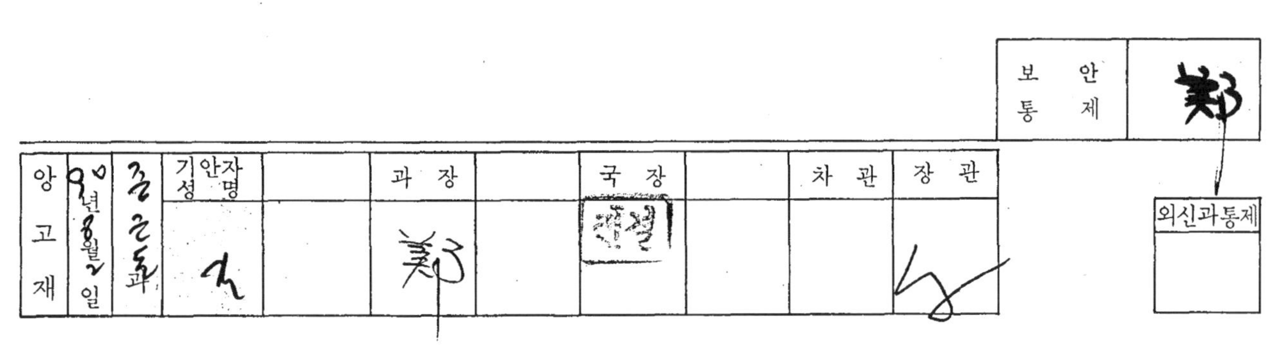
보안통제

앙고재 90년 8월 2일 중근동과

기안자 성명 | 과 장 | 국 장 | 차 관 | 장 관

외신과통제

0005

관리번호	90/1198

원 본

외 무 부

종 별 : 긴 급

번 호 : JAW-4781 일 시 : 90 0802 2111

수 신 : 장관(중근동,아일,정일)

발 신 : 주 일 대사(일정)

제 목 : 이라크,쿠웨이트 침공

연:JAW(F)-2325

대:WJA-3270

1. 일정부는 금 8.2. 오후 이라크의 쿠웨이트 침공 관련, 하기 내용으로 외무대신 대리 명의의 담화를 발표하는 한편, 사까모또 관방장관은 기자회견에서 동일한 내용의 논평을 발표 하였음.

0 금 8.2. 새벽 이라크군이 쿠웨이트 영내에 침공 하였다는 정보에 접하였으며, 이를 극히 유감으로 생각함.

0 일정부로서는 사태의 악화를 우려하며 즉시 이라크군의 철수를 요청함과 동시에 이라크-쿠웨이트 양국간의 제문제가 무력에 의하지 않고 대화에 의해 해결될 것을 강력히 희망함.

2. 또한, 쿠리야마 사무차관은 상기와는 별도로 당지주재 AL-RIFAI 이락대사를 외무성으로 초치, "이라크의 쿠웨이트 침공은 극히 유감스러운 일이며, 즉시 철수할것"을 요구 하였는바, 이에대해 이라크 대사는 금번 사태는 쿠웨이트내의 신혁명 정부의 요청을 이라크가 수락한 것이며, "침공"이란 말은 적당치 않다고 언급하고, 일정부의 입장을 본국정부에 전달할 것이라고 하였다 함.

3. 한편, 일외무성에 의하면, 금번 이라크 침공의 직접적 배경은 양국간에 진행된 유전 영유권 교섭의 결렬로 보고 있으나, 이라크로서는 이.이 전쟁중의 거대한 전채를 상환하기 어려운 상태에서 병사의 복원등에 따른 실업자의 양산등의 국내적 난제를 밖으로 돌리는 한편, 중동지역에서의 쏘련의 영향력 쇠퇴를 틈타 페르샤만의 패권을 추구하고자 하는 의도가 있는 것으로 보고 있음.

-그러나 일외무성은 현재 이라크군이 쿠웨이트의 전 영토를 제압하려고 하지는 않은 것으로 보면서도, 페르샤만에서 이라크에 대항할 군사력을 보유한 국가가 없음에

중아국 안기부 장관 차관 1차보 2차보 아주국 정문국 상황실 청와대

PAGE 1

90.08.02 21:38

외신 2과 통제관 CN

0006

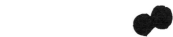

비추어 금번 이라크의 침공은 주변 국가에 큰 영향을 미칠 것으로 보고 있음. 끝.

(공사 김병연-국장)

예고:90.12.31 까지

19 90.12.31. 에 예고문에 의거 일반문서로 재분류됨.

PAGE 2

0007

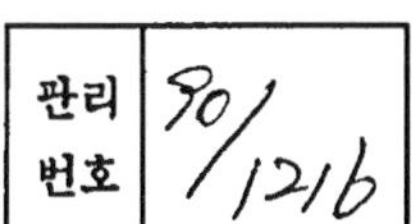

원 본

외 무 부

종 별 : 지 급

번 호 : JAW-4791 일 시 : 90 0803 1544

수 신 : 장관(중근동,아일,정일)

발 신 : 주 일 대사(일정)

제 목 : 이라크, 쿠웨이트 침공

연:JAW-4781

대:WJA-3270

1. 사까모또 일정부 관방장관은 연호 논평에 이어 금 8.3. 오전 기자회견에서 이라크의 쿠웨이트 침공에 대응, 일정부로서도 서방제국과 보조를 함께하여 이라크에 대해 경제 제재조치를 시행할 의향임을 하기와 같이 표명 하였음.

0 "일본이 취할 조치는 아직 검토중이나, 대이라크 무역정지등의 단호한 조치를 표방한 미국으로 부터 공동보조의 요청이 있었음. 일본으로서도 아랍 및 유엔의 움직임등을 보아가면서 구미제국과 함께 협조해 나갈 방침임."

2. 상기와 관련, 당관 강대현 서기관이 일외무성 중근동 2 과 이사카네 수석 사무관과 접촉한바에 의하면, 일본도 금번과 같은 상태에서 이락과의 정상적인 경제관계 유지가 어려울 것이라는 생각을 가지고 있으며, 제재 방법으로서는 이라크로 부터의 원유수입 중지, 일본의 수출규제 및 엥차관 공여 동결등을 생각할수 있으나, 현재 구체적 내용을 결정하고 있는 상태는 아니라고 함.

3. 또한, 카이후 수상의 중동방문 계획(8.15-25) 관련, 일외무성에 의하면, 일본은 사태가 조속히 수습되기를 바라면서 예정대로 진행중에 있다고 하였으나, 금번 방문 예정국에 들어있는 사우디, 이집트가 금번 이라크-쿠웨이트 분쟁해결에 가장 바쁜 상태에 있음에 비추어, 이들 국가로 부터 방문연기 요청의 가능성도 염두에 두지 않을 수 없는 실정인 것으로 보여짐.끝.

(공사 김병연-국장)

예고:90.12.31 까지

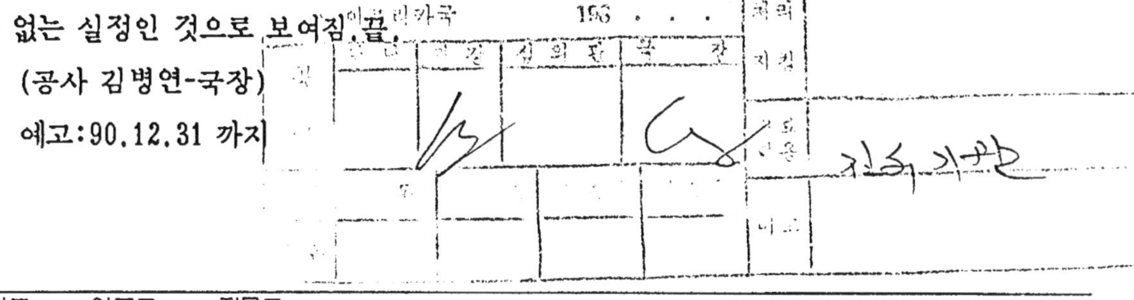

중아국 아주국 정문국

PAGE 1 90.08.03 16:37

외신 2과 통제관 EZ

0008

관리번호	90/1223

원 본

외 무 부

종 별 :

번 호 : JAW-4809 일 시 : 90 0803 1808

수 신 : 장관(중근동,아일,정일)

발 신 : 주 일 대사(일정)

제 목 : 일본, 쿠웨이트 금융재산 동결조치

연: JAW-4791, 4781

1. 일 정부 사까모또 관방장관은 금 8.3. 오후 정례기자회견에서 연호 이라크 제재에 대한 일본의 대응과 관련, 일본으로서는 금일 저녁부터 개최되는 유엔안보리의 협의를 주목하고 있으며, 서방각국이 이라크에 대해 취하고있는 조치와 동일한 관점에서 가능한 조치를 취할것임을 밝히고, 이와관련 금일밤 휴가에서 귀경하는 카이후 수상과 이라크에 대한 제재조치를 구체적으로 협의할 것이라고 하였음.

2. 또한 동 장관은 이라크에 대한 제재조치의 일환으로서 쿠웨이트 정부의 요청에 입각하여 일본에있는 쿠웨이트의 금융재산이 이라크가 쿠웨이트에 수립한 잠정정권에 넘어가지 않도록 보호하기 위해 우선 일본국내의 동 금융재산을 동결할 방침임을 밝혔음. 끝

(공사김병연-국장)

예고:90.12.31. 까지

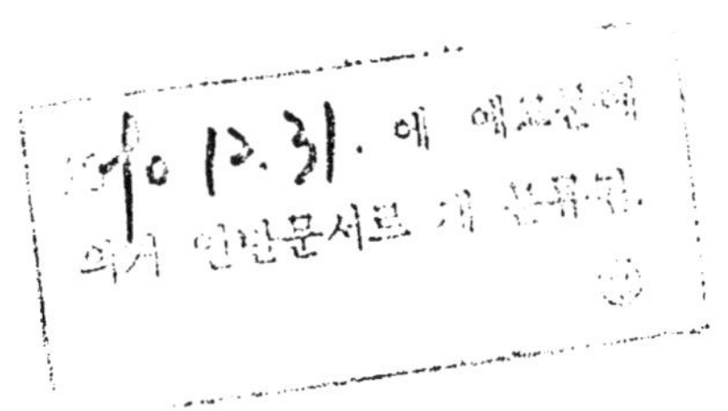

중아국	장관	차관	1차보	아주국	정문국	청와대	안기부

PAGE 1

90.08.03 23:37
외신 2과 통제관 DH

0009

관리번호	90/1229

원 본

외 무 부

종 별 : 지 급

번 호 : JAW-4826 일 시 : 90 0804 1252

수 신 : 장관(중근동,아일,정일)

발 신 : 주 일 대사(일정)

제 목 : 이라크, 쿠웨이트 침공

연: JAW-4809, 4791, 4781

1. 금 8.4. 오전 카이후 일 수상과 부시 미국 대통령은 전화대화를 갖고 이라크의 쿠웨이트 침공에 대해 양국이 협조하여 대처하기로 했다고 당지 NHK 정오뉴스가 보도하였음.

0 동 전화에서 부시 대통령은 이라크의 행동은 허용할 수 없는 행위로서 쿠웨이트를 원래의 상태로 회복시키지 않으면 안된다고 하고, 이를 위해서는 주요국가가 공동으로 협조하는 것이 중요하다면서, 일본이 이라크등의 중동지역 석유에 의존하고 있는 것을 미국도 잘 알고 있으나, 그렇다고 일본이 이라크에 대한 행동에 제약을 받지 않기를 기대한다는 입장을 밝혔다고 함.

0 이에대해 카이후 수상은 일본도 미국을 비롯한 서방각국과 동일한 관점에서 가능한 조치를 취할 것이며, 유엔 안보리에서 제재조치가 결정되면 즉각 이를 실행에 옮길 것이라고 함으로써 미.일 양국이 긴밀히 연계 협조할 것에 일치 하였다고 함.

2. 한편, 카이후 수상은 금일 오전 수상관저로 외무성 및 통산성의 관계담당관을 불러 일본의 금후 대응조치에 대해 협의한 결과, 금후 일본의 대응은 유엔 안보리의 결정에 따라 실행한다는 방침을 재확인 하였다고 하는바, 이에따라 현재 유엔 안보리가 중단 상태인 만큼 이라크에 대한 일본의 구체적 대응책은 내주초에 결정될 것으로 보여짐.끝.

(공사 김병연-국장)

예고:90.12.31 까지

중아국 장관 차관 1차보 2차보 아주국 정문국 청와대 안기부

PAGE 1

90.08.04 15:04

외신 2과 통제관 CD

0010

관리 번호	90/765

	분류번호	보존기간

발 신 전 보

번 호 : WJA-3302 900806 1007 CG 종별 : 지 급

수 신 : 주 일 대사. 총영사

발 신 : 장 관 (중근동)

제 목 : 쿠웨이트 사태

일본의 대이라크 경제 제재 조치와 관련, 업무에 참고코자 하니 이라크 주재 일본 교민 현황, 원유 도입을 비롯한 교역 현황, 일본내 이라크 자산, 양자 관계, 이라크 관계 현황등 참고사항 지급 파악 보고 바람.

(중동아국장 이두복)

예고 : 90.12.31. 일반

1990.12.31. 에 예고문에 의거 일반문서로 재 분류됨.

앙 고 재	90년 8월 6일	중근동과	기안자 성명		과 장		국 장		차 관	장 관

보 안 통 제	

외신과통제

0011

관리번호	90/1258

원 본

외 무 부

종 별 : 지 급

번 호 : JAW-4829 일 시 : 90 0806 0949

수 신 : 장관(중근동,아일,정일,경일)

발 신 : 주 일 대사(일정)

제 목 : 일본 이라크 제재방침 발표

연 : JAW-4826,4809,4791

1. 작 8.5. 밤 일정부 관방장관은 하기 4 개항을 내용으로하는 일정부의 대이라크 제재방침을 발표하였음.

1) 이라크 및 쿠웨이트로부터의 원유수입 금지

2) 이라크 및 쿠웨이트에 대한 수출금지

3) 이라크에 대한 엥차관 동결을 포함한 경제협력 정지

4) 이라크에 대한 부자 및 융자등의 자본거래 금지와 일본국내의 이라크 자산 동결

2. 한편, 상기 제재조치관련, 카이후 수상은 작 8.5 일 밤 부시대통령에게 전화를 걸어 이러한 일본방침을 전달하였으며, 이에대해 백악관은 일정부의 조치를 환영하는 특별성명을 발표하였다고함.

3. 참고로, 일본이 이라크 및 쿠웨이트로부터 수입하고 있는 원유는 44 만배럴, 일본전체 수입원유의 12%라고 하며, 이라크로부터의 원유수입 금액은 대 이라크 수입의 99%를 점하기 때문에 금번 일정부의 조치는 사실상 대이라크 경제관계 정지를 의미하는 것으로 보여짐.

- 한편, 상기 엥차관 동결액수는 4 천여억엥(ODA 차관 및 민간수출신용 혼합 금액) 이라고함. 동 액수는 이란-이라크 전쟁 여파로 인한 이라크의 채무상환불이행으로 85 년이후 일본이 공여를 중지했던 금액으로서 금년 2 월 양국이 재개에 합의했으나, 금번 다시 동결하게 되었다고 함. 끝

(대사 이원경-국장)

예고:90.12.31. 까지

중아국	장관	차관	1차보	2차보	아주국	경제국	정문국	청와대
안기부								

PAGE 1

90.08.06 10:20

외신 2과 통제관 DH

0012

원 본

외 무 부

종 별 : 지 급

번 호 : JAW-4837 . 일 시 : 90 0806 1437

수 신 : 장 관(중근동,아일,정일)

발 신 : 주 일대사(일정)

제 목 : 이란 쿠웨이트 침공

당지 쿠웨이트 대사관은 쿠웨이트를 침공한 이라크가 수립한 '쿠웨이트 신정부'를비난하는 한편, 동 대사관은 계속 AL-AHMED AL-SABAH국왕과 AL-SALEM AL-SABAH 수상 정부에 대한 충성을 확인한바는 내용과 동 '괴뢰'정부와의 어떠한 접촉에 대해서도 경고한다는 내용의 8.5자 동 대사관 구상서를 당지 외교단등에 배포하였는바,참고바람.끝

(공사 김병연-국장)

중아국 1차보 아주국 정문국 안기부

PAGE 1

90.08.06 16:37 WH

외신 1과 통제관

0013

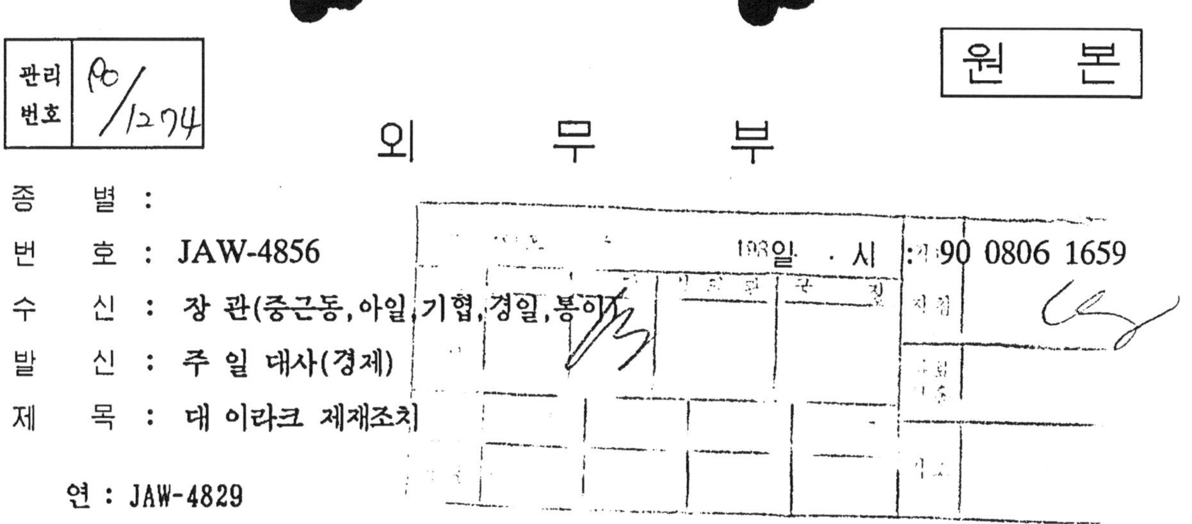

관리 번호	90/1274

원 본

외 무 부

종 별 :

번 호 : JAW-4856   일시 : 90 0806 1659

수 신 : 장 관(중근동,아일,기협,경일,통이)

발 신 : 주 일 대사(경제)

제 목 : 대 이라크 제재조치

연 : JAW-4829

당지를 방문중인 김종호 의원등 보이스카웃 의원연맹 대표단이 8.6. 오전 하시모또 대장상을 예방, 환담하는중에, 동 대장상은 일정부의 대 이라크 제재조치 결정에 관해 언급하였는바, 동 요지 아래 보고함.

(당관 이한춘 공사배석)

0 8.5. 저녁 카이후 수상과 외무성, 대장성, 통산성등 관계 각료가 회합, 이라크에 대한 일본의 대응방침을 논의하였는바, 제재초치 관련 가장 어려웠던 문제는 일본이 전시를 상정하여 (전쟁 당사국에 대해) 수출입 금지등을 규정한 분명한 법률적 근거가 없다는 것이었음.

0 그러나 UN 안보리가 강제력을 수반하는 대응조치를 취할수 있을지 등이 불확실한 상황이고, 그대로 방치하면 혼란이 더 확대될 우려도 있어, 여러모로 검토한 끝에 제재조치를 취하기로 결정하였음.

\- 대장성은 8.3. 일본 국내의 쿠웨이트 자산을 동결하도록 행정지도를 실시하였는바, 현재 쿠웨이트의 해외자산을 조사하는 움직임이 대두되고 있어 대장성의 한발 앞선 행정지도가 잘된 조치였다고 생각함.

0 8.5 밤 결정된 제재조치는 8.7 각료회의에서 정식 승인을 받게 될것인바, 세관등 관계기관을 통해 금주내로 실제효과가 발생하게 될것으로 보고있음.

0 한편, 일정부가 현재 가장 우려하고 있는것은 기술원조등을 위해 이라크 및 쿠웨이트에 체류하고 있는 일본인들의 신변안전 문제로서 이들은 공항폐쇄로 인해 호텔등에 사실상 연금되어 있는 상태임.끝

(공사 이한춘-국장)

예고:90.12.31. 까지

중아국	장관	차관	1차보	2차보	아주국	경제국	경제국	통상국
정문국	청와대	안기부						

PAGE 1   90.08.06 18:25

외신 2과 통제관 DL

0014

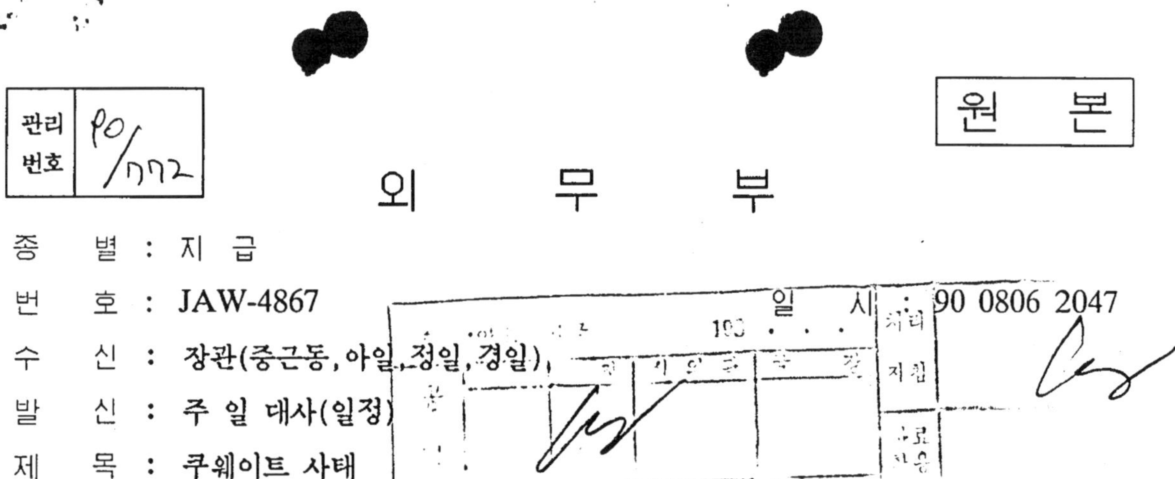

관리번호 90/772

원 본

외 무 부

종 별 : 지 급

번 호 : JAW-4867 일 시 : 90 0806 2047

수 신 : 장관(중근동,아일,정일,경일)

발 신 : 주 일 대사(일정)

제 목 : 쿠웨이트 사태

대:WJA-3302

연:JAW-4829

대호 관련, 당관이 파악한 내용을 하기 보고함.

1. 일본 교민현황

가. 이라크

0 현재 489 명 체류

-장기체류자 307 명

-상무출장등의 단기체류자 42 명

-일시 여행객 140 명

나. 쿠웨이트

0 약 390 여명의 장기체류자중 쿠웨이트 침공 당시에는 상당수가 해외휴가를 떠난 결과 272 명이 쿠웨이트내 거주

- 현재 272 명 전원 안전이 확인된 상태이나, 이중 60 여명이 대사관내 피난중.

2. 교역현황

0 이라크

-수입: 수입물량의 전체가 석유, 일일 평균 수입물량이 22 만 배럴로서 일본전체 석유수입량의 5.8 프로(90 년 상반기)

- 수출: 4.91 억불(89 년도), 총 수출액의 0.2 프로로서 주요품목은 승용차, 철강, 섬유제품, TV 및 전구등의 전기제품.

0 쿠웨이트

-수입: 수입물량의 전체가 석유. 일일 평균 수입물량이 22 만 베럴로서 전체 석유수입량의 5.8 프로(90 년 상반기)

중아국 장관 차관 1차보 2차보 아주국 경제국 정문국 청와대 안기부

PAGE 1

90.08.06 22:35

외신 2과 통제관 CW

0015

- 수출: 6.71 억불(89 년도), 주요품목은 기계 금속, 섬유제품등.

3. 일본내 이라크, 쿠웨이트 자산

0 이라크의 자산은 일본내에 전무한 것으로 알려지고 있으나 주재국 대장성은 쿠웨이트 자산은 약 2 조엥대에 이르는 것으로 추계

- 동 액수는 대부분 금융자산으로 쿠웨이트 정부 관계기관이 보유하고 있는일본 주식이나 국채만으로도 약 1 조엥으로 평가

4. 대이라크 경제협력

0 혼합차관(엥차관 및 수출신용) 5,920 억엥중 미집행분 4,054 억엥(금년 2 월 양국이 집행을 재개하기로 합의함)

0 기타 연수생 접수(88 년말 누계 983 명), 전문가 파견, 기재공여, 프로젝트 기술협력, 개발조사자금협력(4 억엥)등

5. 기타

0 이라크의 대일 민간채무 잔고 약 7 천억엥 존재.

-이중 약 4 천 3 백억엥 무역보험이 되어 있는 상업채권이라고 함. 끝.

(공사 김병연-국장)

예고:90.12.31. 일반

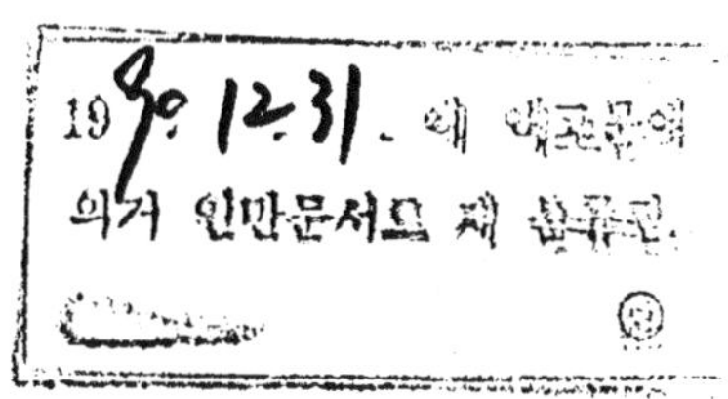

1990.12.31. 에 예고문에 의거 일반문서로 재 분류됨.

PAGE 2

0016

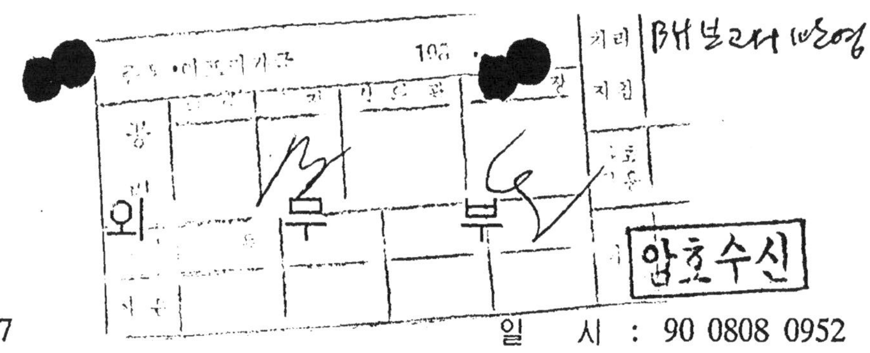

종 별 :
번 호 : JAW-4887 일 시 : 90 0808 0952
수 신 : 장관(통이,경일,기협,아일,중근동)
발 신 : 주 일 대사(경제)
제 목 : 일 정부의 대 이라크 제재조치

연 : JAW-4829

8.6. 일정부가 취한 대이라크 경제제재 조치가 일본 경제에 미치는 영향 및동 제재조치 장기화에 대비한 일정부의 대책등을 언론보도 중심으로 아래 종합보고함.

1. 전반적 영향 평가 및 전망

0 금번 이라크에 대한 경제제재 조치가 석유수급 핍박 및 석유가 인상에 따른 물가상승을 통해 경제전반에 어떤 영향을 미칠것인가에 일정부 당국, 업계 및전문가들은 당분간은 44 개월동안 지속되어온 대형경기를 감속시키는 일은 거의 없을것으로 전망

- 수급면에서는 현재는 석유 비수요기이고 석유 비축량이 142 일분(1 차 오일쇼크시는 58 일분)에 달해, 당분간은 수입 감소분을 비축량 방출로 보충가능하는 점

- 또한 1,2 차 오일쇼크후 에너지 절약대책 및 기술혁신 진전으로 원유 수입가격이 물가에 미치는 영향은 20% 정도로 2 차 오일쇼크에 비해 매우 적게 되었다는 점

0 다만, 최근 국내물가가 상승기조에 있어 원유가 상승이 이러한 물가상승기를 부채질할 우려가 있다는 관측이 대두되고 있는바, 대장성은 공정금리 인상을 고려할 상황은 아니라고 하면서도 물가동향에 대해 경계심을 표시하고, 석유업계의 편승 인상행위를 감시할 방침을 밝히고 있음.

- 석유가에 대해서는 투기적 매입이 활발해져 당분간은 상승이 불가피한 것으로 보는 견해가 유력하나, 상승폭에 대해서는 견해가 다양

- OPEC 세계 석유 전문가들은 중장기적 관점에서 배럴당 25 달러 이상이 되면 에너지 절약화 및 석탄등 대체 에너지에의 전환으로 석유수요가 감퇴되므로, 25달러 수준이 한계라고 전망

통상국 차관 2차보 아주국 중아국 경제국 경제국

PAGE 1

90.08.08 13:24
외신 2과 통제관 BN

0017

0 한편, 금번 사태가 장기화되면 원유가 상승 및 석유수급 핍박을 통해 적지않은 영향이 있을것으로 전망

- 대쿠웨이트 석유제품 수입 의존도가 약 14% 정도로, 공급면에서의 영향이서서히 나타날것으로 예측

- 대 쿠웨이트 및 이라크 원유 수입 의존도가 12% 정도인바, 과거 원유수입량의 3.4%가 감소한 정도로 제 1,2 차 오일쇼크가 발생했던 점으로 미루어 낙관 불허

2. 제재조치에 대한 업계의 반응 및 영향 평가

0 일본 산업계는 전반적으로 정부의 제재조치를 불가피한 조치로 받아들이고 있으나, 동 조치의 장기화에는 경계감을 표시하고 있는바, 특히 석유업계 및 플랜트 수출업계는 적지않은 영향을 받게될 것으로 우려

0 석유업계는 금년 상반기 쿠웨이트 및 이라크 양국으로부터의 원유 수입량이 일일 평균 40 만 베럴에 달하고 있어 정부의 원유 수입금지 조치에 대한 심각한 반응

0 이란, 이라크 전후 부흥계획 참여를 대이라크 무역 및 경제교류를 확대해온 상사 및 메이커등 수출업체는 대형 프로젝트 추진에 큰 타격이 있을것으로 우려하고, 대이라크 채권회수가 동국의 석유수입 감소로 어려워질 것으로 전망

- 89 년 대형 종합상사의 대이라크 계약건수는 총 7 건 430 억엥, 미쯔이 물산등에 의한 대쿠웨이트 담수화 플랜트는 1 건 50 억엥에 달하고, 그외에 대이라크 엥차관 제공을 겨냥한 민간업계간 대형 상담이 추진중

- 일본기업 약 100 개사의 대이라크 채권은 현재 7,000 억엥으로 이중 통산성 소관 무역보험 대상은 4,300 억엥 정도인바, 이라크는 88 년 말부터 대일 석유 수출대금의 약 25%, 90.2 부터는 45%가 주로 이자분으로 지불해 왔으나, 원금은 거의 그대로인 상태

0 여타 업계는 제재조치로 직접적 영향은 거의 없다고 평가

- TV, 비디오등 전기기계 부문의 대이라크 수출은 89 년도 100 억엥(수출구성비 1%)에 불과

- 철강의 대이라크 수출량은 90.1-5 간 4.4 만톤으로 전체수출의 0.7%

- 89 년 자동차의 수출은 이라크에 2,183 대, 쿠웨이트에 22,897 대에 불과

3. 일정부 및 업계의 제재조치 장기화 대비책

가. 일정부의 대책

0 대 업계 석유수입선 다변화등 요청

PAGE 2

0018

- 8.6. 통산성은 석유업계에 대해 원유, 가솔린등 석유제품, 액화석유가스(LPG)의 수입선을 여타국으로 다변화하도록 요청하여, 각 석유회사는 여타 산유국에 대해 대일 공급 계약량의 증량교섭에 착수

0 원유의 대 쿠웨이트 및 이라크 수입의존도 12%

. 석유제품의 대쿠웨이트 수입의존도 14%

. LPG 의 대쿠웨이트 수입의존도 12.7%

- 이와 더불어 석유업계가 고가의 원유를 구입치 않도록 지도하고, 석유가의 편승인상을 자숙하도록 요청(주유소등 판매업자에 대한 가격조사 강화방침)

0 석유 비축분(현재 142 일분) 방출

- 8.6. 통산성은 석유판매 회사등에 대한 민간 비축의무를 경감하여 민간 비축분을 방출할수 있도록 결정한데 이어, 석유 수요기인 9 월부터 국가 비축분을 방출한다는 방침하에 방출가격 산출등 구체방안 검토 착수

- 여타 산유국의 증량에는 어느정도 한계가 있을것으로 보고 원유 수입감소분의 보충을 통해 가격인상을 억제하는 것이 목적

0 원유처리 한도량증대

- 8.6. 통산성은 가솔린등 석유제품을 생산하는 원유의 처리한도량을 증대하는 방침을 결정, 관련 업계에 전달

- 89 년 대쿠웨이트 석유제품 수입 비중이 전체의 14%에 달하고 있어 제재조치 장기화시 제품수급에 악영향이 발생할것에 대비, 석유제품 수입 감소분을 국내생산으로 보충하는 것이 목적

0 업계 지원

- 일정부는 제재기간이 장기화될 경우, 민간기업의 보험청구 증가로 통산성의 무역보험 지불이 급증할 것에 대비, 무역보험 특별회계의 운용자금 확보조치 강구

. 현재 민간기업의 무역보험 채권은 이락크관련 채권 4,300 억엥, 쿠웨이트관련 채권 900 억엥 정도로 90 년도내 지불기한을 맞는 무역보험 채권은 약 800억엥 정도로 추산

- 한편, 통산성은 대쿠웨이트 및 이라크 수출 의존도가 높은 중소기업을 대상으로 금수조치가 기업경영에 미치는 영향을 조사, 피해가 광범할 경우 자금을 대부하는 긴급융자 제도 검토 착수

0 종합적 에너지 절약 대책 검토

- 자원에너지청은 1,2 차 오일쇼크와 같은 위기적 상황이 아니라고 보고, 석유 사용량 규제등 강경대책은 당분간 취할 생각이 없다고 하면서도 제재조치가장기화할 것에 대비, 사우디등에 증산을 요청함과 동시에 석유 수요. 공급면에대책 수립검토 예정

- 73 년, 79 년의 오일쇼크때는 석유사용절감, 주유소 영업시간 단축, 네온싸인 및 냉난방 사용억제등의 종합에너지 절약대책을 작성, 실시한바 있음.

나. 민간업계 반응

0 이라크 및 쿠웨이트 진출업체들은 현지사원의 안전확보에 전력을 기울이고 있으며, 일부에서는 제재조치 장기화에 대비, 현지 인원 감소 또는 폐쇄등 대책 검토

0 특히 대형 종합상사들은 정부의 제재조치가 장기화될 경우, 원유가격 및 상사활동등에 영향이 클것으로 보고, 현지사원 안전대책, 석유정세 및 금후 사업전망등을 분석, 대응책 강구.끝

(공사 이한춘-국장)

PAGE 4

0020

	분류번호	보존기간

발 신 전 보

번 호 : WUK-1318 900809 0100 DN 종별 : 긴급

수 신 : 주수신처참조 대사, 총영사

WFR -1517 WGE -1136
WIT -0721 WUS -2634
WJA -3358

발 신 : 장 관 (중근동)

제 목 : 이라크의 쿠웨이트 합병

사담 후세인대통령은 8. 8 쿠웨이트를 합병한다고 발표하였는바 이에 대한 주재국의 공식반응과 언론 반응을 지급 보고바람.

수신처 : 주 영국, 불란서, 서독, 이태리, 미국 및 일본대사

(중동아국장 — 이두복)

보안 통제	勳

앙 고 재	90년 8월 8일	중근동과	기안자 성명		과 장		국 장		차 관	장 관
					勳		李明			

외신과통제

0021

원 본

암호수신

외 무 부

종 별 :

번 호 : JAW-4944 일 시 : 90 0809 1848

수 신 : 장관(~~중근동~~,아일,정일)

발 신 : 주 일 대사(일정)

제 목 : 이라크의 쿠웨이트 합병

대 : WJA-3358

대호, 이라크의 쿠웨이트 합병선언에 대하여 주재국 정부는 아직 공식적인 반응을 보이지 않고 있으나, 카이후 일수상은 금 8.9 원폭투하 45 주년 평화추도식 참석차 방문한 나가사끼시에서 이라크의 쿠웨이트 합병선언과 관련한 기자들 질문에 대해 '국제법적 견지에서도, 대결에서 평화에로의 세계적인 추세로 보아서도 허용되어서는 안된다'며 이라크를 비난하고 이라크 군대의 무조건 철수를 요구하였음. 끝

(공사 김병연-국장)

중아국 차관 1차보 2차보 아주국 정문국 청와대 안기부

PAGE 1

90.08.09 19:06

외신 2과 통제관 BT

0022

관리번호	90/85P

외 무 부

종 별 : 지 급

번 호 : JAW-4958 일 시 : 90 0810 1451

수 신 : 장관(통일,통이,기협,경일,중근동,상공부)

발 신 : 주 일 대사(경제)

제 목 : 대 이라크 교역금지조치

대 : WJA-3351

연 : JAW-4856

대호관련, 주재국 통산성 관계관 접촉등을 통해 탐문한 결과를 아래 보고함.

1. 별도 법령 제정동 조치 여부

0 8.5 대 이라크 제재조치를 결정한 주재국 관계 각료회의시, 제재조치 결정에 가장 큰 문제점으로 근거법령이 없다는 점이 지적되었으나, 국제적 필요성을 우선하여 먼저 제재방침을 정하고 구체내용에 관해서는 법령적 뒷받침을 마련, 실시키로 했던 것으로 보임.

0 이에따라 통산성은 쿠웨이트 및 이라크로 부터의 수입금지와 관련, 90.9.9자 통산산업성 고시 310 호를 발표하였는바, 동 고시는 수입무역 관리령 (1949년) 에 입각하여 제정된 통산성고시 170 호 (1966 년) 를 일부개정한 것으로서, 수입승인 대상지역 및 대상품목으로 이라크, 쿠웨이트 원산 또는 선적의 모든 화물을 추가하는 형식을 취하고 있음.

- 동 고시 310 호 발표와 함께 통산성은 하기 2 항의 내용을 관계기관 및 업계에 통보하였음.

0 또한 통산성 관계자에 의하면, 대쿠웨이트 및 이라크 수출제재 조치에 관해서도 수입금지 조치와 유사한 방법으로 금주 또는 내주초에 공표할 예정이라고함.

2. 구체 시행시기, 방버, 내용등(통산성의 대업계 및 관계기관 통보내용)

0 통산성 고시 310 호에 의해 이라크 및 쿠웨이트를 원산지 또는 선적지로하는 모든 화물의 수입은 90.8.9. 이후부터 승인제로 이행함.

0 이에따라 8.9 이후 상기 화물을 수입하는 경우는 통산대신의 승인을 받아야 하는바, 동 화물이 90.8.8 이전에 선적된 경우를 제외하고는 수입승인을 하지

통상국	장관	차관	2차보	중아국	경제국	경제국	통상국	청와대
안기부	상공부							

90.08.10 16:21

외신 2과 통제관 DH

0023

않을것임.

0 수입승인을 하는 경우에 있어서도 수입 무역관리령 규정 (제 11 조 1 항) 에 의해 조건 부여가 가능함. 끝

(공사 이한춘-국장)

예고 : 90.12.31. 일반

0024

관리번호	90/1372

외 무 부

종 별 :

번 호 : JAW-4984 일 시 : 90 0813 1441

수 신 : 장관(아일,중근동,정일)

발 신 : 주 일 대사(일정)

제 목 : 일본수상 중동방문 연기

연 : JAW-4679

1. 일정부 사까모또 관방장관은 이라크의 쿠웨이트 침공을 위요한 최근 중동정세 관련, 8.15 부터 순방 예정이던 카이후 일 수상의 사우디, 에집트등 중동 5개국 방문을 연기하고, 대신 나카야마 외상을 정부 특사로서 빠른 시일내에 파견할 방침임을 8.13. 오전 정례 기자회견에서 정식으로 발표하였음.

2. 관방장관은, 그러나 금번 연기결정이 중동순방 자체의 중지는 아니며, 상대국과의 협의를 거쳐 금년 10 월중으로 순방일정을 재조정 하기를 희망하고 있다고 하고, 10 월 순방시 일본으로서도 중동평화를 위해 최대한 협력할 방침임을 밝혔음. 끝

(공사 김병연-국장)

90.12.31. 까지

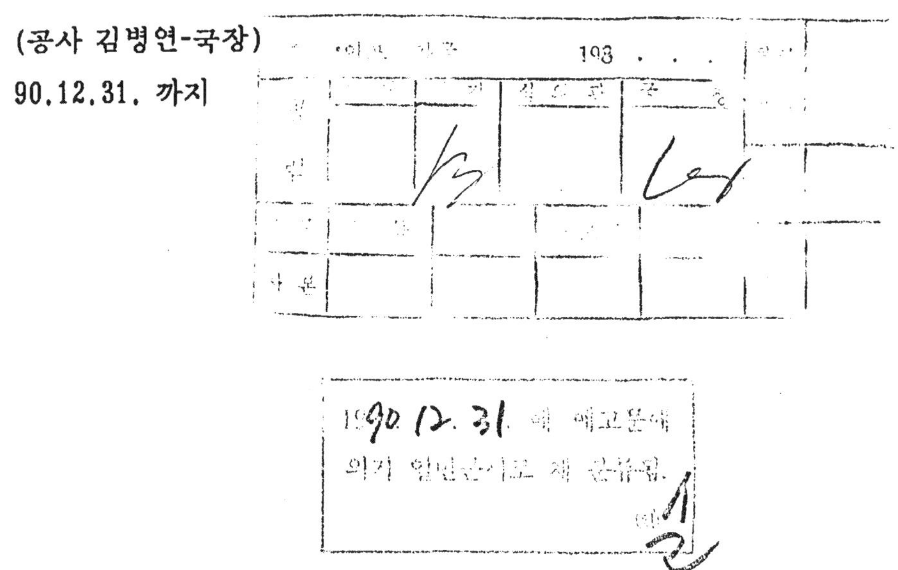

1990.12.31. 에 예고문에 의거 일반문서로 재 분류됨.

아주국 차관 1차보 2차보 중아국 정문국 청와대 안기부

PAGE 1

90.08.13 15:14

외신 2과 통제관 BT

0025

관리번호	90-408

분류번호	보존기간

발 신 전 보

번 호 : WUK-1351 900813 1854 DP 종별 :

WJA -3423 WFR -1546
WGE -1161 WAU -0562

수 신 : 주수신처 참조 ~~대사. 총영사~~

발 신 : 장 관 (미북) 기협

제 목 : 이라크.쿠웨이트 사태

1. 금번 이라크의 쿠웨이트 침공과 이에 대한 미국정부의 강력한 대응, 국제적인 경제제재 조치 및 군사적 움직임 등 일련의 사태는 그 심각성으로 인해 향후 동 사태가 진정된 이후에도 세계경제 및 정치정세에 다대한 영향을 끼치게 될 것으로 사료됨

2. 본부로서는 현재 이라크.쿠웨이트 사태가 향후 상당기간 가변적이 될 것으로 사료되나, 아국의 중장기 정책수립에 참고코저하니 우선 현재까지 밝혀진 귀주재국 정부의 입장, 학계 및 전략문제 전문가들의 다각적인 견해, 언론 해설 등을 예의분석하여, 앞으로 사태 종결후 예상되는 중동정세 및 세계정세의 (경제 포함) 변화 등에 관하여 가급적 조속 보고바람.

3. 본건과 관련하여서는 앞으로도 귀주재국 정부의 입장, 각계 의견을 예의 관찰, 분석하여 수시로 보고바람. 끝.

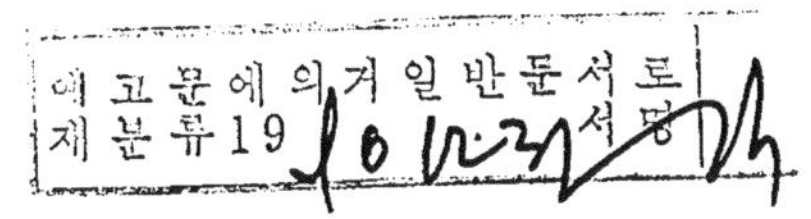
예고문에 의거 일반문서로 재분류19 90.12.31 서명

차관 유종하
~~(미주국장 반기문)~~

예 고 : 90.12.31. 일반

수신처 : 주영국, 일본, 프랑스, 독일, 호주대사

제1차관보:
국제경제국장:

보안통제	

앙고재	90년 8월 13일	북미과	기안자 성명	허철	과장	신의교	국장	전결	차관	장관

외신과통제

0026

관리 번호	90-486

외 무 부

종 별 : 지 급

번 호 : JAW-5061 일 시 : 90 0817 1758

수 신 : 장관(중근동)

발 신 : 주 일 대사(일정)

제 목 : 쿠웨이트 주재 외교공관 철수문제

대:WJA-3468

연:JAW-4973

대호 관련, 당관 이준일 참사관은 8.17(금) 외무성 오오키 중근동 2 과장과 접촉한바, 일본정부로서도 상금 최종 입장을 결정하지 못하고 있다고 하며, 8.20(월) 재접촉키로 한바, 우선 동 과장이 언급한 현 관련동향을 아래 중간 보고함.

1. 일본정부는 쿠웨이트 주재 교민(278 명으로 현재 대사관에서 단체 생활중)이 전원 안전 대피하기 전에는 대사관을 철수시키지 않을 방침이며, 현상황하에서 이라크가 공관을 강제 폐쇄시킬 가능성은 크지 않다고 봄.

2. 이라크는 상황 발생초기의 태도와는 달리 이라크 주재 대사관의 교섭에도 불구 쿠웨이트내 일본교민의 출국을 조만간 허가할 조짐을 보이지 않고 있으며, 8.9. EC 를 대표 주이락 이태리 대사대리의 요청서에 대하여도 회답이 없는 상태임.

3. 이락크 뻐스회사의 뻐스를 이용하여 쿠웨이트 및 이락주재 교민을 요르단으로 육로 운송하는 계획은 일시 중지중이며, 항공기를 암만으로 보내는 일자도 결정 못하고 있음.

4. 교민철수 관련, 이락크의 입장이 경화되고 있음에 따라, 미국, EC 등 서방제국과의 긴밀한 협의하에 UN, 국제적십자로 하여금 이락정부와 출국허가 교섭토록 하는 방안을 계속 추진중에 있음. 끝.

(공사 김병연-국장)

예고:90.12.31 일반

1990.12.31.에 예고문에 의거 일반문서로 재분류됨

중아국	장관	차관	1차보	2차보	아주국	통상국	정문국	청와대
안기부	대책반							

PAGE 1

90.08.17 18:40

외신 2과 통제관 CD

0027

관리 번호	90-504

/ 7L

외 무 부

종 별 :

번 호 : JAW-5083 일 시 : 90 0820 1853

수 신 : 장관(중근동)

발 신 : 주 일 대사(일정)

제 목 : 쿠웨이트 주재 외교공관 철수문제

대 : WJA-3468

연 : JAW-5061

대호관련, 당관 이준일 참사관은 8.20(월) 외무성 오오키 중근동 2 과장과 접촉, 연호외의 진전사항이 있는지를 문의한바, 동 과장 언급요지 아래 보고함.

1. 이라크 정부가 일본교민의 출국을 불허한다는 방침을 취함에 따라, 교민철수가 어려운 국면을 맞이하게 되었는바, 여하한 경우에도 연호 1 항대로 쿠웨이트주재 교민이 전원 안전 철수할때 까지 주쿠웨이트 대사관은 철수않을 방침이며, 필요시 주쿠웨이트 대사관원을 일부 철수시키는 문제는 검토중임.

2. 일본은 주쿠웨이트 대사관의 철수 여부도 미.EC 등 국가와 긴밀히 협의하여 처리해 나갈 방침임.끝

(공사 김병연-국장)

예고 : 90.12.31. 일반

199?.12.31.에 예고문에 의거 일반문서로 재분류됨 7L

중아국 대책반	장관	차관	1차보	2차보	아주국	통상국	정와대	안기부

PAGE 1

90.08.20 19:47

외신 2과 통제관 BT

0028

관리 번호	90-1585

미북 미안

외 무 부

종 별 :

번 호 : JAW-5112 일 시 : 90 0822 1130

수 신 : 장관(아일,미안,중근동,정일,국방부)

발 신 : 주 일 대사(일정)

제 목 : 중동사태 지원방책을 위한 일정부 대책

이라크의 쿠웨이트 침공과 미국과 서방각국의 대이라크 경제제재 및 파병등 최근의 중동사태 관련, 일 국내에서는 미국등 서방의 여론도 의식, 일본 나름대로의 공헌방책안으로서 의료, 운수, 통신분야의 긴급원조대 파견에서 부터 자위대요원의 파견문제까지 여러가지 방안을 검토하고 있는바, 이와관련 당관에 관찰한 최근 동향 및 향후 전망을 하기 보고함.

1. 배경

0 미국은 최근 중동파병과 함께 자국의 국방비 부담 및 재정능력에 비추어 하기 내용을 중심으로 한 대일 협력사항을 전달하여 온 것으로 관찰됨.

- 사우디파견 미군 및 다국적 군에의 재정지원
- 페르샤만 방위를 위한 일본 나름의 직접 공헌
- 주변제국에 대한 경제지원
- 향후 수년간 주일 미군주류경비의 부담방침 명시
- 차기 방위력 정비계획기간중의 미국산 무기구입계획의 명시.

0 미국등 서방의 여사한 지원요청에 대해 일 정부로서는 현행 국내법상의 한계에 비추어 비록 일본이 가능한 범위내에서 재정지원(자금 및 물자)을 하더라도 서방의 대일 압력 및 비판을 면치 못할 것이라는 판단하에 현행법의 일부 개정 또는 입법을 해서라도 비군사분야 요원(사람)을 직접 파견하여 기여하는 것이 최선책이라는 인식을 가지게 된 것으로 관찰됨.

- 한편, 그간 자위대의 해외파견문제를 놓고, 간단없는 논의가 계속되어 왔음에 비추어 정부(방위청) 및 자민당내 일부세력(소위 방위족)간에는 금번 중동사태를 계기로 어떤 형태로든지 요원파견을 실현시켜 보려는 움직임이 더욱 강해지고 있는 것으로 보여짐.

아주국	장관	차관	1차보	2차보	미주국	중아국	정문국	청와대
안기부	국방부	대책반						

PAGE 1

90.08.22 13:22

외신 2과 통제관 EZ

0029

2. 동향

가. "국제긴급원조대 파견법"의 개정 또는 비군사분야에의 요원파견을 위한 신규입법논의(외무성을 중심으로 검토)

0 현행 긴급원조대법에서는 파견대상을 홍수, 지진등의 재해 및 가스폭발, 원전사고등의 자연성 "재해"에 한정하고 활동원조대는 구조팀(경찰, 소방, 해상보안청 직원으로 구성), 의료팀(국제협력사업단 등록의 의사, 간호부등)및 전문기술가팀으로 하여 의료, 재해복구에 임무를 한정함.

- 따라서 현행법을 개정, 파견대상을 "분쟁지역"등으로 확대하고 원조대 활동도 통신, 수송등의 분야에 까지 확장하는 방안 검토

- 그러나 87 년 긴급원조대법의 제정당시 국회 심의과정에서 동 법의 파견대상을 자연재해에 한정하기로 한 경위가 있음에 비추어 신규입법 방안도 함께 검토.

나. 자위대 요원파견을 위한 자위대법의 개정 논의(방위청 일각 및 국방부회 중심의 자민당과 민사당)

0 무력행사의 목적이 아닌 자위대의 해외파견은 "헌법상 허용되어 있지 않은 것은 아니다"라는 정부, 자민당내 기본견해에 따라, 법률(자위대법)상 자위대의 임무, 권한으로서 해외파견을 규정하고 있지 아니한 현행법을 개정하여 원조대(자위대) 파견을 설정, 의료, 통신, 수송등의 지원을 위해 해당분야의 자위관을 파견함으로써 신속하게 대처하는 방안 검토.

라. 소해정 파견(자민당 일부)

0 자위대 소해정 파견문제는 87 년 페르샤만 안전항행문제 대두당시 법적인 문제가 없다는 견론에 따라 파견을 검토했으나, 수송기 및 승무원 파견에 따르는 법해석문제와 주변국에의 영향을 고려한 정치적 판단에서 최종 순간 보류한바 있음.

- 그러나 금번의 상황은 기뢰부설로 각국의 선박에 위기상황을 초래했던 당시와는 다르다는 점에서 반대의견이 강한 상태.

3. 전망

0 쿠리야마 사무차관은 8.20. 중동사태에 대한 일본의 공헌방안으로서, "일본의 국제적 책임은 자금 및 물건만이 아닌, 눈에 보이는 형태로 수행하는 것이 중요함. 비군사분야를 대상으로 사람(요원)을 파견하기 위해 법률을 개정하거나, 새로운 법률의 제정을 검토하고 싶다"고 언급함.

- 이러한 외무성 견해에는 카이후 수상도 동의하고 있으며, 향후 일 정부가

PAGE 2

0030

분쟁지역에 의료, 통신, 수송분야등의 요원파견을 위해 현행법 개정을 시도할 것은 분명한 것으로 보여짐.

- 이 경우, 일 정부가 차제에 자위대 요원 파견의 길을 열어 놓기 위하 긴급원조대파견법이 아닌 자위대법 개정까지 시도할지 여부가 주목되는 요소이나, 현재 요원 파견을 재해지역에서 분쟁지역으로 확대하는 것은 장래 자위대의 해외파병으로 나아갈 우려가 있다는 사회, 공명등 야당측(참원에서 다수의석 보유) 반대여론도 카이후 수상으로서는 감안하지 않을 수 없을 것으로 사료됨.

0 한편, 일 정부는 미국이 주둔하고 있는 분쟁주변제국에의 경제력 지원과 함께 주일 미군경비의 부담증가문제도 가능한한 협력한다는 입장에 있는 것으로 보여지는바(금년도 부담예산 약 4 천 4 백억엥 계상), 금번 미국측의 요구가 강하고 또한 미 의회가 9 월 상순에 재개되는 점을 감안, 일 정부는 상기 법개정 작업시도와 병행하여 주변제국에의 경제지원과 미군경비 부담증가등을 포함, 금번 중동분쟁 해결을 위한 일정부로서의 종합방책안을 가능한 빠른 시일에 대외적으로 천명할 가능성이 많은 것으로 보여짐.끝.

(대사 이원경-국장)

예고:90.12.31. 까지

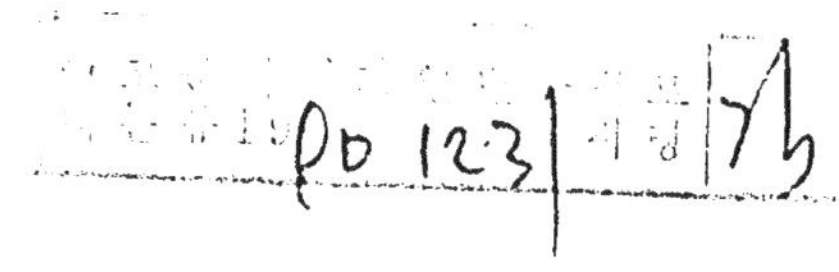

PAGE 3

0031

緊 急 報 告 事 項 (外信)

1990.8.24.

情報 1 課

題 目: 東京 株式市場, 쿠웨이트 駐屯 이라크軍 5만명이 撤軍했다는 미확인 報道로 株式 時勢 반등

NNNN
!
ZS YK0309

240104 :BC-JAPAN-STOCKS URGENT'''
TOKYO STOCKS DO U-TURN,RISE ON GULF PULLOUT REPORT
TOKYO, AUG 24, REUTER - TOKYO STOCKS ROSE SHARPLY IN MID-MORNING ON FRIDAY AFTER TWO DAYS OF DIZZYING DROPS AS REPORTS THAT SOME 50,000 ELITE IRAQI TROOPS HAD PULLED OUT OF KUWAIT HIT THE MARKET AND SPURRED BARGAIN HUNTING.
BROKERS SAID, HOWEVER, THAT BUYING WAS LIKELY TO BE SHORT LIVED AS THE TROOP MOVE WAS SEEN AS A RESHUFFLE RATHER THAN A RETREAT.
+THERE IS A LITTLE BIT OF FUTURES-RELATED ARBITRAGE BUYING, BUT THE REST IS BARGAIN HUNTING ON WHAT IS PERCEIVED AS GOOD NEWS,+ SAID MASAHIKO TSUYUZAKI, CHIEF TRADER AT TACHIBANA SECURITIES. +BUT I THINK THIS IS JUST THE EYE OF THE HURRICANE.+
THE NIKKEI INDEX OF 225 LEADING SHARES SURGED 607.62 POINTS OR 2.56 PER CENT TO 24,345.25 AFTER 50 MINUTES TRADING. IT HAD PLUMMETED 1,473 ON THURSDAY.
REUTER JAS JXK RB

0032

관리번호 90-1822

외 무 부

종 별 : 긴 급

번 호 : JAW-5150 일 시 : 90 0824 1023

수 신 : 장관(중근동,아일, 사본:주일대사)

발 신 : 주 일 대사대리(일정)

제 목 : 중동사태 관련 일본대책

1. 일 정부는 이라크 정부가 쿠웨이트 주재 외국공관 철수시한으로 제시한 8.24. 이 다가옴에 따라(8.23. 새벽에는 일 대사관이 이라크의 완전무장 군인으로 포위, 철수를 강요당한바도 있다고 함), 8.22. 부터 8.23. 밤 까지 쿠웨이트주재 일본인 긴급 피난작전을 개시, 기업주재원, 대사관 직원 및 가족 245 명을 4진으로 나누어 이라크 항공기로 바그다드로 이동 시켰음.

- 그러나 상기 일본인들중 대사관 직원등을 제외한 223 명은 당초 일측이 예약한 호텔에 들지 못하고 현재 이라크 정부가 일방적으로 지정한 바그다드내 만수르 메리아 호텔로 이동, 이라크의 일대사관 관계자와도 접촉이 되지 않는 사실상의 연금 상태에 있다고 함.

- 일 정부는 현재 동인들을 터키 또는 요르단등의 제 3 국으로 탈출시키려는 노력을 시도하고 있으나, 현재는 전망이 불투명한 상태라고 함.

2. 한편, 일 정부는 쿠웨이트 일대사관 운영방침 관련, 이라크정부가 시한으로 제시한 8.24. 이후에도 직원 12 명중 임시대사대리(1 등서기관)를 포함, 직원 2 명은 계속 남겨 대사관 기능을 유지함으로써, 미.영등 서방과 보조를 함께할 것이라고 함.

-참고로 쿠로가와 대사는 8.2. 이라크 침공직전 휴가차 일시 귀국상태에서 공항폐쇄로 귀임하지 못한 상태라고 함.

3. 일 정부 대책 동향은 계속 추보 하겠음. 끝.

(대사대리 김병연-국장)

예고:90.12.31. 일반

예고문에 의거 일반문서로 재분류19 90.12.31 서명

중아국 대책반	장관	차관	1차보	2차보	아주국	아주국	청와대	안기부
	미주국							

PAGE 1

90.08.24 11:29

외신 2과 통제관 BN

0033

관리번호 90/1465

외 무 부

원 본

종 별 : 지 급

번 호 : JAW-5153 일 시 : 90 0824 1307

수 신 : 장관(중근동,아일,정일) 사본:주일대사

발 신 : 주 일 대사대리(일정)

제 목 : 중동사태

연: JAW-5150

1. 연호 바그다드에 긴급 이송, 만수르 호텔에 수용되어있는 일본인 223 명은 8.24. 정오(당지시간) 현재도 일대사관 직원과의 접촉이 금지된 사실상의 연금상태가 계속고있는바, 이와관련 8.24. 오전 기자 회견에서 카이후 일 수상은 국제법적 및 인도적 견지에서 이라크의 행위는 용납할 수 없는 것이라고 비난하고일정부는 국제적십자, 유엔등 모든 수단을 강구하여 동인들을 출국시키기 위한모든 노력을 경주할 것이며, 일본의 대중동 공헌방책은 금번의 연금상태와 관계없이 조속 완료할 방침임을 밝혔음.

2. 또한 상기 연금 상태와 관련, 일 외무성은 주바그다드 일본대사관 및 동경주재 이라크 대사관을 통해 공식 항의를 제기하는 한편 나카야마 외상도 방문중인 터키에서 이라크의 행동을 비난하는 담화를 발표하고 수행중인 오와다 외무심의관을 스위스의 국제적십자 본부를 방문케하여 일본인의 제 3국 출국에 협조를 요청케할 방침임을 밝혔음.

3. 한편, 당지 언론은 금번 일본인의 연금상태 관련, 이는 이라크정부가 미.영등 서방과 일본간의 협력을 차단하는 한편 현재 일정부가 성안하고있는 대중동 공헌방책을 견제하기위한 것으로 관찰하고있음. 끝

(대사대리김병연-국장)

예고:90.12.31. 까지

중아국	장관	차관	1차보	2차보	아주국	정문국	대사실	청와대
안기부	대책반							

PAGE 1 90.08.24 15:10

외신 2과 통제관 BT

0034

관리번호	90/1471

원 본

외 무 부

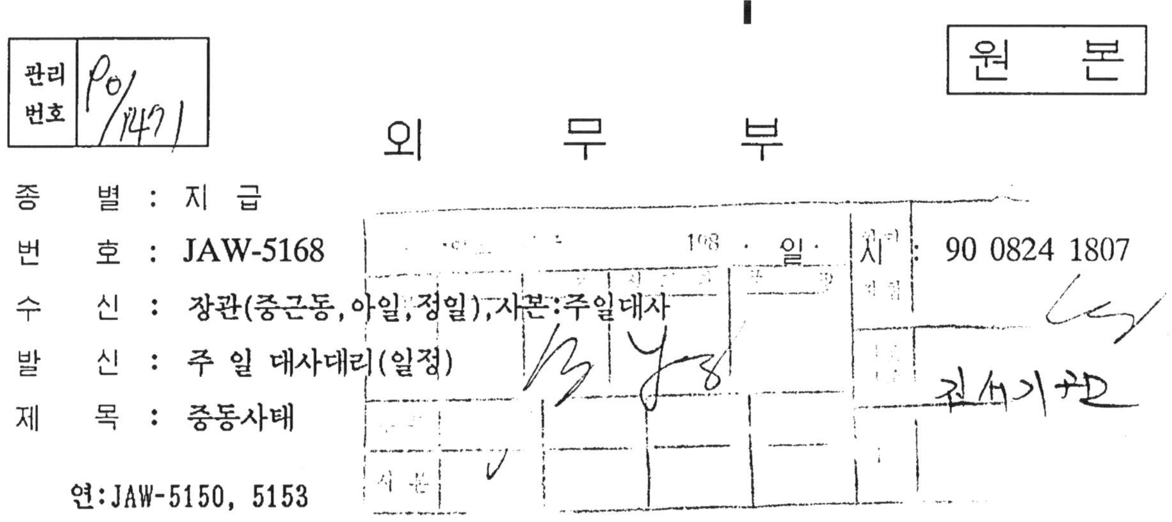

종 별 : 지 급

번 호 : JAW-5168 일 시 : 90 0824 1807

수 신 : 장관(중근동,아일,정일),사본:주일대사

발 신 : 주 일 대사대리(일정)

제 목 : 중동사태

연:JAW-5150, 5153

1. 사까모또 일 관방장관은 연호 일본인들(213 명)을 포함한 다수 외국인들의 연금상태 관련, 이라크 정부를 강하게 비난하는 동시에 일본인들의 안전확보를 위한 결의를 강조하는 강경한 내용의 일정부 담화를 8.24. 오후 발표 하였는바, 동요지 하기 보고함.

0 이라크에 의한 쿠웨이트 침공 및 병합이란 국제법 위반의 폭거와 관련, 일 정부는 이를 강하게 비난하고 이라크 군이 즉시 철수할것을 요구하면서, 이라크에 대한 경제제재를 실시하여 왔으나, 이라크 정부가 이에 응하지 않고 있는데 대해 우려를 금할수 없음.

0 유엔 안보리는 이라크 및 쿠웨이트 주재 외국인의 안전보증과, 출국을 희망하는 사람은 출국시키도록 결의 했지만, 이라크가 전향적인 해답을 제시하지 않은 것은 진정 용서할수 없는 사태임.

0 일 정부는 관계제국과도 협의하면서 교민(일본인)의 안전조치를 위해 가능한 조치를 강구하여 왔음. 현재 쿠웨이트로 부터 출국한 많은 교민(일본인)을 포함, 다수의 외국인이 이라크 당국의 손에 의해 자유를 박탈당한 상태에 놓여 있는 사태는 국제사회에 있어서 용납되어서는 안될 행위임. 일 정부는 교민의 안전 확보를 위해 일층의 노력을 계속할 결의임.

0 국제사회의 평화와 안정에 책임있는 역할을 수행하지 않으면 안될 위치에 있는 일본으로서는 헌법하에서 평화의 회복을 위해 할수 있는 최대한의 공헌을 하지 않으면 안됨. 일 정부로서는 이를 위해 가능한 조속히 구체적인 방책을 마련해 나갈 것임.

0 사태의 심각성을 감안, 국민들의 이해를 구함.

2. 한편, 일 외무성은 연호 일본인 213 명과 함께 피난한 대사관 직원 10 명은

중아국	장관	차관	1차보	2차보	아주국	아주국	통상국	정문국
청와대	안기부	대책반						

PAGE 1

90.08.24 21:48

외신 2과 통제관 DO

0035

연금상태의 호텔에서 풀려났으나, 동인들에 대해 이라크 정부가 외교특권을 계속 인정할지 여부와 이들의 향후 이라크 출국 전망에 대해서는(이라크로 부터) 상금 입장을 들은바 없어 전망이 불투명한 상태라고 함.

3. 또한 일 외무성은 연호 쿠웨이트 일본대사관을 지키고 있는 잔류 직원 2 명에게 이라크가 공관폐쇄 시한을 제시한 8.24. 이후 만약의 사태시(군에 의한 공관 강제 폐쇄등) 물리적으로 대항하지 말고 이라크로 철수토록 이미 훈령을 내렸다고 하며, 한편 일 외무성은 이라크 당국이 제시한 8.24. 시한에 대해서는 외교특권의 정지 경우 8.24. 12:00 공관폐쇄는 8.24. 24:00(이상 쿠웨이트 시간)으로 알고 있다고 하였는바, 참고 바람. 끝.

(대사대리 김병연-국장)

예고:90.12.31 까지

PAGE 2

0036

김

원 본

암호수신

외 무 부

종 별 :

번 호 : JAW-5197 일 시 : 90 0827 2152

수 신 : 장관(미북,기협,중근동,아일,정일) 사본:주일대사

발 신 : 주 일 대사(일정)

제 목 : 이라크,쿠웨이트사태

8.25. 유엔안보리가 채택한 '무력행사용인' 결의관련, 주재국 언론등의 동결의의 배경 및 향후 유엔 역하의 평가에 대해 하기 보고함.

1. 결의채택 배경

0 금번 결의는 당초 유엔의 제재실시를 위해 대규모 전력을 전개한 미국에 대해 소련, 프랑스등이 '월권'이라고 비판을 제기한데 연유한다고도 볼수있음. 즉, 미국은 미국만이 돌출하는것은 아랍제국의 반미감정을 자극함으로써 여타 국가의 보조마저도 흐트러뜨릴 것을 우려하였음.

- 또한 미국으로서는 친이라크 국가에 의한 분쟁의 조정시도가 중단된 상태에서 소극자세를 가진 국가들을 끌어들여 제재포위망을 강화하면서 무력행사의 위협을 통해 이라크로부터 최대한의 그리고 조속한 양보를 얻어내기 위해서는 유엔의 권위가 불가피 했던것으로 보여짐.

0 한편, 쏘련은 냉전후의 공백을 유엔의 기능으로 대체함으로써 계속 발언권을 유지하겠다는 입장에서 '유엔군'의 결성을 제창하면서 군사면에서 선행하는미국의 '움직임'을 '추인'하는 결의에는 신중한 자세를 취했으며, 중국 또한 '역내해결' 및 '평화적수단' 의 원칙에 따라 결의에는 난색을 표시하였는바, 이에대해 미국은 사태의 긴급성 및 5 대 상임이사국간 협조의 중요성을 들어 설득,결국 최대한의 '정치, 외교조치'란 문구를 사용함으로써 금후 교섭의 여지를 남기게 되었음.

2. 평가

0 그러나 현실은 미.쏘의 영향력 퇴조속에 분쟁을 억지하는 종래의 장치가 붕괴됨에 따라 위협에 직면한 대국이 '협조'하지 않을수 없도록 몰리게 되었다고보는것이 사실에 가깝지만, 금후 협조의 구체적 양태나 안보리의 위치설정은 불확정 요소가 많은것으로 보여짐.

미주국 장관 차관 1차보 2차보 아주국 중아국 중아국 경제국
정문국 청와대 안기부 대책반

PAGE 1

90.08.27 22:38

외신 2과 통제관 CF

0037

0 평화적 수단을 원칙으로하면서 위협에 대해서는 강력한 집단 안보조치로 대항한다는 헌장의 정신을 유엔이 어디까지 관철할수 있을지는 불투명해 보이며,최근 기대가 높아가는 유엔은 창설이래의 시련에 직면한 것으로 보여짐.끝

(대사대리 김병연-국장)

0038

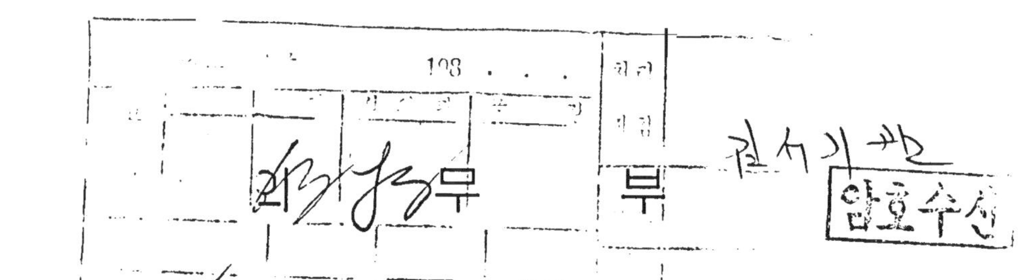

종 별 :

번 호 : JAW-5197 일 시 : 90 0827 2152

수 신 : 장관(미북,기협,중근동,아일,정일) 사본:주일대사

발 신 : 주 일 대사(일정)

제 목 : 이라크,쿠웨이트사태

8.25. 유엔안보리가 채택한 '무력행사용인' 결의관련, 주재국 언론등의 동결의의 배경 및 향후 유엔 역하의 평가에 대해 하기 보고함.

1. 결의채택 배경

0 금번 결의는 당초 유엔의 제재실시를 위해 대규모 전력을 전개한 미국에 대해 소련, 프랑스등이 '월권'이라고 비판을 제기한데 연유한다고도 볼수있음. 즉, 미국은 미국만이 돌출하는것은 아랍제국의 반미감정을 자극함으로써 여타 국가의 보조마저도 흐트러뜨릴 것을 우려하였음.

- 또한 미국으로서는 친이라크 국가에 의한 분쟁의 조정시도가 중단된 상태에서 소극자세를 가진 국가들을 끌어들여 제재포위망을 강화하면서 무력행사의 위협을 통해 이라크로부터 최대한의 그리고 조속한 양보를 얻어내기 위해서는 유엔의 권위가 불가피 했던것으로 보여짐.

0 한편, 쏘련은 냉전후의 공백을 유엔의 기능으로 대체함으로써 계속 발언권을 유지하겠다는 입장에서 '유엔군'의 결성을 제창하면서 군사면에서 선행하는미국의 '움직임'을 '추인'하는 결의에는 신중한 자세를 취했으며, 중국 또한 '역내해결' 및 '평화적수단' 의 원칙에 따라 결의에는 난색을 표시하였는바, 이에대해 미국은 사태의 긴급성 및 5 대 상임이사국간 협조의 중요성을 들어 설득,결국 최대한의 '정치, 외교조치'란 문구를 사용함으로써 금후 교섭의 여지를 남기게 되었음.

2. 평가

0 그러나 현실은 미.쏘의 영향력 퇴조속에 분쟁을 억지하는 종래의 장치가 붕괴됨에 따라 위협에 직면한 대국이 '협조'하지 않을수 없도록 몰리게 되었다고보는것이 사실에 가깝지만, 금후 협조의 구체적 양태나 안보리의 위치설정은 불확정 요소가 많은것으로 보여짐.

미주국	장관	차관	1차보	2차보	아주국	중아국	중아국	경제국
정문국	청와대	안기부	대책반					

PAGE 1

90.08.27 22:38

외신 2과 통제관 CF

0039

0 평화적 수단을 원칙으로하면서 위협에 대해서는 강력한 집단 안보조치로 대항한다는 헌장의 정신을 유엔이 어디까지 관철할수 있을지는 불투명해 보이며,최근 기대가 높아가는 유엔은 창설이래의 시련에 직면한 것으로 보여짐.끝

(대사대리 김병연-국장)

0040

관리 번호	90/1484

원 본

외 무 부

종 별 :

번 호 : JAW-5198 일 시 : 90 0827 2153

수 신 : 장관(중근동,아일,정일) 사본:주일대사

발 신 : 주 일 대사(일정)

제 목 : 중동사태

연 : JAW-5176

1. 일 외무성은 이락크군에 의해 포위된 가운데 전기, 수도 및 전화통신이 단절된 쿠웨이트 일본대사관 직원 2 명이 현재 고온, 식수부족 및 냉장고 불작동으로 인한 음식물 부패(건빵으로 지내고 있는 상태라함)등 환경 악화로 인해 견디기 어려운 위치에 처해 있음을 감안, 미국등 서방과의 협조하에 현상황을 관찰하면서(대사관의 일시 폐쇄, 공관직원의 일시철수)문제도 심각히 고려중이나 상금 구체적(철수)시기에 대한 결정은 하지 않고 있으며, 최종판단은 현지 직원의 의사를 감안, 조만간 결정할 것이라고함(8.27. 사까모또 관방장관도 기자회견시 상기 요지의 내용언급)

2. 한편, 연호 바그다드의 만수르 메리아 호텔로 부터 이라크 당국에 의해 다른 장소로 강제 연행된 20 명의 일본인 소재는 아직 불확실하다고 함.

- 그러나 동 호텔에 수용되어 있는 나머지 일본인 190 여명에 대한 식량반입 및 호텔내 수영등은 허용되고 있는것으로 보아 안전에는 큰 위협이 없는것으로 보고있으나, 대사관직원과 면회등의 접촉은 여전히 금지된 상태라고 함. 끝

(대사대리 김병연-국장)

90.12.31. 까지

중아국	장관	차관	1차보	2차보	아주국	중아국	정문국	청와대
안기부	대책반							

PAGE 1

90.08.27 22:46

외신 2과 통제관 CF

0041

관리번호	90/10P3

원 본

외 무 부

종 별 : 지 급

번 호 : JAW-5225 일 시 : 90 0828 2258

수 신 : 장관(중근동, 영재)

발 신 : 주 일 대사(일정)

제 목 : 주쿠웨이트 대사관 일시 폐쇄문제

연 : JAW-5176

1. 외무성 히라오까 재외국민과장이 8.28(화) 19 시 당관 이준일 참사관에 통보해 온바에 의하면, 일본 외무성은 이미 쿠웨이트주재 대사관 직원 2 명의 바그다드에로의 철수 및 공관 일시폐쇄 관련, 현지직원의 판단에 일임하였으며, 현재 기후 및 음식물 조건에 비추어 더이상 지탱하기가 힘들어 금명간 철수하게 될 것으로 본다함.

2. 동 과장은 자체 발전기를 보유하고 있는 미국등 각국 대사관 사정이 틀리므로 일본이 먼저 일시 공관폐쇄 조치를 해도 서방각국의 일본에 대한 불만의 여지는 없을것으로 본다고 언급하였으며, 당지 언론도 여사한 견해를 보도함.

3. 주재국 나까야마 외상도 8.28(화) 기자회견에서 상기 1 항 요지의 발언을 하였음. 끝

(대사대리 김병연-국장)

예고 : 90.12.31. 일반

Mr. 朴

중아국 장관 차관 1차보 2차보 영교국 청와대 안기부 대책반

PAGE 1 90.08.28 23:21

외신 2과 통제관 EZ

0042

관리 번호	90/1517

원 본

외 무 부

종 별 : 지 급

번 호 : JAW-5245 일 시 : 90 0829 1738

수 신 : 장관(중근동,아일,정일),사본:주일대사

발 신 : 주 일 대사대리(일정)

제 목 : 중동사태

1. 일 외무성에 의하면, 미국무성의 미국내 이라크 외교관 추방 및 여행제한 조치 관련, 미측으로 부터 일측도 미국에 동조해 주도록 협조 요청이 있었다고 하는바, 이와관련 일 외무성은 미측의 요청을 그대로 따를수는 없으나, 일본도 나름대로 외교관수의 축소 및 활동제한 조치를 검토하고 있으며, 구체적 조치는 향후 서방의 대응태도를 보아가면서 결정할 것이라고 함. (주재국 관방장관도 8.28. 기자회견에서 동요지 발언)

2. 한편, 당지 주재 사우디, 쿠웨이트, 오만, 카타르 4 개국 대사는 8.28. 츠찌야 참원 의장을 면담, 쿠웨이트를 침공한 이라크를 비난하는 국회결의를 채택하여 주도록 요청하였는바, 이와관련 국회측에 의하면 현재 국회가 폐회중이므로 동 대사들의 요구대로 국회결의가 채택되기는 당분간 어려운 것으로 보인다고하였음. 끝.

(대사대리 김병연-국장)

예고:90.12.31. 까지

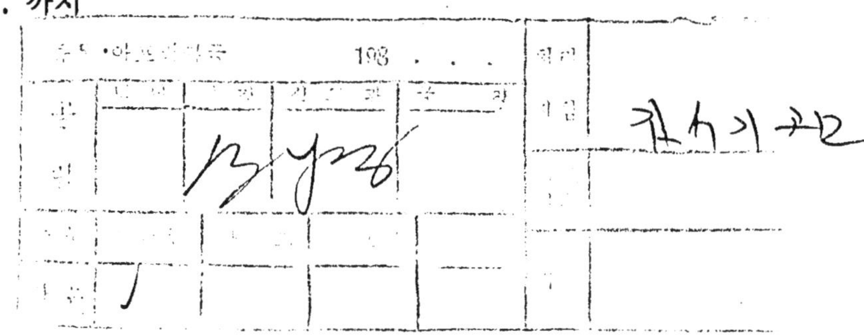

중아국 장관 차관 1차보 2차보 아주국 정문국 대사실 청와대
안기부 대책반

PAGE 1

90.08.29 18:21

외신 2과 통제관 BT

0043

관리번호	90-550

외 무 부

종 별 : 지 급

번 호 : JAW-5256 일 시 : 90 0830 0050

수 신 : 장관(중근동,아일,정일)사본:주일대사

발 신 : 주 일 대사(일정)

제 목 : 주쿠웨이트 일본대사관 일시퇴거

연 : JAW-5225

1. 외무성 와타나베 중근동아프리카국장은 8.29(수) 20:30 외무성에서 기자회견을 갖고 주쿠웨이트 대사관에 잔류중이던 2 명이 건강상 한계에 도달 및 물리적 위험에 직면했다고 판단됨에 따라 8.29(수) 밤(현지시간) 바그다드 소재 일본 대사관저에 도착하였다고 발표하고, 이는 대사관의 폐쇄가 아니라 일시퇴거(서방국 대사관으로는 최초)일 뿐이라고 언급함.

2. 한편, 와타나베 국장은 상기 일본대사관 직원의 일시퇴거에 대하여 사전에 주요국에 통보, 양해를 구하였다고 언급함.

3. 또한 상기 주쿠웨이트 대사관원 2 명은 8.25 쿠웨이트 주둔 이라크 사무소의 출두 명령에 따라 출두후, 이라크측의 지시에 따라 8.29 퇴거시까지 낮에는 대사관, 밤에는 호텔에서 숙박하였음이 와타나베 국장의 의해 공개됨.

4. 다른한편, 바그다드 만스루 메리아호텔에 연금중인 200 여명의 일본인이 여타의 장소로 이송되었다는 설이 이라크 정보상의 말을 인용, 일시 유포되었었으나, 8.29. 23 시 주재국 T.V. 는 동인들이 상금 호텔에 있음을 확인했다고 보도함. 끝

(대사대리 김병연-국장)

예고 : 90.12.31. 일반

1990.12.31. 에 예고문에 의거 일반문서로 재분류됨

중아국 장관 차관 1차보 2차보 아주국 아주국 통상국 정문국
청와대 안기부 대책반

PAGE 1

90.08.30 01:17

외신 2과 통제관 DO

0044

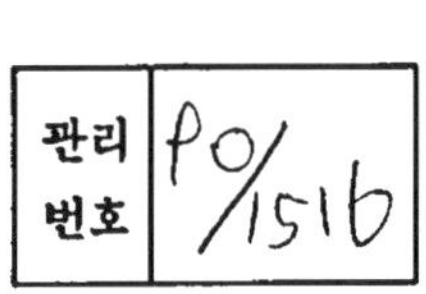

외 무 부

종 별 : 지 급

번 호 : JAW-5255 일 시 : 90 0830 0050

수 신 : 장관(아일,중근동,미북,정일,재무부,국방부)사본:주일대사

발 신 : 주 일 대사(일정)

제 목 : 중동사태 해결을 위한 일본 공헌방책

연 : JAW-5112

1. 카이후 수상은 금 8.29. 21:00 기자회견을 갖고, 이라크의 쿠웨이트 침공으로 야기된 중동사태 해결을 위한 일본의 공헌방책을 발표하였는바, 요지 하기 보고함.

가. 기본 목표

0 유엔결의에 따라 일본으로서도 중대한 국익이 걸려있는 페르샤만지역의 평화회복을 위한 광범한 국제적 노력에 적극 참가하기 위함.

0 소련 및 중립국인 스위스도 적극 협력하는 현 상황에서 선진민주국가인 일본이 고정될수는 없으며 국력에 부응하는 독자적인 조치를 강구함.

나. 당면 공헌방책의 주요내용

1) 페르샤만 평화회복을 위한 4 개 협력(유엔안보리의 관련 결의에 따라 활동하는 각국에 대한 지원)실시

0 수송협력

- 각국활동에 수반되는 방대한 수송수요를 감안, 정부가 민간항공기, 선박을 차용하여 식량, 식수, 의약품등 비군사적 물자를 대상으로 수송협력을 행함.

0 물자협력

- 사막지대에서의 활동지원을 위해 방서 및 식수 확보등의 측면에서 기자재를 제공하기 위해 필요한 조치를 취함.

0 의료협력

- 물적, 재정적인 면 뿐만 아니라, 인적측면에서도 적극적 공헌을 행하겠다는 관점에서 100 명을 목표로 의료단을 긴급 파견할수 있는 체제를 조속히 정비하는 한편, 우선 의사, 간호원등 10 명의 선발대를 파견함.

0 자금협력

아주국	장관	차관	1차보	2차보	아주국	미주국	중아국	정문국
청와대	안기부	국방부	재무부	대책반				

PAGE 1

90.08.30 04:56

외신 2과 통제관 DO

0045

- 상기 조치에 추가, 각국 항공기, 선박의 차용경비등의 일부에 충당하기 위해 적절한 자금협력을 행할것이며, 자금협력의 규모 및 방법등에 대해서는 금후 조속 검토함.

2) 중동관계국에 대한 지원

0 주변제국에 대한 지원

- 긴급하고 심각한 경제적 곤란에 직면한 요르단, 터키, 에집트등 주변제국에 대해 상당규모의 양허성이 높은 자금지원등의 경제협력을 실시함. 또한 동 제국에 대한 관계 국제기관으로부터의 적극적 지원을 위해서도 일본으로서 최대한 협력함.

0 난민원조

- 관계국제기관의 요청을 감안, 필요자금의 상당부분을 부담하고, 우선 요르단의 난민지원을 위해 1,000 만불을 원조함.

다. 중장기적 관점에서의 현행법령, 제도의 수정

0 국제사회에서 일본이 차지하는 위치를 감안, 유엔의 활동 및 이를 지원하는 가맹국의 국제적 노력에 협력하기 위한 일본의 책무를 적절히 수행하기 위해 현행법령, 제도를 수정해 나가고, 또한 헌법의 범위내에서 유엔평화협력법(가칭)과 같은 새로운 법률의 제정도 진지하게 검토할 방침임.

2. (당관관찰) 상기 일정부 공헌책은 금번 중동사태와 관련한 미국측의 강한 지원 요청에 따라 일측으로서는 현행 헌법의 범위내에서 일본 나름의 가능한 공헌방책을 검토, 발표한 것으로 보이는바, 당관이 관찰한 주요 특징은 하기와 같음. (구체적 내용은 향후 추가 보완될 것으로 사료됨)

0 우선 헌법의 범위내에서 대처한다는 기본방침에 입각, 가능한한 민간의 협력을 크게 요청한 것으로 보임.

0 상기 공헌방책 검토시 일정부로서는 공헌방책에 따른 현행 법령의 해석을 둘러싸고 정부, 자민당내에서도 큰 논란을 벌인것으로 사료되는바, 수상실 및 외무성측에서는 가능한 법의 확대해석을 회피한 것으로 보여짐.

- 그러나 카이후 수상의 자위대 해외파견 가능성 부인발언(금번 기자회견시)에도 불구, 금번 공헌방책을 계기로 향후 일 국내에서는 국제사회에서 일본의 정치, 경제적 활동강화를 지원하기 위해 헌법을 비롯한 현행 법률을 재정비해야 한다는 주장이 크게 대두될 것으로 사료됨.

- 따라서, 카이후 수상이 금일 기자회견에서 밝힌 유엔평화협력법(가칭)이 향후

어떤 내용을 포함할지 여부가 주목되며, 또한 금번 논의를 계기로 현행 자위대법에 해외파견 자위대요원의 임무 및 권한등의 규정을 새로 설정함으로써, 의료, 수송, 통신등의 분야에서 자위대요원 해외파견의 길을 열기 위한 자위대법 개정을 시도할지 여부도 촛점의 하나라고 보여짐.

0 한편, 카이후 수상은 미국측 요청에 최대로 부응한 것이라고 하였으나, 일측은 미국측 반응에도 크게 관심을 기울이고 있는것으로 보여짐.

3. 참고로, 카이후 수상의 공헌방책 발표관련, 일국내 각정당은 하기와 같이 논평하였음.

가. 사회당

0 유엔활동에의 효과적 공헌은 중요하나 요원파견은 유엔요청이 있는 경우에 한해 파견문제로 신중검토

나. 공명당

0 의료요원의 파견은 필요하나, 수송등의 요원파견에는 새로운 입법 필요

다. 민자당

0 요원파견은 필요하며, 자위대 파견도 검토할 필요있음.

라. 사민련

0 의료등의 요원파견은 필요함., 마. 공산당

0 경제지원은 필요하나, 자위대요원 파견에는 반대함. 요원파견은 민간 베이스로 추진. 끝

(대사대리 김병연-국장)

90.12.31. 까지

PAGE 3

0047

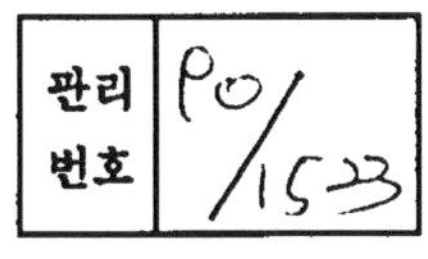

외 무 부

종 별 :

번 호 : JAW-5273　　　　일 시 : 90 0830 1615

수 신 : 장관(경일,통이,아일,중근동)사본:주일대사

발 신 : 주 일 대사(경제)

제 목 : 일본정부의 중동지원대책 관련 경제계 반응

연 : JAW-5255

1. 8.29 일본정부가 결정한 표제 대책에 관한 주재국 경제계의 반응을 하기보고함.

0 일본의 경제계는 이라크-쿠웨이트 사태가 전반적인 경기혼란 야기까지는 이르지 않을것으로 전망

0 연호 일본정부의 조치에 대하여 사이또 경단련 회장을 비롯한 대부분의 경제계 인사들은 현행헌법이나 제반 법규하에서 취할수 있는 최대한의 대책으로 평가

0 그러나, 일부에서는 연호 내용에 대하여 불만스러운 의견도 있는바, 향후일본이 유사한 사태 발생시 적극적으로 대응할수 있도록 법제 개정을 요망

2. 일본 경제계의 일부에서는 이전부터 징병제 부활, 무기수출등의 주장이 있었으나, 미.소 긴장완화등 제반상황에 따라, 이러한 강경의견이 금번 사태에서는 표면화되지 않고 있음. 끝

(공사 이한춘-국장)

90.12.31. 까지

검토필 (1990.12.31.)

경제국 차관 1차보 2차보 아주국 중아국 통상국 대사실 청와대 안기부

PAGE 1

90.08.30 17:22
외신 2과 통제관 BT
0048

관리번호 PO-1682

외 무 부

종 별 :

번 호 : JAW-5298 일 시 : 90 0831 1813

수 신 : 장관(중근동,아일,정일,경일)

발 신 : 주 일 대사(일정)

제 목 : 일정부 중동지원책

연 : JAW-5255

1. 일정부 관방장관은 8.30. 연호 다국적군 지원을 위한 수송, 물자, 의료 및 자금협력의 방법으로 10 억불을 금년도 예산에서 지출하기로 결정했다고 발표하였음.

2. 동 금액은 당초 지원책 발표시에는 금액 결정이 되지않은 상태에서 향후검토키로 한것이나, 8.29 카이후 수상이 연호 일본의 지원책을 발표한 직후 이를 서둘러 밝힌것은 미국측을 크게 의식한 카이후 수상의 정치적 결정으로 보여짐.

- 일 외무성에 의하면 당초 미측은 20-30 억불의 지원을 요청하였다고 하나, 90 년도 일정부의 예비비 총액이 3,500 억엔임에 비추어 금번 일정부의 10 억불(1,500 억엔)지원 금액규모는 금년 일정부의 예산에 상당한 부담으로 작용할것으로 보인다고함. 끝

(공사 김병연-국장)

90.12.31. 까지

예고문에 의거 일반문서로 재분류19 90.12.31 서명

중아국	차관	1차보	2차보	아주국	경제국	정문국	청와대	안기부
미주국	대책반	장관						

PAGE 1

90.08.31 18:52

외신 2과 통제관 BT

0049

원 본

암 호 수 신

외 무 부

종 별 :

번 호 : JAW-5318 일 시 : 90 0901 1833

수 신 : 장관(미북,기협,정일,중근동,아일,국방부)

발 신 : 주 일 대사(일정)

제 목 : 중동정세의 현상과 전망

일외무성 사토 정보조사국장은 8.31 현재 미국중심의 다국적군과 이라크사이에 교착상태를 보이고 있는 중동정세에 대해 우발적 사건이 아니면 당분간 군사충돌은 없을것이라고 하고, 금번 분쟁은 포스트 냉전시대의 새로운 국제질서 형성과정에서 선례가 된다는 점에서 중요하다는 점을 지적하면서 중동사태의 현황과 전망에 대해 언급하였는바, 동 요지 하기 보고함.(동 내용은 9.1. 당지 마이니찌 신문과의 인터뷰 기사임)

1. 미국과 이라크의 군사충돌 가능성

0 좁은 지역에 대규모 군대가 집중되어 있음으로 인해 우발적 사건의 발생 가능성을 전혀 배제할수만은 없지만, 군사충돌은 당분간 없을것으로 보여짐.

- 첫째, 이라크의 사우디 공격은 미국등의 항공병력이 억지력을 발휘할 수 있는 상태이기 때문에 가능성이 적음.

- 둘째, 이라크가 아랍의 대의명분을 노리고 있지만, 이스라엘을 끌어들일 가능성도 적다고 생각함. 81 년 이스라엘로부터 원자력시설을 철저히 공격당한 경험이 있는 훗세인 대통령으로서는 최후수단이 아닌한 이스라엘에 대한 공격위험을 알고 있다고 생각함.

- 셋째, 미국의 이라크 선제공격 가능성도 적음. 원래 미국은 이라크의 사우디 침공을 저지하고 위함이 목적이며, 이라크의 공격을 받지 않는한 전투행위로 들어가지 않을것임. 또한 중전차등 지상군의 정비완료 시기도 9 월 중순내지 하순으로 이야기되고 있음.

2. 미국내 비판여론 대두 가능성

0 여론은 강, 연 두갈래가 있을수 있지만, 중요한 것은 금번 분쟁이 미국대 이라크의 전쟁이 아니라고 하는 점임. 유엔안보리 결의에도 분명하듯 국제사회의

미주국	장관	차관	1차보	2차보	아주국	중아국	경제국	정문국
청와대	안기부	국방부	대책반					

PAGE 1

90.09.01 20:30

외신 2과 통제관 EZ

0050

이라크에 대한 제재이며, 중립국인 스위스도 제재에 가담하고 있음.

3. 대이라크 경제제재 효과

0 이라크에 대한 효과가 나오기 까지에는 시간이 걸릴것으로 생각함. 사탕 및 식용류는 현재 부족한 것으로 보이나, 곡물은 수개월분의 비축이 있다고 하며, 금년 수확물도 있음. 제재가 전반적으로 효과를 발휘하기 위해서는 빨라도 2-3개월 후라고 생각함.

4. 정치해결의 가능성

0 유엔안보리 결의를 지키기 위한 각국의 보조일치와 주변 아랍국가들이 중요함.

0 이란이 어떻게 움직이느냐도 중요함. 이란이 제재에 참가하고 있는것이 중요하며, 그런점을 인식하여 행동해야 한다고 생각함.

5. 정치해결과정에서의 일본역할

0 일본의 첫번째 역할은 유엔안보리 결의를 지키는 일임. 괴로운 점도 있겠지만, 새로운 국제질서를 지키기 위해서는 경제대국으로서의 책임을 이행해야만 함.

6. 인질문제와 문제해결의 연관성

0 양자는 차원이 다른 문제임. 인질문제는 자체가 중요한 것이며, 이 문제때문에 유엔안보리 결의를 무시하고 이라크에 여유를 주는 일이 있어서는 안된다는 것이 국제적으로 일치된 의견임.

0 양자가 각기 중요하며, 어떻게 양립시키느냐가 가장 어려운 점임.끝

(공사 김병연-국장)

0051

다. 일 정부의 최근 "페"만 사태 대응동향

일 정부는 중동사태 해결을 위한 일본의 기여방안으로 최근 다국적군 및 분쟁 주변국에 약 40억불 정도의 자금 및 물자지원과 함께 유엔평화 협력대를 창설하여 자위대원을 포함한 인적지원을 하려고 모색하고있음. (주일무관 보고)

o 일 정부는 중동사태 해결을 위한 일본의 기여방안으로 우선 현행법 범위내에서 당면 조치후(1단계 조치),법 개정 및 신규예산 편성등을 요하는 사항에 대해서는 중기적 조치를 취한다(2단계 조치)는 기본 방침 설정(8.22)하에,

o 8.29일 수송, 물자,의료, 자금협력을 골자로 하는 1단계 조치 방안을 발표한 한후

* 1단계 조치요지

o 다국적군 지원 - 수송협력 : 민간 항공기 및 선박 임대지원(비전투 물자수송용) - 물자협력 : 기자재 제공 - 의료협력 : 100명 규모 의료팀 파견 - 자금협력 : 다국적군의 항공기, 선박임대 비용 일부 부담 o 분쟁주변국 지원 : 요르단,터키,이집트 등에 자금 원조 o 난민원조 : 요르단에 난민대책비 지원(1,000여만불)

28 - 26

0052

- 이를 위해 다국적군에 10억불 규모의 재정지원을 약속 (8.30)한데 이어

- 사막용 4륜차량 약 800대를 선박편으로 사우디로 출항 시켰으나(9.6)

  * 동 선박 출항은 정부측이 해운 노조에 통보치않고 비밀리에 추진함으로써 노조측이 이에반발 출항이 예정보다(9.5)늦어졌음.

- 이 이상은 국내법률 및 요원확보 곤란등으로 구체적으로 실현되지 못하고 있음.

o 한편, 미측은 일측의 상기 1단계 조치 발표내용을 높이 평가하면서도 그 이행이 미진하자

- 9.7일 재무장관을 일본에 파견하여 다국적군에 10억불의 추가지원을 요청한데 이어

- 9.12일 미 하원에서는 일본의 중동지원책 미진을 이유로 주일미군 유지비 전액을 일측이 부담하지 않을경우 매년 5,000명씩 주일미군을 삭감한다는 "보니어"수정안을 통과 시켰음.

o 이와같은 미측의 압력해소와 1단계 조치이행을 위하여 일 정부는 법개정 및 신규예산 편성등 2단계 조치가 불가피 하게 되자

- 9.7일 현행헌법과 자위대법하에서도 자위대원의 해외파견을 근본적으로 가능하게 하기위한 "유엔평화협력대"(가칭)를 창설한다는 방침하에

28 - 27

0053

. 이를 위한 "유엔평화협력법"을 제정키 위해 외무성을 중심으로 구체적인 법제정 작업을 착수하는 한편

* 자위관(예비역 포함), 공무원,민간인들로 구성된 1,000여명 규모의 비상설기수로서 파견시는 외무성 또는 총리부 소속 공무원으로 신분이 변경되며 임무 종료후 원대복귀.

. 우선 의료관계 자위관을 외무성요원 자격으로 파견하는 "경비관 방식"을 본격 검토하고 있음.

* 경비관 방식은 10년전부터 해외 일본대사관 경비목적으로 방위청 및 경찰청등의 요원을 외무성 서기관 신분으로 변경시켜 현재 약 115명 정도가 파견되어 있음.

- 한편,자금지원에서는 다국적군에 기 약속한 10억불에 추가로 10억불을 지원하기로 하고(9.15) 이집트,터키, 요르단등 분쟁주변국에 20억불의 저리 엔 차관을 제공키로 결정(9.14)하는등 총 40억불 규모의 자금을 지원하기로 하였음.

o 이와같이 일 정부는 중동사태 해결 지원을 명분으로 대규모 자금 제공과 함께 자위대의 해외파견을 실현하여 국제사회에서의 일본의 위상을 일층 제고시키려할 것으로 전망됨.

28 - 28

0054

<參　考>

WEU諸國의 페灣事態 關聯 軍事力 派遣現況

(90.9.20 현재)

國　別	內　容
英　國	ㅇ 艦艇 7척(구축함 1, 프리킷함 2, 소해정 3, 지원함 1) 페灣 派遣 ㅇ 재규어 戰鬪機 12대 및 Nimrod 해상초계기 數臺(오만 派遣), 토네이도 戰鬪機 27대(사우디 派遣) ㅇ 120대의 탱크와 8,000여명으로 편성된 기갑여단 사우디 派遣 ※ 현재 總兵力 : 1만 1,000명(陸軍 8,000명, 海·空軍 3,000명)
佛 蘭 西	ㅇ 艦艇 16척(항모 1, 프리킷함 4, 호위함 4, 순양함 4, 지원함 3척) 페灣 派遣 ㅇ 사우디에 地上軍 4,000명 派遣 명령(9.15 「미테랑」大統領) ※ 현재 總兵力 : 1만 3,000명(海軍 4,000명, 陸軍 8,000명, 空軍 1,000명)

42-30

0055

國　別	內　容
西　獨	○ 艦艇 5척(소해정 4, 보급선 1) 지중해 및 홍해에 派遣
伊太利	○ 艦艇 6척(콜벳트함 2, 프리킷함 3, 보급함 1) 페灣 派遣 ○ 토네이도 전투기 8대 地中海 派遣
스페인	○ 艦艇 4척 페灣 派遣
和　蘭	○ 프리킷함 2척 페灣 派遣 ○ F-16 戰鬪機 18대 派遣 豫定
벨지움	○ 艦艇 3척(기뢰제거함 2, 보급선 1) 地中海 派遣

42-31　　0056

관리번호 90-2005

아·중동대책상황반 김

외 무 부

종 별 :

번 호 : JAW-5765　　　　일 시 : 90 0925 1811

수 신 : 장관(아일,미북,중근동,정일)

발 신 : 주 일 대사(일정)

제 목 : 일본의 중동사태 비용분담

연:JAW-5680

1. 일 정부는 금 9.25. 각의에서 연호 카이후 수상의 방미 및 중동순방 계획을 정식을 결정 하였는바, 동 일정 하기 보고함.

- 9.28 일본 출발
- 9.29. 부시대통령과 회담(미확정)
- 9.30. 아동을 위한 세계정상회의 참석
- 10.1. 뉴욕 출발
- 10.2. 에집트 방문
- 10.3. 요르단 방문
- 10.4-5. 터키 방문
- 10.6. 사우디 방문
- 10.7-8 오만 방문
- 10.9. 귀국

2. 한편, 일 정부는 분쟁주변국에 대한 경제협력 20 억불중 긴급상품차관(금리 1 프로, 상환기간 30 년)으로 지원키로 한 6 억불을 에집트에 3 억, 터키에2 억, 요르단에 1 억불씩 나누어 지원키로 방침을 결정하였다고 하는바, 참고 바람. 끝.

(공사 김병연-국장)

예고:90.12.31. 까지

예고문에 의거 일반문서로 재분류199 0 12.31 서명

아주국　미주국　중아국　정문국

PAGE 1　　　　90.09.25 20:09

외신 2과 통제관 EZ

0057

관리번호	90/1745

외 무 부

종 별 : 지 급

번 호 : JAW-6120 일 시 : 90 1008 1639

수 신 : 장관(아일,중근동,정일)

발 신 : 주 일 대사(일정)

제 목 : 일 외상 시리아 방문

1. 일 외무성은 중근동 1 과에 확인한 바에 의하면, 나카야마 일 외상은 10.9-10. 간(런던, 로마 경유하여 10.12. 귀국) 시리아를 방문할 예정으로 있다고함.

2. 이와관련, 동 외상은 유엔에서의 귀국 3 일만에 10.7. 다시 일본을 출발하였는바, 동 외상이 급히 시리아를 방문하게 된 배경에는 금번 중동사태에서 대이라크 관계에서 시리아가 경제제재에 참가하고 다국적군에 군대를 파견하는등 중요한 역할을 하고 있음에도 불구하고 분쟁 주변국에 대한 일본의 경협 제공은 이집트, 터키, 요르단 3 개국에 한정하였을 뿐만 아니라 현재 카이후 일 수상의 중동 5 개국 순방에도 제외되어 있는 것과 관련, 시리아측이 일정부 고위레벨 인사의 방문을 강력히 요망한데 따른 것이라고 함.3. 따라서 금번 일 외상의 시리아 방문에서는 중동사태를 위요한 국제정세 및 경제 협력문제를 포함한 양국간 협력문제에 대해서도 광범하게 협의될 것이라고 함. 끝.(공사 김병연-국장)

예고:90.12.31. 까지

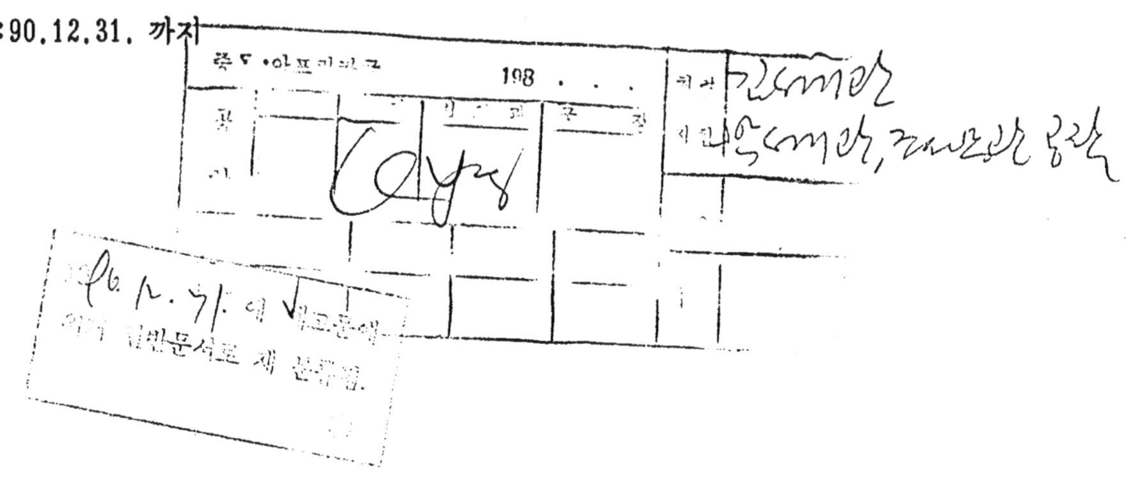

아주국	장관	차관	1차보	중아국	정문국	청와대	안기부

PAGE 1

90.10.08 17:49

외신 2과 통제관 CE

0058

日本軍 해외파견에 반대한다

社說

우리는 어떠한 형태로든 실질적인 日本의 해외파병에 반대하는 입장임을 분명히 하는 한편 이 문제에 관심이 깊은 南北韓을 포함한 東北亞및 東南亞국가들이 이에 공동대응할것을 제의한다. 우리의 이같은 입장표명과 제의는 이웃나라의 일에 부질없이 간여하기 위해서가 아니라 진실로 아시아 나아가서는 세계의 친선 평화 공동번영을 위하기 때문이다.

일본정부는 우리의 이같은 해외파병반대의견을 과거 日帝침략에의한 엄청난 피해자의 과잉피해의식에서 불쑥 튀어나온 시비로 보지말고 미래의 善隣과 우호를 위한 진심에서 우러나온 충고로 인식해야 한다. 이번 自衛隊의 中東파견이 실현되면 앞으로 일본군사력의 해외파견은 얼마든지 가능해질 것이고 이것 자체가 적어도 아시아지역에서는 불안요소의 확대될 가능성이 높다. 이것은 결코 아시아의 친선과 협력을 위해 바람직한 것이 아님은 두말할 나위가 없을 것이다.

우리는 일본을 위해서도 일본정부가 자위대의 중동파병법안을 철회할 것을 촉구한다. 일본이 이번 파견을 계기로 前面에 군림하는 군사大國으로 부상하게 되면 특히 아시아 이웃나라들의 反日감정과 경계의식은 부쩍고조될 것이다. 더욱이 2차대전전의 경험으로 보아 일본이 군사超强大國으로 팽창하게되는 경우 자칫 일본 스스로 불행을 자초할 개연성도 전혀 배제하기 어려울 것이다.

또한 美國을 위해서도 우리는 미국이 일본에 자위대파견 압력을 넣지말도록 요구한다. 일본은 미국의 요구에 따라 「國連平和協力법」을 제정, 이에 의거 자위대의 協力隊를 파견할 방침이라고 말하고 있다. 일본정부는 특히 일본의 군사정치대국을 지향하는 국수주의 군국주의세력 지도자들은 이번 미국의 요구를 핑계로 일본의 해외파병길을 트려고 안간힘을 쓰고 있음이 분명하다.

일본이 얼토당토않은 평화협력법을 만들어 자위대의 실질적 파병을 강력히 추진한 것은 누가보아도 명명백백하게 일본의 해외파병을 금지한 소위 평화헌법에 위배되는 처사다. 이 평화헌법을 누가 만들었는가. 일본의 전쟁도발을 방지키 위해 지난 46년 美 맥아더사령부가 제정 선포한 것이 아닌가.

우리는 미국의 쿠웨이트사태해결노력을 지지한다. 그러나 단기적인 쿠웨이트사태해결을위해 미국이 스스로 만든 헌법에 저촉되면서까지 해외파병을 하도록 유도하고 허용하는 것은 결코 현명한 처사가 아닌것으로 보인다. 미국은 장기적인 안목에서 이 문제를 다루어야 할 것이다.

지금은 일본이 미국의 군사력과 국제정치력 우산아래 잠자코있다고 하나 그 막강한 경제력과 기술력을 바탕으로 군사초강대국이 되는 날, 일본은 미국이 제어하기 어려운 상대가 될수 있음을 간과해서는 안된다. 미국은 일본의 2차대전도발과 끈질겼던 대항을 잊어서는 안될 것이다.

일본이 미국의 對이라크전쟁수행에 기여할 수 있는 길은 얼마든지 있다. 自民黨의 일부 지도자들과 사회당등 야당, 그리고 대다수 사회지도층이 주장하고있는 자금및 물자협력 의료지원등 여러가지 방안이 선택될 수 있다.

중국의 江澤民공산당총서기는 지난달 다케시타 노보루(竹下登)前일본수상과 회담하는 자리에서 자위대의 해외파견에 간접적으로 심심한 우려를 표시했으며 錢其琛외교부장도 「과거의 역사와 관계되는 문제로 불안감을 표명했다.

韓國정부지도자들도 이 문제에 대해 수수방관하는 태도를 버리고 깊은 관심을 가져야할 것이며 아시아 관련국가들이 공동으로 입장을 밝히는 방안도 모색해야할 것이다.

특히 本國의 태도가 과연 주체적인지 아닌지 우리는 깊이 주목할것이다.

0059

日本 自衛隊의 海外派兵 問題

1990. 10.

外 務 部

90. 11. 12 東北亞1課에서 接受.

0060

日本政府는 戰後 論難의 對象이 되어온 自衛隊의 海外派兵을 可能케 하는 "유엔 平和協力法案"을 마련, 이를 10月의 臨時國會에 상정할 豫定인 바, 同件 關聯內容 및 우리의 對應方向에 관하여 아래 報告드립니다.

유엔 平和協力法案 作成背景

o 최근 中東事態와 관련, 日本의 國際社會에서의 役割增大를 요구하는 美.西歐諸國等의 要求에 부응

o 世界平和를 威脅하는 突發事態에 能動的 對處 必要性 認識

o 東西和解에 따른 世界 秩序再編過程에서 日本의 經濟力에 상응하는 政治, 軍事的 役割 強化 意圖

그간의 경위

o 8.29. 카이후首相, 國際社會에서의 積極的 役割을 위한 國內法 體制整備의 일환으로 同法案 제정방침 표명

0061

o 9.27. 카이후 首相, 記者會見에서 同法案 관련 見解 表明

- 自衛隊가 유엔平和協力隊에 參加하는 것은 유엔결의에 의한 平和維持 活動에 대한 非軍事的 分野에서의 協力이므로 違憲이 아니라는 기존의 日政府 立場 강조

o 10.9. 카이후 首相, 自衛隊員으로서의 身分 및 職務를 유지한채 協力隊에 參加하는 "兼任制" 方式 決定 (言論報道)

* 當初에는 自衛隊員 身分은 維持하되 休職, 派遣의 形態가 有力視되었으나, 自民黨 및 防衛廳의 강력한 要求를 首相이 受容

法案의 主要 內容

o 法案의 目的 : 國際紛爭 解決을 目的으로 한 유엔결의에 입각, 그 실효성을 확보하기 위한 활동에 대해 유엔 平和協力隊의 派遣과 물자 협력을 행할 체제 정비

o 首相을 本部長으로 하는 "유엔平和協力隊" 설치, 外相이 同協力隊 派遣 要請時 閣議에서 派遣與否 決定

0062

o 主要任務 : 停戰監視, 選擧監視 및 管理, 輸送, 機資材의 유지.보수,

醫療, 災害民 救援, 戰禍復舊

o 武力에 의한 威脅이나 武力行使에 해당하는 행위는 하지 않음.

o 協力隊員은 일반 國家公務員으로 구성하나, 관련 行政機關, 地方 公共團體의 職員도 필요에 따라 參加 可能

o 自衛隊員도 協力隊에 參加 可能 (부칙에 규정)

評價 및 展望

o 中東事態를 계기로 그간의 오랜 과제였던 自衛隊 海外派遣을 위한 制度的 장치 마련 노력의 일환

o 특히, "兼任"을 認定, 自衛隊員으로서의 身分 및 職務를 유지케 함으로써, 協力隊에서 自衛隊의 活動範圍 強化

- 首相의 "비둘기派"的 이미지 및 指導力에 影響波及 豫想

o 상기 관련, 臨時國會에서 野黨과의 절충에 난관 예상

- 그러나 公明黨의 支持를 얻으면, 어떤 형태로든 自衛隊 派遣을 可能케 하는 法案 通過展望

0063

* 主要野黨의 立場

- 社會黨, 共產黨 : 自衛隊 派遣에는 어떤 형태이든 反對
- 公明黨 : 自衛隊員의 身分을 다른 公務員으로 변경, 醫療分野에 限定해야 하며, 自衛隊員의 兼任 反對
- 民社黨 : 非武裝 自衛隊員을 自衛隊員 身分을 유지한채 派遣, 다만 兼任의 경우는 贊成

主要國 反應

o 中國側, 日.中外相會談(9.27. 뉴욕)에서, 同件이 過去의 歷史와 결부된 민감한 문제인 바, 日政府의 愼重對應 要求

o 餘他國은 상금 公式立場 표명없는 상태
  - 主要 海外公館에 駐在國 立場 把握 指示中 (追後 綜合報告 豫定)

0064

我側 對應方向

o 主要國의 反應 綜合分析後, 同法案 審議過程을 銳意 注視하면서, 금후 적절한 시기에 아래와 같이 우리의 立場 表明

- 日本 軍國主義의 犧牲을 경험했던 當事國으로서 日政府의 自衛隊 海外 派遣을 가능토록 하는 法案 推進에 강한 우려 표명

- 따라서, 近隣諸國과의 歷史的 經驗 및 日本 憲法上의 自衛隊 設立根據를 고려, 금후 同法案 處理에 신중을 기해 줄 것을 요망

- 또한 脫冷戰 및 東西和解의 世界的 趨勢에 부응한다는 의미에서도 日本은 自衛隊 派遣이 아닌 다른 形態로 世界平和에 貢獻 期待. 끝.

0065

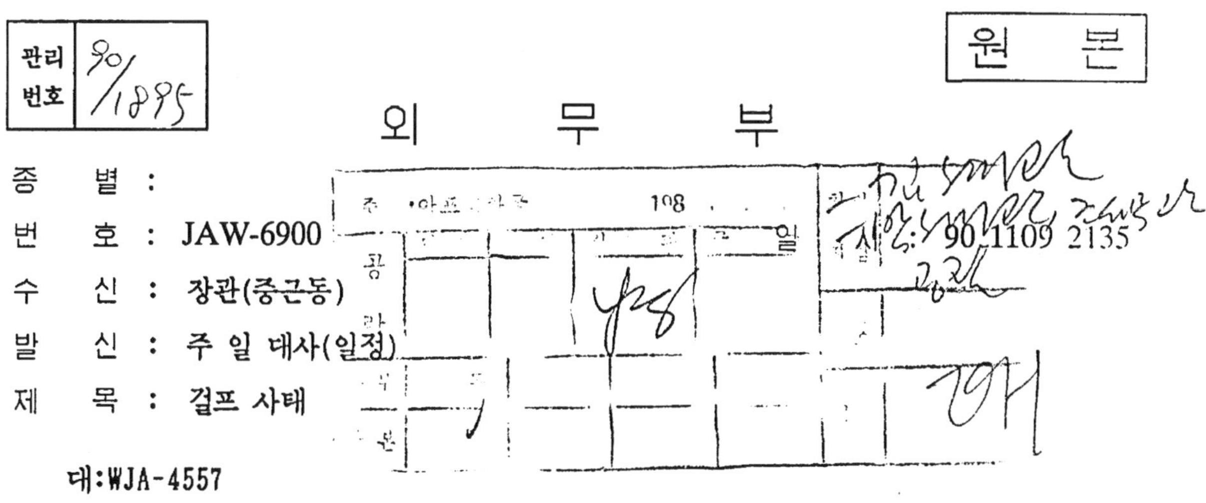

관리번호 90/1895

원 본

외 무 부

종 별 :

번 호 : JAW-6900　　일 시 : 90 1109 2135

수 신 : 장관(중근동)

발 신 : 주 일 대사(일정)

제 목 : 걸프 사태

대:WJA-4557

대호 관련, 이준일 참사관이 11.9. 외무성 우찌다 중근동아프리카국 참사관과 면담한 결과를 아래 보고함.

1. 현재 미국은 이락크의 쿠웨이트 철수없이 사우디 파병군을 철수시킬 수는 없는 상황이며, 이락크 역시 팔레스타인문제와 연결한 PACKAGE DEAL 의 달성없이 이제와서 무조건 쿠웨이트로 부터의 철수는 국내 정치상 불가한 입장이기 때문의 교섭의 여지가 극소한 상황임.

2. 상기 상황에 비추어 11 월 하순 부시대통령의 중동방문 이후 미국의 군사적 해결시도 소문인 나돌고 있는 것으로 판단되나, 특별한 근거가 있는 것은 아님. 연이나 일본으로서는 군사적 해결의 가능성이 전혀 없다고 보고 있지는 않음.

3. 일본은 물론 중동사태의 평화적 해결을 원하나 다국적 지원명목으로 상당한 금액을 지원 약속한 일본의 입장상 이를 미국에 공공연히 얘기하고 있지는 않고 있으며, 다른 한편 군사적 해결관련 입장등 미국측이 일본과 중요사항에 대하여 협의 내지 통보를 않해 주는데 대해 일말의 불만을 갖고 있음.

4. 최근 불.쏘 정상회담이나 프리마코프 특사의 이락크 방문에서도 실질적 진전사항을 없었으며, EC 제국, 쏘련과 최근 이락크를 방문한 나카소네 전수상도후세인에 대해 유엔결의안에 접근하는 방향으로 양보할 것을 촉구하고 있음.

5. 단순한 가정에 지나지 않지만 일본으로서는 만약 전쟁이 발발한다해도 어느쪽이 승리할지는 단정적으로 얘기하기가 어려우며 장기화될 가능성이 큰바, 이는 세계 경제에도 막대한 타격을 가할 것이므로 일본측 입장으로는 이락크에 무력사용 위협을 가하여 실제 무력충돌 없이 결과적으로 평화적 해결로 연결됨이가장 바람직하나 실제는 예측을 불허하는 상황임.

중아국　1차보　2차보　아주국

PAGE 1　　90.11.10　01:13

외신 2과 통제관 CA

0066

6. 무력 또는 교섭에 의한 방안외에 또 한가지 상정할 수 있는 가정으로서의 해결방안은 후세인을 붕괴시키기 위한 이락크 내부공작 가능성인바, 미국측이동 공작을 하고 있는지 여부와 동 공작의 성공 가능성은 미지수임.

7. 현재 서방세계가 이락크에 가하고 있는 경제 제재조치는 큰 실효를 거두고 있다고 평가되며, 특히 이제까지 반서방 독자노선을 걸던 시리아, 이란이 경제 제재에 가담한 것은 고무적 현상임. 끝.

(공사 김병연-국장)

예고:90.12.31 까지

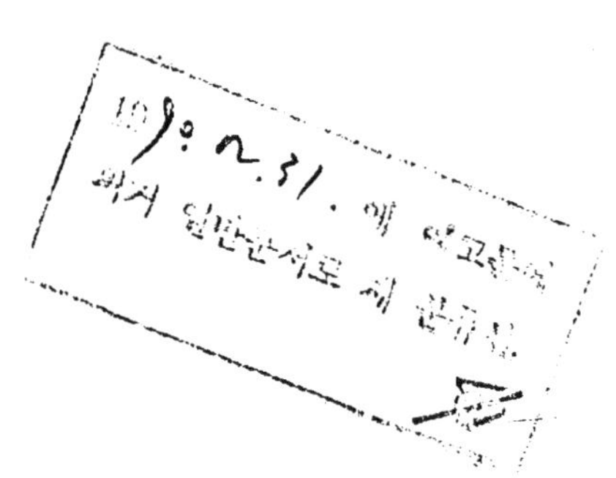

0067

'ᄉ

관리번호	90-2334

원 본

외 무 부

종 별 : 지 급

번 호 : JAW-7285 일 시 : 90 1130 1425

수 신 : 장관(미북,중근동,정일,아일)

발 신 : 주 일 대사(일정)

제 목 : 유엔안보리의 대이라크 무력사용결의 채택에 대한 반응

1. 금 11.30. 유엔안보리가 이라크에 대해 사실상 무력사용을 허용하는 결의안을 채택한것과 관련, 금일 오전 주재국 카이후 수상은 기자들의 질문에 대해 일본도 동 결의안을 높게 평가하며 이를 지지한다고 하기와 같이 언급하였음.(정부 대변인 사까모토 관방장관도 일본의 지지입장을 밝히는 담화를 발표함).

-금번 결의는 아주 중요한 의미를 가지고 있으며, 그동안 유엔안보리가 채택했던 제결의안의 실효성 확보를 높게해주는 것으로 이를 높이 평가함.

-페르샤만 사태의 평화적 해결을 바라는 일본의 자세에는 변화가 없으며, 이라크가 금번 국제사회의 최후의 총의를 현실적으로 받아들여 쿠웨이트에서 조속 철수함으로써 중동평화가 회복되기를 희망함.

2. 한편, 주재국 외무성은 금번 유엔안보리 결의에도 불구, 중동사태가 1.15일 기한후에 당장 전쟁에 돌입할 것으로는 보지않으나, 부쉬대통령에게는 중요한 외교적 승리를 안겨주었다고 보고 이라크에 대한 외교압력이 강화될 것으로 전망하고있음.

3. 참고로, 금번 결의안에 대한 각국반응 관련, 당지 언론은 쏘련과 영국은 이를 환영하고 높게 평가한 반면, 프랑스는 대이라크 최후통첩 기한인 1.15. 가 가까워옴에 따라 어려운 선택에 몰릴것으로 보도하였음을 첨언함. 끝

(대사이원경-국장)

예고:91.6.30. 까지

검 토 필 (1990.12.31.)

예고문에 의거 일반문서로 재분류1991.6.30.서명

미주국 차관 1차보 아주국 중아국 정문국 청와대 안기부 대책반

PAGE 1

90.11.30 14:49

외신 2과 통제관 DO

0068

관리번호	90-2339

원 본

외 무 부

종 별 : 지 급

번 호 : JAW-7289 일 시 : 90 1130 1606

수 신 : 장관(미북,중근동,아일)

발 신 : 주 일 대사(일정)

제 목 : 유엔안보리 결의안 채택에 관한 반응

연 : JAW-7285

연호, 유엔 안보리의 대 이라크 무력사용 결의안 채택관련, 일 정부대변인 사까모또 관방장관이 금 11.30. 발표한 담화문 내용을 참고로 하기 보고함.

1. 국제사회의 책임있는 일원인 일본은 페르샤만 위기를 유엔헌장에 따라 해결하기 위해 그동안 안보리가 기울여온 제노력을 평가하며, 금번 안보리 결의는 이러한 노력을 강화시켜 줄것으로 이를 지지함.

0 금번 결의 678 호, 이라크가 쿠웨이트로 부터 즉각, 무조건 철수할것을 요구한 결의 660 호등 일련의 안보리 결의들을 실행하는 것이 국제사회의 질서유지를 위해 근본적으로 중요하다는 관점위에 기초하고 있음.

0 금번 결의 678 호는 결의 660 호등 모든 관련 결의들이 내년 1.15 까지 실행되지 않으면 이러한 결의들을 실행하기 위해 필요한 모든 조치들을 사용할수있도록 관계국들에 허용하고 있음에 따라 특히 그 중요성이 더함.

2. 일본은 마지막 순간까지 위기까지 위기가 평화적으로 해결되기를 간절히희망함.

0 일본은, 이라크가 실로 심각한 상황에 처하지 않도록 이라크가 금번 결의를 최후의 기회로 받아들여 안보리의 관련 결의들을 조속히 실행하고, 쿠웨이트에서 철수하며, 모든 외국인들을 즉각, 무조건 석방하도록 다시한번 강력히 요구함. 끝

(공사 김병연-국장)

예고:91.6.30. 까지

검 토 필 (1990.12.31.)

예고문에 의거 일반문서로 재분류19 91. 6.30 서명

미주국 장관 차관 1차보 2차보 아주국 중아국 안기부 대책반

PAGE 1

90.11.30 17:45

외신 2과 통제관 BN

0069

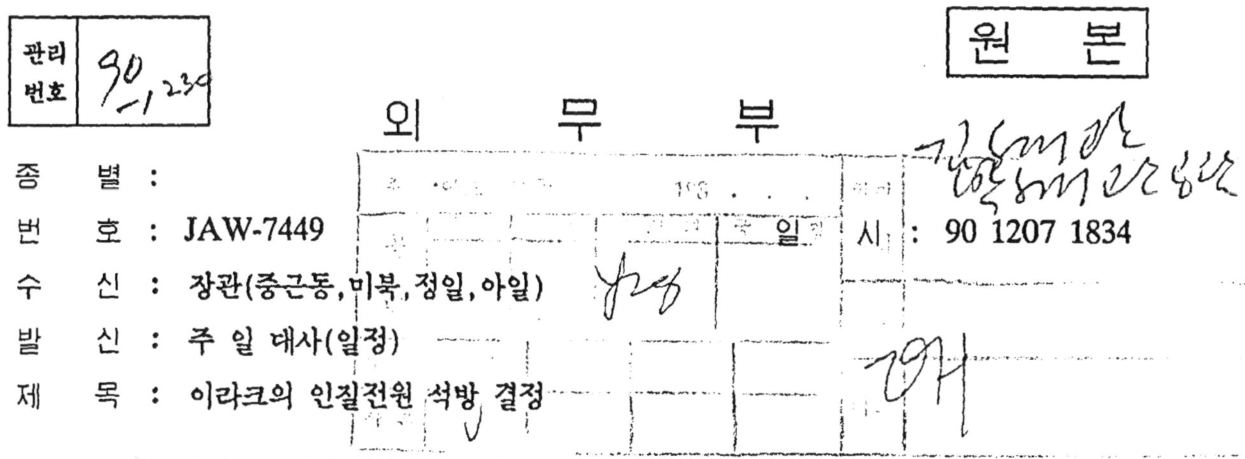
관리 번호 90-1230

원 본

외 무 부

종 별 :

번 호 : JAW-7449 일 시 : 90 1207 1834

수 신 : 장관(중근동,미북,정일,아일)

발 신 : 주 일 대사(일정)

제 목 : 이라크의 인질전원 석방 결정

후세인 이라크 대통령의 외국인 인질 전원석방 결정 관련, 금 12.7. 당관 강대현서기관이 일 외무성 중근동 2 과 수에마츠 수석사무관으로 부터 청취한 동결정의 배경 및 향후 전망에 대한 일측평가를 참고로 하기 보고함.

1. 후세인의 결정배경

0 유엔 안보리의 무력사용 결의안 채택에 따라 인질의 효용이 없어짐과 함께 이라크가 대국적군의 공격을 상당히 두려워 하였을 것으로 관찰

0 미국과의 직접대화 이전에 인질을 석방하는 것이 유리한 입장에 설수 있을 것으로 이라크는 생각.

- 따라서 향후 미국에 대해 적어도 무력공격은 않겠다는 미국의 약속을 받아내려 할 것으로 관찰

0 미, 영, 일본 3 개국 국민만을 인질로 계속하더라도 서방여론의 분단효과는 더이상 나타나지 않는 반면, 경제제재의 계속으로 인해 인질억류가 이라크에게도 부담으로 작용

2. 전망

0 인질이 석방되더라도 쿠웨이트에서의 철수, 정통정부의 회복이 없는 한 위기는 계속될 것으로 전망.

- 그러나 석방결정이 미국과의 대화에서 쿠웨이트 철수를 제의하기 위한 사전 포석이라면 무력충돌이란 최악의 사태가 될 가능성은 적어질 것으로 보여짐.

0 미국이 직접대화 제의를 이라크가 불리한 상황에서 수락하였지만, 미국으로서도 향후 반드시 유리하다는 보장은 없는 것으로 보여짐. 교섭이 "전면철수" 문제를 둘러싸고 장기화될 전망도 보임.

0 한편, 현단계에서 팔레스타인 문제를 연관시킨 중동평화회의의 소집을 미국이

중아국 장관 차관 1차보 2차보 아주국 미주국 정문국 청와대

PAGE 1

90.12.07 20:07

외신 2과 통제관 FE

0070

동의하지는 않으리라고 보여지지만, 미.이라크 직접대화의 장기화에 따라서는 새로운 변수로서의 가능성도 배제하기 어려움.

- 이라크의 쿠웨이트 완전철수 및 현위기의 조기해결을 위해서는 앞으로도 경제제재의 계속 및 서방의 확실한 결속이 필수적.끝.

(공사 김병연-국장)

예고:1991.6.30 까지

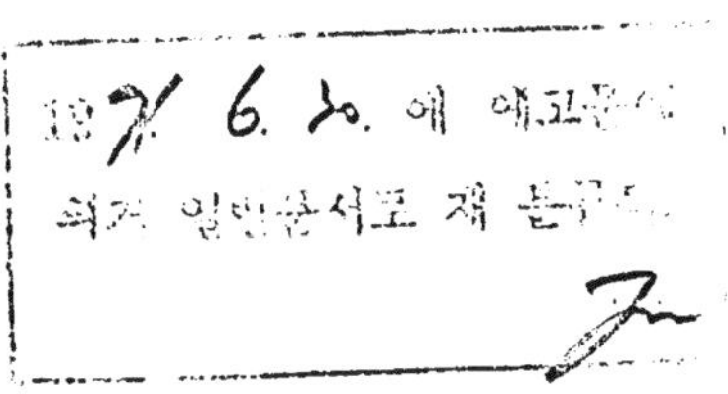

PAGE 2

0071

관리번호	90/2184

외 무 부

종 별 :

번 호 : JAW-7772 일 시 : 90 1228 1721

수 신 : 장관(정일,아일)

발 신 : 주 일 대사(일정)

제 목 : 91년도 국제정세 전망

금 12.28 현재 주재국 외무성이 내부 참고자료로 비공식 작성한 '국제정세의 회고와 전망(90/91)'에 관한 내용의 요지를 참고로 하기 보고함.

1. 90 년도 정세평가(90 년 정세 회고부분은 생략)

가. 국제정세 일반

0 대체로 냉전후의 신국제질서 구축을 모색하고 있는 상황

- 그러나 이러한 변화는 과도기 특유의 불안정성과 불확실성을 내포한 위험한 시대를 맞고 있는 것을 의미하기도 함.

0 새로운 질서 모색은 단지 시작단계로서 구축해야 할 새질서의 형태는 아직 보이지 않고 있음.

- 특히 오늘날의 변화를 초래한 중요한 요인인 고르바쵸프 대통령이 쏘련 국내의 어려운 문제에 직면, 쏘련정세가 불안정한 양상을 보이고 있는 것이 국제관계의 전망을 불투명하게 하는 요인의 하나가 되고 있음.

0 또한 동.서관계와는 관계없이 국가간의 이해대립, 종교, 민족, 영토문제등에 기인하는 지역분쟁은 여전히 존재하며 새로운 분쟁발생 가능성도 감소되지 않고 있음.

나. 아. 태 및 한반도정세

0 아. 태지역은 구주와 비교하여 정세가 보다 복잡하지만, 미.쏘관계 변화에도 영향받아 긴장완화의 방향으로 적극적으로 움직임이 보이기 시작함. 그러나, 다른 한편 불안정 요인도 여전히 존재

0 한반도 정세는 여전히 유동적이지만, 남북총리회담 개최, 북한의 대일 국교정상화 교섭제안, 한. 쏘 국교수립, 한. 중 무역사무소의 상호설치등 한반도의 평화와 안정에 이바지하는 새로운 움직임이 나타남. 또한 캄보디아문제의 포괄적 해결을 위한 국제정 장치에 관한 합의가 나올 전망도 보여짐.

정문국 차관 1차보 2차보 아주국 청와대 안기부 미주국 구주국 중아국

PAGE 1

90.12.28 18:06
외신 2과 통제관 DO

0072

- 그러나 한반도 분단상황은 아직도 엄연한 현실이며, 캄보디아 화평의 관건이 될 국내 당사자간의 의견은 계속 좁혀지지 않고 있어, 양지역 모두 계속 불안정적임에는 변화가 없음.

0 또한 아. 태지역의 긴장완화 및 평화안정을 확보를 위해 중요한 과제가 되어 있는 일.쏘관계의 발본적 개선에 대해서도 쏘련정부는 북방영토문제에 자세의 변화가 없음.

다. 국제경제

0 동구제국의 경제개혁을 배경으로 시장경제의 범위가 확대되고 상호의존 관계가 심화됨에 따라 세계경제는 구조적 변화를 겪고 있음.

- 이와 함께 미국의 슈퍼 301 조 및 지역주의의 대두경향에서 보듯, 보호주의 압력의 증대는 자유무역체제의 위협요인이 되고 있음.

0 90 년도에 합의를 보지 못한 UR 교섭의 성공여부는 금후 세계경제의 행방에 중요한 시금석이라 할수 있음.

2. 91 년 정세전망(하기 4 가지 움직임의 귀추가 국제정세 전개방향에 중요한 요인으로 작용할것으로 평가)

가. 페르샤만 위기

0 평화적 해결 또는 무력행사의 전망은 현시점에서 판단 어려우나, 해결 양태에 따라 그후의 국제정세 전개에 극히 중요한 영향을 미칠것으로 봄.

0 평화적 해결의 유일한 길은 이라크군의 전면 철수로서, 동 지역 안정화를 위한 대화협조의 노력시작은 이라크 철수없이 불가

나. 쏘련정세의 행방

0 서방의 긴급지원에 관계없이 쏘련경제가 내포한 문제는 단시간에 해결을 보기 어려운 전망

0 또한 민족간의 충돌 및 연방제 해체의 위기와 관련, 군 또는 공안기관의 힘에 의존하여 혼란을 수습코자 하는 세력이 증대하는 경우에는 페레스트로이카 정책의 실패 가능성도 배제하기 어려운바, 이러한 사태는 국제정세 전반에도 큰 영향을 미치게 될 것임.

다. 아. 태지역의 정치적 안정을 위한 노력

0 부쉬 대통령 및 고르바쵸프 대통령의 아시아 방문, 4 년만의 ASEAN 제국 정상회의 개최, 한국에서의 APEC 각료회의 개최, 1 월부터의 일.북 국교정상화 본교섭

시작등 91 년에는 아. 태지역을 위요한 활발한 외교적 움직임이 있을것으로 전망

0 고르바쵸프 대통령 방일은 일.쏘관계의 발본적 개선과 아. 태지역 전체의 안정화에 있어 대단히 중요한 기회로, 일본으로서도 고비를 맞게 되는 셈임.

라. UR 교섭

0 91 년으로 결착이 넘겨진 UR 교섭의 조속한 성공적 종결이 요구되지만, 동 교섭의 행방은 90 년대의 국제경제질서에 사활적 중요성.끝

(대사 이원경-국장)

예고:91.12.31. 까지

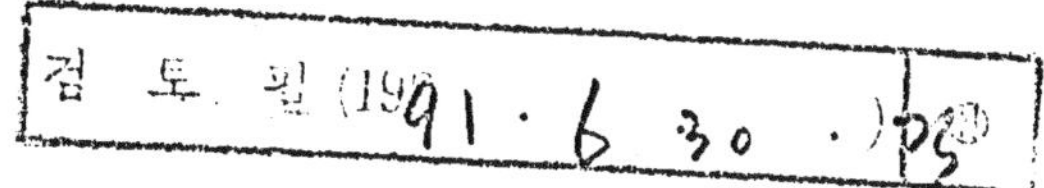

PAGE 3

0074

페르시아만 사태에 관한 한.일 외무장관간 공동인식 표명

(1.9 미.이라크 외상회담 관련)

1.9 제네바에서 열린 미.이라크 외상회담이 구체적인 성과없이 종료된 것을 유감으로 생각한다

나아가, 마지막까지 평화적 해결을 위한 노력이 이루어질것을 희망한다

특히 이라크 정부가 UN 안보리의 제결의를 이행하여, 이라크 정부 스스로의 의사로 쿠웨이트로부터 전면 철수 결단을 내리도록 재삼 강력 촉구하는 것으로 한.일 양국 외상이 의견의 일치를 보았다.

0075

관리 번호	91-49

종 별 : 지급

번 호 : JAW-0111 일 시 : 91 0110 1141

수 신 : 장관(중근동,미북,아일,정일) 사본:주일대사

발 신 : 주 일 대사대리(일정)

제 목 : 미.이라크 외상회담 주재국반응

1. 미.이라크간 1.9. 제네바 외상회담 결과관련, 금 1.10. 당관 강대현 1 등서기관이 일외무성 중근동 2 과 수에마츠 수석사무관으로부터 청취한 일측 평가를 참고로 하기 보고함.

가. 평가

0 미.이라크 외상회담은 6 시간 30 분 이상의 장시간 회담에도 불구하고 미.이라크간 상호 입장의 큰 차이로 인해 결국 합의점을 발견 못하고 종결된 것으로 보여짐.

0 따라서 이라크군의 쿠웨이트 철수기한으로 제시된 1.15. 를 앞두고 더욱 높아진 페르샤만 위기는 향후 4-5 일간의 외교교섭에 맡겨진 상태로 상황은 중대한 국면을 맞이하고 있는것으로 보여짐.

0 그러나 장시간의 회담경과 및 회담후의 미.이라크측 반응에 비추어보면, 양국은 금번 회담에서 상호 합의점을 발견하지 못했으나, 어느정도 실질적 내용에 관해서도 협의한 것으로 보여져, 대화의 여지가 완전 사라진 상태는 아닌것으로 보여짐.

나. 전망

0 이라크의 쿠웨이트 철수가 없는 경우, 1.15. 이후의 사태는 미국의 대응방향에 따라 결정될 문제이나, 미국이 바로 전쟁에 돌입하지 않는다 하더라도 전쟁발발의 가능성은 더욱 높아질 것으로 볼수있음.

0 페르샤만 사태는 금번 미.이라크 회담이 합의에 이르지 못했음을 감안, 향후 유엔사무총장, EC, 아랍권등을 주축으로한 외교교섭이 진행될 것으로 보여지며, 그 결과에 따라 미.이라크간 대화여부가 다시 결정될 것임.

-상기 외교교섭 결과에 따라서는 이라크의 쿠웨이트 철수가능성을 완전 배제할수만은 없으며, 미.이라크간 대화가 다시 재개될 가능성은 아직 남아있는

중아국 장관 차관 1차보 2차보 아주국 아주국 미주국 정문국
청와대 총리실 안기부

PAGE 1

91.01.10 13:00
외신 2과 통제관 BW

0076

것으로 보여짐.

0 일측으로서는 1.14. 잠정 예정하고있는 나까야마외상과 베카장관의 워싱턴 회담에서 미측 의사를 가능한 타진해 볼 의향임.

2. 한편, 1.10. 오전 일외무성 와타나베 외무보도관은 금번 미.이라크 외상회담 결과에 대해 하기와 같이 논평하였음.

0 미.이라크 외상회담이 구체적인 성과를 보지 못하고 종료한 것은 유감임.

0 일본으로서는 최후까지 평화적 해결을 위한 노력이 진행될 것을 더욱 희망함. 특히 이라크정부가 스스로의 의지로 쿠웨이트로부터 전면 철수를 결단할 것을 다시 강하게 호소함. 끝

(대사대리 김병연-국장)

예고:91.6.30. 까지

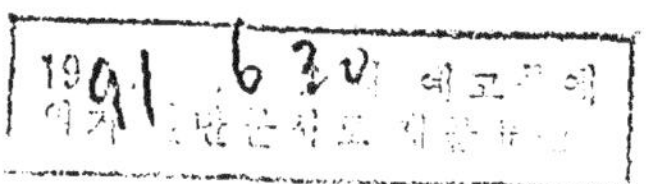

PAGE 2

0077

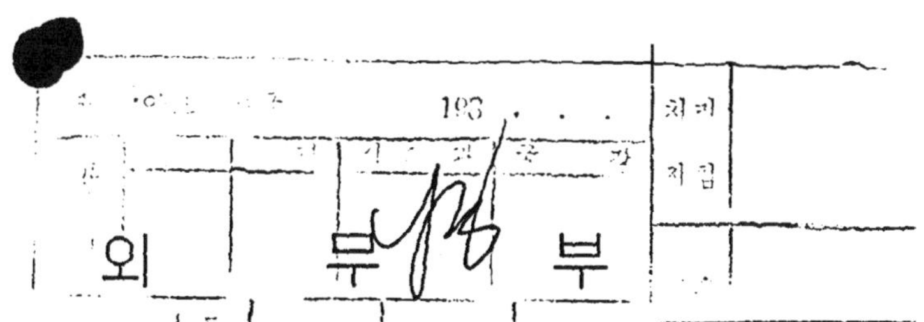

종 별 : 지 급

번 호 : JAW-0130 일 시 : 91 0111 1141

수 신 : 장관(기협,경일,통이,아일,중근동,미북)

발 신 : 주 일 대사(경제)

제 목 : 페르시아만사태

대: WJA-0002

대호 페만에서 전쟁이 발발할 경우의 영향에 관해 주재국 경제기획청 및일본에너지경제연구소, 중동경제연구소등 관련 민간 주요연구소들이 분석하는바를 다음 종합 보고함.

1. 유전에 대한 예상 타격 및 유가에 대한 영향(1991 년중)

가. "한정적 군사충돌" 경우

0 91.3 월 이내에 한정적 군사충돌이 발생, 비교적 단기간에 다국적군이 승리할 경우, 쿠웨이트의 일부 유전은 큰 피해를 입으나, 사우디의 유전은 별로 피해를 입지않을 것으로 예상.

0 군사적 충돌로 인해 일시적으로 유가가 40-50 불배럴 전후로 급등하나, 사우디의 유전에 거의 영향이 없으므로 충돌 종료후에는 유가가 20 불대 전반으로 하락예상

-연평균 유가는 25 불 전후 예상

나. "대규모 군사충돌" 경우

0 대규모 충돌경우는, 쿠웨이트의 유전설비 뿐만 아니라, 사우디-쿠웨이트 국경에서 30-100 KM 이내에있는 SAFANIYAH, MANIFA, MARJAN, ZULUF 등의 사우디 북부의 해상유전, 유전생산시설, 수출시설도 큰 피해를 입을것으로 예상.

0 이의 복구에 약 6 개월이 소요되는바, 동 기간동안 1 일 200-250 만 배럴의 원유생산이 감소예상.

0 유가는 일시적으로 50-60 불 전후까지 급등하나, 일.미.독을 중심으로 1 일 200-300 만 배럴의 전략 비축분이 방출되어 유가가 결국 30-40 불 전후로 안정 예상.

-현재 일.미.유럽의 비축분은 약 10 억 배럴정도(세계 전체로는 33 억 배럴)

0 가격급등에 따른 석유수요 감소, 사우디 및 쿠웨이트의 유전복구등으로

경제국	장관	차관	1차보	2차보	아주국	미주국	중아국	경제국
통상국	청와대	안기부						

PAGE 1

91.01.11 13:51

외신 2과 통제관 FE

0078

하반기에는 유가가 25 불 전후로 더욱 하락예상

-연평균 유가는 30 불 전후 예상.

0 일부에서는 90.8. 사태발생후 소비국들의 비축분 증가, 91 년들어서의 미.유럽의 경기후퇴에 따른 수요감소 및 사우디등의 증산조치가 사태종료후 즉시 감산체제로 전화하기 어렵다는 점에서 결국 생산과잉에 의해 금년도 유가가 20 불 이하로 하락을 예상.

2. 세계경제에 대한 영향

가. 세계 경제성장 둔화

0 유가상승으로 각국의 국내수요 감소, 가격인상등이 우려되며, 그 결과로 생산둔화, 고용악화, 소비수요 감퇴, 금리인상등 성장 제약요인 예상

-단, 74 년 1 차 석유위기, 80 년 2 차 석유위기 당시보다는 영향이 작을것으로 예상

-탈석유화가 진전된 선진국에 비해 개도국이 더큰 타격예상

-또한 대부분의 개도국은 장기금리 상승으로 외채지불 부담증가 예상(장기금리 1 프로 상승시 추가이자 지불을 위해 GNP 의 0.4 프로 추가소요)

나. 주요 지역별 영향

1) 일본

0 물가 안정속에 경기확대 기조가 계속되고 있으며, 선진국중에서도 가장 잘 탈석유화가 추진되어온 점등에서 1 차 석유위기시의 1/4 정도의 영향예상(유가 30 불 기준).

2) 미국

0 89 년 2/4 분기 이후 경기 후퇴국면을 맞고있으며, 서비스 가격을 중심으로 인플레 압력이 지속되고 있는바, 유가상승으로 물가상승, 경기후퇴가 가속될 것으로 예상.

0 미국은 연 30 억 배럴의 원유를 수입하고 있는바, 배럴당 1 불 인상시 30 억불의 무역수지 악화요인 발생

3) 서구

0 석유 순 수출국인 영국은 석유수출 대금증가가 예상되며, 기타 서구제국도 경기가 총체적으로 견조를 유지하고있는 만큼 물가의 일부 인상을 제외하고는큰 영향없을 것으로 예상.

4) 동아시아

0 아시아 NIES 는 석유 순 수입국으로서 공업화의 진전, 자동차 보급의 증대등으로 석유의존도가 높은바, 유가상승은 최근 상승세인 물가 더욱 악화시키고, 무역수지의 악화, 경제성장의 둔화등 악영향을 초래예상.

-특히, 한국, 대만, 홍콩은 현재 경기 조정국면에 있는바, 금번 사태로 경기회복이 더욱 늦어질 가능성이 큼.

-또한, 한국, 대만은 중동지역과의 경제관계가 큰 만큼, 이라크, 쿠웨이트에의 수출기회의 상실, 현지사업의 정지등으로 국제수지에 큰 영향이 있을것으로보임.

0 한편, 대미 수출의존도가 약 30 프로에 달하는 아시아 NIES 로서는 미국의 경기후퇴로 인해 상당한 영향 예상.

0 ASEAN 국가중에서는 필리핀, 태국이 중동근로자 귀국 및 쌀수출시장 상실로 가장 큰 피해 예상.

5) 쏘련, 동구

0 쏘련의 석유수출은 전체수출의 약 30 프로를 점하고 있는바, 유가상승은 무역수지 개선, 외화수입 증가에 기여.

다. 오일머니 발생에 의한 영향의 가능성

0 원유가격이 금후 1 년간 배럴당 30 불 수준일경우, OPEC 국가의 추가 석유판매 수입은 900 억불에 달할것으로 보이나, 이자금이 오일머니로서 국제금융 시장을 통해 세계경제에 미칠 영향은 1,2 차 석유위기시에 비해 상당히 작을것으로 예상.

-우선, 900 억불이 국제금융시장 신용액의 네트 폴로우에서 차지하는 비중이 20 프로로서 1 차 위기수의 63 프로, 2 차 위기시의 48 프로에 비해 낮은 수준임.

-둘째, OPEC 국가들이 83 년 이후 대체로 경상수지 적자상태로서 사우디, UAE 를 제외하고는 순 채무국이며, 순 채권국인 사우디의 경우에도 재정적자가 계속되고 있는바, 금번 발생하는 오일머니는 결국 대외채무의 지불 또는 재정적자의 해소에 사용될 가능성이 큼. 끝

(공사이한춘-국장)

PAGE 3

0080

관리 번호	91/1081

	분류번호	보존기간

발 신 전 보

번 호 : WUS-0131 910114 1646 FC 종별 : 긴급

수 신 : 주 수신처 참조 대사. 총영사

WJA -0173 WUK -0087
WSV -0117 WFR -0062
WUN -0071 WIT -0079
WSB -0084 WCA -0043

발 신 : 장 관 (중근동)

제 목 : 페만사태 비상 대책

연 : WUS-0107

~~연호와 같이 페만사태 비상 대책 수립에 참고코자 하니~~ 1.13. 케야르 유엔 사무총장의 사담 후세인 대통령 회담, ~~결과 및~~ 1.14. 이라크 비상의회 소집, 기타 ~~유엔이 정한 이라크의 철군 시한을 앞두고 일련의 움직임에 주재국 정부, 언론계, 학계등의 관찰, 정세전망, 입장등을 파악 지급 보고 바람.~~ 끝.

1991. 6. 30. 에 예고문에 의거 일반문서로 재분류됨

(차 관 유 종 하)

예 고 : 91.6.30. 까지

수신처 :

주미. 일. 영. 소. 불. 유엔. 이태리 사우디. 이집트 대사

유엔이 정한 철군시한을 앞두고. 중동문제해결을 위한 국제적노력이 금후 48시간이내에 적극화 될것으로 보이는바. 귀주재국 ~~이러한~~

당국. 언론등의 긴밀히 접촉. 이러한 동향을 수시로 지급 보고바람.

보안 통제	

앙 고 재	91년 1월 14일	중근동과	기안자 성명		과 장		국 장		차 관	장 관
			[signature]		[signature]	[signature]	[signature]			

외신과통제

0081

관리 번호	91-816

원 본

외 무 부

종 별 : 지 급

번 호 : JAW-0168 일 시 : 91 0114 2135

수 신 : 장관(중근동,경일,미북,정일,아일)

발 신 : 주 일 대사(일정)

제 목 : 일정부 폐만 피난민 원조 지원책

대 : WJA-0139

1. 일정부 사까모또 관방장관은 1.14. 정례 기자회견에서 폐만위기의 긴박화와 관련, 주변국으로 유출되는 피난민 원조비로서 유엔재해 구제조정관 사무소(UNDRO)등의 국제기관에 대해 51 억엥을 지원할 방침임을 발표하였음.

2. 동 액수는 지난해 폐만 피난민 원조비로 지출한 30 억엥과 별도로 새로이 지원하는 금액이며, UNDRO 가 유엔 가맹국에 요청한 3 천 8 백만 미불 전액에해당하는 금액이라고 함.

0 한편, 이는 자위대 요원등 인적요원을 파견하지 못한 일본의 실정을 감안, 미국등 국제사회에 가능한한 일본의 공헌노력을 과시하기 위한 일정부의 노력으로 관측됨. 끝

(대사 이원경-국장)

예고 : 91.6.30. 까지

1991. 6. 30. 예고문에 의거 일반문서로 재분류됨

국별 지원 종합 — 1라 2

중아국	장관	차관	1차보	2차보	아주국	미주국	경제국	정문국
청와대	총리실	안기부						

PAGE 1 91.01.14 23:11

외신 2과 통제관 CH

0082

관리번호	91-820

원 본

외 무 부

종 별 : 지 급

번 호 : JAW-0169 일 시 : 91 0114 2135

수 신 : 장관(중근동,정일,아일)

발 신 : 주 일 대사(일정)

제 목 : 페만정세

대 : WJA-0139,0173

1. 데쿠야르 유엔사무총장의 후신인 대통령회담등 페만위기 타개를 위한 조정노력과 관련, 금 1.14 저녁 당지 NHK 방송은 금일 프랑스의 미테랑대통령과 회담한 데쿠야르 총장이 '희망은 사라졌다'고 강한 비관적 의사를 표시한 것으로 보도하면서, 철수기한 하루정도를 남겨두고 위기타개 국면이 더욱 어렵게 된것으로 분석 보도하였음.

2. 한편, 상기 관련 일 외무성도 페만위기 해결이 일층 어렵게 되었다고 보면서도, 그러나 최후까지 외교적 해결 노력을 포기할수는 없다는 관점에서, 프랑스를 비롯한 EC 의 중재노력을 계속 기대하면서 우선 데쿠야르 총장의 금번 이라크 방문내용이 정식 보고될 명 1.15 유엔 안보리 회의를 주시하고 있음.

0 일 외무성은 1.14 오후 긴급개회된 이라크 국민의회에서도 당초 일부 희망적인 기대와는 달리 후세인 대통령에 대해 강경한 내용의 일방적 지지가 표명되는등 이라크측의 경직된 태도에 변화가 없다고 보고 있지만, 이러한 이라크의 태도는 미국측 반응을 마지막 순간까지 관찰하기 위한 제스추어일수도 있는 것으로 보고, 한계 순간까지 외교적 해결노력이 계속되기를 바라고 있음.

3. 그러나 일 정부는, 만약 전쟁이 발발하였을 경우에는 명확히 미국측을 지지한다는 입장을 정한것으로 관측되며, 이러한 일측입장은 1.14(미국시간) 개최될 나까야마 외상과 베카 국무장관과의 회담에서 미측에 표명할 방침으로 있는것으로 보여짐.

0 또한 일 정부는 지난해 40 억달러 지원에 이어 가능한한 경비 추가지원을위해 협력하겠다는 자세를 미측에 표명할 것이라고 함. 끝

(대사 이원경-국장)

중아국	장관	차관	1차보	2차보	아주국	정문국	청와대	총리실
안기부								

PAGE 1 91.01.14 23:13

외신 2과 통제관 CH

0083

예고:91.6.30. 까지

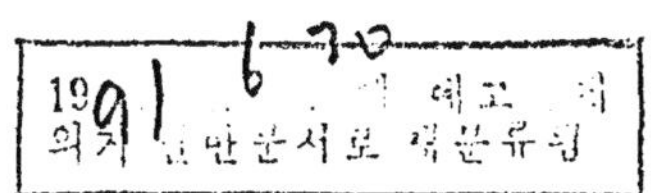

PAGE 2

0084

관리번호 91-1316

원 본

외 무 부

종 별 : 지 급

번 호 : JAW-0175 일 시 : 91 0115 1615

수 신 : 장관(중근동,아일,미북,정일,통일)

발 신 : 주 일 대사(일정)

제 목 : 페만정세(나까야마 일본외상 방미내용)

대 : WJA-0139,0173

연 : JAW-0169

1. 금 1.15. 당관이 일 외무성(북미 1 과)과 접촉한 바에 의하면, 방미중인나까야마 일 외상은 금일 오전 부쉬대통령, 베카 국무장관, 힐즈통상대표, 브래디 재무장관등의 미 정부 요인과 각기 회담하고, 페만위기관련, 무력충돌이 발생했을 경우에는 일본이 미국에 전면적인 지지와 경비추가 지원을 행할 생각임을전달하였다고 함.

0 부쉬 대통령과의 회담에서는 부쉬대통령이 "이라크의 쿠웨이트 점령상태에 어떤 형태로든 종지부를 찍고 싶은 결의"라고 언급함으로써 이라크의 쿠웨이트 철수가 없을 경우에는 무력행사를 단행하지 않을수 없다는 입장을 표명하고, 일본의 협력과 관련해서는 "실행 가능한 최대한의 협력"을 촉구하였다고 함.

- 또한 베카 장관은 "금후의 사태추이와 관계없이 일본이 미국과 함께 있다는 것을 확실히 보여주기 바란다"고 언급, 일본의 추가지원에 큰 기대를 표시하였다고 함.

0 이에대해 나까야마 외상은, "평화적 해결노력이 중요하지만 미국이 무력행사에 나섰을 경우에는 일본은 미국을 전면적으로 지원하고 다국적군등에 대해 어떠한 추가지원이 가능한지에 대해 검토하겠다"고 언급, 미국의 행동을 전면지지하고 추가지원에 대해서도 전향적 검토를 할 생각임을 밝혔다고 함.

2. 한편, 미측은 쌀시장 개방문제에 대한 일본의 전향적 대처와 UR 교섭전진을 위한 일본의 협력도 요청하였다고 하는바, 이에 대해 나까야마 외상은 지난해말 GATT 각료회의의 의장제안에는 일본이 주장해온 식량안보개념이 포함되어 있지 않았지만 이러한 토의에 참가할 생각임을 밝히고 쌀시장 개방문제에 대해서는 구체적인 대응을 언급하지 않았다고 함. 끝

중아국	장관	차관	1차보	2차보	아주국	미주국	통상국	정문국
청와대	총리실	안기부						

PAGE 1

91.01.15 20:55

외신 2과 통제관 FE

0085

(대사 이원경-국장)
예고:91.6.30. 까지

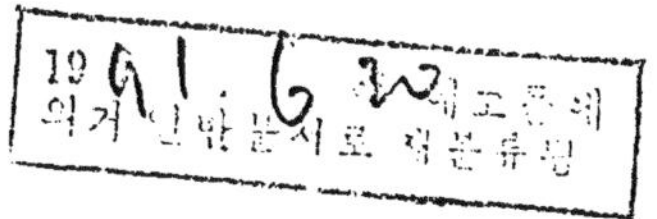

PAGE 2

0086

원 본

암 호 수 신

외 무 부

종 별 : 지 급

번 호 : JAW-0180 일 시 : 91 0115 2156

수 신 : 장관(중근동,미북,정일,아일)

발 신 : 주 일 대사(일정)

제 목 : 페만정세(유엔사무총장 안보리 보고내용 관련)

연 : JAW-0169, 0175

1. 금 1.15. 당지 NHK 저녁뉴스는 금일 오후 개최된 유엔안보리가 퀘야르 사무총장으로부터 자세한 보고 내용을 제출 받았으나, 퀘야르 총장은 자신의 중재노력이 실패 하였음을 밝히면서도 사태타개에 연결될 새로운 내용은 제시하지 않은것으로 보도하였음.

2. 안보리는 케야르 총장의 보고에 이어 프랑스가 제출한 6 개항목의 조정안에 대해 토의하였다고 하는바, 동 내용은 이라크의 쿠웨이트 철수를 전제조건으로 하여 유엔평화유지군이 철수후의 이라크안보를 보장하고, 안보리가 아랍, 이스라엘 문제를 중심으로 하는 중동지역문제의 해결에 적극 노력, 적당한 시기에 중동평화 국제회의를 개최하는 것이 주내용이라고 함.

0 이에 대해 이라크는 환영의사를 밝혔으나, 미국은 동 조정안이 팔레스타인 문제를 페만위기와 연결시키고 있다는 점에서 즉각 반대하였으며, 영국, 쏘련도 난색을 표시하였다고 함.

0 따라서 안보리는 금일 일단 심의를 중단하고 명일 새벽(일본시간) 프랑스제안에 대해 다시 이야기 하기로 하였다고 함.

3. 한편, 안보리는 예멘이 제출한 별도의 조정안도 토의하였으나 동 내용이프랑스와 마찬가지로 페만위기를 팔레스타인 문제와 연계시키고 있음에 따라 미국이 거부의사를 밝힘으로서, 이라크의 철수기한이 목전에 임박하고 있는데 반해 전쟁회피를 위한 조정 노력은 큰 어려움에 직면하고 있는 것으로 NHK 는 보도하였음.

끝

(대사 이원경-국장)

중아국	장관	차관	1차보	2차보	아주국	미주국	정문국	청와대
총리실	안기부							

PAGE 1

91.01.15 22:36

외신 2과 통제관 FE

0087

관리 번호	91-66

분류번호	보존기간

발 신 전 보

번 호 : WJA-0203 외 별지참조 종별 :

수 신 : 주 수신처 참조 ~~대사, 총영사~~

발 신 : 장 관 (미북)

제 목 : UN 안보리 철군 시한 경과 관련 성명 발표

1. 페만 사태와 관련 UN 안보리가 설정한 1.15. 이라크군 철수 시한이 임박함에 따라 독일 정부는 상기 시한전 이라크군의 철군을 촉구하는 수상실 명의 성명을 1.14. 발표하였음.

2. 본부 조치·결정에 참고코자 하니, 1.15. 시한을 전후하여 주재국 정부의 여사한 입장 표명이 있을 경우 발표 즉시 지급 보고 바람. 끝.

(미주국장 반기문)

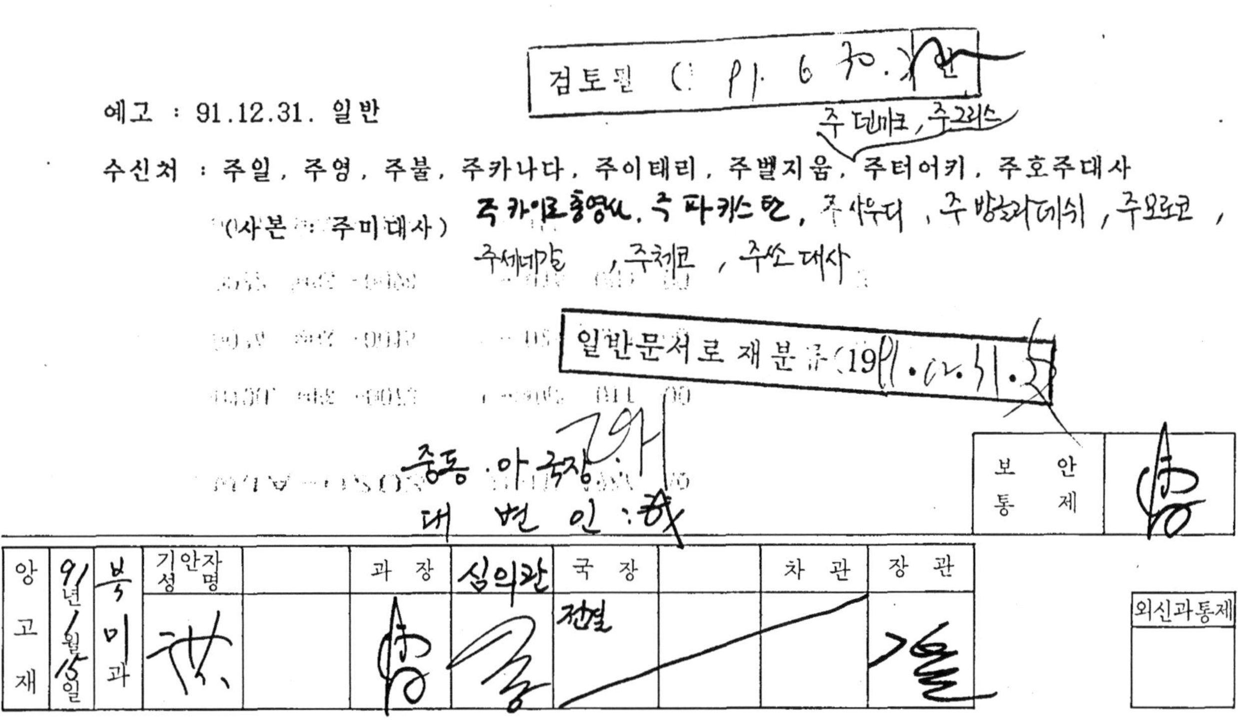

검토필 (91. 6. 30.)

예고 : 91.12.31. 일반

수신처 : 주일, 주영, 주불, 주카나다, 주이태리, 주벨지움, 주덴마크, 주그리스, 주터어키, 주호주대사
(사본 : 주미대사) 주카이로총영사, 주파키스탄, 주사우디, 주방글라데시, 주모로코, 주세네갈, 주체코, 주소대사

일반문서로 재분류(1991. 12. 31.)

중동·아국장 대변인

보안 통제	

앙 고 재	91년 1월 15일	북미과	기안자 성명		과 장	심의관	국 장		차 관	장 관
							전결			

외신과통제

0088

유엔 안보리 철군 시한 경과후

외무부 ~~대한민국 정부~~ 대변인 성명(안)

1991. 1. 16.

1. 대한민국 정부는 유엔 안보리 결의가 설정한 1.15. 철수 시한이 지났음에도 불구하고 이라크 정부가 쿠웨이트에 불법 주둔중인 이라크군을 아직 철수치 않고 있음을 유감스럽게 생각합니다.

2. 이에 따라 페르시아만 지역정세가 전쟁 발발 일보 직전으로 치닫고 있어 페르시아만 인근지역 전체는 물론 전세계인들을 공포와 불안에 떨게하고 있는데 대해 우리는 깊은 우려를 갖고 있습니다.

3. 우리 정부는 이라크 정부가 지금이라도 전세계 평화 애호인의 염원에 부응하여 유엔 안보리 결의가 요구하고 있는 바와 같이 쿠웨이트로부터 즉각 철군할 것을 거듭 촉구하는 바입니다.

4. 대한민국 정부는 이 기회를 빌어 페르시아만 지역에 파견된 미국을 비롯한 다국적군의 헌신적인 평화유지 노력에 깊은 경의와 찬사를 보내고자 합니다.

끝.

중동아국장
대변인

앙 고 재	북 미 과	91년 1월 15일	담 당	과 장	심의관	국 장	차관보	차 관	장 관

0089

관리번호 91-79

원 본

외 무 부

종 별 : 긴 급

번 호 : JAW-0196 일 시 : 91 0116 1519

수 신 : 장관(미북,아일,중근동)

발 신 : 주 일 대사(일정)

제 목 : 유엔안보리 철군시한 관련 성명

대:WJA-0203

1. 대호 관련, 금 1.16. 오후 2 시 이라크군의 철수기한 경과와 관련, 일 외무성 와타나베 외무 보도관은 하기 내용의 논평을 발표 하였음.

0 안보리 결의 678 호가 이라크의 유엔 안보리 제결의 이행을 위해 선의의 유예기간으로서 지정한 기한이 금일 오후 2 시(미국 뉴욕시간 16 일 오후 0 시)도래하게 되었음.

0 일본은 국제사회의 일원으로서 문제의 평화적 해결을 위해 지금까지 모든노력을 기울여 왔지만, 이라크가 여전히 안보리 제결의를 무시하고, 쿠웨이트로 부터의 전면 철수에 응하지 않은채 금일에 이른 것을 대단히 유감으로 생각함.

2. 한편, 금일 오후 일 정부 및 자민당은 정부여당 간부회의를 개최하고 다국적군 재정지원 및 의료지원과 페르샤만 난민대책에 대한 일본의 기본대응 방침을 협의, 실제 전투행위가 발생했을 경우에는 모든 각료들을 즉각 소집하여 임시각의를 개최할수 있도록 대응태세를 갖추기로 하였음.

0 전투행위 발생시 소집될 동 임시각의에서는 카이후수상이 전투행위에 따른 수상 성명을 발표, 다국적군에 대한 일본의 지원방침을 명확히 천명하는 한편, 국민에 대한 협력을 요청할 것이라고 함

3. 참고로, 금일 오전 사까모또 일관방장관은 정례기자 회견에서 다국적군의 무력행사는 유엔결의에 입각하는 것으로서 일정부는 이를 전면적으로 지지할 것이라고 하고, 다국적군에 대한 재정지원은 무기, 탄약 수송등에는 해당하지 않는다는 종래의 일정부 방침에 대해 다시 "협의중"이라고 언급, 종래의 정부방침을 변경해서라도 적극 다국적군 지원에 나설 생각임을 시사 하였음. 끝.

(대사 이원경-국장)

미주국 장관 차관 1차보 2차보 아주국 중아국 청와대 총리실 안기부

PAGE 1

91.01.16 15:43

외신 2과 통제관 BN

0090

예고:91.6.30 일반

예고문에 의거 일반문서로 재분류 1991.6.30. 서명

PAGE 2

0091

관리번호	91-81

원 본

외 무 부

종 별 : 지 급

번 호 : JAW-0210　　　　　　일 시 : 91 0116 1819

수 신 : 장관(미북,아일,중근동)

발 신 : 주 일 대사(일정)

제 목 : 유엔안보리 철군시한 관련 성명

대:WJA-0203

연:JAW-0196

대호, 이라크의 철군시한 경과 관련, 연호 외무보도관 논평에 이어 주재국 카이후수상과 사까모또 관방장관은 금 1.16. 저녁 일 국내 기자단에 하기 요지로 각기 논평 하였음을 보고함.

1. 카이후 수상

0 8.2. 이라크의 쿠웨이트 침공이래 일본정부는 평화적 해결을 일본의 기본 방침으로 하여 노력하여 왔음. 미국도 이라크와의 직접적 대화를 호소하고 유엔도 데꿰야르 유엔사무총장의 성명을 내는등 평화적 해결을 위해 노력하여 왔으나, 유엔이 정한 철수기한은 지나 버렸음.

0 그러나 아직 전투가 일어난 것은 아니므로 이라크가 케야르 사무총장의 성명등을 감안하여 행동하여 줄 것을 기대하고 싶음.

0 평화의 열쇠를 지고 있는 것은 이라크가 이런 상황을 감안, 국면의 전개를 위해 노력해 줄것을 강력히 요구함.

2. 사까모또 관방장관

0 문제의 철수시한은 지났으나, 이르크측으로 부터 용기있는 결단을 했다는 이야기는 접할 수 없는 것은 지극히 유감임.

0 지금부터라도 늦지 않음. 국제적 연대하에 일본으로서도 최후까지 문제의 평화적 해결을 호소해 나가고 싶음. 끝.

(대사 이원경-국장)

예고:91.12.31. 일반

일반문서로 재분류(1991.12.31.)

검 토 필 (1991.6.30.)

미주국	장관	차관	1차보	2차보	아주국	중아국	청와대	총리실
안기부	대책반							

PAGE 1　　　　　　91.01.16　19:44

외신 2과 통제관 DO

0092

24

외 무 부

종 별 : 초긴급

번 호 : JAW-0216 일 시 : 91 0117 0857

수 신 : 장 관(중근동,미북,아일)

발 신 : 주 일 대사(일정)

제 목 : 무력충돌 시작

1.금 1.17. 08:50 당지 NHK 뉴스가 바그다드 주재 ABC게리 세파드 기자의 08:40 전화보고 기사를 인용, 무력충돌이 시작되었음을 보도 하였음.

2.동 전화보고 내용에 의하면, '지평선에 불빛이보임. 공습이 시작된 것으로 보이며 사이렌, 고사포, 대포, 기관총 소리가 들림, 분명히 어떤 형태의 공격이 시작된 것으로 보임.끝.

중아국	장관	차관	1차보	2차보	아주국	미주국	중아국	정문국
안기부								

PAGE 1

91.01.17 09:06 WG

외신 1과 통제관

0093

원 본

외 무 부

종 별 : 초긴급

번 호 : JAW-0217 일 시 : 91 0117 0904

수 신 : 장 관(중근동,미북,아일)

발 신 : 주 일 대사(일정)

제 목 : 전부개시

연: JAW-0216

당지 NHK 뉴스는 연호 보도에 이어 사우디 주재미군 당국이 일본시간 오전 9시 직전에 전부개시를 발표 하였다고 보도 하였음.끝.

(대사 이원경-국장)

중아국 차관 1차보 2차보 아주국 미주국 중아국 정문국 안기부 장관

영교국 동자부 구주국 청와대 총리실

PAGE 1

91.01.17 09:12 WG

외신 1과 통제관

0094

긴

외 무 부

암호수신

종 별 : 긴 급

번 호 : JAW-0223 일 시 : 91 0117 1053

수 신 : 장관(중근동,미북,아일)

발 신 : 주 일 대사(일정)

제 목 : 전쟁개시(3)

연:JAW-0216, 0217

1. 미국의 무력행사 개시와 관련, 일 정부 카이후 수상은 1.17. 09:40 바로안전보장회의를 소집한데 이어 임시각의 소집을 지시하였는바, 임시각의는 수상을 본부장으로 하는 대책본부를 설치하는 한편, 각의가 끝나는 오전 11 시에는다국적군을 전면 지지하고 국민의 협력을 요청하는 수상 성명을 발표할 것이라고 함.

2. 한편, 금일 오전 카이후 수상은 안전보장회의 이후 기자단 질문에 대해 "이라크의 쿠웨이트 점령행위는 국제사회의 총의를 무시한 것으로서 방치할수 없는 것임. 금번 다국적군의 무력행사는 일정부로서도 어쩔수 없는 것이라고 생각한다"고 금번 무력행사를 단연 지지하는 입장을 밝혔음. 끝.

(대사 이원경-국장)

중아국 장관 차관 1차보 2차보 아주국 미주국 청와대 총리실 안기부

PAGE 1

91.01.17 11:07

외신 2과 통제관 FE

0095

관리 번호	91/2048

분류번호	보존기간

발 신 전 보

번 호 : WUS-0179 910117 1105 FK 종별 : 초긴급

수 신 : 주 수신처 참조 대사. ~~총영사~~

발 신 : 장 관 (중근동)

제 목 :

WJA -0228 WUK -0113
WGE -0079 WFR -0087
WCA -0056 WJO -0081
WSB -0116 WTU -0027

귀지에서 파악할수 있는 페르샤만의 전황을 수시로 긴급 보고 바라며, 이스라엘의 참전 여부가 금후 사태 발전의 큰 변수가 될것인바, 이에 관한 정보도 적극 수집 보고 바람. 끝.

(장 관) ~~(미 상 목)~~

수신처 : 주 미, 일, 영, 독, 불, 카이로, 요르단, 사우디, 터키 대사

예 고 : 91.6.30. 일반

보안 통제	74

앙 고 재	91년 1월 17일	중근동과	기안자 성명		과 장		국 장		차 관	장 관
			김희덕		74					

외신과통제

0096

원 본

외 무 부

종 별 : 긴 급

번 호 : JAW-0228 일 시 : 91 0117 1236

수 신 : 장 관 (아일,중근동,미북)

발 신 : 주 일 대사(일정)

제 목 : 페만 전쟁발발관련 일본수상 담화문

금 1.17. 11:50 카이후 주재국 수상이 임시각의후 발표한 담화문 내용을 하기 보고함

1. 1.17.(일본시간) 미, 유럽, 아랍제국을 포함하는 유엔가맹국은 이라크의 쿠웨이트로 부터의 전면철수와 쿠웨이트 정통정부의 권위회복을 요구하는 유엔안보리 재결의의 실현을 도모하기 위해 무력행사에 돌입하였음.

2. 일본은 지금까지 이라크 정부에 대하여 유엔안보리 재결의의 신속한 이행을 강력히 요구하는 동시에 최후까지 금번 위기를 평화적으로 해결하기 위한 노력을 다하여 왔음. 그러나 이라크 정부는 시종안보리 결의를 무시하고 1.15. 까지의 유예기간을 넘어서까지도 쿠웨이트의 침략과 병합을 계속하여 왔음. 일본은 이러한 이라크의 폭거를 강력하게 비난하는 동시에 금번 위기를 평화적으로 해결하기 위한 국제사회의 노력이 무위로 돌아가게 된것을 심히 유감으로 생각함.

3. 인접국에 대한 이라크의 적날한 침략과 병합은 국제평화와 안전의 유지에 큰책임을 가지고 있는 국제연합의 권위에 대한 도전이며, 이를 간과하는 것은 일본이 그 생존을 위해 반드시 필요로 하는 공정하고 안전한 국제질서 그자체를 위태롭게하는것임. 일본은 이러한 시점에 입각하여 안보리 결의 678호에 따라 침략을 배제하고 평화를 회복하기 위한 최후의 수단으로서 취해진 금번의 관계제국에 의한 무력행사에 대하여 확실한 지지를 표명함.

4. 일본은 국제평화와 안전을 회복하기 위한 관계제국의 행동에 대하여 유엔안보리 결의에 따라 가능한한의 지원을 행할 결의임. 더우기 일본은 관계 국제기관과도 협력하여 피난민의구제를 위해 가능한한 원조를 하기로 하였으며, 이미 실행에 옮기고 있음.

5. 일본은 이라크정부가 국제사회의 일치된 의사를 존중하여 즉각 모든

아주국 장관 차관 1차보 2차보 미주국 중아국 중아국 정문국
청와대 총리실 안기부

91.01.17 13:05 AQ
외신 1과 통제관

0097

유엔안보리의 제결의를 수락하도록 강력하고 요구함. 일본으로서는 페르샤만지역에서의 전투행위가 조기에 종결되고, 중동에서 영속성있는 평화와 안정이 하루라도 빨리 달성될것을 강력하게 바라고 있음.

6. 일본정부로서는 페르샤만과 주변지역에 체류하고 있는 일본인의 안전에 만전을 기하고 있으며, 이미 필요한 조치를 취하고 있지만, 금번 정세의 전개에 따라 예측하지 못한 사태가 발생하지 않도록 일본인의 보호를 위해 계속 가능한 모든수단을 다할 생각임. 또한 국내외에서 하이잭크등 긴급사태의 발생이 있을수 있음에 대비하여 그 방지를 위해 필요한 조치를 취하고 있는중임.

7. 또한 정부는 국제협조하에서 일본경제에 대한 악영향을 최소한으로 억제하고 국민생활의 안정에 노력할 작정임. 국민 여러분들에 대하여서도 보다 일층 에너지를 절약하는 노력을하여 주도록 희망함.

8. 금번 사태에 있어서 정부는 내각에 내각총리대신을 장으로하는 '페르샤만위기대책본부' 를 설치하고 정부가 일체가되어 총체적이며 효과적인 긴급대책을 강력히 추진 하도록 하였음.

9. 정부는 이상의 정책이 일본의 국익에 부합하며, 동시에 국제협조하에서 항구적인 평화를 희구하는 일본국 헌법의 이념에도 합치하는 것이라고 확신하며, 국민 여러분들의 깊은 이해와 협력을 간절히 바라고 있음. 끝

(대사이원경-국장)

PAGE 2

0098

관리번호	91/286

외 무 부

종 별 : 지 급

번 호 : JAW-0235 일 시 : 91 0117 1650

수 신 : 장관(경일,통이,기협,아일,중근동,상공부,동자부)

발 신 : 주 일대사(경제)

제 목 : 페만 전쟁발발에 따른 경제관계 보고(1)

1. 다국적군의 이라크 공격에 따른 일본의 경제관련 동향을 하기 보고함.

가. 환율 및 주가

0 1.17. 오전 136 엔 40 전에서 135 엔 80 전, 오후 종가 134 엔으로 전일대비 2 엔이상 엔화가치 상승

0 동경 증권거래소 평균주가(1.17 종가)는 전일 종가대비 1004 엥 상승한 23,446 엔 81 전으로 주가가 상승

나. 원유가

0 동경시장에서 거래되는 표준유가는 오전에는 WTI 3 월 인도분이 바렐당 전일비 3.45 불 인상되었으나 오후에는 바렐당 전일비 1.55 불 하락

0 주재국 에너지 소식통들에 의하면 원유가의 동향은 1.17 개장예정인 뉴욕현물 시장의 추이에 영향을 받을것으로 예상된다함.

다. 분석

0 당초 전쟁이 발발하면 달러화 상승, 주가하락, 원유가 급등할 것이라는 예상과 달리 엔고 및 주가의 상상, 원유가의 안정추세가 계속되고 있는것에 대해서, 주재국 언론들에서는 군사충돌이 이전부터 예견되어 왔었기 때문에 이미 이러한 요소들이 가격에 반영이 되었기 때문으로 분석하고 있음.

0 또한 현상태에서는 무력충돌이 단기간에 종결되리라고 예상하여, 엔화매입, 달러화 매각의 추세가 진행되고 있는 것으로 분석하고 있음.

2. 한편, 통산성 관계자에 의하면 일본이 원유수입의 6 할 이상을 중동지역에 의존하고 있기는 하나, 분쟁이 단기 종료될 경우에는 하기에 비추어 일본경제및 국민경제에 큰 영향을 미치지 않을것으로 판단하고 있다함.

0 일본은 현재 정부에서 142 일분, 민간회사에서 81 일분의 석유를 비축하고

경제국	장관	차관	1차보	2차보	아주국	중아국	경제국	통상국
청와대	총리실	안기부	상공부	동자부				

91.01.17 17:29

외신 2과 통제관 BW

0099

있는바, 일본정부는 금일 전쟁발발직후 우선 민간회사가 보유하고 있는 81 일분의 석유비축분중 4 일분에 달하는 232 만 KL 를 방출하여 가격인상 방지책 실시

0 민간 석유회사에 대해서는 현물시장에서의 원유 매입 자제 및 유가 상승시의 가격편승 인상행위를 방지하기 위한 가격감시 활동을 강화

3. 일본의 아라비아 석유사가 보유하고 있는 사우디아라비아의 카후지 유전(쿠웨이트 국경 남방 18KM)의 석유저장 탱크가 1.17 당지시각 11 시경 로켓탄에명중되어 소실되었다고 함.

4. 사태 진행에 따른 진전사항 수시 보고예정임.끝

(대사 이원경-차관)

예고:91.6.30. 까지 고문에 의거 일반문서로 재 분류됨.

PAGE 2

0100

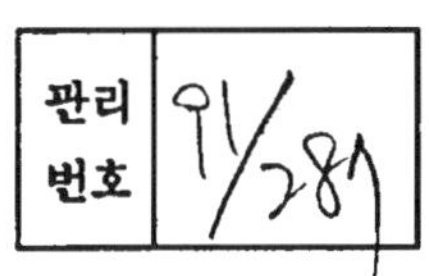

외 무 부

종 별 : 지 급

번 호 : JAW-0240 일 시 : 91 0117 1832

수 신 : 장관(경일,통이,기협,아일,중근동,상공부,동자부)

발 신 : 주 일대사(상무관)

제 목 : 페만전쟁 발발에 따른 경제관계 보고(II)

연:JAW-0235

1. 통산성은 1.17. 페만사태에 따른 종합적 긴급대책을 강력히 추진하기 위해 통상대신을 본부장으로 하는 "중동위기 대책본부"를 설치하고, 그 산하에 경제대책위원회 및 에너지 대책위원회를 설치함(설치내용 별첨)

2. 동성은 페만사태에 따른 국민경제, 국민생활에의 악영향을 최소화하기 위해 아래와 같은 조치를 취하기로 함.

-아래-

가. 에너지 대책

0 석유비축법에 의한 비축의무량 조정

- 2 월말 까지 의한 비축의무량 조정

-2 월말까지 의무량을 현재 82 일 분에서 78 일 분으로 줄여 석유가의 안정유지

0 원유가 앙등시의 구입자제 요청 및 가격 감시

-국제석유시장 및 국내석유제품가의 앙등 방지를 위해 주요 석유회사등에 지침시달.

0 성에너지 대책의 추진 철저

-실내온도 20 도 이하의 유지, 주요 방송사의 방영시간 단축등의 대책실시.

나. 경제대책

0 수급. 가격 부문

-수급. 가격 감시체제를 강화함과 아울러 통산성내에 가격등 상담창구를 설치코, 필요시 동성직원에 의한 실사를 병행실시

0 경제동향 파악 및 대국민 대응

-산업동향 조사를 기동적으로 실시하면서 특히 중소기업에의 영향에 대하여충분한

경제국	장관	차관	1차보	2차보	아주국	중아국	경제국	통상국
청와대	총리실	안기부	상공부	동자부				

PAGE 1 91.01.17 19:05

외신 2과 통제관 BW

0101

주의를 경주

3. 이외에도 전쟁이 장기화될 경우에 대비 물가앙등 및 인플레심리 확산 방지를 위해 "국민생활 안정 긴급조치법", "생활 관련 물자에 관한 매점.매석 방지법" 의 발동여부와 무역과 관련한 대중동지역 수출물품에 대한 무역보험의 신규 접수 정지조치가 검토중임. 동 조치의 대상은 이라크의 공격을 받은 국가 및 중동지역에서 전부에 말려들 가능성이 큰 주변국가가 포함될 것인바 통산성의 컨트리리스트 위원회가 금명간 이를 결정케 될 것임.

4. 한편, 페만사태와 관련 일 산업계는 동 지역에서의 플랜트 및 합작투자사업 추진에 큰 영향이 미칠 것으로 우려하고 있는바, 일본의 대중동 무역액은 년 350 억 달러로서 전체 무역액의 7 프로를 점하고 있음. 미쓰비스, 마루베니등주요상사는 금일부터 임시대책본부를 본사에 설치코, 현지 주재원의 대피 상황등을 점검중임.

5. 현재 중동지역에 추진중인 대형사업으로서는 치요다 화공의 250 억엥 규모의 이르크 소재 제유소 건설, 미쓰비스 중공 1,500 억엥 규모의 쿠웨이트 비료공장 건설을 수주받고 있고, 미쓰이 조선이 에칠렌 공장을 1,000 억엥에 수주받고 있는 상태임.

(첨부)

통산성의 페만사태 대책본부 설치

1. 조직 및 구성원

0 본부장: 대신

0 부본부장: 정무차관 2 명, 사무차관

0 본부원

통산산업심의관, 관방장, 총무심의관, 기술총괄심의관, 통상정책국장, 무역국장, 산업정책국장, 상무유통심의관, 입지공해국장, 기초산업국장, 기계공보산업국장, 생활산업국장, 공업기술원장, 자원에너지청장관, 특허청장관, 중소기업청장관

(사무국:대신관방총무과장, 기획실장 및 회계과장)

2. 경제대책위원회 및 에너지 대책위원회

0 경제대책위원장: 산업정책국장

0 에너지대책 위원장: 자원에너지청 장관

(서무: 대신관방 총무과). 끝.

(공사 이한춘-국장)

PAGE 2

0102

예고:91.6.30.까지 예고문에
의거 일반문서로 재분류됨.

검토필(1991.6.30.)

PAGE 3

0103

관리 번호 91 -68

외 무 부

원 본

종 별 : 지 급

번 호 : JAW-0241 일 시 : 91 0117 2147

수 신 : 장관(아일,중근동)

발 신 : 주 일 대사(일정)

제 목 : 페만전쟁 일본 대응 조치

연 : JAW-0223,0228

1. 금 1.17 오전 일정부 안전보장회의 관련, 당관이 탐문한 동 안전보장회의의 결정 내용을 참고로 하기 보고함.

가. 유엔 안보리 결의에 의한 관계제국의 무력행사에 대한 지지를 확인함.

나. 페르샤만 지역에서의 평화회복 활동에 대한 협력을 행하기 위해 유엔 및 관계제국과 협력하여 필요한 외교활동과 지원활동을 행함.

다. 이라크, 쿠웨이트 주변제국에 체류하는 일본인의 안전확보에 전력을 다함.

라. 국내외의 하이젝크등 긴급사태 발생 가능성에 대비, 이의 방지조치를 위해 필요한 조치를 취함.

마. 국제협조하에서 일본경제에의 악영향을 최소한으로 억지하고 국민생활의 안전에 노력함.

바. 내각에 총리를 장으로하는 "페르샤만 위기 대책본부"를 설치하고 정부가 일체가 되어 사태에 대처함.

사. 정부의 대처조치에 대하여 국민의 이해와 협력을 확보하기 위해 총리 담화를 발표함.

2. 한편, 상기 "위기대책본부"결성후 동 제 1 차회합에서 결정된 내용은 다음과 같음.

가. 유엔안보리 결의에 따른 다국적군의 무력행사를 지지하고 유엔과 관계제국과 협력하여 필요한 외교활동을 적극적으로 행함.

나. 페르샤만 지원책으로서 다국적군에 대한 새로운 지원책을 검토하는 동시 난민 구원을 위해 구원물자의 공여, 국제기관에의 협력 및 수송업무를 검토, 실시함.

다. 일본인의 안전확보를 위해 정보제공과 대피지원을 실시함.

아주국 장관 차관 1차보 2차보 중아국 청와대 안기부

PAGE 1 91.01.17 22:25

외신 2과 통제관 CF

0104

라. 하이제크등의 방지조치를 강구함.

마. 석유가격 동향의 조사, 감시에 노력함.

3. 참고로, "위기대책본부"는 자민당 4 역과 외상, 대장상등의 14 각료로 구성되어 있음. 끝

(대사 이원경-국장)

예고:91.6.30. 까지

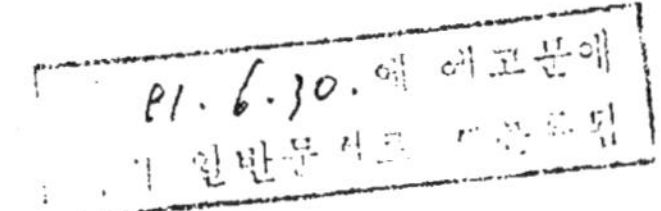

PAGE 2

0105

외 무 부

종 별 : 긴 급

번 호 : JAW-0242 일 시 : 91 0118 0015

수 신 : 장관(중근동,아일,미북)

발 신 : 주일대사(일정)

제 목 : 페만 전황관련 미국방성 기자회견

1. 금 1.17 23:00 (일본시간) 미 국방총성에서 진행된 체니국방장관과 파월합참의장의 기자회견 내용을 당지 NHK 에서 중계하였는바, 동 회견내용 요지 하기 보고함.

0 작전이 잘 진행되었다고 보고 제공권을 거의 장악한 것으로 평가

- 목표물에 대한 공격 성공율을 80퍼센트로 언급함.

0 다국적군 손실은 미군기 1대 격추 및 승무원 1명 사망, 영국기 1대 행방불명으로 전체적으로 큰 전과를 올린 것으로 봄.

0 순항 미사일도 100발정도 실전에서는 금번 전부에서 최초로 사용한 것으로 시사되었는바, 결과에 극히 만족함.

0 아직 전부가 초전의 상황이므로 승리라고 말할수는 없다고 하였으나, 현재까지의 성과에 크게 만족함.

0 이라크 공권의 응전 가능성은 아직도 남아있으나, 이라크 공군의 반격이 효과적이지 못했으며, 이라크의 반격은 이라비아 석유탱크에 포격이 가해진 정도였다고 언급 함.

- 바그다드등에 대한 공습등으로 이라크의 공군능력 및 군사시설이 크게 파괴된 것으로 관찰함.

0 초전의 목표달성에 만족하나 이라크의 쿠웨이트 철수 및 정통정권 회복이란 당초목표 달성까지 공격을 계속할 것이라고 언급.

2. 한편, NHK 미국 특파원은 상기 기자회견에서도 공습이 언제까지 계속될 것인지 여부 및 향후 공격규모에 대해서는 언급되지 않았음을 지적하고, 지금과 같은 공중폭격이 제1단계와는 목표물을 달리하면서 앞으로도 수일간 계속될 것이라고 보고, 미국은 그 다음 단계에서 1-2주일 정도의 기간으로 쿠웨이트에서 이라크군을

중아국 장관 차관 1차보 2차보 아주국 미주국 중아국 정문국
정와대 총리실 안기부 대책반

PAGE 1

91.01.18 00:39 CG

외신 1과 통제관

0106

추방하는지상전을 전개할 가능성이 있는 것으로 관찰하였음.끝

(대사 이원경-국장)

관리번호	91-74

원 본

외 무 부

종 별 : 지 급

번 호 : JAW-0259 일 시 : 91 0118 1413

수 신 : 장관(아일,중근동)

발 신 : 주 일 대사(일정)

제 목 : 자위대 수송기 파견 검토

연:JAW-0241

1. 일 정부는 1.17. 개최된 연호 안전보장회의에서 페르샤만 전쟁 발발에 따른 일정부 지원책의 일환으로서 피난민 구원을 위해 자위대의 수송기를 페르샤만 지역에 파견할 것을 적극 검토하기로 방침을 정한 것으로 보이며, 카이후수상 또한 1.17. 수상담화 발표이후 기자들 질문에 대해 자위대 수송기 파견 방침을 검토하고 있음을 밝힌바 있음.

2. 일 정부의 자위대 수송기 파견검토 방침은, 페만전 발발에 따른 미국의 강력한 지원 요청과, 재정지원과는 별도로 어떤 형태로든지 인적 공헌이 필요하다는 판단에 따라 자민당 집행부 및 방위청등이 금번 위기를 이용 자위대 파견의 길을 열어보기 위해, 지난해 임시국회에서의 유엔평화협력법안(폐안) 논의에 이어 이를 적극 검토키로 한 것으로 관찰됨.

3. 그러나 이러한 방침엥 대해 민사당을 제외한 사회, 공명, 공산당등의 야당은 크게 반대하고 있고, 정부내에서도 피난민의 수송이기 때문에 현행 자위대법(동법 시행령 121 조 원용) 범위내에서 대응할 수 있다는 주장에 대해, 내각법제국을 중심으로 해서는 현행 자위대법이 직접 임무규정이 없기 때문에 불가능하다는 의견도 적지 않게 제시되고 있는바, 1.18. 개회된 국회(페만전 발발에 따라 1.25 개회 일정을 앞당겨 소집)에서도 많은 논란이 있을 것으로 보여져, 정부 자민당 집행부 의사가 그대로 관철될지는 현단계에서 아직 불투명한 것으로 보여짐.

4. 참고로 방위청에서는 현재 15 기의 C-130 항공자위대의 대형 수송기중 5 대 정도를 파견하는 방안하에 요원의 편성과 부품 및 연료의 보급방법, 거점 기지, 무기 휴대 취급등의 문제에 대해서도 검토하고 있다 함.

5. 상기 관련동향 계속 추보 하겠음. 끝.

아주국	장관	차관	1차보	2차보	중아국	청와대	총리실	안기부

PAGE 1

91.01.18 14:32
외신 2과 통제관 DO

0108

(대사 이원경-국장)

예고:91.6.30 까지

관리번호	91/262

외 무 부

종 별 :

번 호 : JAW-0280 일 시 : 91 0118 1825

수 신 : 장관(경일,통이,기협,아일,중근동,상공부,동자부,해운항만청)

발 신 : 주 일 대사(경제)

제 목 : 페만전쟁 발발에 따른 경제관계보고(3)

페만전쟁 발발에 따른 주재국의 91.1.18. 경제관계 사항을 하기 보고함.

1. 시장동향

가. 환율

0 오전에는 이라크의 이스라엘 공격 소식등으로 2 엔 전후의 변동을 계속, 오전 종치 133 엔 60 전, 오후에는 이스라엘의 보복공격자제 및 다국적군의 우세예상등으로 1.18 종치는 133 엔 60 전

0 1.17 과 비교하여 40 전 엔화상승

나. 주가

0 동경증권거래소 평균주가 1.18 종치 23,808 엔 30 전

0 1.17 과 비교, 361 엔 49 전 상승

다. 원유가

0 두바이산 3 월 인도분은 오전에는 바렐당 18 불 전후로 거래

0 오후에는 이스라엘등의 태도등을 반영하여 16.90 불 전후로 거래됨.

2. 일본경제에의 영향 및 전망(언론보도 종합)

가. 경기전망

0 전쟁이 장기화할 경우 심각한 악영향 전망

0 원유가격이 바렐당 40 불이 될 경우 성장율 2 퍼센트 하락

0 단기 종결시 유가가 20 불 전후로 하락할것으로 전망되어 영향은 없을것임.

나. 일본정부 긴급대책

0 통산성 페만위기 대책본부 설치

- 232 만 KL 방출

- 석유제품 수급 및 가격 감시체제 강화등

경제국	장관	차관	1차보	2차보	아주국	중아국	경제국	통상국
청와대	총리실	안기부	상공부	동자부	해항청			

PAGE 1

91.01.18 19:39

외신 2과 통제관 DO

0110

0 운수성

- 외항선사에 대한 선박 보안대책 강화

다. 산업계 대응 및 영향

- 전쟁 장기화시 수주감소, 원가상승에 의한 경영수지 악화 우려(석유, 해운, 화학, 전력, 가스업계등

- 로이드 보험업계 및 일본선박 보험연맹 수에즈 운하 항행 선박에 대한 전쟁 할증 보험료 징수 동향

- 극동/구주동맹(FEFC)는 수에즈 운하항행 선박에 대한 중동위기 긴급과징금 설정, 1.19 부터 실시예상

. MEES, FCL 화물 TEU 당 300 불, FEU 당 600 불

. LCL 화물 톤당 12 불

3. 석유정세 전망

0 당분간 석유공급 부족사태는 없을것으로 분석

- OECD 석유비축분 96 일분

- 산유국 비판매 재고 6 천만 바렐

0 유가전망

- 현재는 전쟁 조기종결 관측으로 하락 및 안정세

- 전쟁 장기화 및 사오디의 석유공급 중단시는 바렐당 40-50 불로 급등 가능성

- 금후 유가는 당분간 인상될 것이나, 전쟁종결후 바렐당 20 불 전후 예측. 끝

(공사 이한춘-국장)

19 예고:91.6.30, 까지문에 의거 일반문서로 재 분류됨.

검토필(1991.6.30.)

PAGE 2

0111

관리번호	91-81

원 본

외 무 부

종 별 : 지 급

번 호 : JAW-0284　　　　일 시 : 91 0119 1256

수 신 : 장관(아일,미북,중근동)

발 신 : 주 일 대사(일정)

제 목 : 걸프전쟁관련 일본지원책

1. 일정부 사까모또 관방장관은 1.18. 오후 정례 기자회견에서 다국적군에 대한 지난해 20 억불 지원금과는 별도로 금번 걸프전쟁 발발과 관련한 일본의 추가지원금 규모와 관련, "전쟁상태가 아닐때 20 억불을 지출하였음. 금번은 전쟁이 시작되었기 때문에 그 이상의 지원을 하는것이 상식일것" 이라고 언급 하였으며, 한편 당지 언론들도 동 추가지원금 규모를 20 억불에서 50 억불에 이르기까지 다양하게 보도하고 있음.

0 상기 관련, 금 1.19. 당관 강대현 1 등서기관이 일외무성 북미 1 과 이하라 수석사무관과 접촉한바에 의하면, 현재 일측이 나름의 금액규모를 결정한 단계는 아니며, 1.20. 하시모토 대장상(G-7 재무장관회의 참석차 방미)의 브래디 재무장관 회담등을 이용, 우선 금액 규모등에 대한 미측 의견을 들어본후 일측 입장을 결정하게 될것이라고함.

0 그러나 1.15. 부쉬대통령이 나까야마 외상에게 공식적으로 "최대한도의 협력" 을 요청한바 있고, 일본이 직접 전투에 가담하고 있지않는 점등을 고려, 일정부내에서도 가능한 조속, 최대의 지원책을 강구해야 한다는 여론이 많은 상태라고 동 수석은 설명함.

2. 한편, 금번 걸프전에 따른 일정부 지원책의 촛점의 하나가 되고있는 페르샤만지역에의 자위대 수송기 파견문제 관련, 1.18. 이께다 방위청장관은 국회답변에서 "피난민등 재민의 수송이 목적이며, 다국적군에 대한 지원이 아니기 때문에 현행법 체계내에서도 허용되어 있다" 고 강조하는등 일정부는 금번 위기를 이용, 야당등의 반대에도 불구하고 가능한 자위대 수송기의 페르샤만지역 파견을 실현시키려고 노력하고 있는것으로 보임. 끝

(대사 이원경 - 국장)

아주국　장관　차관　1차보　2차보　미주국　중아국

PAGE 1

91.01.19 14:45

외신 2과 통제관 BA

0112

예고:91.6.30. 까지

長官報告事項

1991.1.19.
亞 洲 局
東北亞1課(01)

題 目 : 페르샤만 事態關聯 日本의 對應

그간의 日本政府 對應

1. 페만事態 關聯, 40億弗 支援 決定
   - o 多國籍軍 支援 : 20億弗, 周邊國 支援 : 20億弗
     * 其他, 避難民 救助를 위해 2.2千萬弗 지원

2. 自衛隊의 海外派遣을 가능케하는 "유엔平和 協力法案"制定 시도
   - o 페르샤만 事態關聯, 美國側으로부터 人的分野에서의 日本의 役割 要求 및 經濟力에 相應하는 日本의 政治,軍事的 役割 強化 意圖가 背景으로 작용
   - o 武力行事에 해당하지 않는 分野(停戰監視, 選擧監視, 輸送, 醫療, 災害民保護, 戰災復舊等)에서의 活動을 위해 公務員(自衛隊包含) 및 民間으로 構成된 "유엔平和協力隊" 設置를 規定
   - o 日政府, 同 法案을 90.10月의 臨時國會에 상정했으나, 自衛隊 海外派遣을 圍繞한 日國民의 否定的 輿論, 野黨의 강한 反對 및 韓.中等 周邊國의 反撥로 폐안

0114

--

페만 戰爭勃發과 關聯한 日政府 對應

1. 多國籍軍에 대한 追加 支援 積極 檢討

o 追加支援 金額은 未決定狀態이니, 20-30億弗정도가 될 것으로 展望

2. 유엔 災害救濟調整官事務所가 要請한 難民 救助活動 經費 3.8千萬弗의 迅速 支出 및 모포등 救護物資 提供 決定

3. 自衛隊 海外派遣 檢討

o 카이후首相, 1.18. 衆議院 本會議에서, 避難民 이송을 위한 民間航空機 確保가 여의치 않을 경우, 自衛隊 輸送機 派遣 可能性 檢討 표명

o 野黨側(社會, 公明, 共産黨) 上記 方針에 反對 表明

* 內閣 法制局側은 現行 自衛隊法上의 自衛隊 海外派遣 規定 不在로 自衛隊의 海外 派遣 不可 解析

· 다만, 武力行事를 目的으로 하지 않고, 外國의 要請또는 同意를 얻어 平和的 手段에 의해 自衛隊를 海外派遣하는 것은 違憲은 아니라는 것이 從來의 解析

o 上記에 비추어, 自衛隊 輸送機의 中東派遣 實現與否는 今後 페만 事態推移, 國內 輿論 動向 및 國會에서의 論議등이 變数가 될 것으로 展望

日本自衛隊 派遣에 관한 우리政府 對應 方向

o 現 狀況의 特殊性 감안, 政府의 公式 論評 삼가

- 美側의 要求가 日本政府의 自衛隊 輸送機 派遣 檢討 決定의 큰 要因의 하나로 작용

o 다만, 유엔平和 協力法案과 같이 自衛隊의 海外派遣을 가능케 하는 法的, 制度的 裝置를 마련하기 위한 日本의 움직임에는 反對 立場 繼續 堅持 및 日側의 愼重對應 促求

첨부 : 日政府의 自衛隊 海外派遣 問題에 관한 外務長官의 記者懇談會時 發言要旨(90.10.19)

0115

日本政府의 自衛隊 海外派遣 問題

(10.19 外務長官의 記者懇談會時 發言要旨)

o 過去 日本 軍國主義의 被害를 입은 바 있는 우리로서는 日本 自衛隊의 海外派遣이 實現될 경우, 이것이 日本의 軍事大國化로 이어질 可能性에 대해 우리와 유사한 經驗을 가진 이地域 여러나라들과 함께 깊은關心과 憂慮를 갖지 않을 수 없음.

o 우리政府는 페르시아만 事態의 解決을 위한 유엔中心의 多國的 努力에 日本이 積極的으로 參與하려는 姿勢를 보이고 있음을 肯定的으로 評價하면서 日本이 經濟協力의 分野에서 보다 큰 기여를 하여줄 것을 期待함.

0116

외 무 부

종 별 :

번 호 : JAW-0296　　　　　　일 시 : 91 0121 1715

수 신 : 장관(해신,정홍)

발 신 : 주 일대사(일공)

제 목 : 걸프 보도관련 언론계 동향

1. 걸프 전쟁 보도관련 당지 언론은 신문의 경우 1.17. 전쟁발발 이후 1.21(조간) 현재 연일 1면톱을 비롯 수 페이지에 걸쳐 대대적인 보도를 해왔으나, 1.21. 석간에 소련의 무력탄압 기사를 1면 톱으로 게재 하므로써 일단 걸프관심을 톤다운 시키고 있음.

2. T.V 의 경우 미국의 공폭 개시이후 정규방송을 전면 중지, 연일 생중계, 전문가동원 뉴스시간 확대등 집중적인 방영을 실시 하였으나, 1.20일 부터 위성방송을제외 대부분 정규방송으로 복귀하였음.

3. 걸프 보도 및 방영과 관련 당지에서는 특히 T.V 의 경우 공폭 촬영 방영시의백뮤직 삽입, 다큐멘타리 영상 제작, 저질사회자 및 토론참가자, 완곡한 표현의 미국 비난성 발언등 흥미 본위 방영에 대한 언론계 자체 반성 및 시청자 비난이 일부 제기되고 있음.

4. 저질 혹은 흥미 위주 방영에 대해 TBS 뉴스캐스타 (즈쿠시 데쯔야)의 '자신을 포함 언론인은 자숙해야 한다'는 자성 발언과 토론참가 외국언론인의 일본 T.V는 '사람이 죽어가고있는 전쟁보도를 재미로 방영하고 있다'는 비판이 파문을 이르키고 있으며 도쿄신문은 1.21자 사설을 통해 T.V 방영의 문제점을 지적한바 있음.

5. 이와관련, 주재국 언론 한국데스크는 걸프관련 아국의 보도상황 및 자세를 문의하여 오는 경우도 있음을 참고바람.

끝

(수석공보관 윤형규-관장)

공보처	장관	차관	1차보	2차보	아주국	미주국	중아국	정문국
청와대	총리실	안기부	대책반					

PAGE 1　　　　　　91.01.21　18:50 DA

외신 1과 통제관

0117

관리번호	91/61-6

원 본

외 무 부

종 별 :

번 호 : JAW-0301 일 시 : 91 0122 1011

수 신 : 장관(중근동,경일,기협,통이,아일)

발 신 : 주 일 대사(경제)

제 목 : 걸프전

대:WJA-0239

연:JAW-0257

대호, 1.21. 의 주재국 경제관계 변동사항 하기 보고함.

0 환율: 132 엔 75 전(85 전 엔고)

0 주가: 23,352 엔 19 전(456 엔 11 전 하락)

- 걸프전 발발이후 최초의 하락

0 원유가(두바이산): 불 15.65(불 2 하락). 끝.

(공사 이한춘-국장)

예고:91.12.31. 까지

검토필(1991. 6.30.)

중아국	장관	차관	1차보	2차보	아주국	경제국	경제국	통상국
청와대	총리실	안기부	동자부					

PAGE 1

91.01.22 16:41

외신 2과 통제관 DO

0118

기 안 용 지

분류기호 문서번호	아일 20637-	(전화 :)	시 행 상 특별취급	
보존기간	영구 . 준영구. 10. 5 . 3 . 1.	차 관	장 관	
수 신 처 보존기간				
시행일자	1991. 1. 23.			

보조기관	국 장		협조기관	제1차관보 : 외교안보 : 미주국장 :	문 서 통 제
	심의관				
	과 장				
기안책임자	이 혁				발 송 인

경 유 수 신 참 조	건의	발신명의		

제 목	걸프사태관련, 일정부의 자위대 수송기파견문제 관련 대응방향

1. 최근의 걸프사태 관련, 일정부는 자위대 수송기의 파견을 적극 검토하고 있으며, 현재 파견을 위한 법제도 정비 및 구체적인 파견 계획을 추진하고 있는 것으로 보도되고 있읍니다.(상세 별첨)

2. 이와관련, 우리정부의 대응방안을 별첨과 같이 건의하오니, 재가 하여 주시기 바랍니다.

첨부 : 걸프사태관련, 일정부의 자위대 수송기파견문제 관련 대응방향

0119 끝.

수정안 (1.25. 11:00
문화인 청와대 송부)

걸프事態 관련 日本政府의 支援策 報告

1991. 1.

外　　務　　部

0120

사까모또 日官房長官은 1.24(木) 걸프事態와 관련한 日政府의 支援策을 發表하였는 바, 同要旨 및 우리의 對應 方案을 下記 報告드립니다.

支援策 內容

o 多國籍軍에의 追加協力資金으로서 90억불 早期 支援

- 同金額은 假定 戰爭所要期間인 3個月分의 총액 450억불중 2할에 해당

* 日側은 40억불을 旣支援(多國籍軍 : 20억불, 周邊國家 : 20억불)

o 難民輸送을 위한 自衛隊 輸送機 派遣

- 이를 위해 1.25의 閣議에서 自衛隊 航空機에 의한 要人 輸送을 規定한 自衛隊法(100條 5項)에 의거, 가칭 "걸프 危機의 避難民 輸送에 수반하는 暫定措置에 관한 (特例)政令" 제정 방침

- 同 特例政令은 금번 事態에 限하는 暫定的인 것이 될 것으로 展望

* 政令制定에는 국회동의 不要

o 政府 차타 民航機(총 4대)를 1.25부터 카이로에 派遣, 베트남 難民의 本國 輸送 實施

0121

評價 分析

o 日政府의 90억불 追加支援 方針은 財政面에서의 最大限 協力을 통해 多國籍軍 活動에 대한 積極的인 支援 努力의 一環

o 自衛隊 輸送機 派遣은 國內法的 限界에도 不拘, 금번 걸프事態에 대한 日本의 貢獻姿勢 誇示 및 經濟力에 相應한 國際社會에서의 役割增大 意圖 作用

- 特例政令을 제정, 自衛隊 輸送機 派遣을 금번 事態에 局限하는 것으로 한 것은 野黨의 反對와 國民輿論을 고려할 것으로 사료
- 美國等으로부터의 人的分野에서의 貢獻 要求도 背景으로 작용

自衛隊 輸送機 派遣과 關聯한 우리政府의 對應方案

o 狀況의 特殊性을 감안, 금번 自衛隊 輸送機 派遣에는 反對치 않는 것이 바람직

o 다만, 外務長官의 記者懇談會時(1.25. 10:00) 記者質問에 대한 答辯 形式으로 아래와 같이 우리政府의 立場 表明

0122

- "우리政府로서는 유엔決議에 따른 多國籍軍의 이라크와의 戰爭이라는 狀況의 特殊性을 감안, 自衛隊 輸送機의 걸프 派遣이 避難民 輸送이라는 순수히 人道的인 目的에 局限될 것으로 理解하며, 이 措置가 今後 自衛隊 海外派兵의 先例가 되어서는 안될 것임."   끝.

0123

관리번호	

원 본

외 무 부

종 별 : 지 급

번 호 : JAW-0332 일 시 : 91 0123 1151

수 신 : 장관(아일,미북,중근동,정일)

발 신 : 주 일 대사(일정)

제 목 : 자위대 수송기 파견문제

연:JAW-0259, 0284, JAW(F)-0246, 0235

1. 금일 당관이 주재국 내각조사실 관계자로 부터 탐문한바에 의하면, 일 정부는 금번 걸프전쟁의 피난민 수송지원을 위해 자위대 수송기를 파견하기로 1.22. 정부 자민당간에 사실상 의견접근을 보고, 금명간에 각의에서 이를 정식 결정하게 될 것이라고 함.

2. 일 정부는 다국적군 지원을 위한 추가재정 지원에 최대한 협력한다는 자세를 가지고 있으나, 인적공헌이 따르지 않는 재정지원 만으로는 한계가 있다는 인식과, 또한 금번 자위대 수송기 파견이 다국적군의 전쟁수행을 지원하기 위한 것이 아니라 난민수송을 위한 것이기 때문에 국회를 통한 현행 자위대법의 개정없이도 가능하다는 기본적 판단을 가지고 있으며, 따라서 금번 걸프전쟁에 대한 일측 나름의 지원강화라는 관점에서 이를 반드시 실현시킬 생각을 가지고 있다 함.

3. 현재 일정부가 생각하고 있는 파견근거는, 국빈등의 수송을 규정한 자위대법 제 100 조 5 항에 입각, 동법 시행령을 개정함으로써 실시코자 하는 방침인것으로 관찰됨.

- 일 정부는 당초 자위대 수송기 파견의 근거로서 자위대법 100 조 1 항의 "훈련에 적합한 사업의 수탁" 규정을 원용할 방침이었으나, 난민수송을 "훈련"이라고 하는 것은 무리라는 내각 법제국 판단에 따 100 조 5 항을 적용하기로 하였다고 함.

- 동 100 조 5 항 규정(국빈등의 수송): 1) (방위청) 장관은 국가의 기관으로 부터 의뢰가 있는 경우에는, 자위대의 임무수행에 지장을 주지않는 한도에서 항공기에 의한 국빈, 내각총리 대신 및 기타 정령으로 정하는 사람을 수송할 수 있음. 2) 자위대는 국빈등의 수송용으로 제공하기 위한 항공기를 보유할 수 있음.

- 따라서 일 정부는, 상기 1)의 "정령의로 정하는 사람"의 범위로서 동법 시행령

아주국	장관	차관	1차보	2차보	미주국	중아국	정문국	청와대
안기부								

PAGE 1

91.01.23 12:55

외신 2과 통제관 BW

0124

126 조 16 항이 천황 및 황족, 내각총리 대신등을 열거하고 있음을 감안,동 범위에 난민등도 대상으로 추가하여 정령의 동 조항을 새로 개정할 방침이라고 함.

3. 한편, 방위청은 자위대의 C-130 수송기를 현재 5 대 정도 파견이 가능한것으로 보고(이중 2 대는 준비완료 상태로 즉시 파견도 가능), 구체적 파견계획을 검토하고 있는 것으로 보이는바, 자위대 파견시는 수송거점을 카이로로 하여 카이로 부터 요르단의 암만과 시리아의 다마서커스 까지의 구간을 운항시키고, 카이로에서 난민의 희망국까지의 수송은 JAL, ANA 등 일본 민간항공사가 담당토록 협력을 요청할 계획이라 함.

- 상기 수송기 파견에 따른 파견요원은, 수송기 1 대를 기준으로 파이롯트,정비원등을 합하여 모두 14 명 정도가 기본 탑승원임을 감안, 교대요원 정비요원등을 합하면 5 대의 경우 총 파견요원은 200-300 명선이 될 것으로 관찰하고 있음.

4.(당관 관찰) 따라서 상기 자위대 수송기 파견을 일 정부로서는 국회가결이 불필요한 정령 개정의 방법을 통하여 언제라도 실현가능할 수 있게 된 것으로보여짐. 그러나, 금번 자위대 수송기의 파견에는 민사당을 제외하고 사회, 공명, 공산당등의 각 야당이 크게 반발하고 있기 때문에 연호 추가재정지원 문제와더불어 금후 국회에서 여. 야간 충돌등, 주요정치 쟁점으로 부각될 것으로 관찰됨. 끝.

(대사 이원경-국장)

예고:91.6.30. 까지

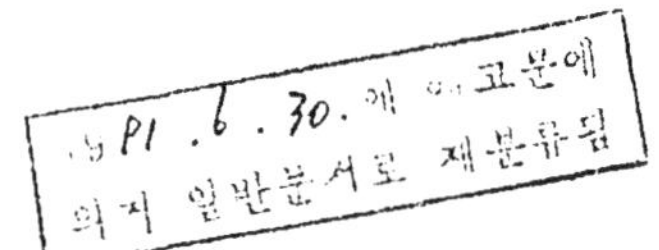

PAGE 2

0125

관리번호	91/651

외 무 부

종 별 :

번 호 : JAW-0344　　일 시 : 91 0123 1658

수 신 : 장관(경일,통이,중근동,아일)

발 신 : 주 일 대사(경제)

제 목 : 걸프전 관련 다국적군에 대한 일본의 추가지원

일본의 다국적군에 대한 추가지원 관련 주재국 언론보도 내용을 하기 보고함.

0 일본정부는 1.23. G-7 재무장관회의 참석후 귀국하는 하시모토 대장상과 수상과의 합의에 따라 추가지원액 규모를 90 억불(1 조 2,000 억엥)로 결정할 것으로 보임.

0 동 금액의 산정기준은 1 일 전쟁 소요비용을 5 억불로 가정할 경우, 전쟁수행기간 3 개월분의 총액 450 억불의 일본 분담비율 20 프로에 해당하는 액수임.

0 추가지원액의 재원염출 방식은 상환기간 2-3 년의 적자국채를 발행한후 증세를 통한 세수수입으로 상환하는 방안이 검토되고 있음.

- 증세대상은 석유관계 제반세, 담배세, 주세, 법인세등. 끝.

(공사 이한춘-국장)

예고:91.6.30. 까지 예고문에 의거 일반문서로 재 분류됨.

검토필(1991.6.30.)

경제국　아주국　중아국　통상국　청와대　안기부

PAGE 1

91.01.23 20:23

외신 2과 통제관 FE

0126

관리번호	91 / 116

원 본

외 무 부

종 별 :

번 호 : JAW-0345 일 시 : 91 0123 1658

수 신 : 장관(중근동,경일,기협,통이,아일)

발 신 : 주 일 대사(경제)

제 목 : 걸프전

대:WJA-0239

연:JAW-0301

1.22. 의 주재국 경제관계 변동사항 하기 보고함.

0 환율: 131 엔 65 전(1 엔 10 전 엔고)

0 주가: 23,253 엔 65 전(98 엔 54 전 하락)

0 원유가(두바이산): 불 16.60(불 0.95 상승). 끝.

(공사 이한춘-국장)

예고:91.12.31. 까지

검토필(1991.6.30.)

중아국 아주국 경제국 경제국 통상국

PAGE 1

91.01.23 20:25

외신 2과 통제관 FE

0127

관리 번호	91 -101

원 본

외 무 부

종 별 : 지 급

번 호 : JAW-0353 일 시 : 91 0124 1524

수 신 : 장관(아일,미북,중근동)

발 신 : 주 일 대사(일정)

제 목 : 걸프전쟁에 대한 일본 지원책

연:JAW-0332, 0284

1. 연호 관련, 일 정부와 자민당은 금 1.24(목) 오전 수상관저에서 당. 정 수뇌회의를 개최, 걸프전쟁에 따른 주재국 지원책을 확정하고 관방장관이 이를 발표하였는바, 동 주요 내용은 아래와 같음.

0 다국적군에의 추가 협력자금으로서 90 억달라(약 1 조 2 천억엥)을 조기에 지원

0 난민 수송을 위해 자위대기를 파견하며, 동 파견의 법적근거로 자위대법 제100 조 5 항을 적용(연호 JAW-0-332 보고와 같이 수송 대상에 피난민을 추가키로 함)

0 정부 챠타 민항기(총 4 기)를 1.25. 부터 카이로에 파견, 베트남 난민을 베트남 본국에 수송

- 주변제국에 대한 10 억불 추가지원에 대해서는 의견불일치로 추후 토의키로 함.

2. 일 정부는 1.24. 저녁 "페만위기 대책본부"회의를 개최, 상기 지원책을 정식으로 결정할 예정이며, 자위대기 파견과 관련해서는 금일밤 안전보장회의 심의를 거쳐 명 1.25(금) 각의에서 자위대법 시행령 제 126 조 16 항을 개정할 예정임.

0 자위대법 제 100 조 5 항 규정(국빈등의 수송): 1) (방위청)장관은 국가의 기관으로 부터 의뢰가 있는 경우에는, 자위대의 임무수행에 지장을 주지 않는한도에서 항공기에 의한 국빈, 내각총리 대신 및 기타 정령으로 정하는 사람을수송할 수 있음. 2) 자위대는 국빈등의 수송용으로 제공하기 위한 항공기를 보유할 수 있음.

0 따라서 일 정부는 상기 1)의 "정령으로 정하는 사람"의 범위로서 동법 시행령 126 조 16 항이 천황 및 황족, 내각총리 대신등을 열거하고 있음을 감안, 동 범위에 난민등도 대상으로 추가하여 국회동의 필요치 않게 정령의 동 조항을 개정할 방침이라고 함.

3. 한편, 추가 자금지원에 대한 재원문제에 대해서는, 앞으로 자민당과 대장성간에

아주국 장관 차관 1차보 2차보 미주국 중아국 청와대

PAGE 1 91.01.24 16:20

외신 2과 통제관 CA

0128

증세(석유 관련세, 담배세, 법인세)등을 축으로 재원확보 방안을 강구할 예정이나, 금년도 예산에서 긴급 제공할수 있도록 2-3 년 단기상환, 적자 국채의 발행을 검토중에 있는 것으로 보이며, 이를 위해 2 월중에 금년도 예산 제 2 차 추가경정 예산안으로서 관련법안과 함께 국회에 제출, 조기 성립시킬 방침인 것으로 관측되고 있음.

4. 상기 일본정부의 지원책 확정과 관련, 카이후 수상은 명일 1.25(금) 재개되는 통상국회에서 국민에 대해 국제공헌을 위해서는 "응분의 부담"이 필요하다는 것과 이를 위한 증세등에의 이해와 협력을 요구할 예정이나, 민사당을 제외한 야당에서 자위대기의 파견에 크게 반발하고 있고, 또한 추가지원 금액의 사용처에 대해서도 정부가 제한없는 문제한 사용을 용인할 입장에 있는 것으로 보여지고 있어, 금후 국회에서 필연적으로 여, 야간 주요 정치 쟁점으로 부각될 것으로 전망됨. 끝.

(대사 이원경-차관)

예고:1991.12.31. 까지

PAGE 2

0129

	분류번호	보존기간

발 신 전 보

번 호 : WJA-0355 910125 1529 CG 종별 :

수 신 : 주 일 대사.//총영사

발 신 : 장 관 (아일)

제 목 : ~~자위대 수송기 걸프파견~~

1. 본직은 금 1.25(금) 오전 정례기자간담회에서, 자위대 수송기의 걸프 파견과 관련한 기자질문에 대해 아래와 같이 답변하였음.

"우리는 일정부가 자위대 수송기 5대를 난민수송용으로 인도적견지에서 파견하는 것으로 듣고 있으며, 또한 다국적군에 90억불을 추가지원하는 것으로 알고있음. 이러한 조치는 걸프사태라는 특수상황에 의해 이루어진 것으로서, 이것이 앞으로 자위대 해외파견의 선례가 되지 않기를 바람."

2. 상기 답변내용은 주한일본대사관에도 통보하였음. 끝.

(아주국장 김정기)

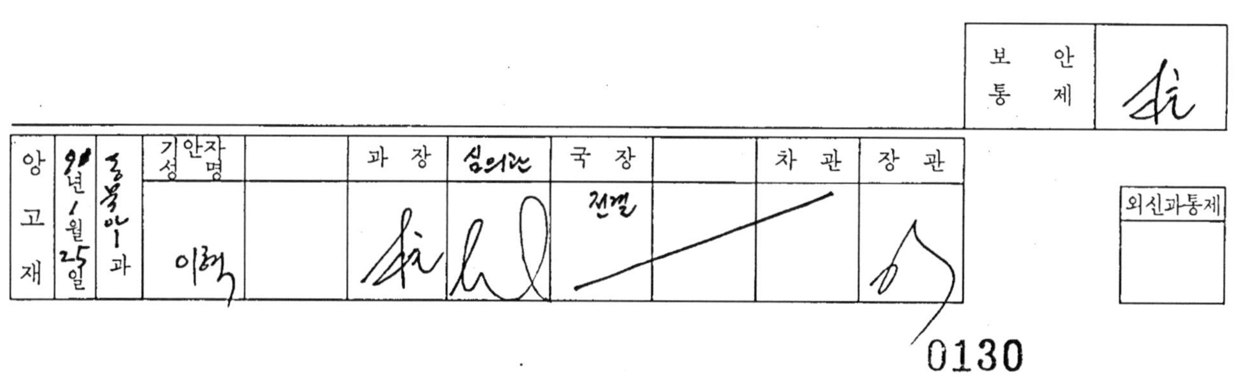

보안 통제	

앙 고 재	91년 1월 25일	동북아1과	기안자 성명		과장	심의관	국장		차관	장관
			이혁				전결			

외신과통제

0130

관리 번호	91-109

원 본

외 무 부

종 별 : 지 급

번 호 : JAW-0376　　　　　일 시 : 91 0125 1516

수 신 : 장관(아일,미북,중근동)

발 신 : 주 일 대사(일정)

제 목 : 걸프전쟁에 대한 일본 지원책

연:JAW-305

1. 연호 자위대기 파견 법적근거와 관련, 일 정부는 1.24. 오후 개최된 안전보장회의에서 당초 검토되었던 자위대법 시행령 개정 보다는 금회에 한하는 잠정적 특례 정령을 제정, 대처키로 방침을 결정하고, 1.25. 오전에 개최된 각의에서 이를 통과 시켰는바, 동 정령의 주요내용은 아래와 같음.

0 명칭: 페만위기에 따른 피난민의 수송에 관한 잠정조치 정령

0 내용: 당분간 페만위기에 따라 발생한 이라크, 쿠웨이트 및 주변국가의 피난민으로서, 피난민에 대해서의 소송, 그외의 지원을 담당하는 국제기관으로 부터 요청이 있는 자를 수송대상으로 함.

0 유효기간: 공표일로 부터 시행(페만위기가 끝나 국제기관으로 부터의 요청이 없으면 자연히 소멸 또는 폐지되는 한시적 정령)

2. 상기와 같이 일 정부가 자위대기 파견 법적근거로 금회에 한하는 특별정령을 제정 대처키로 한 것은 피난민을 자위대법 시행령에 의한 수송대상으로 하기에는 무리라고 판단되기 때문에 자위대기 파견자체를 반대하고 있는 야당과 국민여론을 고려한 것으로 보임.끝.

(대사 이원경-국장)

예고:91.6.30. 까지

91.6.30. 에 일반문서로 재분류됨

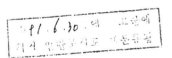

아주국	장관	차관	1차보	2차보	미주국	중아국

PAGE 1　　　　　91.01.25　16:12

외신 2과　통제관 BA

0131

관리번호	91-115

원 본

외 무 부

종 별 :

번 호 : JAW-0397 일 시 : 91 0126 1542

수 신 : 장관(아일)

발 신 : 주 일 대사(일정)

제 목 : 일본의 걸프전쟁 관련 지원책

연 : JAW-0353

작 1.25 오후 외무성 이마이 북동아과장은 당관 박승무 정무과장 면담시 표제관련 관방장관의 1.24 공식발표문 내용(연호 1 항)을 아측에 설명하여 왔음을 참고로 보고함. 끝

(공사 남홍우-국장)

예고:91.12.31. 까지

19 91.12.31. 에 예고문에 의거 일반문서로 재분류됨

아주국 장관 차관 1차보 2차보 중아국

PAGE 1

91.01.26 16:39

외신 2과 통제관 CH

0132

관리 번호 91-128

원 본

외 무 부

종 별 : 지 급

번 호 : JAW-0433 일 시 : 91 0129 1639

수 신 : 장관(아일,미안,국방부)

발 신 : 주 일 대사(일정)

제 목 : 자위대 해외파견 문제

1. 금 1.29 당관이 주재국 방위청 관계자로부터 탐문한 바에 의하면, 작 1.28 자민당 국방부회의에서는 걸프전쟁과 관련한 일측의 대책 검토과정에서 난민수송 지원을 강화하기 위한 명분으로 자위대 함정의 파견문제에 관한 의견도 일부에서 제기, 이의 실현을 위한 방법으로 천연재해등의 긴급사태 발생시 의약품,물자등의 긴급원조를 위해 제정되어 있는 현행 국제긴급원조대법의 파견대상 관청에 방위청을 추가하는 문제에 대한 의견교환도 있었던 것으로 관찰됨.

2. 그러나, 최근 자위대 수송기 파견결정 및 다국적군에 대한 90 억불 추가지원 문제와 관련, 현재 일정국이 야당의 위헌공세등으로 큰 논란의 와중에 있는 시점임에 비추어 동 국방부회내에서도 현 시점에서 자위대함 파견문제를 또 제기하는 것은 바람직하지 않은것 이라는 의견이 다수를 차지, 일단 금번 국회에서는 상기 수송기등의 파견문제에 대한 야당의 공격을 효과적으로 극복하는 것이 중요하다는 점에 의견을 모으고, 동 함정파견 논의를 대외적으로 발표하지 않기로 한 것으로 보여짐.

3. (당관관찰) 따라서 분쟁지역에서의 난민수송등을 위한 자위대 함정의 파견 문제는 현재 자위대 수송기 파견문제등을 위요한 여. 야간 논쟁에 비추어 당장 일정부의 검토과제로는 대두하지 않을 것임.

0 그러나 상기와는 별도로, 일 정부는 유엔 평화유지 활동에의 참여 강화와 플루토늄 해상수송의 안전확보등의 목적을 위해서 자위대 요원파견 또는 해상 자위대 함정의 파견문제등을 검토하여 온 전례가 있고, 이에대한 정부의 기본적 인식도 무력행사를 전제로 하지 않는 해외파견은 헌법상 금지된 것은 아니지만 현행 자위대법에 파견규정이 없기 때문에 불가하다는 입장을 견지하여 오고있음

0 또한, 자민당내 국방부회내 국방부회를 중심으로한 소위 방위족과 정부내 방위청

아주국 장관 차관 1차보 2차보 미주국 청와대 안기부 국방부

PAGE 1

91.01.29 17:13

외신 2과 통제관 CF

0133

등은 최근 걸프위기를 이용, 차제에 자위대 해외파견의 길을 열어두어야 한다는 생각하에 이를 집요하게 주장하고 있는바, 따라서 상기 일정부의 기본인식등에 비추어, 이미 천명한 일 정부의 수송기 파견 결정이 금번 국회에서 야당의 반대에도 불구하고 그런대로 수습되고 걸프전이 장기화 할 경우, 수송기 파견에 이어 자위대 요원 또는 함정의 해외파견을 위한 정부 자민당내 움직임은 언제든지 대두할 가능성은 남아있느 것으로 보여짐.

4. 참고로, 금번 걸프전쟁 난민수송을 위한 자위대 함정파견 검토와는 관계업지만, 일 정부는 지금까지 원양항해, 미.일 군사훈련 참가 및 남극관측에 대해서는 현재 자위대함을 파견하여 오고있음을 첨언함. 끝

(대사 이원경-국장)

예고:91.12.31. 까지

관리 번호	91-1437

원 본

외 무 부

종 별 :

번 호 : JAW-0579 일 시 : 91 0206 1144

수 신 : 장관(미북,아일,중근동,국방부)

발 신 : 주 일 대사(일정)

제 목 : 다국적군지원 90억불 사용용도

대: WJA-0382

연: JAW-0408, 0402

1. 연호 일정부가 발표한 당국적군 90 억불 사용용도 관련, 카이후 일수상은 2.5. 공명당 이찌가와 서기장의 질문에 대한 국회답변에서 "수송, 식량등에 충당한다는(정부)방침은 그 이외의 용도에 사용하지 않는다는것과 동일하다" 는 입장을 밝히는 한편, "이런 뜻이 GULF 평화기금 운영위원회에 전달되도록 하겠다" 고 언급하였음.

2. 지금까지 일정부는 90 억불 지원금의 사용용도에 대해 "수송관련, 의료,식량, 사무관련 제경비등에 충당한다" 고만 언급해 왔던 점에 비추어 카이후 수상의 상기 견해표명은 동 지원금이 무기, 탄약 구입비용에 사용되어서는 안된다는 야당일부(공명당등)의 주장을 크게 배려한 발언으로 보여지는바, 이는 90 억불 재원마련을 위한 증세법안등의 국회통과를 위해서는 국회의석 분포상 야당중 공명당의 협조가 불가피함을 감안한 결과로 보여짐.

3. 한편, 미국정부는 일측의 지원금 사용용도 제한 움직임에 대해 종래 부정적인 입장을 표시해 왔던것으로 관찰되나, 2.4. 미국무성 테트화일러 대변인은일본의 90 억불 지원금의 사용용도를 "후방지원에 한정한다" 고 미측 입장을 발힌바 있다함을 참고로 보고함. 끝

(대사이원경-국장)

예고:91.12.31. 일반

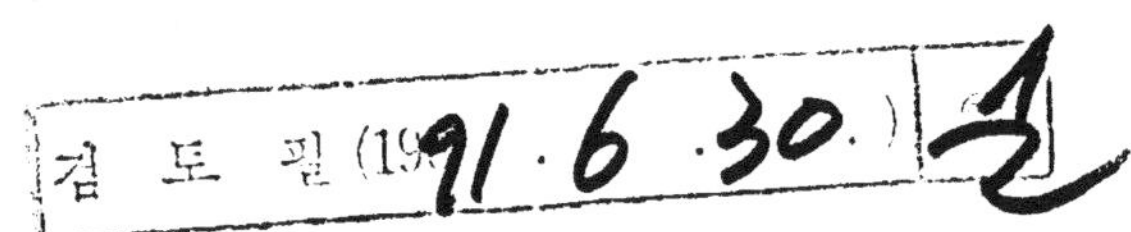

미주국 국방부	장관	차관	1차보	2차보	아주국	중아국	청와대	안기부

PAGE 1

91.02.06 12:37

외신 2과 통제관 FE

0135

관리번호	91-1431

외 무 부

종 별 :

번 호 : JAW-0658 일 시 : 91 0208 1826

수 신 : 장관(아일,동구일,정이,중근동)

발 신 : 주 일 대사(일정)

제 목 : 외무차관 월례업무 오찬

연 : JAW-0479

금 2.8. 본직은 쿠리야마 외무차관 초청 월례업무오찬에 참석, 일.북관계 및 쏘련정세등에 대해 의견을 교환하였는바, 동 차관 언급내용을 다음과 같이 보고함.

(일측 : 다께나까 아주국참사관, 이마이 북동아과장, 아측 : 유병우참사관,박승무 정무과장 배석)

1. 제 1 차 일.북 평양본회담

0 금번 본회담결과는 일.북간에 기본적인 문제에 대한 인식의 차이로 인하여 당초부터 예상되었던 것임.

0 일측으로서는 신중하게 논리가 통하는 방향으로 냉정하게 교섭해 나갈 생각인바, 3 월전반에 동경에서 개최키로 되어있는 2 차 본회담시도 큰 DEVELOPMENT 가 있으리라고 기대하고 있지 않음.

0 일.북간 교섭은 일본으로서 전후처리의 측면과 국제적 측면이 있다는 것을 고려하고 있는바, 금후에도 한국측과 긴밀히 연락하면서 대처해 나갈 생각임.

2. 쏘련관계

0 "고"대통령 방일

- 나까야마 외상이 지난 1 월, 쏘련을 방문하여 고르바쵸프 대통령의 방일 문제에 대해 쏘측과 협의하였는바, 쏘측은 오는 4.16-19 간 방일을 희망하여 구체일정을 협의키로 하였음.

- 고대통령의 방일 이전, 신임 베스스멜트누이프 외상이 고대통령의 방일에따른 사전협의차 3 월중 방일할 예정임.

0 신임 쏘외상 인물평

- 본인(차관)이 76 년 워싱턴 근무시 동 외상이 쏘련 대사관의 정치담당

아주국 장관 차관 1차보 2차보 구주국 중아국 정문국 청와대
안기부

PAGE 1 91.02.08 19:16
외신 2과 통제관 BW

0136

참사관으로 근무하고 있어 알게되었는바, 상당히 개방적이고 솔직한 인물로 유능한전문외교관이라는 인상을 갖고 있음.

- 베외상은 쉐바르드나제 전외상과 같이 고대통령 측근으로서의 정치적 역량은 없다고 생각하나, 고대통령의 결정을 PRESENT 하는데는 우수할 것으로 생각함.

0 일.쏘회담

- 베외상은 발트정세가 CONFROMTATION 이 아니며, 정치적으로 타결해야되는문제라고 언급하였음.

- 베외상은 국련 안보리 결의 678 호에 의한 다국적군의 대이라크 무력행사는 지지한다고 강조하였으며, 쏘련의 페레스트로이카와 신사고는 변하지 않았다는 것을 이해시키려는 인상을 받었음.

- 공동성명 DRAFTING 과정시 걸프사태에 대한 쏘측안이 미국입장과 거리가 있어 일측으로서는 받아들이기 어려워 논란이 되었는바, 결국 양측이 AGREE 하는부분만을 PRESS STATEMENT 형식으로 짧게 발표하게 되었음.

0 쏘련의 걸프전 대책

- 쉐외상이 사임하기까지 걸프전에 대한 쏘련의 대응방안은 확실히 결정되지 않았던 것으로 보임.

- 쏘측으로서는 기본적으로 미국과 협조하는 것이 좋다고 생각하고는 있으나, 군부등 보수세력이 이락에 대한 SYMPATHY 가 있어 미국과는 어느정도 거리를두는것이 좋다는 의견을 갖고 있는 것으로 알고 있음.

0 쏘련정세

- 현재 고대통령은 군부, KGB, 공산당 부소파의 압력으로 제약을 받고 있으므로, 이러한 상황이 국내정책이나 외교에 영향을 줄지는 몰라도 그렇다고 쏘련이 페레스트로이카 이전 상태로 돌아간다고 보지는 않음.

- 보수파들도 고의 페레스트로이카나 신사고에 대신할 새로운 PROGRAM 이 전협 없으므로 이에대한 비판은 있어도 선택의 여지가 없어 결국 고대통령의 개혁추진 PACE 를 제한하는 정도가 될것으로 봄.끝

(대사 이원경-장관)

예고:91.12.31. 일반

PAGE 2

0137

관리 번호	91-1428

외 무 부

종 별 :

번 호 : JAW-0660 일 시 : 91 0208 1826

수 신 : 장관(미북,중근동,아일)

발 신 : 주 일 대사(일정)

제 목 : 걸프전 전망

대:WJA-0541

1. 금 2.8. 본직은 구리야마 외무차관과의 월례업무오찬시 걸프전 전망에 대한 일측의 견해를 문의 하였는바, 동 차관은 다음과 같이 언급 하였음.(일측: 다께나까 아주국 참사관, 이마이 북동아과장, 아측:유병우 참사관, 박승무 정무과장 배석)

0 SOONER OR LATER 다국적군과 이락군과의 지상전이 개시될 것으로 봄.

0 이락이 지금단계에서 쿠웨이트로 부터 철군한다면, 물론 미국도 지상전으로 까지 가지않고 끝낼수 있을 것임.

0 이란이 중재안을 내는등 여러가지 방안이 논의되고 있으나, 이락이 철군 SIGNAL 을 전혀 보내지 않고 있어 결국 이락이 지상전을 할 생각이라고 밖에 생각되지 않음.

0 지상전후 사태에 대해서는 예상하기 어려우나, 군사력만으로는 모든문제가 해결하기 어려우므로 어느 단계에서 외교적으로 최종결말을 짓지 않으면 안될것임.

2. 본건 관련, 기타 일측견해 계속 파악 추보 예정임.끝.

(대사 이원경-장관)

예고:91.12.31. 일반

검 토 필(1991.6.30.)

미주국	장관	차관	1차보	2차보	아주국	중아국	청와대	총리실
안기부								

PAGE 1 91.02.08 19:10

외신 2과 통제관 BW

0138

관리번호	91-1401

외 무 부

종 별 : 지 급

번 호 : JAW-0728 일 시 : 91 0213 1433

수 신 : 장관(미북,중근동,아일) 사본:주영대사-본부중계필

발 신 : 주 일 대사(일정)

제 목 : 걸프지원금의 대영국 할당

대:WJA-0582

1. 대호 관련, 작 2.12. 저녁 당관 박승무 정무과장은 외무성 이또 서구 2 과장을 면담, 일정부의 표제관련 입장을 문의하였는바, 동 내용을 다음과 같이 보고함.

가. 제 1 차 할당

0 일정부가 90.9 월 발표한 다국적군에 대한 지원액 20 억불중 영국에 대해서는 이미 5 천만불이 공여완료된 상태임.

- 페만 평화기금 운영위원회에 일본의 "온다"주사우디대사가 멤버가 되어 일본이 공여한 지원액 배분 과정에서 일정부 의향을 반영토록 하고 있음.

0 동 5 천만불은 비행기차타등 수송대금으로 사용토록 하였음.

나. 추가할당

0 영국측은 일본이 91.1 월 발표한 추가지원 90 억불 가운데 일정액을 다국적군에 참가하고 있는 영국에 할당 받고 싶다는 요청을 해 왔음.

0 이러한 요청은 여러 레벨에서 행해지고 있는바, 특히 90 억불 추가지원 발표직후 하드 영국 외무장관은 여사한 내용의 나까야마 외상앞 메세지를 보내 왔음.

0 영국측은 다국적군에서의 공헌도가 미국대비 8 프로 라고 일측에 설명하고는 있으나 8 프로 할당지원을 요청하고 있지는 않음.

(영국측은 1) 영국이 미국 다음으로 다국적군에 공헌하고 있으므로, 2) 이에 따른 영국의 지출에 상응하는 지원을 요청하고 있음)

0 지난주 영국측으로 부터 긴급한 정무협의를 위해 WESTON 외무부차관이 일본방문을 하겠다는 요청이 있었으나 동기간중 "오와다"외무심의관이 외국출장중이어서 2.14(목) 오후 협의를 가지기로 하였음.

0 90 억불 추가지원에 대해서는 아직 국회에서 심의중이므로 현시점에서 미국에

미주국 장관 차관 1차보 2차보 아주국 중아국 청와대 총리실 안기부

PAGE 1

91.02.13 15:59

외신 2과 통제관 BN

0139

어느정도 할당하고 영국 또는 GULF 관계국에 어느정도 할당할 것인가는 외무성으로서 아직 정식으로 검토를 시작하지 않고 있는 상황인바, 금번 WESTON 부차관과의 협의시도 일측은 구체적인 지원액은 제시하지 않을 것임.

2.WESTON 부차관의 방일 결과 추보 예정임.끝.

(대사 이원경-국장)

예고:91.12.31. 일반

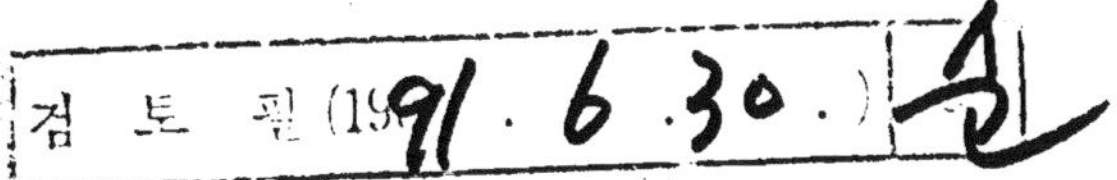

PAGE 2

0140

외 무 부

종 별 :

번 호 : JAW-0812 일 시 : 91 0216 0926

수 신 : 장관(경일,통일,중동일,아일,기협)

발 신 : 주일대사(경제)

제 목 : 이라크의 조건부 철수 발표 관련 경제관계사항

1.표제 관련, 향후 시장동향 및 경제전망에관한 주재국 보도내용을 하기 요약 보고함.

가.경기동향

0 철수가 이루어지면 경기의 장애요인이 소멸, 전후부흥 수요등으로 경기에 활력이 생길 것으로관측되나, 하기 요인등으로 인해 경기 감속경향은 당분간 지속될 것으로 보는 관측이유력함.

- 미국의 신속한 경기 회보 가능성 희박
- 고도의 설비 투자 유지 곤란
- 일본의 금융완화 가능성 희박

나.외환시장

0 이라크의 조건부 쿠웨이트 철수 발표후에도외환시장은 당분간 사태 추이에 따라 불안정한반응을 보일 것임.

0 전쟁이 종결될 경우, 미국경기 및 원유가격동향등에 영향을 받을 것임.

다.주식시장

0 시장 불안요인의 상당분 소멸 및 결산기를맞이하여 주가의 상승 국면은 당분간계속될것으로 보임.

0 이라크군이 쿠웨이트로 부터 철수할 경우,원유가상승 가능성은 거의 없어져서주가는상승할 것으로 보임.

라.원유시장

0 이라크의 쿠웨이트 철수시 유가 하락은 확실하며,일부에서 예측되는 바렐당 10불 까지는급락하지는 않을 것이나 단기적으로 대폭 하락이예상됨.

-현재 사우디등의 증산으로 OPEC 의 산유량은일일 2,300만 바렐로 90.7.결정한

경제국 아주국 중아국 경제국 통상국

PAGE 1 91.02.16 10:57 FA

외신 1과 통제관

0141

생산량을 50만바렐 상회하고 있는 상황

2. 일본정부는 단기간에 사태가 종결되더라도다국적군에 대한 추가지원 90억불을예정대로지원할 것이며, 전쟁이 종결될 경우에는 동금액내에서 쿠웨이트 전후 복구등을 지원할것으로 보도되고 있음.

3. 한편 뉴욕시장(현지시간 2.15. 15:00 현재)의동향은 아래와 같음.

0 원유가(WTI): 바렐당 20.88불(전일비 1.44불하락)

0 환율: 1불당 130엔45전(전일비 달러화 소폭상승중)

0 주가동향: DOW 지수 2,934.65(전일비 57.42상승).끝.

(공사 이한춘-국장)

관리번호	91-2lP

원 본

외 무 부

이

종 별 :

번 호 : JAW-0825 일 시 : 91 0216 1204

수 신 : 장관(아일,미북,아일)

발 신 : 주 일 대사(일정)

제 목 : 걸프전 지원 90억불 재원 결착

1. 그간 일정부가 자민당 및 야당간에 논란을 벌여온 일정부의 다국적군에 대하 90억불(약 1 조 1 천 7 백억엥) 추가지원의 재원문제가 결착 되었음. 즉, 자민당이 5 천억엥의 세출삭감을 중심으로 한 새로운 재원안을 제시한데 대해 2.15. 저녁 여.야당은 대표회담을 거쳐 공명, 민사 양당이 찬성 방침을 결정함으로서, 90 억불 재원문제를 포함한 90 년도 2 차 보정예산안등의 관련 재원 법안이 2.25. 국회에 제출되어 3 월중 성립할 것으로 보여짐.

2. 신재원 법안은 1) 90 년도 예산중 예비비등 세출삭감 및 세외수입의 추가로 약 2 천억엥을 확보하고, 2) 91 년도 예산의 예비비 삭감으로 약 2 천억엥,그리고 방위관계의 삭감으로 약 1 천억엥을 확보하는 한편, 공무원 숙사시설비도 감축함으로써 합계 약 5 천억엥을 염출하는 것으로 되어 있음.

3. 따라서 부족분 약 6 천 7 백억엥은 여전히 증세에 의하게 되었지만, 1.31. 자의 증세법안에 대해 법인세, 석유세에 대한 의존세율이 대폭 감축되는 한편, 담배에 대한 증세가 철회됨. 또한 이로인해 지난해 말 일 정부가 편성했던 91년도 정부예산안의 수정과 방위비 감축이 불가피하게 되었음.

4. 금번 재원결착은 정부, 자민당이 공명당의 주장을 전면적으로 수용함으로써 가능하게 되었는바, 당초 만약 재원법안이 불성립될 경우, 카이후 수상의 책임문제로 연결될 가능성이 컸던 일정국의 "5 월 정변"등의 위기설은 따라서 일단 많이 진정될 것으로 보여짐.끝.

(대사 이원경-국장)

예고:원본:91.6.30. 까지

사본:독후파기

1991.6.30. 에 예고문에 의거 일반문서로 재분류됨

아주국	장관	차관	1차보	2차보	아주국	미주국	중아국	청와대
총리실	안기부							

PAGE 1

91.02.16 13:21

외신 2과 통제관 BW

0143

관리 번호	91-249

원 본

외 무 부

종 별 : 지 급

번 호 : JAW-0916 일 시 : 91 0220 1926

수 신 : 장관(아일,중일,미북,경일)

발 신 : 주 일 대사(일정)

제 목 : 걸프전쟁후 대책

1. 금 2.20. 당관이 일외무성으로부터 탐문한바에 의하면, 일정부는 걸프전쟁이 화전양면 어느쪽이든 중대국면에 접어든 점을 감안, 중동지역 복구계획 및 평화등에 대한 일측나름의 대책을 조속히 마련하기 위해 중동제국 및 구미 주요국가에 외무성 고위간부를 파견하기로 방침을 정하였다고 함.

2. 이에 따라 일 외무성은 내주중에라도 가능한 조속히 외무성 와타나베 외무심의관 (경제담당)을 중동 각국에 파견하고, 현재 동구(쏘련, 유고, 불가리아)를 방문중인 오와다 외무심의관(정무담당)을 서구 주요국가와 이스라엘에, 사또 정보조사국장을 미국에 파견, 전후계획에 대해 상호 의견교환을 할 방침하에 현재 일정을 조정중이라고 함.

3. 참고로, 방문 각국과의 협의에서는 전쟁종결의 프로세스와 전후복구 및 중동지역의 복구, 평화에 대한 일본의 참여문제를 중심으로 의견교환이 진행될 것이라고 함.

4. 관련사항 계속 탐문 추보하겠음. 끝

(대사 이원경-국장)

예고:원본접수처:91.12.31까지, 사본접수처 : 독후파기

검 토 필 (1991.6.30.)

아주국	장관	차관	1차보	2차보	미주국	미주국	중아국	경제국
청와대	안기부							

PAGE 1

91.02.20 20:11

외신 2과 통제관 CF

0144

원 본

관리번호 91-248

외 무 부

종 별 : 지 급

번 호 : JAW-0952 일 시 : 91 0221 1631

수 신 : 장관(아일,중동일,동구일)

발 신 : 주 일 대사

제 목 : 페만사태

대 : WJA-0680

당관 유병우 정무참사관은 금 2.21. 외무성 중근동 아프리카국 "노가미" 심의관과 접촉, 대호 "프리마코프" 방일결과 및 페만사태에 대한 일측전망을 탐문한바, 요지 다음 보고함.

1. 프리마코프

0 동인은 당초 2.13-17 간 NHK 초청 세미나 참석차 방일예정이었으나, 2.12-14 간 고르바쵸프 대통령 특사자격으로 이라크를 방문케 되어 대신 2.15-17 간방일, NHK 와 인터뷰를 가졌으며, 정부측에서는 수상 및 외상 예방을 급거 주선하여 주었음.

0 따라서 동인의 금번 방일은 개인용무에 의한것으로 일.쏘관계등 현안에 대해 협의는 없었음.

0 다만, 동인은 나까야마 외상 예방시 자신의 이라크 방문내용을 간단히 설명하는 가운데, 쏘측이 이라크에 제시한 복안은 1) 이라크가 쿠웨이트로 부터의 철수의사를 발표하면 다국적군은 즉시 "정전"하며, 모든 경제제재 조치를 해제함. 2) 그후 중동화해 문제 및 중동의 장래문제를 위해 어떠한 형태로든 협의를 개시한다는 내용이었다고 밝힌바 있음.

0 당시 외무서으로서는 동 중재안이 다국적국으로서는 도저히 받아들일수 없는 내용이라고 판단한바, 그후 아지즈 이라크 외상 방쏘등 진전에 비추어 볼때프리마코프의 이라크 방문내용은 단순한 경과에 불과했다고 봄.

2. 페만사태 전망

0 일정부로서도 쏘련측이 이라크에 제시한 중재안 내용을 상세히 파악치 못하고 있는 실정으로, 금번 아지즈 외상이 어떠한 내용의 회답을 가지고 방쏘할지예측이 곤란한 실정임.

아주국	장관	차관	1차보	2차보	미주국	구주국	중아국	청와대
안기부								

PAGE 1

91.02.21 18:38

외신 2과 통제관 CH

0145

0 다만, 이라크가 쿠웨이트로부터 모조건 즉시 철수하겠다는 약속을 행동으로 보이지 않는한 전투행위는 계속될 것으로 보이며, 외무성으로서는 일단 이미 부분적으로 시작되고 있는 지상전이 조만간 본격화 될 것으로 보고있음.

0 일본을 비롯, 일부 유럽제국의 여론과는 달리 미, 영, 불, 사우디, 에집트, 시리아등 현지에서 싸우고 있는 당사국의 여론은 매우 강경한바, 이라크가 구체적으로 철수를 개시할때 까지 전투행위의 계속은 불가피하다고 봄.

0 이와관련, 아랍은 원래 강한자에게는 약한 기질을 갖고 있으며, 후세인이일부 아랍권내에서 인기를 누리는 것도 그러한 기질 때문인바, 아랍과의 교섭에 있어 가장 위험한 것은 어중간한 태도임. 미국으로서는 차제에 "강하고 무서운" 미국의 이미지를 보여야 한다고 작심한것 같고, 그러한 전략이 오히려 유효하게 기능하고 있다고 봄.

0 결국, 외무성으로서는 공식 견해는 아니나 이라크가 무조건 즉시 철군하지 않는한 전투행위는 계속될 것이며, 본격적인 지상전이 임박한 것으로 보고 있으며, 그경우 다국적군의 쿠웨이트 탈환은 3 월중에, 즉 1.17 전투개시로 부터 100 일 이내에 종결될 것으로 전망하고 있음.

3. 종전후 중동평화 공헌책

0 현단계에서 종전후의 상황을 예측하기는 시기상조인바, 특히 후세인의 장래가 어떻게 되느냐에 따라 전후처리 양상이 달라질 것이며, 또한 쿠웨이트의 피해양상이 어느정도 인지를 보아야 구상이 가능할 것임.

0 현재 각국에서 전후의 평화체제 구축등 다양한 "청사진"이 나오고 있으나, 이는 대부분 국내의 반전무드를 회유하기 위한 국내용 이라고 생각됨.

0 또한 아랍은 외부의 간섭을 싫어하는, 주체성이 강한 나라들인바, 외부에서 전후 안전보장 조치를 운운할수 있는 나라는 미, 영 정도 일것임.

0 일본으로서는 일단 오와다 외무심의관(정부)이 2.23-26 간 정례차관급 협의차 이스라엘을, 와타나베 외무심의관(경제)이 2.22-3.10 간 사우디, 시리아, 에집트, 알제리등을 순방, 우선 양자관계를 협의하는 기회에 페만사태 및 종전후의 문제등도 타진할 예정이며, 현재 외무성이 중심이되어 "전후 중동공헌책"을 검토하고 있으나, 상기와 같은 이유로 일본의 역할은 극히 제한적인 것으로 봄.

0 현재로서 상정 가능한 일본의 역할을 1) 페만전쟁으로 피해를 본 빈곤 아랍국가에 대한 재정지원(사우디, 쿠웨이트등 GCC 제국은 운영재산만도 3 천억불을 보유하고 있어 재정지원은 불필요 할것임) 2) 금후 중동에 대한 무기기술관리면에서의

PAGE 2

0146

기여등이 될것임.끝

(대사 이원경-국장)

예고:원본접수처:91.12.31. 일반

~~사본접수처:91.6.30. 파기~~

외 무 부

암 호 수 신

종 별 : 긴 급

번 호 : JAW-0976 일 시 : 91 0222 0119

수 신 : 장관(중동일,아일,미북)

발 신 : 주 일 대사(일정)

제 목 : 걸프전쟁

1. 후세인 대통령은 금 2.22. 오전 0 시부터 약 35 분간 이라크 국영방송을통해 연설을 행한바, 당지 언론을 통해 보도된 동 주요 내용을 하기 보고함.

0 이라크, 전아랍세계 및 이스람세계 국민들에 대해 아랍인의 통일과 이교도에 대한 투쟁을 호소

0 이라크는 90.8.2. 쿠웨이트 침공이전에도 괴로움을 겪었으나 그후에도 역경을 견디어 왔음.

0 반 이라크 입장을 취하고 있는 아랍제구의 지도자들을 비난, 특히 사우디국왕을 배반자로, 이집트 무바라크 대통령에 대해서는 이라크로부터 부를 얻었음에도 불구, 이라크를 적대하고 있다고 격렬히 비난.

0 미국과 다국적군은 오로지 이라크를 파괴하려고 하고 있으며 이라크로서는 싸우는 길밖에 없고, 우리(이라크)는 우리의 신체, 재산등 모든것을 희생할 각오가 되어 있음.

0 미국과 다국적군은 지상전을 하지 않은체 하이테크를 사용한 공폭만을 했을뿐인데 그 이유는 이라크가 강력한 지상전으로 싸우게 되면 지게 되리라는 것을 알고 있기 때문임.

0 2.15. 이라크 성명은 전세계에 진실을 알리고 배반자들을 분명히 하기 위한 것이었음.

2. 한편 소련 화평안에 대해서는 아지즈외상이 모스크바를 방문하고 있다는것 이외에는 직접 언급하지 않았음. 끝

(대사 이원경-국장)

중아국	장관	차관	1차보	2차보	아주국	미주국	청와대	종리실
안기부								

PAGE 1

91.02.22 01:56

외신 2과 통제관 BW

0148

관리번호	91-874

원 본

외 무 부

종 별 : 지 급

번 호 : JAW-0985 일 시 : 91 0222 1145

수 신 : 장관(중동일,아일)

발 신 : 주 일 대사(일정)

제 목 : 걸프사태

대:WJA-0769

1. 이라크 아지즈 외상이 쏘련을 재방문, 2.22. 고르바춉프 대통령과 8 개항 합의사항을 발표한데 대해, 금 2.22. 오전 나까야마 일본외상은 정례 각의후 기자회견에서 하기와 같이 논평 하였음.

0 금번 합의사항에 "무조건 완전철수"에 대한 이라크의 의사는 나타남.

0 그러나, 가장 문제점은 철수종료의 타임리스트가 제시되지 않은 점, 그리고 또하나의 문제점은 철수후 유엔결의가 무효가 된다면 쿠웨이트 정통 정부의 회복이 부정될 우려가 있다는 것임.

0 일본 정부로서는 유엔결의가 완전실시되는 방향으로 협의가 진행될 것을 강력히 기대하고 있음.

0 현단계에서 일본정부로서는 금번 화평안을 즉각 환영한다고는 말할수 없음. 일 정부로서는 미국등 관계국과 연락을 취하면서 사태추이를 신중히 지켜보고 있음.

2. 상기 나까야마 외상의 논평은 이라크와 쏘련의 합의사항 발표에 대해 금2.22. 오전 핏쳐워드 백악관 대변인의 성명에서도 미국의 구체적 태도표명이 제시되지 않은 직후, 우선 일 국내 기자단에 대해 일측 입장을 논평한것 인바, 일 외무성은 금번 이라크. 쏘련의 합의내용에 대해서는 금일 하루 이라크 및 쏘련, 그리고 미국의 움직임을 계속 신중히 지켜본후 일측 나름의 입장을 정리한다는 것으로 보임.

3. 한편, 당지 언론보도에 의하면, 고르바쵸프 대통령은 부쉬 대통령에게 45분간에 걸쳐 이라크와의 합의내용을 설명해 주었다고 하는바, 이에대해 부쉬 대통령이 쏘련의 이니샤티브에 의한 노력에 감사해 하면서도 계속 전쟁을 수행할의사를 표시한데 대해 쏘련측이 낙담하고 있는 것으로 보도함. 끝.

(대사 이원경-국장)

중아국 장관 차관 1차보 2차보 아주국 미주국 청와대 총리실 안기부

PAGE 1

91.02.22 13:37

외신 2과 통제관 BN

0149

예고:원본접수처:91.12.31 까지
사본접수처:독후파기

관리 번호	91 -882

원 본

외 무 부

종 별 : 긴 급

번 호 : JAW-1032 일 시 : 91 0223 2032

수 신 : 장관(중동일,아일,미북)

발 신 : 주 일 대사(일정)

제 목 : 걸프전쟁

중동일

대:WJA-0769

연:JAW-0985

1. 일 정부는 금 2.23. 오후 카이후 수상 주재로 외상, 대장상, 방위청장관등 관계 각료들이 참석한 안전보장회의를 개최하고 2.24. 오전 2 시(일본시간)까지 이라크의 무조건 철수를 요구한 부쉬 대통령의 성명을 지지하는 일 정부 입장을 확인 하였음.

0 동 회의에서는 이라크와 쏘련이 새로 제안한 6 개항 합의 내용에는 일부 진전된 내용도 있으나 "즉시 무조건 철수"를 결의한 유엔결의를 전부 인정한 것은 아니라는데 의견일치를 보고, 이라크가 유엔결의에 따라 쿠웨이트에서 즉시, 무조건 철수할 것을 요구하는 일정부 입장을 다시 확인 하였음.

2. 이에따라 카이후 수상은 금일 밤 부쉬 대통령에게 직접 전화를 걸어 상기 일본정부 입장을 전달할 것이라고 함. 끝.

(대사 이원경-국장)

예고:원본:91.12.31. 일반

사본:독후파기

중아국	장관	차관	1차보	2차보	아주국	미주국	청와대	안기부

PAGE 1

91.02.23 20:51

외신 2과 통제관 CW

0151

관리 번호	91-309

원 본

외 무 부

종 별 :

번 호 : JAW-1183 일 시 : 91 0228 1837

수 신 : 장관(아일,미북,정일)

발 신 : 주 일 대사(일정)

제 목 : 일의 페만 지원금

1. 일정부의 페만전쟁관련 추가 지원을 위한 90 억불 보정예산안이 금 2.28. 오후 중원에서 의결되었음.

2. 동 예산안은 3 월초 참원에 이송되어 심의될 예정이며 정부측은 3 월상순 통과를 목표로 하고 있는바, 공명당이 동 추가 지원에 대한 지지를 표명하고 있어 참원에서도 의결 확정될 것으로 전망됨.

3. 다만, 페만전쟁이 예상보다 조기 종결됨에 따라 참원 심의시 사회당등 야당으로부터 동 추가지원 필요성 여부등에 대한 논란이 예상됨. 끝

(대사 이원경-국장)

예고:원본접수처:91.12.31. 일반, 사본접수처:91.6.30. 파기

검 토 필 (1991.6.30.)

아주국	장관	차관	1차보	2차보	미주국	정문국	청와대	안기부

PAGE 1

91.02.28 22:03

외신 2과 통제관 CF

0152

관리번호	91-457

가 M15

외 무 부

종 별 :

번 호 : JAW-1289 일 시 : 91 0306 1201

수 신 : 장관(중근동,아일)

발 신 : 주 일 대사(일정)

제 목 : 페만 종전과 일 정부의 대응(2)

연:JAW-1201

1. 주재국 사카모토 관방장관은 3.5. 기자회견에서 페만전쟁에 의한 페르샤만 유출 원유의 제거, 환경오염 대책을 검토하기 위해 환경, 외무, 농수(수산청), 통산, 운수(해상보안청, 기상청)의 관계 5 성청과 국제협력 사업단(JICA)의 전문직원 14 명으로 구성되는 환경조산단을 3.8. 경 사우디, UAE, 카타르등 3 국에 파견한다고 발표함. 이 조사단은 약 10 일간에 걸쳐서, 1) 유출원유 방제, 2)해수 담수화 시설보전, 3) 유탁오염 확산의 시뮬레이션, 4) 유정화재에 의한 대기오염의 영향조사, 5) 야생동물 보호, 6) 어패류에의 환경영향 등을 조사하며, 정부는 동 조사보고서에 의거, 전문가팀을 현지에 파견하여 본격조사 및 부흥대책에 임할 예정이라 함.

2. 한편, 나카야마 외상은 3.5. 참원 예산위에서 쿠웨이트등 페만지역의 재해복구와 관련, 콜레라등 전염병 발생과 같은 2 차, 3 차 재해를 위해 국제긴급원조대를 파견할 생각이라고 발언함. 끝.

(공사 남홍우-국장)

예고:91.6.30. 까지

예고문에 의거 일반문서로 재분류19 91 6 . 30 서명 가

중아국	장관	차관	1차보	2차보	아주국	미주국	경제국	정문국
청와대	총리실							

PAGE 1

91.03.06 13:00

외신 2과 통제관 BW

0153

공보처장관 방한 일본기자단 면담

o 일시: 1991.3.5(화) 17:00~18:00

o 장소: 공보처 회의실

o 참석자: 도쿄신문 편집위원 나사 타다히꼬등 8명
(명단별첨)

o 면담내용

- 공보처장관은 6공화국 3년간의 업적을 민주화, 북방정책, 지방자치의 실현으로 나누어 설명

- 일본기자의 관심사항
  . 한중국교 수립 전망
  . 걸프전에의 한국의 기여에 대한 평가
  . 평화유지 활동에 일본자위대 파병문제

o 유엔의 평화유지활동에 일본 자위대 참가문제

- 평화유지군에 일본자위대가 참가하는 것은 일본측이 스스로 판단할 문제로서 한국정부로서는 이에 대해 특별히 반대할 생각은 없음.

0154

日.北會談 取材 訪韓記者團

o 도쿄신문: 나시 타다히꼬(奈佐 忠彦)

o 요미우리신문: 나가하라 신(永原 伸)

o 닛께이신문: 미쯔모리 가즈히코(三森 和彦)

o 산께이신문: 호시노 쯔요시(星野 剛士)

o 마이니찌신문: 가네꼬 히데도시(金子 秀敏)

o 아사히신문: 스기모토 히로시(杉本 宏)

o NHK: 니시하라 죠이찌(西原 譲一)

o 교도통신: 아기 타다시(小木 柾)

0155

일본신문 관련 보도요지

o 자위대 파견은
"일본이 판단" 한국공보처 장관
(아사히 2면1단)

한국정부의 대변인인 최창윤 공보처장관은 5일 오후 일본의 보도기관과의 인터뷰에서 유엔평화유지활동(PKO)에 대한 일본 자위대 파견 문제에 대해 "일본이 판단해야 할 일이다"고 말해 한국정부로서 특별히 반대할 생각은 표명하지 않았다.

o "한국은 반대하지 않는다" - 공보처장관
PKO에 대한 자위대 참가
(마이니찌 2면3단)

최창윤 공보처장관은 회견에서 걸프전쟁후의 중동지역에서의 유엔평화유지활동(PKO)에 대한 일본의 참가에 한국은 반대하지 않는다는 견해를 표명했음. 한국이 일본의 PKO 참가에 긍정적인 방침을 공식으로 밝힌 것은 처음임. 또한 최장관은 한국자신의 전후 공헌책에 대해 "중동개발은행이 설립되면 적극적으로 참가한다"고 말함과 동시에 현재 중동에 주둔하고 있는 한국군 의료부대, 수송부대를 앞으로도 3-6개월간 주류시킬 것을 검토하고 있다고 말했음.

자위대의 PKO 참가를 포함한 일본의 역할에 대해서는 "걸프전쟁이 한창 전쟁중일때 자위대가 헌법때문에 파견할 수 없다는 보도를 읽은 적이 있으나(그때도) 한국은 자위대의 참가에 반대라고 말한 적은 없다"고 말했다.

0156

o 자위대의 PKO 참가 용인을 시사
한국 공보처장관
(닛께이 2면1단)

최장관은 회견에서 일본자위대의 PKO에 대한 참가문제에 대해 "일본은 중동의 안정을 위해 어떠한 역할을 수행해야 한다"고 말해 반대하지 않을 의향을 보였음. 걸프전쟁 종결에 따라 PKO에 한정된 자위대의 활동을 어느정도 용인하는 방향을 시사한 것으로 보여짐.

0157

自衛隊派遣は「日本が判断」

韓国公報処長官

【ソウル5日＝杉本宏】韓国政府のスポークスマンである崔昌潤・韓国公報処長官は五日午後、朝日新聞など日本の報道機関とのインタビューで、国連平和維持活動（PKO）への自衛隊派遣問題について、「日本が判断すべきことだ」と述べ、韓国政府として特に反対する考えは示さなかった。

ただ、同じ韓国政府内でも、孫柱煥前大統領政治担当特別補佐官（新駐英大使）は四日に、いかなる形の自衛隊海外派遣にも反対の考えを示しているほか、十二月の石川防衛庁長官の訪韓の際に、当時の李相玉外相も国際的な日本の軍事的貢献に反対の意見を表明しており、公報処長官の発言が文字通りに韓国政府の統一見解を示すものといえるかどうかは微妙だ。

아사히
3.6 조간
2면

「韓国は反対しない」

公報処長官 PKOへの自衛隊参加

【ソウル5日金子秀敏】韓国の崔昌潤公報処長官（閣僚）は五日、毎日新聞など日本人記者団と会見し、湾岸戦争後の中東地域における国連平和維持活動（PKO）への日本の参加に韓国は反対しないとの見解を表明した。韓国が日本のPKO参加に肯定的な方針を公式に明らかにしたのは初めて。また同長官は韓国自身の戦後の貢献策について「中東開発銀行ができれば積極的に参加する」と述べるとともに現在、中東に駐屯している韓国軍の医療部隊、輸送部隊を今後も三—六カ月間にわたって中東に駐留させることを検討している、と語った。

自衛隊のPKO参加を含む日本の役割については「湾岸戦争のさなかに自衛隊が輸送のため派遣できないという報道を読んだことがあるが、（その時も）韓国は自衛隊の参加に反対といったことはない」と語った。

韓国は昨秋、自衛隊海外派遣問題で、過去の日本軍国主義に対する歴史的わだかまりから慎重な対応を求めた。しかし、湾岸戦争で韓国自身が多国籍軍に要員を派遣しており、戦争後のPKOについてはすべての国連決議の実行を支持するとの立場から、日本の自衛隊派遣にも賛成に転じたものとみられる。

마이니찌
3.6. 조간
2면

自衛隊のPKO参加容認を示唆

韓国公報相

【ソウル五日＝三森記者】韓国の崔昌潤・公報相は五日、ソウルで日本人記者団と会見し、日本の自衛隊の国連平和維持活動（PKO）への参加問題について「日本は中東の安定のために何らかの役割を果たすべきである」と述べ、反対しない意向を示した。湾岸戦争の終結を受け、PKOに限定した自衛隊の活動をある程度、容認する方向を示唆したとみられる。

닛께이
3.6. 조간
2면

0158

관리번호	91-1123

원 본

외 무 부

종 별 :

번 호 : JAW-1299　　　　일 시 : 91 0306 1824

수 신 : 장관(아일)

발 신 : 주 일 대사(일정)

제 목 : 90억불 추가지원 관련법안 참의원 통과

주재국 참의원 본회의는 금 3.6 저녁 다국적군에 대한 90 억불 추가지원 실시를 위한 1990 년도 제 2 차 추경예산안과 재원 관련법안을 자민, 공명, 민사당의 지지로 의결함으로써 동 추경예산이 확정되었음. 끝

(공사 ~~남홍우-국장~~) 예고문에

예고: ~~원본접수처:91.12.31. 일반~~, 사본접수처:91.6.30. 파기

검토필(1991.6.30.)

아주국 장관 차관 1차보 2차보 중아국 청와대 안기부

PAGE 1

91.03.06 21:43

외신 2과 통제관 CF

0159

관리번호	91-650

외 무 부

종 별 :

번 호 : JAW-1341 일 시 : 91 0307 1844

수 신 : 장관(중동일,아일)

발 신 : 주 일 대사(일정)

제 목 : 걸프전후 손해배상청구검토 및 주이라크 대사관 복귀

대 : WJA-0890,0934

표제건, 당관 신현석 서기관이 3.7. 주재국 외무성 중근동 2 과 요시다 사무관으로부터 청취한 내용 아래 보고함.

1. 손해배상 청구

0 일본정부는 현재 일반론적으로 이라크 정부에 대해 손해배상을 청구하는 것이 국제법적으로 가능한지 여부를 검토하는 단계임.

0 다만 피해를 입은 일본국민이나 기업이 이라크 정부에 대해 직접 손해배상을 청구하는 것은 가능하다는 입장이며 정부가 개인이나 기업의 손해를 신고받아 이라크 정부에 일괄 배상을 청구할지 여부는 현단계에서 검토하고 있지 않음.

2. 주이라크 대사관 복귀

0 현 이라크정세는 반정부 폭동으로 유동적이므로 당분간 사태를 관망하고 있으며 정세가 안정된 단계에서 우선 선발대를 파견할 계획이며 선발대의 대사관 활동재개 준비가 끝난후 대사가 복귀할 예정임.

0 주이라크 일본대사관은 폭격으로 인한 외견상 피해는 없음.

3. 주쿠웨이트 대사관 복귀

0 주쿠웨이트 일본대사는, 3.1. 일본을 출발하여 3.2. 사우디아라비아 리야드에 도착, 쿠웨이트로의 복귀를 준비중에 있으며 쿠웨이트정부로부터의 입국허가가 나오는대로 대사 포함 3 명 정도가 입국할 예정임.

4. 본건 계속 추보예정임.끝

(대사 이원경-국장)

예고:원본배부처:91.6.30. 일반

사본접수처:91.6.30. 일반

예고문에의거일반문서로 재분류19 91 6 30 서명

중아국	장관	차관	1차보	2차보	아주국	미주국	청와대	안기부

PAGE 1

91.03.07 21:17

외신 2과 통제관 DO

0160

관리번호	91/351

외 무 부

종 별 :

번 호 : JAW-1685 일 시 : 91 0322 1835

수 신 : 장관(미북,아일,중동일,구동일) 사본:주일대사

발 신 : 주 일 대사대리(일정)

제 목 : 걸프전쟁과 일.미관계

대 : WJA-1207

당관이 표제에 관하여 파악한 내용을 다음 보고함.

1. 걸프전쟁에 대한 일본의 대응 배경

0 걸프전쟁에 즈음한 일본정부의 대응은 일본의 현주소를 있는 그대로 보여준 것으로서 비슷한 상황이 다시 발생하더라도 일본의 대응은 걸프전쟁에의 대응과 마찬가지일 것임.

0 즉, 2 차 대전이후 일본국민의 의식가운데는 군사문제에의 알레르기, 맹목에 가까운 평화주의, 경제적인 측면에만 맞추는 국제문제에 대한 시각등이 정착 되었고, 특히 혁신계가 주도한 전후의 교육이 이와같은 의식을 고정화 하는데기여함.

0 이에 따라 그동안 일본정부(특히 집권자민당)는 이러한 일국민의 의식에 부합하는 정책을 추구할수 밖에 없었으며, 또한 정책결정과정이 복잡하고 권력이 분산되어 있는 일본권력 구조의 특성도 작용, 현실적으로 일본으로서는 걸프전쟁과 관련하여 미국이 기대한 역할을 수행하기 어려운 여건에 있었음.

0 특히 일본이 결국 130 억불이란 거액을 공여하면서도 미국등으로부터 이에 상응하는 평가를 받지 못하게 된 이유로 타이밍을 놓친 사실도 지적되고 있는바, 이에는 현 카이후 내각의 취약성도 작용한 것이 사실임.

2. 일.미관계 현상 인식

0 일본의 조야는 현재의 일.미관계가 2 차 대전이후 최악의 상황인 것으로 받아 들이면서 대미관계를 하루빨리 수복해야 한다는 점을 인식하고 있음.

0 특히 일본은 걸프전에 즈음하여 악화된 미국의 대일여론이 우선 농산물수입 개방등 통상문제에의 압력가중으로 나타날 것으로 보고 이에 대한 대응에 부심하고 있음.

미주국 장관 차관 1차보 2차보 아주국 구주국 중아국 청와대 안기부

PAGE 1

91.03.22 22:10

외신 2과 통제관 CF

0161

0 일국내의 대체적인 여론은 이러한 사태에 까지 이르게 된데에는 일본쪽의 책임 크다는 점을 인정하고 있으나, 일부에서는 결과적으로 130 억불이라는 커다란 경제적인 부담을 안으면서도 전후의 국제협의에서 소외되는 점에 대해 무력감, 좌절감과 함께 미국에 대한 반감을 느끼는 양상도 나타나고 있음.

3. 전망(일본의 금후 대응)

가. 단기 전망

0 일정부는 대미관계 수복의 필요성에 따라(또한, 비록 뒤늦게 나마 전후 국제 협의에의 동참 가능성 모색차) 3.20 부터 이루어지고 있는 나까야마 외상의 방미에 이어, 3 월하순 오자와 자민당 간사장, 4 월초 카이후수상, 4 월하순 다께시다 전수상의 방미를 추진하고 있으며, 앞으로 걸프전 당사국에 대한 지원책을 다각도로 강구하면서, 무역마찰, 방위비분담 문제등 일.미 양자문제와 다자관계에 있어 보다 협조적인 대미 자세를 취해 나갈 것임.

나. 중.장기 전망

0 이번 사태를 교훈으로 일본정부는(교육과 언론의 계도를 통해) 일국민의 의식 구조의 변화를 추구할 것이며, 특히 군사문제에 대한 알레르기 제거, 국제사회에서의 일본의 위상(책임과 역할)에 대한 재인식을 도모해 나갈 것임.

0 아울러 대외관계에 있어서는 일본외교의 기축인 대미관계를 증진시켜 나가는 동시에, "경제대국, 군사 및 정치소국"의 한계를 극복하기 위해 가능한 범위내에서 일본외교의 독자성을 추구하기 위해 중.쏘 및 아. 태지역 국가와의 관계를 발전시키기 위해 노력할 것임.

0 특히 일부에서는 4 월 고르바쵸프 대통령의 방일에 즈음한 최근의 일본의 대쏘관계 개선의욕이 이번 사태와 무관하지 않은 "고립화로 부터의 탈피 움직임" 으로 파악하는 시각도 있음.

(대사대리 남홍우-차관)

예고:원본접수처:91.12.31.일반, 사본접수처:91.6.30. 일반

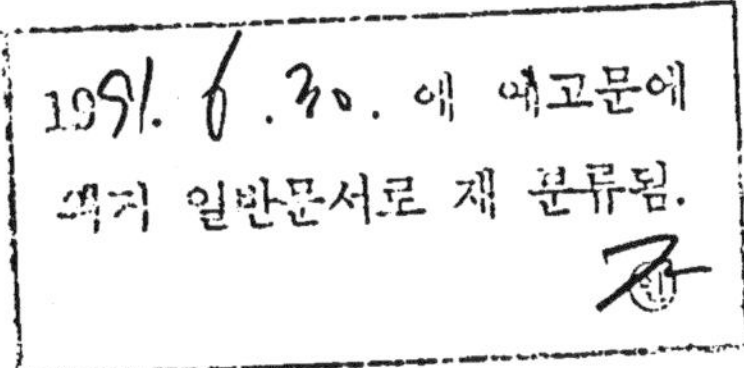

PAGE 2

0162

정리보존문서목록					
기록물종류	일반공문서철	등록번호	2012090050	등록일자	2012-09-03
분류번호	772	국가코드	XF	보존기간	영구
명 칭	걸프사태 동향 : 아주지역, 1990-91. 전4권				
생 산 과	중근동과/동북아1과/동북아2과	생산년도	1990~1991	담당그룹	
권 차 명	V.2 인도/인도네시아/파키스탄				
내용목차	1. 인도 2. 인도네시아 3. 파키스탄				

0001

1. 인도

0002

관리번호 90/1203

원 본

외 무 부

종 별 : 지 급

번 호 : NDW-1029 일 시 : 90 0802 2100

수 신 : 장관(중근동,아서)

발 신 : 주 인도 대사

제 목 : 이락의 대쿠웨이트 침범에 관한 주재국 입장

1. 본직은 금 8.2 저녁 주재국 외무부 MEHROTRA 동부차관과 접촉, 타진한바, 동차관은 금일이 주재국 공휴일이기도 하지만 인도로서는 서둘러서 논평을 할 필요가 없으므로 좀더 사태추이를 봐가며 논평을 하게 될 것이라고 말함.

2. 인도는 카쉬밀문제를 위요한 파키스탄과의 분쟁과 관련, 회교국 특히 아랍국가들에 대한 관계에 상당한 주의를 기울이고 있기 때문에, 아랍권 내부에서 발생한 문제에 대하여는 매우 신중한 태도를 취할 것으로 봄.

3. 동건 인도측의 논평이 나오는대로 보고하겠음.

(대사 김태지-국장)

예고:90.12.31. 까지

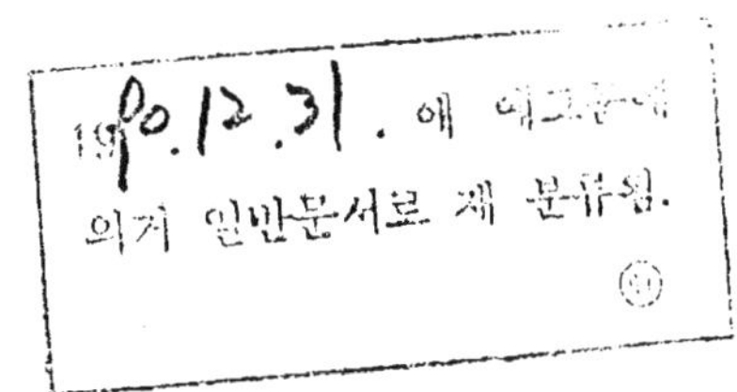

중아국	장관	차관	1차보	2차보	아주국	정문국	청와대	안기부

PAGE 1

90.08.03 01:11

외신 2과 통제관 CN

0003

원 본

외 무 부

종 별 :

번 호 : NDW-1044 일 시 : 90 0804 1600

수 신 : 장 관(중근동,아서,정일,기정)

발 신 : 주 인도 대사

제 목 : 이락의 쿠웨이트 침공에 관한 주재국 입장(2)

(자료응신 90-135)

이락의 쿠웨이트 침공과 관련, 주재국 외무부 대변인은 다음 요지의 성명을 작 8.3(금) 저녁 발표함.

''우리는 이락이 조속히 병력을 철수할 것을 진지하게 희망하며 이점에 관한 이락측의 성명에 유의함. 인도 정부는 잘 알려진 바와 같이 국가간의 관계에있어 어떠한 형태의 무력사용에도 반대하며, 이락 및 쿠웨이트 정부가 그들의 분쟁을 평화적으로 해결할수 없었던 것을 유감으로 생각함. 인도는 비동맹운동을 포함한 국제무대에서 진행되고 있는 다양한 협의를 통해 평화협상이 촉진되기를 희망함.''

(대사 김태지-국장)

중아국 아주국 정문국 안기부

PAGE 1 90.08.05 09:16 FB

외신 1과 통제관

0004

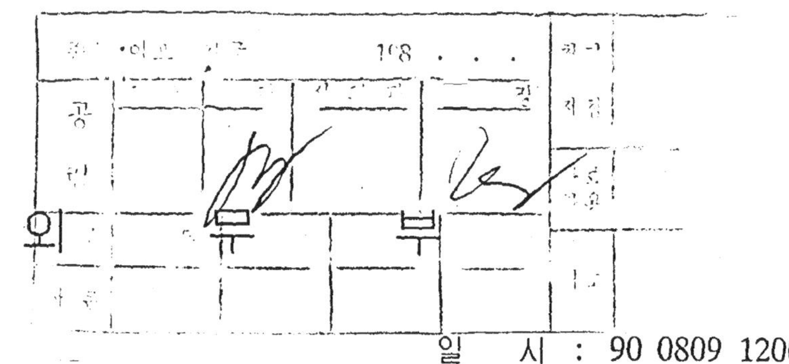

외 무 부

종 별 :

번 호 : NDW-1067 일 시 : 90 0809 1200

수 신 : 장 관(아서,중근동,정일,기정) 사본:사본처 참조

발 신 : 주 인도 대사

제 목 : 중동사태와 인도경제 및 한.인교역 영향

(자료응신 90-138)

사본처:상공부,산업연구원,대한상의,무협,전경련,중소기업중앙회

1. 인도의 석유류 수급현황

0 88/89 회계년도 기준

- 인도국내 원유(CRUDE OIL) 생산은 32백만톤, 천연가스(NATURAL GAS) 생산은13.2백만톤으로 전체 45.2백만톤이며

- 인도의 수입(NET IMPORTS) 은 원유(CRUDE OIL) 17.8 백만톤, 석유제품(디젤유 등) 4.0백만톤으로 전체 21.8백만톤임.

(NET IMPORTS 는 GROSS IMPORTS 에서 EXPORTS를 제외한 양임.)

- 인도의 국내소비는 생산 및 수입량 전체로서 파악되므로 67백만톤임.

0 89/90 회계년도의 경우

- 국내 원유생산은 34백만톤(천연가스 생산통계는 밝혀지지 않고 있으나 88/89회계년도 수준 정도로 예상됨)

- 원유수입 18백만톤, 석유제품 수입은 8.3백만톤임.

2. 중동사태에 따른 인도 석유수급 영향

0 인도는 연간

- IRAQ 로부터 약 2.2백만톤

- KUWAIT 로부터 약 1.5백만톤

- 쏘련으로부터 약 5.0백만톤(쏘련으로부터 수입되는 원유도 IRAQ 에서 생산된원유를 쏘련이 IRAQ 에서 인수한 후 이를 다시 RUPEE 결제방식에 의해 인도에 공급한 것으로 밝혀졌음)

- 전체 8.7백만톤이 IRAQ 및 KUWAIT지역으로부터 공급되었음.

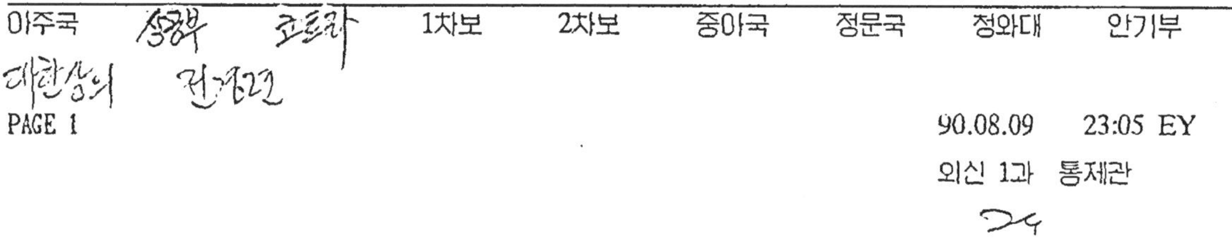

아주국	상공부	코트라	1차보	2차보	중아국	정문국	청와대	안기부

대한상의 전경련

PAGE 1 90.08.09 23:05 EY

외신 1과 통제관

0005

0 금번 중동사태로 IRAQ 및 KUWAIT 지역으로부터 수입이 불가능하게 되는 경우현재까지 수입분을 제외하고 앞으로 금 회계년도말인 91.3월까지 동지역으로부터 약 5-5.5백만톤 공급차질이 예상되고있음.

3. 인도정부 대책

금번 중동사태 발생후 MR.GURUPADASWAMY, MINISTER OF PETROLEUM AND CHEMICALS가 발표한 대책은 아래와같음.

가. 단기대책

90.6월 인도정부가 국제수지 방어대책의 일환으로 기히 취한

1) 유류판매시간 제한(평일 07:00-19:00, 일요일 08:00-12:00)

2) 중앙정부(정부투자기업 포함)의 20 프로 소비절약

3) 철도 10 프로 유류절약

4) 신규 LPG 공장 허가제한 등을 통해, 2.8백만톤 유류절약 추진대책을 앞으로도 계속추진하고 필요시는 이를 한층 강화함.

나. 중기대책

유류절약형 차량 개발, 공공수송설비 효율화, 노후보일러 개체 및 대체에너지 기기개발 추진과 함께 산업,수송,농업,가정 전반에 걸친 에너지소비제한 및 절약 추진

다. 장기대책

석유류 수입을 억제하고 국내생산 확대를 위한 투자증대

(인도 원유 매장량 510백만톤, 천연가스 매장량 477백만톤임.)

4. 중동사태가 인도경제에 미치는 영향

가. 인도경제의 기존 당면과제

인도경제는 최근 IRAQ 의 KUWAIT 침공사태 발생전에도 다음과 같은 문제에 당면하고있음.

1) 지속적인 물가상승

89년말 V.P.SINGH 수상이 이끄는 신정부 출범후 식품류 등이 포함된 일차상품을중심으로 물가가 계속 상승되어 오고 있음.

도매물가지수

구분, 89.12.23 현재, 90.7.21 현재 순

0 전상품, 166.0, 178.5

0 일차상품, 160.8, 182.9

0 연료.전기, 157.2, 166.1

0 공산품, 170.6, 178.4

2) 외채누증 및 외환보유고 부족

인도정부는 외채규모를 공식적으로 밝히지 않고있으나 세계은행 자료등에 따르면700억불에 이르고 있으며, 외채원리금 상환부담과 지속적인 무역적자(연간 45-50억불)로 외환보유고가 계속 감소되어 왔고 최근 위험수위에서 맴돌고있음.

외환보유고(금 및 SDR 제외)

구분, 89.10.20 현재, 90.7.20 현재 순

0 보유고, 5,288천만 루피, 4,681천만 루피

0 대달라 환율, 16.86, 17.44

0 미불 기준, 31.3억불, 26.8억불

나. 중동사태에 따른 인도경제 영향

1) 원유공급 부족

외환압박으로 IRAQ 및 KUWAIT 지역으로부터의 공급차질분 5-5.5백만톤을 현물시장 등에서 고가로 구입할 수 있는 여유가 없어 차질량 상당분의 수입이 어려울 것이고 국내소비 절약도 한계가 있으므로 국내에서 절대적인 공급부족현상 발생이 예상됨.

2) 물가상승

현재도 서민생활에 커다란 영향을 미치는 식품류등을 중심으로 지속적인 상승추세를 보이고 있는 물가는 원유공급 부족, 국제원유가 인상 등으로더욱 악화되어 급속한 상승국면이 지속될 것으로 예상됨.

3) 산업침체

원유공급 부족과 물가상승에 따른 국내수요감퇴 및 국제경쟁력 하락 등으로 석유화학제품을 포함한 공산품의 생산부진이 예상되고 이는 수입 및 국내생산 원자재수요감소 현상으로 연결될 것으로 보임.

5. 아국의 대인도 교역에 미치는 영향

가. 전반적인 수출여건 악화

아국이 인도에 수출하고 있는 철강제품, 기계류,전자.전기부품 및 제품, 석유화학원료 등은 전반적인 산업침체 국면에 따른 수요감소로 수출여건 악화로 이어질 것으로 우려됨.

나. 석유생산설비 발주 촉진

인도정부는 작년 하반기 이후 외환보유고 부족으로 BOMBAY HIGH(봄베이 앞바다) 해상석유생산프랜트(OFF-SHORE PLANT) 발주를 현재까지 지연시키고 있어 아국의수주에 차질을 빚고 있었으나 금번 사태로 인하여 인도정부가 오히려 발주를 촉진할 가능성이 높음.

(대사 김태지-국장)

0008

외 무 부

종 별 : 지 급

번 호 : NDW-1080 일 시 : 90 0811 1500

수 신 : 장 관(중근동,아서)

발 신 : 주 인도 대사

제 목 : 이락의 쿠웨이트 침공 - 인도의 교민보호대책

이락의 쿠웨이트 침공과 관련, I.K.GUJRAL 주재국 외무장관은 작 8.10 저녁 기자회견 을통해 현지상황, 인도의 교민보호대책 및 주쿠웨이트 대사관 이전문제 등에 대해다음과같이 밝힘.

1. 쿠웨이트 현지상황

가. 주쿠웨이트 인도대사관과 4일간 통신 두절후 금일 최초로 직접교신에 성공하였음.

나. 주쿠웨이트 대사 보고에 의하면, 172,000명의 모든 인도인은 무사하고 물 및 전기 등의 기본적인 서비스는 계속 공급되고 있으며 상점들도 개점하고있으나 은행은 닫혀 있다고 함.

2. 인도 교민보호대책

가. 인도정부는 쿠웨이트 거주 인도인에게 문제가없도록 최선을 다하고 있으며,쿠웨이트로부터 떠나기를 원하는 모든 인도인을 철수시키기 위한 비상대피 계획도준비하고 있음.

나. 현재로서는 육로를 통해 요르단으로 이동(버스로15시간 소요 예상)시킨 후 인도로 수송하는 방안을 검토하고 있는 바, 이를 위해 주이락 대사에게 이락정부의 허가를 얻도록 지시하는 동시에 주인도 이락대사에게도 동일한 요청을 하였음.

3. 주쿠웨이트 대사관 이전문제

가. 쿠웨이트 주재공관의 바그다드 이전에 관한 이락정부의 결정이 있었다는 보도가 있으나,인도정부는 상금 여사한 통보를 받지 못했음.

나. 인도정부로서는 쿠웨이트 거주 인도인의 보호를위해서 인도 외교관이 쿠웨이트에 계속 머물 수있도록 이미 이락정부에 요청해 놓고 있음.

(대사 김태지-국장)

중아국 1차보 아주국 정문국 안기부

PAGE 1

90.08.11 23:40 DP

외신 1과 통제관

0009

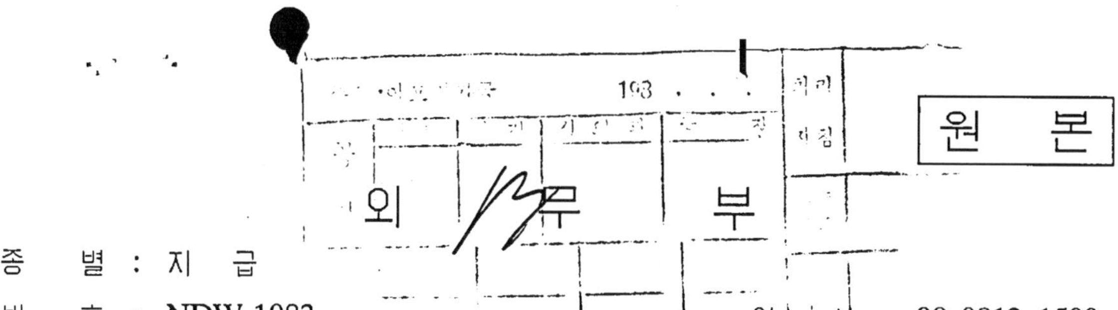

종 별 : 지 급

번 호 : NDW-1083 일 시 : 90 0812 1500

수 신 : 장 관(중근동,아서,통일)

발 신 : 주 인도 대사

제 목 : 이락의 쿠웨이트 침공과 관련한 인도의 반응(5)

1. 작 8.11 인도 외무부대변인은 이락의 쿠웨이트침공 이후 이락 및 쿠웨이트에잔류중이던 인도여행자문제 및 주이락 대사관 인원보강에 대해 다음과 같이 밝힘.

가. 약 700명의 인도인이 HAJ 순례후 이락의 KARBALA 순례지를 방문중 이락의 쿠웨이트 침공으로 이락을 떠나지 못하고 있었는 바, 인도정부는 이들을 요르단까지 육로로 이동시킨 후 특별기편으로 인도로 수송할 계획이며 이를 위한 이락정부의 허가를 주이락 대사를 통해 득하였음.

나. 또한 주쿠웨이트 대사는 이락당국의 허가를 받아, 이락군의 쿠웨이트공항 점거로 묶여 있던 BRITISH AIRWAYS(인도 마드라스 향발 예정)편에 탑승중인 120명의인도 승객을 면회하였는 바,동 승객은 전원 무사하며 건강상태도 양호하다고함.

다. 인도정부는 이락 및 쿠웨이트에 거주하는 인도인에 대한 영사보호업무의 효율적 수행을 위해 주이락 대사관의 인력을 보강 조치중임.

2. 한편, H.K.SINGH 인도 외무담당 국무장관은 페루,베네주엘라 및 콜롬비아를 방문후 귀로에 뉴욕에서 케야르 유엔 사무총장과 면담,.대이락 경제제재조치 관련문제를 협의한 것으로 당지 언론(8.12자 HINDUSTAN TIMES) 은 다음 요지 보도함.

가. SINGH 국무장관이 케야르 사무총장에게 전달한 인도입장은 다음과 같음.

1) 유엔 안보리 결의에 따른 대이락 경제제재조치로 영향을 받게 될 인도 및 여타 개발도상국에 대해 유엔이 산하기관 등을 통해 원조를 제공해야 할 것임.

2) 유엔의 제재조치로 인해 경제적 어려움을 받게되는 경우에 대한 원조제공은 유엔헌장에도 규정되어 있음.

3) 금번 제재조치로 이락내의 많은 프로젝트, 특히 건설프로젝트가 지연되거나 중

중아국 1차보 아주국 경제국 정문국 안기부 통상국 당직실 2차보 장관 차관

PAGE 1 90.08.12 21:55 ND

외신 1과 통제관

0010

지될 것이며, 이락에 대한 수출도 중단될 것인 바, 인도와 여타국가들이 심각한 영향을 받게 될 것이 확실하므로 유엔은 이러한 국가들을 지원할 의무가 있음.

나. 동 국무장관은 자신의 상기 입장 표명에 대해 유엔 사무총장이 매우 동정적인 반응을 보였다고 밝힘.

다. 또한, 동 국무장관은 인도의 대이락 대응이 너무 미온적이지 않느냐는 기자의 질문에 대해서는 다음과 같이 답변함.

1) 쿠웨이트와 이락은 모두 인도에 우호적인 국가이며 우리는 그들 자신이 그들간의 문제를 해결하기를 희망함.

2) 직설적인 규탄으로 문제가 해결되는 것은아니며, 인도가 이야기한 것이 약하게 들릴지 모르나,인도의 의도는 매우 강한 것임. 우리는 이락의 행동에 동의하지 아니하며 가능한 조속한 시일내에 이러한 이락의 행동이 철회되기를 희망함.

3. 당지에서는 인도 원유수입의 40 프로 이상을 점유하는 이락 및 쿠웨이트(특히 이락)로부터의 수입이 막힐 경우에 대한 우려가 점차 높아지고 있으며, 당지 언론관측통은 인도 정부가 원유부족분을 사우디, UAE 및 이란 등으로부터 도입하려고 노력중이나 외환부족으로 큰 어려움을 겪을 것으로 분석하고 있음.

(대사 김태지-국장)

관리번호	90-405

분류번호	보존기간

발 신 전 보

WND-0606 900813 1854 DP

번 호 :

종별 :

WMX -0713 WBR -0356
WDJ -0634

수 신 : 주수신처 참조 ~~대사, 총영사~~

발 신 : 장 관 (미북) 기협)

제 목 : 이라크.쿠웨이트 사태

1. 금번 이라크의 쿠웨이트 침공과 이에 대한 미국정부의 강력한 대응, 국제적인 경제제재 조치 및 군사적 움직임 등 일련의 사태는 그 심각성으로 인해 향후 동 사태가 진정된 이후에도 세계경제 및 정치정세에 다대한 영향을 끼치게 될 것으로 사료됨

2. 본부로서는 현재 이라크.쿠웨이트 사태가 향후 상당기간 가변적이 될 것으로 사료되나, 아국의 중장기 정책수립에 참고코저하니 우선 현재까지 밝혀진 귀주재국 정부의 입장, 학계 및 전략문제 전문가들의 다각적인 견해, 언론 해설 등을 예의분석하여, 앞으로 사태 종결후 예상되는 중동정세 및 세계정세(경제포함)의 변화 등에 관하여 가급적 조속 보고바람.

3. 본건과 관련하여서는 앞으로도 귀주재국 정부의 입장, 각계 의견을 예의 관찰, 분석하여 수시로 보고바람. 끝.

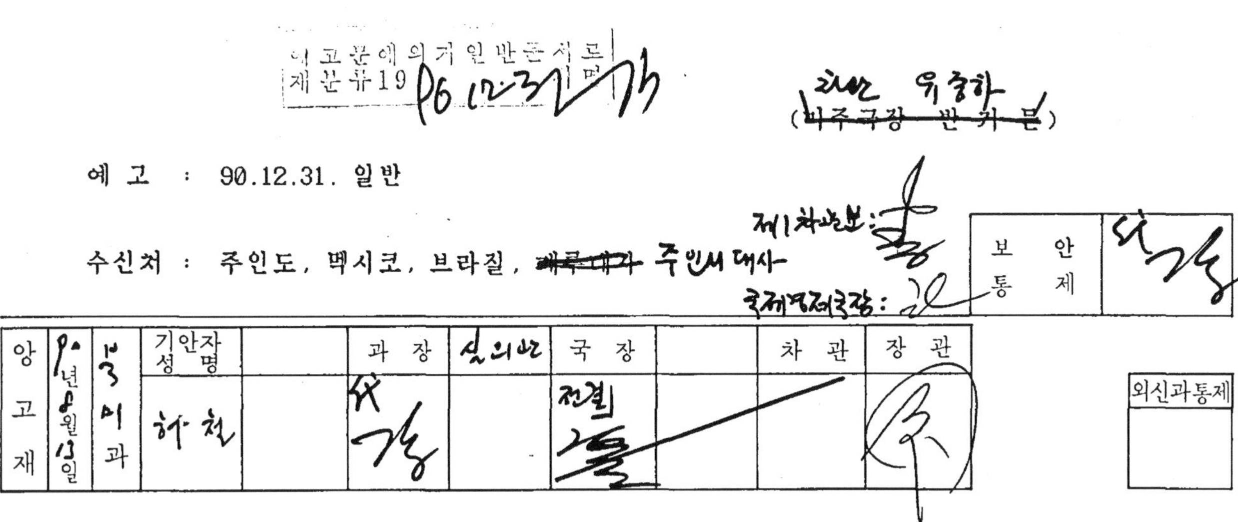

예고문에 의거 일반문서로 재분류19 90.12.31 서명

(차관 유종하 ~~미주국장 반기문~~)

예 고 : 90.12.31. 일반

수신처 : 주인도, 멕시코, 브라질, ~~에콰도르~~ 주인니 대사

제1차관보:

국제경제국장:

보안통제	

앙고재	90년 8월 13일	북미과	기안자 성명: 허 철	과 장	심의관	국 장: 전결		차 관	장 관

외신과통제

0012

81

외 무 부

종 별 : 지 급

번 호 : NDW-1090 일 시 : 90 0813 1720

수 신 : 장 관(중근동,아서)

발 신 : 주 인도 대사

제 목 : 이락의 쿠웨이트 침공과 관련한 인도의 반응(6)

이락의 쿠웨이트 침공과 관련, 작 8.12 인도외무부대변인이 발표한 교민보호대책 등을 아래보고함.

1. HAJ 순례자 인도수송계획

가. 이락에 머무르고 있었던 인도 HAJ 순례자700명과 기타 인도여행자 500명 정도가 요르단으로육로로 이동할 것이며, 이중 금 8.13 까지 요르단에도착할 것으로 예상되는 200명을 AIR INDIA특별기편으로 1차로 인도로 수송할 계획임.

나. 상기 인도여행자의 인도수송문제 등을 지휘하고요르단, 사우디 및 여타 걸프지역국가와의정세협의를 위해 A.M.KHAN 에너지장관이 현지로출발할 예정임.

2. 이라크에 대한 특사파견 검토

0 이와 별도로 인도정부는 이락 및 쿠웨이트 거주인도인의 복지 및 안전문제를 이락당국과협의하고 이들 인도인에 대한 적절한 보호조치를강구하기 위해 이라크에 특사를 파견하는 계획을검토중임.

(대사 김태지-국장)

중아국 아주국 상황실 영교국 통상국 정문국 1차보 2차보 차관 장관 청와대 안기부

PAGE 1

90.08.13 21:36 CT

외신 1과 통제관

0013

관리번호	90-1504

외 무 부

종 별 : 지 급

번 호 : NDW-1096 일 시 : 90 0814 1600

수 신 : 장관(중근동,아서,국연,통일)

발 신 : 주 인도 대사

제 목 : 이락의 쿠웨이트 침공과 관련한 인도 반응(7)

1. 당관에서 당지 언론계 인사를 통해 금 8.14 파악한 주쿠웨이트 대사관 이전문제에 대한 인도정부의 입장등은 다음과 같음.

가. 주쿠웨이트 대사관 이전문제

1)이락측은 인도에 대해서 주쿠웨이트 대사관의 바그다드 이전을 타진해 온바 있으나 인도정부는 주쿠웨이트 대사관을 유지하겠다는 입장을 이락측에 통보하였음.

2)이러한 인도측 입장의 근거는 다음 2 가지임.

0 쿠웨이트는 상금 유엔의 회원국이며 국가자체가 소멸되지 않고 있음.

0 또한, 인도로서는 막대한 숫자에 달하는 쿠웨이트거주 인도교민의 보호책임이 있음.

나. 인도경제에 미칠 영향

1)금번사태로 인도경제는 심각한 영향을 받게 될 것이며, 특히 원유수입선 대체에 따른 현실적 어려움과 현지 인도인으로부터의 송금중단에 따른 외환사정 악화의 이중고가 예상됨.

2)인도 원유수입의 40% 이상을 점유하는 이락및 쿠웨이트로부터의 원유도입이 유엔 경제제재조치로 인해 사실상 막힐 경우, 더 비싼 가격으로 여타국가로부터 확보해야 할 것이나, 이러한 대체수입선 확보자체가 어려운 일인 데다가 외환사정의 악화로 그 어려움은 더욱 가중될 것이 분명함.

2. 한편, 주재국 I.K.GUJRAL 외무장관은 금번사태와 관련한 주요관계국과의 협의를 위한 순방차 금 8.14 첫 방문지인 소련으로 급거 출발하였는바, 주요 관련동향 다음과 같음.

가. 예상일정

1)GUJRAL 장관은 모스크바에서 세바르드나제 소련외상과 회담을 갖고, 비슷한

중아국 장관 차관 1차보 2차보 아주국 국기국 통상국 청와대
안기부

PAGE 1 90.08.14 21:19

외신 2과 통제관 CN

0014

시기에 방쏘가 예상되는 겐셔 서독외상과도 회담을 가질 계획임.

2)또한, 방쏘후에는 미국과 이락을 방문할 예정이며, 방미중 워싱턴에서는 미행정부 지도자, 뉴욕에서는 유엔본부의 고위인사와 면담할 계획인 것으로 알려지고 있음.

나. 순방목적

1)금번 순방의 목적은 이락의 쿠웨이트 침공에 대한 미.쏘의 입장과 향후 전망에 대한 평가를 파악하는 이외에 유엔 경제제재조치로 인해 인도가 당면하게될 경제적 어려움을 경감시키는 지원방안의 조속한 수립을 요청하기 위한데 있는 것으로 보임.

2)특히 GUJRAL 장관은 유엔 경제제재조치의 시행으로 특별한 영향을 받게 될 회원국에 대한 유엔헌장 49 조및 50 조에 따른 지원문제를 미.쏘및 UN 에 정식으로 제기할 것으로 예상됨. 최근 H.K.SINGH 외무담당 국무장관도 UN 사무총장과의 면담시 이러한 인도의 입장을 일차 표명한바 있음.

3)인도정부는 유엔 경제제재조치에 대해 정치(대이락 우호관계)및 경제적인 이유로 인해 상금 명확한 입장표명을 하지 않고 있으나, 이와 상관없이 미국의 걸프지역 해상봉쇄등으로 동 제재조치가 사실상 인도에도 불가피하게 적용될 것으로 평가하고 있는 것으로 보임. 이에따라 당지언론등은 경제제재조치 시행에 대한 참가여부보다는 경제제재조치가 인도에 미칠 영향에 훨씬 더 큰 비중의 관심을 두는 논조를 보이고 있음.

(대사 김태지-국장)

예고:90.12.31. 까지

PAGE 2

0015

관리번호	90/1631

원 본

외 무 부

종 별 : 지 급

번 호 : NDW-1098 일 시 : 90 0815 1600

수 신 : 장관(친전)

발 신 : 주 인도 대사

제 목 : 이락의 쿠웨이트 침공

주재국 GUJRAL 외상의 쏘, 미, 이락등 제국 방문과 관련,8.14 저녁 사석에서의 본직과의 의견교환중 외무부 고위간부 (SHAH 기획조정담당 차관보) 가 발언한바 요지를 다음과 같이 참고로 보고합니다.

1. 금번사태로 인하여 인도로서도 다수의 교민보호, 경제적인 타격등 영향을 크게 받고 있으므로 사태가 조속히 수습되기를 바라고 있음. 따라서 인도로서도 어떠한 역할을 특별히 부탁받은 것은 아니지만, 조기 사태수습에 기여해 보려는 생각을 가지고 있음. (인도는 이락과 비교적 좋은 관계를 가지고 있는 이점도 있음.)

2. 완전히 다듬어진 안은 아니지만 인도로서는 다음과 같은 선이 사태수습의 실마리를 찾는 것이 되지 않을까 하는 생각을 가지고 있음.

- 쿠웨이트의 이락 병합은 인정할수 없는 것이지만, 쿠웨이트 왕가의 복귀는 안되고 왕정은 끝났다고 보아야 할 것임.

- 쿠웨이트는 원래부터 쿠웨이트인이 70 만 정도에 불과한데, 이번 사태후 이미 절반정도는 사우디등 타국으로 탈출한 것으로 알려지고 있으며, 이락의 은근한 축출내지 출국촉진정책으로 숫자가 늘어가고 있음. 따라서 그리 멀지 않은 시일안에 쿠웨이트에 본국인은 극소수에 불과하고 팔레스타인인등 다른 아랍족이 절대우세한 위치를 차지하는 사태가 예견될수 있음.

- 이러한 상황에 이르면 이락측이 병합을 양보하면서 대신 쿠웨이트내 선거에 의한 정부선정을 주장할수 있게 되고, 그렇게 되면 미국을 위시한 서방측도 여하간 선거를 명분상 거부하기 어렵고 받아들일수 밖에 없을 것임.

- 선거가 있게 되면 이락측에 호의적인 정부가 수립될 것은 명백하고 그와같은 정부수립후 이락은 쿠웨이트로 부터 필요한 각종 양보를 얻을수 있게 됨.

- 대신 여타 주변국가를 이락이 침략하지 않는 것을 확실히 함.

장관

PAGE 1 90.08.15 21:00

외신 2과 통제관 DH

0016

(대사 김태지-장관)

예고:90.12.31. 일반

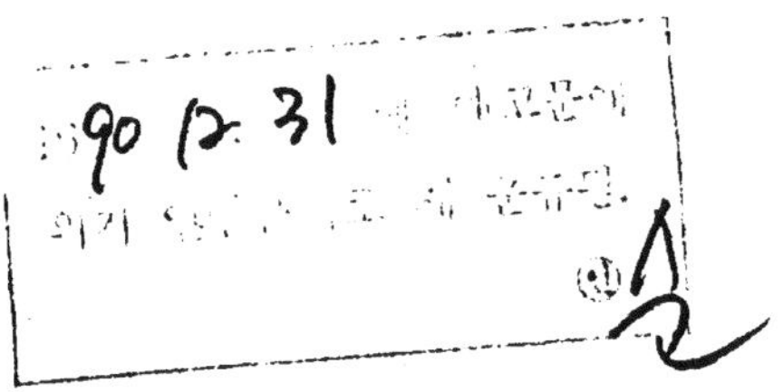

PAGE 2

0017

외 무 부

종 별 :

번 호 : NDW-1107 일 시 : 90 0816 1800

수 신 : 장 관(중근동,아서,정일,기정)

발 신 : 주 인도 대사

제 목 : 이락의 쿠웨이트 침공과 관련한 인도의 반응(8)

(자료응신 90-143)

1. 이락의 쿠웨이트 침공사태와 관련, 쏘.미.이락등을 순방중인 GUJRAL 주재국외무장관은 소련방문을 마치고 8.15 워싱턴에도착, BAKER 미국무장관과 회담을 가진 후 금8.16 에는 요르단 및 이락 방문차 향발 예정임.

2. 한편, AZIZ 이락외상은 8.14 GUJRAL외무장관과의 전화통화에서 인도인의 철수를위한 쿠웨이트 또는 바그다드 공항의 사용가능성을 시사한 것으로 금일 당지 언론은 보도함. 현재까지 인도인들은 쿠웨이트 및 이락으로부터 육로로 요르단으로 이동한후 인도로 공수되어 왔으나, AZIZ외상은 귀국을 희망하는 인도인의 철수를위해 보다 편리한 방안을 모색해 보겠다는 언급을 한 것으로 알려지고 있음.

(대사 김태지-국장)

중아국 1차보 아주국 통상국 정문국 안기부 대책반

PAGE 1 90.08.16 23:45 DN

외신 1과 통제관

0018

관리 번호	90/841

외 무 부

종 별 : 지 급

번 호 : NDW-1111 일 시 : 90 0816 2100

수 신 : 장 관

발 신 : 주 인도 대사

제 목 : 이락의 쿠웨이트 침공

연:NDW-1098

주재국 GUJRAL 외상의 쏘.미등 제국방문과 관련, 주재국 관계자들은 상세한 언급을 꺼리고 있는바, 당지 외교단 (특히 금번 사태와 관련된 중동지역국가 대사)중 정보에 밝은 측의 관측은 다음과 같음.

가. 인도는 사태수습에 어떠한 역할을 기대하고, 금번 외상의 모스크바 방문시 쏘련이 사태수습에 좀더 적극적인 자세를 취할 것을 종용한데 대하여 쏘련은 적극적으로 나서지 않을 것임을 비쳤다고 함.

나. 외상이 미국으로 갔으나, 미국의 태도는 상당히 강하여 현재로서는 이락의 쿠웨이트로 부터의 완전철수및 합법정부의 복귀라는 주장을 타협할 것으로 보이지 않으므로 외상의 노력이 실효를 거두지 못할 것으로 보임.

다. 이락의 이란에 대한 타협조치는 이락이 그만큼 약해졌다는 뜻이 되나, 이락 대통령의 행적으로 보아 과격조치의 가능성은 남아 있음.

(대사 김태지-장관)

예고:90.12.31 일반

1990.12.31 에 예고문에 의거 일반문서로 재분류됨

장관 중아국

PAGE 1

90.08.17 04:36

외신 2과 통제관 DL

0019

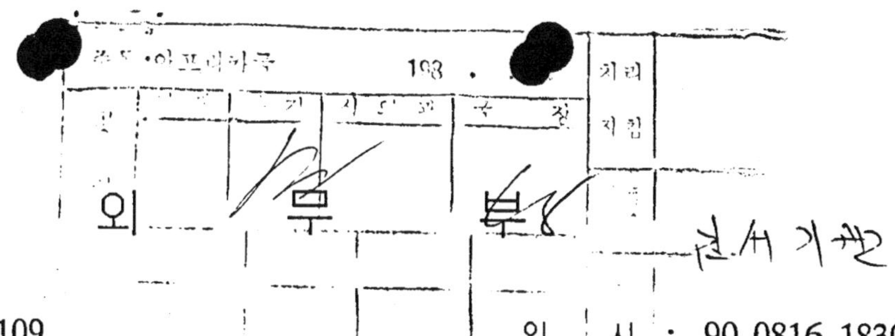

종 별 :

번 호 : NDW-1109 일 시 : 90 0816 1830

수 신 : 장 관(아서,중근동,통일,정일,기정)사본:상공부,산업연구원,대한상의, 무협,전경련,중소기업 중앙회)

발 신 : 주 인도 대사

제 목 : 중동 사태와 인도동향 (자료응신90-144)

연: NDW-1067

1. 인도 원유수급 영향 및 추가수입 노력

가. 90.8.14 MR.GURUPADASWAMY, MINISTER OF PETROLEUM AND CHEMICALS 의 발표요지

0 인도의 년간 원유수요는 52백만톤, 국내생산 33백만톤, 수입은 19백만톤이며, 금년중 KUWAIT 로부터 1.5백만톤, IRAQ 로부터 2.25백만톤, 쏘련으로부터 4.5백만톤 (쏘련 공급 원유도 IRAQ에서 생산된 원유임)이 A MONTHY BASIS 로 수입토록 계약되어 있는 데 UN 의 대 IRAQ 및 KUWAIT 지역 석유수입 금지조치에 따라 원유수입에 심각한 차질이 예상되고 있음.

0 부족분 확보를 위해 INDONESIA, MALAYSIA, AUSTRALIA, SAUDI, UAE 및 IRAN 등으로부터 추가구입을 노력중이나 이들 산유국의 기존수출계약 이행으로 대인도 추가공급이 어려움.

0 특히 인도는 원유 대량비축 시설이 없어 월간단위로 공급을 받고 있어 석유공급 부족이 단기에 수급차질을 빚을 수 밖에 없는 실정임.

0 국제원유가가 배럴당 28불선으로 인상됨에 따라 약 3,000천만 루피 (1 미불은 약17.5 루피)추가적인 외환지출 부담이 발생함.

0 동 장관은 금번 사태로 인도경제가 PANIC 에까지는 이르지 않을 것이나 심각성을 알려주기 위해 중동사태가 인도경제에 미치는 영향을 밝힌다고 함.

나. MR.GUJRAL 외무장관 쏘련 석유공급확대요청

0 90.8.14 모스크바를 방문한 GUJRAL 인도 외무장관은 쏘련의 MR.R.VORONIN, THE FIRST SOVIETDEPUTY PRIME MINISTER 겸 INDO-SOVIET JOINT COMMISSIONON TRADE AND ECONOMIC CO-OPERATION 에게 쏘련의 대인도 추가 원유공급을 요청함.

아주국 2차보 중아국 통상국 정문국 안기부 상공부 코트라 전경련 대한상의

PAGE 1 90.08.17 10:17 DN

외신 1과 통제관

0020

0 쏘련측은 쏘련도 수급상 대인도 원유공급 확대가 쉽지 않은 실정인데 특히 지난주 SOVIETPARLIAMENT 는 원유등 전략원자재를 SOVIETCOUNCIL OF MINISTERS 의 허가 없이 수출할수 없도록 제한조치를 하여 어려움이 많으나, 인도의 요청을 긍정적인 측면에서 노력하겠다고 답변했다고함.(쏘련의 구체적인 추가공급 계획은 밝혀지지않음)

0 90.8.15 GUJRAL 장관은 MR.J.BAKER 미국 국무장관과 중동사태에 대한 논의를 위해 워싱톤으로 향발함.

0 인.쏘간에는 현재 RUPEE 결제에 의한 무역거래를 하고 있는데 쏘련측은 RUPEE-ROUBLE환율결정 BASKET 를 현재의 5 HARD CURRENCIES와 11 SOFT CURRENCIES 에서 5 HARD CURRENCIES (USDOLLAR, POUND STERLING, YEN, DM, FRENCH FRANC) 로 변경할 것을 요구하여 협상중이나 양국은 아직 합의에 이르지 못하고 있음.

2. 인도 국내생산 확대

0 90.8.10 국제입찰후 외환사정으로 추진을 보류해오던 NEELAM PROJECT (BOMBAY 앞바다 석유생산설비, 아국 현대중공업에서 응찰)에 대한 공공투자심의 (PUBLIC INVESTMENT BOARD, 차관회의)를 개최하여 승인함.

3. 외환조달

0 인도는 기존 누적외채 (700억불)로 인한 외환보유고 감소의 어려움에다 최근의 중동사태로 인한 원유가 상승으로 추가적인 외환부담이 발생하여 국제수지 문제가 더욱 악화되어가고 있음.

0 90.8.15 V.P.SINGH 수상은 독립기념일 경축식에서 원유수입을 위한 차관도입을 부인했으나, 8.13 THE INDUSTRIAL CREDIT AND INVESTMENTCORPORATION OF INDIA (ICICI) 는 ANZ GRINDLAY'S BANKINDIA (AUSTRALIA AND NEW ZEALAND BANKING GROUP자회사)로부터 1억불 차관도입 계약을 체결하는등 상업차관을 도입하고 있음.

4. 상품교역

0 중동사태 이후 프라스틱 메이커들이향후 가격 불안정을 우려하여 상담을 중단함에 따라 HDP (HIGH DENSITY POLYETHYLENE)의 인도 국내가격이 35루피/ KG 에서 40 루피/ KG 로 상승하였음.

0 인도에 프라스틱을 수출하고 있는 국내기업들도 상담을 중지하고 가격추이를 관망하고 있는 상태임.

(대사 김태지-국장)

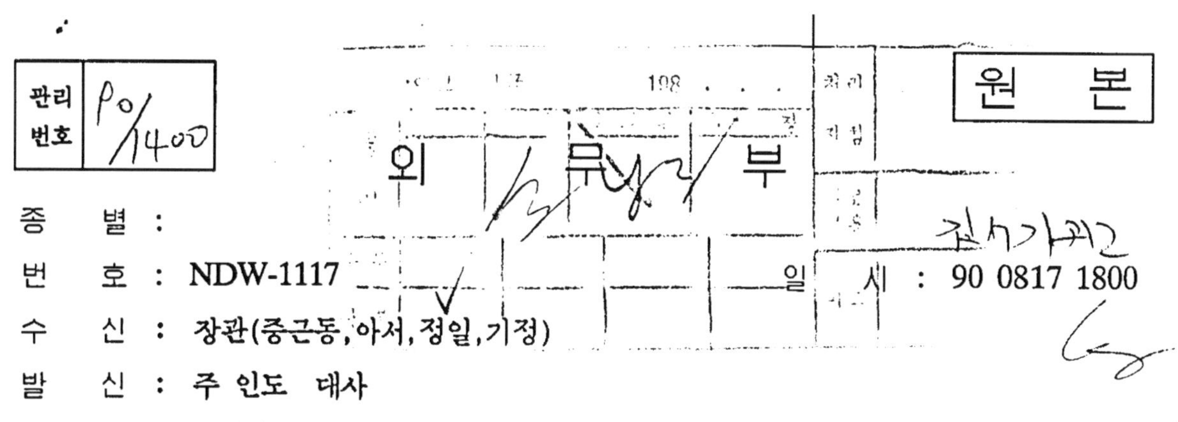

종 별 :

번 호 : NDW-1117 일 시 : 90 0817 1800

수 신 : 장관(중근동,아서,정일,기정)

발 신 : 주 인도 대사

제 목 : 이락의 쿠웨이트 침공과 관련한 인도의 반응(9)

(자료응신 90-146)

쏘.미.요르단. 이락등을 순방중인 I.K.GUJRAL 주재국 외무장관의 쏘.미 방문결과에 대한 금 8.17 자 당지 언론보도의 주요내용및 관찰을 아래 보고함.

1. 주요활동

가.GUJRAL 장관은 8.14 모스크바 방문시 세바르드나제 외상과, 8.15 워싱턴방문시 BAKER 국무장관및 SCOWCROFT 백악관 안보보좌관과 회담을 가짐.

나. 한편, 동장관은 주유엔 인도대사에게 유엔의 제재조치와 관련, 쿠웨이트거주 인도인이 겪고 있는 어려움을 지적하고, 이의 해결을 유엔측에 정식으로 요청토록 지시함.

2. 주요 협의내용

가.GUJRAL 장관은 미.쏘에 대해 금번사태로 인한 인도의 경제및 교민보호 측면에서의 어려움을 호소하는 한편, 특히 소련에 대해서는 원유공급 증대, 미국에 대해서는 유엔 경제제재 조치로 영향을 받게 될 개발도상국 지원문제를 중점 거론한 것으로 보도됨.

나. 당지언론은 정치적인 측면에서의 협의에 관해서는 사태현황및 향후전망에 관한 의견교환이 있었다는 식으로만 간략히 보도하고 있음.

3. 관찰

가. 금번 순방의 방문국이 최근 걸프지역 분쟁의 가장 중요한 당사국이며, 방문기간중 GUJRAL 장관과 이락 외상간 전화통화등의 의견교환이 있었던 점등을 감안할때, 인도로서는 금번사태로 인한 인도의 어려움을 호소하는 이외에 양측에서 가능한 중재역할을 모색해 보려는 의도도 있었던 것으로 관측되나, 미.이락간의 근본적인 입장차이로 인해 별다른 성과를 거두지는 못한 것으로 보임.

중아국 대책반 장관 차관 1차보 2차보 아주국 정문국 청와대 안기부

PAGE 1 90.08.18 00:17

외신 2과 통제관 CW

0022

나. 이와관련, GUJRAL 장관은 워싱턴 방문후 가진 기자회견에서 자신은 중재역할을 하기 위해 금번 방문에 나선 것은 아니라고 하면서도 아직은 당사국들이 협상을 가질 단계에 와 있지 않은 것으로 본다고 언급한바 있음이 주목됨.

(대사 김태지-국장)

예고:90.12.31. 까지

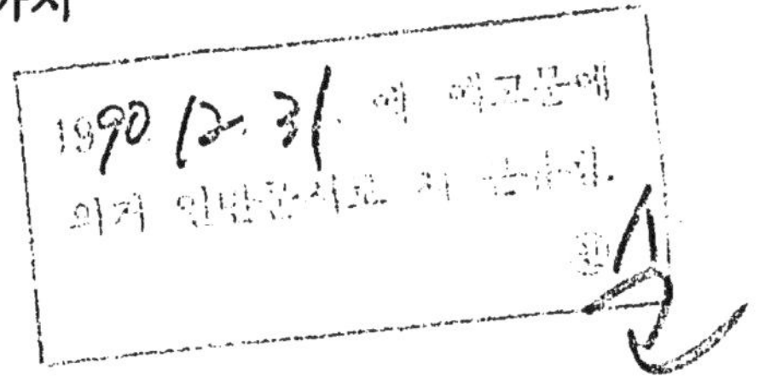

PAGE 2

0023

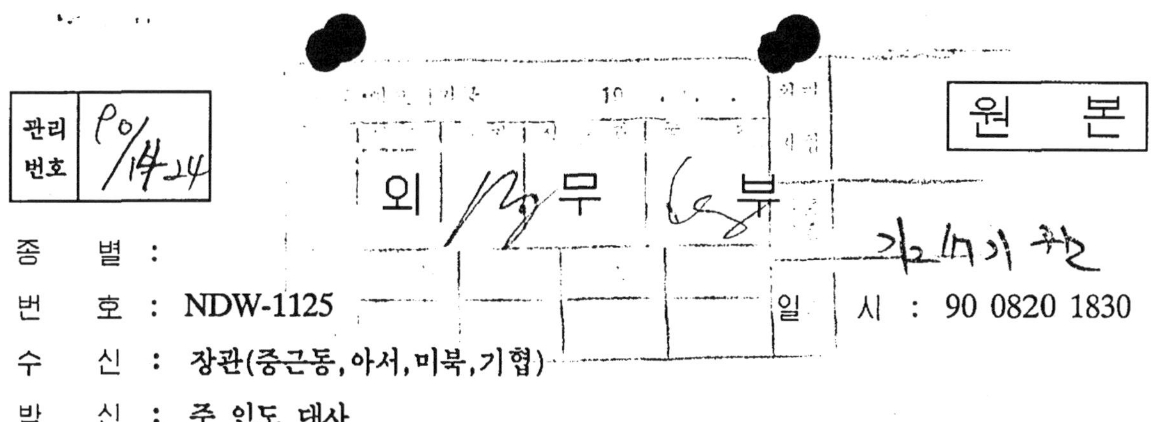

관리번호 PO/14-24

외 무 부

원 본

종 별 :

번 호 : NDW-1125

일 시 : 90 0820 1830

수 신 : 장관(중근동,아서,미북,기협)

발 신 : 주 인도 대사

제 목 : 이락의 쿠웨이트 침공과 관련한 인도의 반응(10)

당관 김원수 서기관은 금 8.20(월) 주재국 외무부 SACHDEV 걸프지역 담당관을 면담, GUJRAL 외무장관의 이락방문 동향및 금번 걸프지역사태의 향후 전망등에 관해 협의한바, 동인의 언급요지 아래 보고함.

1.GUJRAL 장관의 이락방문 동향

가.GUJRAL 장관은 쏘.미.요르단을 방문후 현재 바그다드에 체류중인바, 바그다드에서는 AZIZ 이락외상과 회담을 가진 이외에 금일 후세인 이락대통령 예방을 신청해 놓고 있으며, 인도 귀국일정은 바그다드에서의 일정추이를 보아 결정될 것임.

나.GUJRAL 장관은 쿠웨이트거주 인도인문제와 관련, 쿠웨이트를 방문, 현지상황을 시찰하고 싶다는 희망을 이락측에 표시하였으나 성사될수 있을지는 상금 불확실하며, GUJRAL 장관의 방문이 어려울 경우에는 수행원으로 하여금 방문케 할 계획임.

2. 금번 걸프지역사태의 향후 전망

가. 현재로서는 이락, 미국및 쿠웨이트 왕가등 당사자들의 감정이 격앙된 상태에 있으므로 협상에 의한 문제해결을 시도할수 있는 단계가 아니며 어느정도 기간이 지나야 어떠한 형식으로 결말의 실마리가 보일수 있을지에 대해서도 아직 확실한 예측이 어려운 상태임.

나. 산발적인 테러행위등 일부 무력이 사용될 가능성은 배제할수 없으나, 이락과 미국은 모두 무력분쟁의 전면적인 확대가 바람직하지 않다는 판단을 하고 있다고 봄. 이락으로서는 이.이전때와 달리 세계및 지역여론이 자신들에게 매우 불리하다는 것을 잘 알고 있으며, 미국으로서도 아랍지역의 전반적인 반미성향 및 이락의 무력수준등을 감안할때 이락과의 무력충돌이 무모하다는 판단을 하고 있을 것임.

다. 요르단군이 비상경계태세에 돌입했다는 외신보도와 관련, 이락측이 아랍권의 지지확보를 위해 이스라엘을 금번사태에 끌어들이기 위한 시도가 아닌가 하는 일부의

중아국 차관 1차보 2차보 아주국 미주국 경제국 통상국 정문국 청와대 안기부 대책반

PAGE 1

90.08.21 00:32

외신 2과 통제관 DO

0024

우려가 있으나, 후세인 대통령은 현상황에서 이스라엘을 끌어들이는 것이 무모함을 충분히 인식하고 있다고 보며, 동보도가 사실이라면 요르단측의 예방적 조치(PRECAUTIONARY MEASURE)일 것으로 생각됨.

라. 앞으로의 사태는 돌발적인 사고가 발생하여 무력충돌로 ESCALATE 되지 않는 한, 심리전의 양상을 띠면서 지구전화할 가능성이 클 것으로 봄. 이러한 지구전에서 어느쪽이 성공할수 있을지 여부는 미.이락 국민의 지도부에 대한 지지의 정도, 아랍국가의 동향및 서방진영의 결속력 유지정도등에 의해 결정될 것임.

(대사 김태지-국장)

예고:90.12.31. 까지

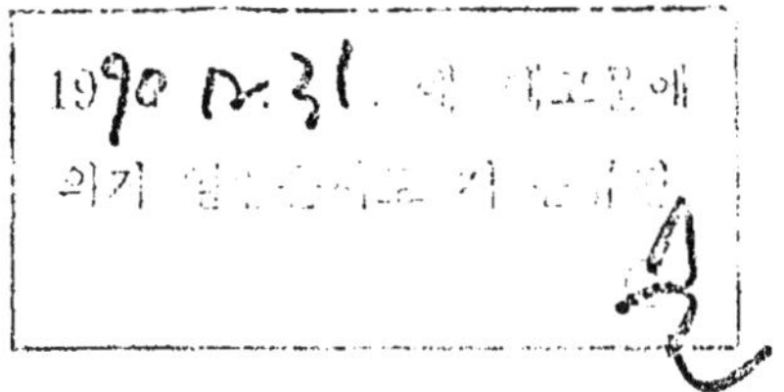

PAGE 2

0025

관리 번호	90-502

/ 726

외 무 부

종 별 : 지 급

번 호 : NDW-1126 일 시 : 90 0820 1840

수 신 : 장관(중근동,아서)

발 신 : 주 인도 대사

제 목 : 쿠웨이트주재 외교공관 철수문제

대:WND-0611

1. 대호관련, 당관 김원수 서기관은 금 8.20(월) 주재국 외무부 SACHDEV 걸프지역 담당관을 면담, 협의하였는바, 동인의 언급요지는 다음과 같음.

가. 쿠웨이트주재 공관 이전문제에 대한 인도정부 입장

1)인도도 이락측으로부터 공관이전에 관한 요청을 접수하였으며, 이문제에 관해서는 현재 이락을 방문중에 있는 GUJRAL 외무장관이 이락측과 협의중에 있으므로 인도정부의 구체적인 대응지침은 GUJRAL 장관의 귀국후 결정될 것임.

2)인도정부로서는 쿠웨이트거주 인도인에 대한 영사보호 필요성등을 감안, 어떻게 하던지 쿠웨이트에 공관을 계속 유지하겠다는 것이 기본적인 입장임.

나. 이락측의 강제적인 공관폐쇄 여부에 대한 전망

1)이락측이 금번 통고에 불응하는 국가의 공관을 강제로 폐쇄할지 여부는 상금 불확실하나, 아랍국가의 전반적인 성향에 비추어 볼때 그들에게 적대적인 국가(대부분 서방국)와 그렇지 않은 국가에 대해 각기 다른 차별적 조치를 취할 가능성이 높을 것으로 봄.

2)이락은 이미 쿠웨이트및 이락거주 외국인에 대한 철수허용과 금번 공관이전의 사전통고기간 부여(대부분 국가는 2 주의 준비기간을 주었으나 일부 서방국가에 대해서는 4 일의 기간만 허용함)등에 있어 차별적인 태도를 취하고 있음.

2. 인도정부는 대이락 관계등을 의식, 금번사태 발생이후 신중한 반응을 보여온 LINE 에 따라 공관이전문제에 대해서도 공관유지의 필요성은 강조하면서도 사태추이를 관망하면서 가급적 구체적인 입장표명을 하지 않으려는 태도인 것으로 관측되고 있는바, 당지 외교단에서는 이락측이 공관이전을 강하게 요구할 경우 인도측은 그러한 이락측 요구에 융통성있는 입장(예를들면 공관폐쇄기간을 연장받는 형식을 취하면서

중아국 대책반	차관	1차보	2차보	아주국	통상국	정문국	청와대	안기부

PAGE 1 90.08.21 00:27

외신 2과 통제관 DO

1990.12.31. 에 예고문에 의거 일반문서로 재분류됨 7h

0026

EMBASSY 가 아닌 MISSION 등의 명칭을 쓰고 영사기능 수행에 국한하는 방안등)을 취할 가능성이 클 것으로 예상하고 있음.

(대사 김태지-국장)

예고:90.12.31. 일반

원 본

외 무 부

종 별 :

번 호 : NDW-1130 일 시 : 90 0821 1750

수 신 : 장 관(중근동,아서,정일,기정)

발 신 : 주 인도 대사

제 목 : 이락의 쿠웨이트 침공과 관련한 인도의 반응(11)

금 8.21 당지 언론에 보도된 I.K.GUJRAL 주재국 외무장관의 이락방문 주요활동을아래 보고함.

1. 후세인 이락대통령 면담

가. GUJRAL 장관은 8.20 후세인 대통령을 면담, VENKATARAMAN 인도대통령의 멧세지를 전달하였으며, 후세인 대통령은 쿠웨이트 및 이락으로부터 귀국하기를 희망하는 모든 인도인들에게 최대한 편의를 제공하겠다고 언급함.

나. VENKATARAMAN 대통령의 멧세지는 양국간의 기존 우호관계 및 최근의 걸프지역 사태에관련된 것이라고만 보도되었으며, 상기 이외에 협의된 구체내용은 알려지지않고 있음.

2. 쿠웨이트 방문

가. GUJRAL 장관은 이락측의 쿠웨이트 방문허가에 따라 금번 순방에 사용하고 있는 자신의 특별기편으로 8.20 쿠웨이트로 출발하였으며, 쿠웨이트에서 현지 인도인의 상황을 직접 확인한 후 금 8.21 바그다드로 돌아올 예정임.

나. 당지 언론은 GUJRAL 장관이 외국정부의 고위관리로서는 최초로 금번 사태 발생후 쿠웨이트를 방문할 수 있었다는 점을 강조, 보도하고 있음.

(대사 김태지-국장)

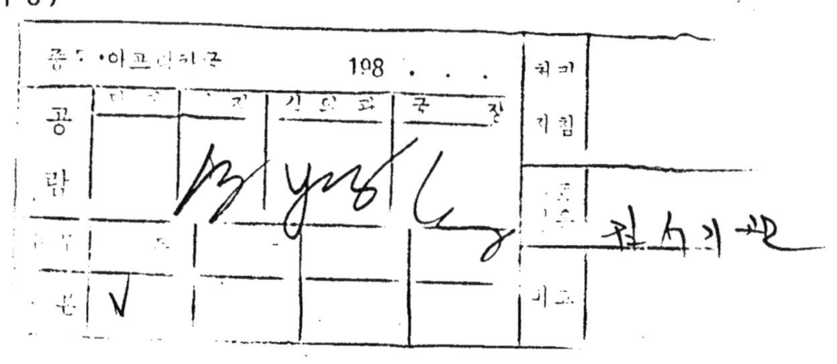

중아국 1차보 아주국 정문국 안기부 통상국 대책반

PAGE 1

90.08.21 23:09 CG

외신 1과 통제관

0028

외 무 부

종 별 :

번 호 : NDW-1130 일 시 : 90 0821 1750

수 신 : 장 관(중근동,아서,정일,기정)

발 신 : 주 인도 대사

제 목 : 이락의 쿠웨이트 침공과 관련한 인도의 반응(11)

금 8.21 당지 언론에 보도된 I.K.GUJRAL 주재국 외무장관의 이락방문 주요활동을아래 보고함.

1. 후세인 이락대통령 면담

가. GUJRAL 장관은 8.20 후세인 대통령을 면담, VENKATARAMAN 인도대통령의 멧세지를 전달하였으며, 후세인 대통령은 쿠웨이트 및 이락으로부터 귀국하기를 희망하는 모든 인도인들에게 최대한 편의를 제공하겠다고 언급함.

나. VENKATARAMAN 대통령의 멧세지는 양국간의 기존 우호관계 및 최근의 걸프지역 사태에관련된 것이라고만 보도되었으며, 상기 이외에 협의된 구체내용은 알려지지않고 있음.

2. 쿠웨이트 방문

가. GUJRAL 장관은 이락측의 쿠웨이트 방문허가에 따라 금번 순방에 사용하고 있는 자신의 특별기편으로 8.20 쿠웨이트로 출발하였으며, 쿠웨이트에서 현지 인도인의 상황을 직접 확인한 후 금 8.21 바그다드로 돌아올 예정임.

나. 당지 언론은 GUJRAL 장관이 외국정부의 고위관리로서는 최초로 금번 사태 발생후 쿠웨이트를 방문할 수 있었다는 점을 강조, 보도하고 있음.

(대사 김태지-국장)

중아국 1차보 아주국 정문국 안기부 통상국 대책반

PAGE 1 90.08.21 23:09 CG

외신 1과 통제관

0029

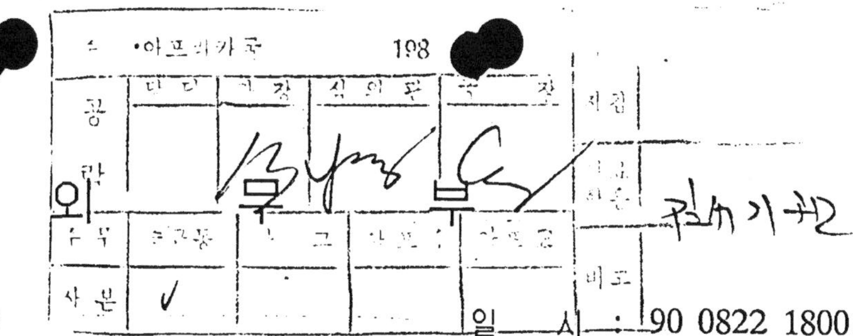

종 별 :
번 호 : NDW-1133 일 시 : 90 0822 1800
수 신 : 장 관 (아서,중근동,통일,정일,기정) 사본: 사본처 참조
발 신 : 주 인도 대사
제 목 : 중동사태와 인도 동향 (자료응신 90-149)

사본처: 상공부,동자부,산업연구원,대한상의,무협,전경련,중소기업중앙회

연: NDW-1109

1. 인도의 원유수급

0 인도는 이락의 쿠웨이트 침공후 현재까지 2차에 걸쳐 이란으로부터 원유선적을 한 것으로 보도됨.

0 90.8.20 주인도 사우디대사 MR.FOUAD MOUFTI 가 사우디는 국제적인 수요증가와 가격안정을 위해 일일생산량을 5.5백만 배럴에서 7.5백만배럴로 증가하겠다는 발표를 대대적으로 보도하고 있음.

0 인도정부는 사우디 외에도 인도네시아, 말레이지아, 브루네이 등에도 원유공급요청을 한 것으로 알려지고 있으나 아직 공급약속을 받은 사실은 밝혀지지 않고 있음. (당관에서 비공식 확인한 바에 의하면 인도네시아의 경우 석유자원의 장기보존이기본목표이므로 단기적인 원유가격 상승이 생산확대로 연결되지 않으며 인도의 요청은 경제적으로 고려할 대상은 아니고 중동사태가 장기화되면 정치적인 입장에서 다소 고려될 수있다고 함.)

0 인도 북동부 원유생산 및 정유시설이 있는 ASSAM 주에서 학생소요로 90.8.15 이래 원유생산이 중단되어 4개 정유공장중 2개공장이 생산차질을 빚는 등으로 일산 10천배럴생산에서 일산 3천 배럴로 생산이 감소하는 등국내 석유류 공급상황을 더욱 어렵게 하고 있음.

2. 인도국내 석유류 가격 및 산업영향

0 MR.M.S.GURUPADASWAMY, MINISTER OF PETROLEUM AND CHEMICALS 는 90.8.20 인도 상원 (RAJYA SABHA)에서 최근 중동사태로 국제원유가격이 상승하였으나 국내 석유류가격을 인상할 계획은 없으며, 그러나 향후 1년간 인상여부등에 대해서는

아주국 중아국 통상국 정문국 안기부 상공부 동자부 코트라 전경련 대한상의
1차보 2차보

PAGE 1

90.08.23 00:46 FC
외신 1과 통제관

0030

현재로서는 확신할 단계가 아니라고 밝힘.

0 인도의 THE BASIC CHEMICALS, COSMETICS EXPORT PROMOTION COUNCIL 은 90/91 회계년도 기간 화학제품 및 관련제품의 수출목표는 3,050 CRORE RUPEES (약 17.4억불)이었으나 세계적인 석유화학제품 가격상승으로 목표달성이 어려울 것이라고 밝힘.

3. 중동지역의 송금 증가

0 중동사태 발생후에 미래에 대한 불안을 느낀 동 지역 인도인으로부터 국내송금이 급증하여 90.8.19 현재까지 약 4억불이 송금되어 온 것으로 밝혀짐.

(대사 김태지-국장)

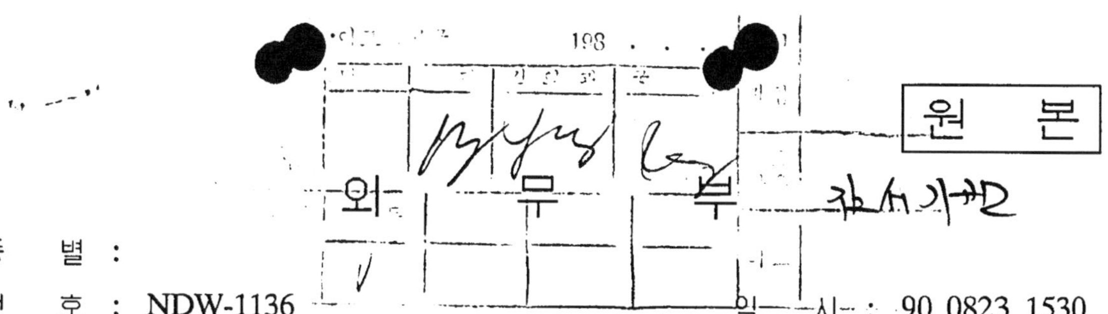

종 별 :

번 호 : NDW-1136 일 시 : 90 0823 1530

수 신 : 장 관(중근동,아서,정일,기정)

발 신 : 주 인도 대사

제 목 : 이락의 쿠웨이트 침공과 관련한 인도의 반응(12)

(자료응신 90-151)

1. GUJRAL 주재국 외무장관은 8.14-22간 쏘.미.요르단.이락 방문을 마치고 작일저녁 특별기편으로 쿠웨이트 및 이락거주 인도인 200명을 대동, 귀국하였는 바, 동장관은 공항에서 가진 기자회견을 통해 다음과 같이 언급함.

가. 이락정부 지도자와의 회담 결과

1) 본인은 금번 사태가 평화적으로 해결될 것으로 기대하고 있으며, 이락의 후세인 대통령과 AZIZ외상 등과의 회담결과 등 상세에 대해서는 8.23 의회증언을 통해 밝히겠음.

2) 금번 방문기간중 쿠웨이트주재 인도공관을 폐쇄하는데 본인이 동의했다는 일부 보도가 있었으나 동 보도는 정확하지 않으며, 이 문제에 대한 입장도 의회증언시 밝힐 예정임.

나. 쿠웨이트 방문결과

1) 금번 사태 발생후 외국정부의 고위관리로서는 최초로 쿠웨이트를 방문, 1박 2일간 머물면서 가능한 한 많은 현지 인도인과 접촉했음.

2) 쿠웨이트의 현재 상태는 좋지는 않으나 매우 심각한(PANICKY) 상태는 아니며, 현지 당국은 인도인들에게 우호적으로 대하고 있음. 일부 상점, 특히 식품점은 계속 열려 있으며, 명일부터는 그간 닫혀 있었던 은행도 열릴 것으로 보임.

다. 인도인 철수계획

1) 상금 많은 숫자의 인도인들이 귀국을 희망하고 있으므로 인도정부는 이를 위해 최선의 노력을 다하고 있음.

2) 현재까지는 바그다드 경유, 요르단까지 장시간의 불편한 육로이동이 불가피했으나, 2-3일내에 바스라를 통한 직접 공수가 허용될 것으로 봄.

중아국 1차보 아주국 정문국 안기부 통상국 미주국 대책반 2차보

PAGE 1 90.08.23 22:32 DN

외신 1과 통제관

0032

2. GUJRAL 장관이 금번사태 발생후 후세인대통령을 만날 수 있었던 예외적인 외국 인사였으며, 이락측이 동 장관의 쿠웨이트방문을 허용하는 등 우호적인 태도를 보였던점으로 인해, 상기 기자회견에는 주재국 언론은 물론 많은 외국특파원들이 참가,GUJRAL장관과 이락측간의 협의내용에 대한 집중적인 질문공세가 있었으나, 동 장관은상세 답변을 피하면서 의회증언을 통해 밝히겠다는 입장을 고수함.

(대사 김태지-국장)

PAGE 2

0033

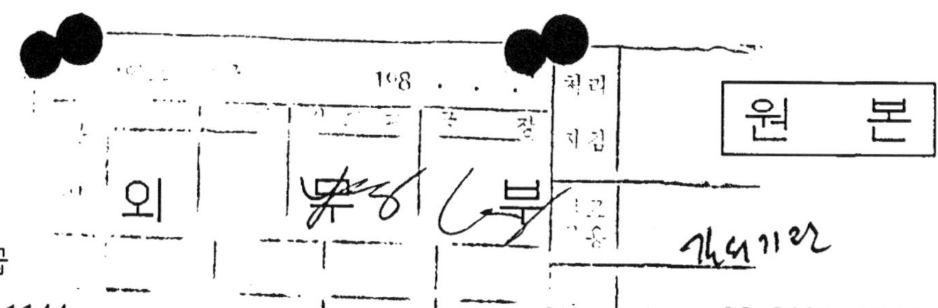

종 별 : 지 급

번 호 : NDW-1144 일 시 : 90 0823 1850

수 신 : 장 관(중근동,아서,정일,기정)

발 신 : 주 인도 대사

제 목 : 이락의 쿠웨이트 침공과 관련한 인도의 반응(13)

(자료응신 90-152)

GUJRAL 주재국 외무장관은 8.14-22간 쏘.미.요르단.이락 방문결과와 관련, 금 8.23(목)16:00 의회증언을 가졌는 바, 17:00 현재 입수된 주요내용은 다음과 같음.

1. 인도교민 철수

가. 쿠웨이트 및 이락거주 인도인의 철수를 위해 바스라공항으로부터 암만까지 이락 전세비행기편을 매일 1편씩 운항키로 합의되었으며, 추후 필요에따라 증설을 검토할 계획임.

나. 이락당국은 바그다드 또는 바스라로부터 인도까지 직항항공편 운항에 관한 인도측 요청을 현재 검토중이며, 조만간 완결될 것으로 희망함.

다. 이락측과 여객선 운항에 관해서도 합의가 이루어졌으나 성사여부는 해상봉쇄 상태에 달려있으며, 현지의 모든 국적의 주민이 겪고 있는 어려움을 완화시키기 위해 인도로부터 선박으로 식료품을 수송하는 방안도 검토중임.

2. 주쿠웨이트 인도대사관 철수문제

가. 8.24 까지 모든 외국대사관을 폐쇄하라는 이락정부의 결정에 비추어 볼때,인도로서도 여사한 결정에 따르는 것 이외에 별다른 대안이 없는상태임.

나. 현지 인도인의 복지문제를 효율적으로 다루고 철수를 원활하게 추진하기 위해서 주바스라 인도총영사관을 강화시키기 위한 조치를 취하고있음.

(대사 김태지-국장)

중아국	1차보	아주국	정문국	안기부	통상국	2차보	대책반	총리실	미주국

PAGE 1

90.08.23 22:34 DN

외신 1과 통제관

0034

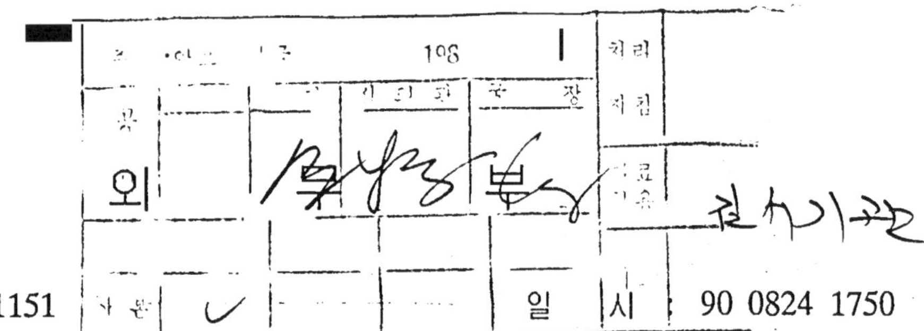

종 별 :

번 호 : NDW-1151 일 시 : 90 0824 1750

수 신 : 장 관(아서,중근동,통일,정일,기정)사본:아래참조

발 신 : 주인도 대사

제 목 : 중동사태와 인도 동향 (자료응신 90-155)

사본처:상공부,동자부,산업연구원,대한상의,무협,전경련,중소기업중앙회

연: NDW-1133

1. 인도의 원유수급

0 90.8.23 말레이지아를 방문한 PRAKASH SHAH 인도외무부 차관보(ADDITIONAL SECRETARY) 는 10월부터말레이지아로부터 750천톤의 원유를 공급(90.10월이후) 받고, 아울러 필요시 250천톤(또는 1일5천배럴)을 1년 기한내에 추가로 공급받으며,가격은 시장 공식판매가격(THE OFFICIAL SELLINGPRICE IN THE MARKET) 로 하기로 합의하였다고 밝힘.

0 한편 인도는 말레이지아에 90.9.-10.간NAPHTHA(TWELVE CARGO LOADS OF NAPHTHA) 를 공급키로함.

2. 소비절약

0 90.8.22 MADHU DANDAVATE 인도 재무장관은 유류소비절약을 위해 아래와 같은 정책을 밝힘.

1) 자동차소비세(EXCISE DUTY) 를 현행 40 프로에서50 프로로 인상

- 일부에서는 에너지절약 보다는 조세수입을증가시키려는 의도로 보고 있음.

2) 정부 및 국영기업 차량 일요일 운행 중지

3) 중앙정부 석유코타 20 프로 감축

4) 일반국민의 주 1일 차량운행 중지 촉구

0 90.8.23 M.N.GODBOLE 인도 석유성차관은산업계에 대해 LPG 10 프로 감소 공급방침을발표하였으며, 이에 따라 국영 승용차생산업체인MARUTI UDYOG LTD(일본 스스기와 기술제휴 800 CC승용차, 1500 CC 짚 및 밴 생산), BAJAJSCOOTERS 등이 영향을 받는다고 밝힘.

아주국 중아국 통상국 정문국 안기부 2차보 상공부 동자부 코트라 전경련 대한상의

PAGE 1

90.08.24 23:10 CT

외신 1과 통제관

0035

관

1

외 무 부

암호수신

종 별 :

번 호 : NDW-153

일 시 : 90 0824 1830

수 신 : 장관(중근동)

발 신 : 주 인도 대사

제 목 : 쿠웨이트인에 대한 사증발급

1. 당지주재 쿠웨이트대사관에서는 주재국 외무부및 외교단앞 회람을 통해 자국인의 사증발급 신청이 있을 경우 사전에 동대사관과 협의없이는 사증발급을 하지 않을 것을 요청하는 한편 이라크의 쿠웨이트 침공후 발급된 모든 쿠웨이트 여권은 무효임도 아울러 통보하여 왔음.

2. 동건관련, 상금 당관에 접수된 구체적 사례는 없으나, 상기에 해당하는 케이스가 발생하였을 때에 대한 지침을 회시바람.

3. 또한, 당지주재 UAE 대사관은 회람을 통해 향후 모든 UAE 입국사증은 본국정부의 사전승인후에만 발급될 것임을 통보하여 왔음을 참고로 보고함.

4. 관련회람은 파편송부 예정임.

(대사 김태지-국장)

중아국 차관 1차보 2차보 통상국 청와대 안기부 대책반

PAGE 1

90.08.24 23:10

외신 2과 통제관 DO

0036

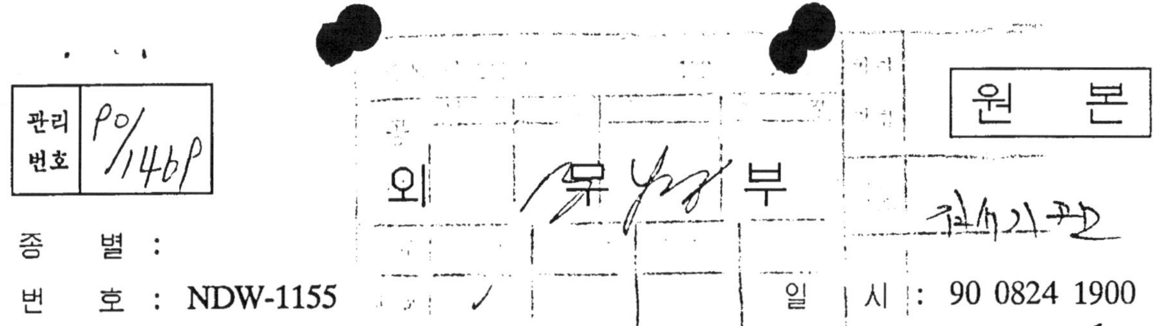

관리 번호 90/1468

외 무 부

원 본

종 별 :
번 호 : NDW-1155 일 시 : 90 0824 1900
수 신 : 장관(중근동,아서,미북,기협,정일,기정)
발 신 : 주 인도 대사
제 목 : 이락의 쿠웨이트 침공사태에 대한 장.단기 전망(자료응신 90-156)

표제관련, 당관 이석조 참사관과 김원수 서기관은 주재국 학계(인도국방문제 연구소 및 네루대학 국제문제대학원)의 중동문제 전문가를 접촉, 협의를 가졌는바, 인도측의 관측을 종합적으로 평가하여 요지 아래 보고함.

1. 단기전망

가. 금번사태의 당사자, 특히 미.이락간 과시적인 행동과 비타협적인 성명발표등 위협적인 분위기가 고조되고 있으나, 제반사정을 감안할때 우발적인 사고 또는 제한적 무력사용(암살기도, 테러)에 따른 확전가능성을 배제한다면 사전계획에 의한 전면 무력충돌로 발전하지는 않을 것이며 BLUFFING 에 그치는 심리전 양상으로 지속될 가능성이 큼.

1)미국으로서는 걸프지역에 대한 병력파견을 강화하고 있으나 아랍권내의 반서방 감정, 서방국가의 높은 중동지역 석유수입 의존도, 이락에 대한 공격작전 수행의 현실적 어려움 및 확전위험등으로 인해 이락측에 대한 공격보다는 걸프지역 인접국가, 특히 사우디의 방어및 해상봉쇄수행 지원에 목표를 두고 있는 것으로 보임.

2)이락으로서도 금번 침공작전을 결정함에 있어 몇가지 판단착오가 있었던 것으로 보이며, 그 결과로 세계및 지역여론이 매우 불리하게 전개되고 있기 때문에 더이상의 도발되지 않은(UNPROVOKED) 행동은 자제하면서 여론의 흐름과 사태의 추이를 관망할 것으로 예상됨.

가)후세인 대통령은 자신의 행동(쿠웨이트 침공)이 아랍민중의 대중적 지지와 특히 왕정 아랍국가내의 왕가지배에 대한 불만세력의 지지를 받을수 있으며, 서방국가및 세계의 여론이 자신의 행동을 지지하지는 않더라도 최소한 분열될 것으로 판단했었을 것임.

나)연이나, 침공직후 쿠웨이트인들은 왕가에 대한 불만표출에 앞서 훼손된

중아국	장관	차관	1차보	2차보	아주국	미주국	경제국	통상국
정문국	청와대	안기부	안기부	대책반				

PAGE 1

90.08.25 00:28
외신 2과 통제관 DO
0037

국가주권에 대한 분노를 표시했으며, 미.쏘가 2 차대전이후 최초로 지역분쟁에 입장을 같이 하는등 세계여론도 후세인에게 매우 불리하게 나타났음.

나. 따라서, 후세인으로서는 앞으로의 심리전에서 자신의 행동에 대한 아랍권의 지지기반 확대, 국제적인 비난여론의 완화및 서방진영의 결속력 이완을 위한 각종 선전전에 주력할 것으로 보임.

1)이미 후세인은 이스라엘의 점령지역 철수및 레바논사태등을 연계시킴으로써 어느정도 선전효과를 거두었으며, 사우디의 미군주둔 허용을 반서방 캠페인에 활용하고 있음.

2)앞으로 가능한 후세인의 제안은 다음과 같은 것을 생각해 볼수 있음.

가)금번사태와 관련, 잠정적인 석유증산 의지를 표시하고 있는 사우디에 맞서서 국제시세 특히 사우디의 가격보다 싼 가격으로 수출석유 공급을 증대하겠다는 등의 제안을 함으로써 경제제재조치의 시행으로 영향을 받게 될 많은 국가들의 경제제재조치 일탈을 유도하는등 경제제재조치의 약화를 도모함.

나)쿠웨이트 처리문제와 관련, 대내적으로는 쿠웨이트왕가에 대한 쿠웨이트인들의 불만을 증폭시키기 위해 왕가의 무능, 부패상등을 중점홍보하는 한편 대외적으로는 UN의 관여도를 높임으로써 미국의 입지를 약화시키기 위해 이락군의 쿠웨이트 철수후 쿠웨이트를 유엔관리지역(UN ADMINISTERED TERRITORY)으로 하자는 등의 제안을 할 가능성이 있음.

2. 중.장기 전망

가. 금번사태가 어떠한 방향으로 수습될수 있을지에 대해서는 현재로서는 여러가지 불확실한 요인이 많으므로 정확한 전망이 어려우나 앞으로 수주일정도 경과하면 사태의 추이에 따라 어느정도 수습의 실마리가 잡힐수 있을 것으로 예상됨.

1)심리전 양상의 지구전화할 경우, 국민의 견디는 능력과 국가정책에 대한 지지도등에 있어서는 이미 8 년간의 이.이전을 치러낸 이락측이 유리할 것으로 봄.

2)서방진영 특히 미국에서는 시간이 흐를수록 인질위협과 병력파병의 당위성에 대한 논쟁등으로 미행정부 정책에 대한 비판이 점차 고조되고 서방진영내 결속이 이완되어 미행정부로 하여금 협상에 의한 문제해결을 시도하도록 하는 압력으로 작용할 가능성이 큼.

3)물론 이락내부에서도 계속되는 비상사태로 인해 곤궁한 생활에 대한 국민의 불만이 커지고,8 년간 이.이전에서 치른 막대한 희생에도 불구한 대이란 화해조치에

PAGE 2

0038

대해 군부등에서 '무엇때문에 우리가 전쟁을 했었던가 하는 회의와 비판이 제기되어 후세인의 국내적 입지가 취약해질 가능성도 배제할수는 없으나 그렇게 크지는 않을 것임.

나. 향후 금번사태가 어떠한 방향으로 수습되느냐에 따라 그후의 중동지역정세는 매우 큰 영향을 받게 될 것인바, 왕정 아랍국가의 국내정정 불안이 중동지역정세의 불안정 요인이 될 것이며, 아랍연맹, OPEC 등의 결속력은 회원국간 더욱 다양해진 이해관계로 인해 종전에 비해 약화될 가능성이 예상됨.

1)쿠웨이트왕가의 복귀여부는 여타 왕정 아랍국가에도 매우 중대한 문제이며, 특히 금번사태가 전반적으로 후세인에게 유리한 방식으로 타결되는 인상을 줄 경우 동인은 아랍민중의 상징적인 지도자화하고, 왕정 아랍국가의 불안요인은 더욱 커지게 될 것임.

2)이럴 경우 왕정 아랍국가의 친서방 경향은 불가피하게 강화될 것이나, 뿌리깊은 아랍권의 반서방감정을 감안할때 그럴수록 왕가와 아랍민중 사이의 괴리현상은 오히려 가속화되어 불안을 가중시킬 가능성이 큼.

(대사 김태지-차관)

예고:90.12.31. 까지

PAGE 3

0039

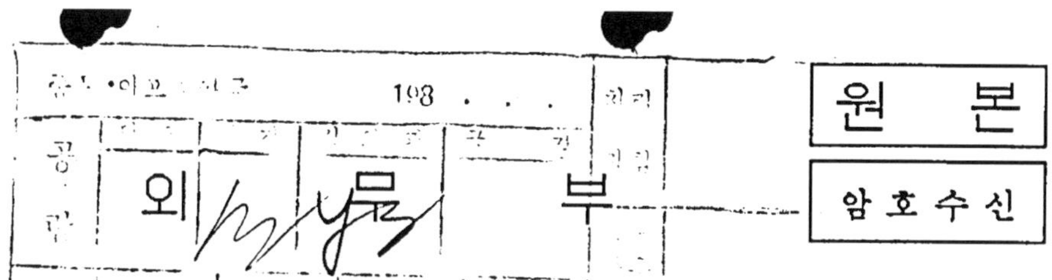

원 본

암 호 수 신

종 별 :

번 호 : NDW-1164 일 시 : 90 0827 1900

수 신 : 장관(중근동,아서,국연,정일,기정)

발 신 : 주 인도 대사

제 목 : 이락의 쿠웨이트 침공 반응(14)(자료응신 90-158)

주재국 언론 관측통에 의하면 GUJRAL 인도 외무장관은 이락의 쿠웨이트 침공 사태와 관련, 9.10-11 간 유고에서 개최예정인 주요 비동맹국가 외상회의에참석할 예정인바, 관련 동향 아래 보고함.

1. 회의개최 배경

가. 동 회의는 금번 걸프지역의 위기해소를 위해 비동맹운동이 적절한 이니셔티브를 취하지 못하고 있다는 비판에 따라 비동맹 의장국인 유고에 의해 소집되었으며, 참가국은 과거 비동맹의장국이었거나 비동맹회의를 개최하였던 국가들임. 나. 비동맹의장국으로서 유고는 금번 걸프사태와 관련, 쿠웨이트의 영토주권 회복과 이락. 쿠웨이트간 분쟁의 평화적 해결을 촉구한바 있으며,8.3 UN 에서개최된 비동맹 조정위원회는 이락의 행동을 비난한바 있으나, 과거 이.이전 당시와 같이 비동맹운동이 사태해결에 별다른 기여를 하지 못하고 있다는 것이 일반적인 평가임.

2. 인도측 예상의제

가. 인도측은 금번 비동맹회의를 통해 UN 을 통한 문제해결원칙을 강조하는한편 경제제재조치로 영향을 받게 될 국가에 대한 지원대책의 수립을 유엔안보리에 요청하는 문제를 거론할 것으로 보임.

나. 비동맹 주도국인 주재국으로서는 비동맹운동을 통한 해결방안 모색에 적극적인 입장인 것으로 분석되나, 당지 일부관측통들은 금번사태의 관련당사자인 이락, 쿠웨이트, 사우디가 모두 비동맹 회원국이고 미국등 서방국가가 대이락행동을 주도하고 있음에 비추어 볼때 금번사태와 관련한 비동맹운동의 역할은 매우 제한적일 것으로 평가하고 있음.

(대사 김태지-국장)

중아국 장관 차관 1차보 2차보 아주국 국기국 정문국 청와대
안기부 대책반

PAGE 1

90.08.28 01:08
외신 2과 통제관 CF
0040

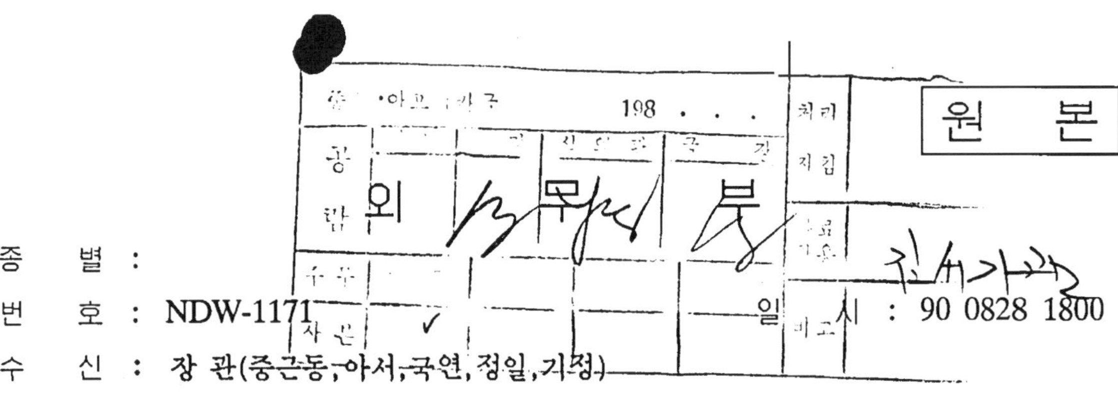

원 본

종 별 :

번 호 : NDW-1171 일 시 : 90 0828 1800

수 신 : 장 관(중근동,아서,국연,정일,기정)

발 신 : 주 인도 대사

제 목 : 이락의 쿠웨이트 침공과 관련한 인도의 반응(15)

(자료응신 90-160)

GUJRAL 주재국 외무장관은 8.26 주재국 하원에서의 증언을 통해 이락의 쿠웨이트 침공과 관련한 인도의 입장을 다음과 같이 밝힘.

1. 인도정책의 기본목표

가. 금번 사태와 관련한 인도정책의 기본적 목표는 동 지역에서의 평화유지 및전쟁발발 방지와 인도인 철수 및 보호에 있음.

나. 인도는 평화적인 방법에 의한 위기해소를 위한 어떠한 합리적인 제안도 환영하나 아랍인의 단결을 지지해 온 인도의 입장에서 아랍내의 분열을 조장하기를 원하지 않기 때문에 금번 사태에 신중히 대처하지 않을 수 없음.

2. 인도정책의 구체내용

가. 금번 사태에 대한 인도정책이 너무 소극적이라는 지적이 있으나 인도는 복잡미묘한 상황을 감안, 합리적으로 신중대처하고 있을뿐이며, 여하한 경우에도 이락의 행동을 승인하지 않고 있음은 확실함.

1) 인도는 쿠웨이트를 계속 승인하고 있으며 주인도 쿠웨이트 대사관의 유지가그 증거임.

2) 다만, 이락측 요청에 따른 주쿠웨이트 인도대사관의 폐쇄는 불가피한 일이었는바, 이락측 요청을 거부했을 경우 대사관이 제대로 교민보호 기능도 수행할 수없는 등 아무런 실익이없었을 것임.

나. 인도로서는 몇몇 국가들이 추구하고 있는 군사적 해결방안에 반대하며, 사태추이를 면밀히 주시하면서 평화적이고 합리적인 해결방안이 찾아질수 있도록 노력할 것임.

1) 연이나, 비슷한 생각을 가진 국가들과의 협의를 통해 가능성이 보이기 전까지는

중아국 1차보 아주국 국기국 정문국 안기부 미주국 통상국 2차보

PAGE 1 90.08.28 23:26 DA

외신 1과 통제관

0041

인도가 자청해서 중재노력을 하는 일은 없을 것임.

2) 90.9월 유고에서 개최 예정인 15개 비동맹국 회의에서 금번 사태는 가장 중요한 의제가 될것이나, 아랍세계가 금번 사태에 관하여 분열되어있기 때문에 비동맹 자체가 위기에 처해 있다고볼 수 있음.

다. 인도는 인도인의 철수를 위해 선박수송도 검토하였으나 성사여부는 해상봉쇄 상태에 달려있으며, 바그다드로부터 인도인을 직접 공수하기 위해 인도 군용기의이락영공 통과허가를 이락측에 요청중임. 또한, 인도로서는 쿠웨이트내 식량부족으로 아시아인들이 큰 어려움을 겪고 있음을 감안, 인도의 식품공급을 허용토록 미국을 설득중임.

(대사 김태지-국장)

PAGE 2

0042

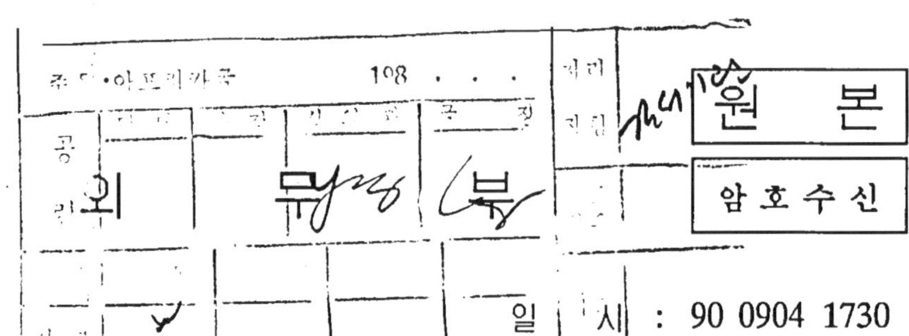

종 별 :

번 호 : NDW-1210 일 시 : 90 0904 1730

수 신 : 장관(중근동,아서,성일,기정)

발 신 : 주 인도 대사

제 목 : 이락의 쿠웨이트 침공과 관련한 인도의 반응(16)

(자료응신 90-171)

최근 걸프지역사태와 관련, GUJRAL 주재국 외무장관은 UN 및 비동맹운동을 통한 외교적 협의강화를 모색하고 있는 것으로 알려지고 있는바, 관련동향 아래 보고함.

1. 대유엔관계

가. 최근 GUJRAL 장관은 UN 안보리 5 개 상임이사국 정부에 보낸 동일한 내용의 서한을 통해, 걸프지역사태에 관한 UN 내 협의체제를 확대, 상임이사국외에금번사태로 심각한 영향을 받는 관계당사국들도 포함할 것을 요청함.

나. 특히 동장관은 걸프지역사태가 중동지역은 물론 인근 서남아지역에도 파급될 우려가 있음을 지적하고, 탈냉전시대를 맞아 새로운 위상(STATUS)과 공신력(CREDIBILITY)를 갖게 될 유엔의 테두리내에서 여사한 협의체제가 수립될 경우금번사태의 조속한 수습에 기여할 것이라고 강조함.

2. 대비동맹관계

가. 또한 GUJRAL 장관은 내주 개최될 유고 비동맹회의에 참석, 주로 걸프지역사태에 대한 주요 비동맹 지도국가간의 대응방안을 협의할 예정인바, 동회의는당초 9.10 에서 차기 비동맹의장국인 알제리측의 사정에 따라 며칠 연기될 것으로 알려지고 있음.

나. 당지 언론관측통은 쿠웨이트및 이락이 모두 비동맹회원국인 데다가 비동맹지도국인 인도와 유고간의 이견으로 비동맹이 금번사태에 효율적으로 대처해오지 못했다고 지적하면서, 금번회의로 비동맹지도국간 이견이 해소되기를 기대하고 있음.

1)상기 관측통에 의하면 인도와 유고는 금번사태와 관련, 각기 이해관계의차이를 인해 상이하게 대응해 왔으며, 상대방의 입장에 대해 다소 상호 비판적인 시각을 갖고

중아국 대책반 장관 차관 1차보 2차보 아주국 정문국 청와대 안기부

PAGE 1

90.09.04 23:30

외신 2과 통제관 CW

0043

있다고 함.

2)즉, 인도는 유고측이 최근의 대서방관계 강화필요성등을 의식, 친서방노선을 취하고 있다는 의구심을 갖고 있는 반면, 유고는 인도측이 이락과의 우호관계등으로 이락의 침공에 너무 소극적으로 대응하고 있다는 비판을 갖고 있다는 것임.

(대사 김태지-국장)

PAGE 2

0044

외 무 부

종 별 :

번 호 : NDW-1230 일 시 : 90 0906 1730

수 신 : 장관(아서,중근동,통일,정일,기정) 사본:사본처참조

발 신 : 주인도대사

제 목 : 중동사태 인도동향 (자료응신90-174)

연: NDW-1207

1. 원유수급

9.5 인도정부는 UAE 로부터 500천본의 원유를 9월 및 10월중에 도입, 바레인으로부터 150천본의 석유(KEROSENE) 도입계약을 체결하였다고 밝힌 것으로 보도됨.

2. 석유제품에 대한 SURCHARGE 부과 구상

0 인도정부는 중동사태에 의한 외환부담에 대처하기 위해 수입 및 국내생산 원유에 대해, 우선 3-4개월 시한으로 SURCHARGE 를 부과하고 그 연장여부에 대해서는 추후 검토하는 방안을 고려하고있음.

0 원유가격의 배럴당 1불 상승은 400천만 루피(약230백만불)의 추가부담이 발생하며 현재 약1,600천만 루피(약 920백만불)의 부담이 예상되고있는데 이에 대한 대처방안으로 정부 재정긴축을 통한 가격인상 요인 흡수 또는 SURCHARGE 부과 등이 될 수있는데 다소 가격상승을 감수하더라도 SURCHARGE 부과하는 방향으로 의견이 모여지고있는 것으로 보도됨.

(대사 김태지-국장)

수신처: 상공부,동장부,산업연구원,대한상의,무역협회,전경련,중소기업중앙회.

기획 미사!

아주국	2차보	중아국	통상국	정문국	안기부	상공부	동자부	산업연

KOTRA . 대한상의. 전경련. 중소기업중앙회.

PAGE 1

90.09.07 00:29 CG

외신 1과 통제관

0045

관리번호	PO/1176

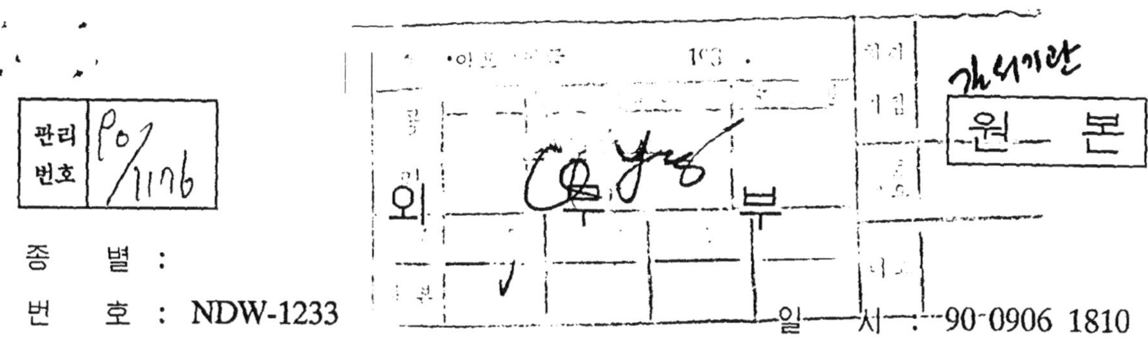

종 별 :

번 호 : NDW-1233 일 시 : 90 0906 1810

수 신 : 장관(중근동,아서,국연,정일,기정)

발 신 : 주 인도 대사

제 목 : 이락의 쿠웨이트 침공과 관련한 인도의 반응(17)

(자료응신 90-175)

본직은 작 9.5 저녁 당지 유고대사가 유고를 방문할 GUJRAL 외무장관을 위해 주최한 만찬에 알제리, 요르단, 이집트, 짐바브웨등 주요 비동맹국가 대사들과 함께 참석한바, 동장관이 각대사들과의 환담에서 최근 걸프지역사태등에 관하여 언급한 요지 아래 보고함.

1. 유고 비동맹회의

가. 다음주 개최될 유고 비동맹회의는 비동맹 현의장국인 유고, 차기 의장국인 알제리와 인도등 3 개국만 참석, 금번 걸프지역사태에 대해 솔직한 의견교환을 갖게 될 것임.

나. 인도로서는 금번사태와 관련 중재역할을 맡을 입장도 아니고 그런 생각은 안하고 있으나, 상기회의등을 통해 금번사태 수습에 무언가 기여할수 있지 않을까 하는 기대는 갖고 있음.

2. 걸프지역사태에 대한 인도의 입장

가. 금번사태에 대해 인도가 소극적으로 대응하고 있지 않느냐는 비판이 있으나, 인도는 이락의 쿠웨이트 합병을 인정치 않고 조속한 철수를 분명히 요구한바 있음.

나. 인도로서는 무엇보다도 금번사태로 걸프지역에서 고생하고 있는 막대한 숫자의 인도교민사회에 대해 가장 큰 관심과 우려를 가지지 않을수 없음.

1)현지 인도인들은 식량부족으로 당장 생존자체가 위협받게 될 처지이므로 인도정부로서는 어떠한 방법에 의하든지 우선 식량수송을 하기 위해 최대한 노력하고 있음.

2)인도선박을 이용하는 경우 해상봉쇄와 관련 미국등으로부터 동의가 있어야 할 것이나 동의여부가 상금 불확실하며, 국제적십자사를 통하는 것이 자연스럽고 문제가

중아국	장관	차관	1차보	2차보	아주국	국기국	정문국	청와대
안기부	대책반							

PAGE 1

90.09.06 22:54
외신 2과 통제관 EZ

0046

적을 것이라고 판단, 적십자측과 협의중임.

3)인도로서는 식량수송이 이루어지는 경우, 인도인뿐만 아니라 여타 국민들에게도 혜택을 나누어주어도 좋다고 생각하고 있음.

3. 금번사태와 관련한 미.쏘관계 전망

가. 베이커 미국무장관이 금번사태가 수습된 후에도 미군이 사우디등에 계속 잔류케 될 가능성을 언급했다는 보도가 있으나, 동문제에 대해서는 중동국가들은 물론 소련도 강한 거부반응을 보일 것으로 예상됨.

나. 전세계적인 미.쏘간 신데탕트추세에 맞추어 금번사태에 대해서도 미.쏘가 지금까지는 협조적인 태도를 유지하여 왔으나, 소련과 인접해 있는 중동지역에 대한 소련의 직접적인 이해관계등을 감안할때 미군의 계속 주둔등을 통한 미국의 동지역에 대한 영향력 증대는 소련에게 결코 탐탁치만은 않은 일일 것임.

다. 따라서 금번사태의 수습방향은 향후 중동지역정세의 안정화여부에 직접적인 영향을 미치는 이외에 미.쏘간 협조관계의 장래를 가늠해 볼수 있는 중요한 시금석이 될수 있을 것임.

1990.12.31에 예고문에 의거 일반문서로 재분류됨

(대사 김태지-장관)

예고:90.12.31. 일반

PAGE 2

0047

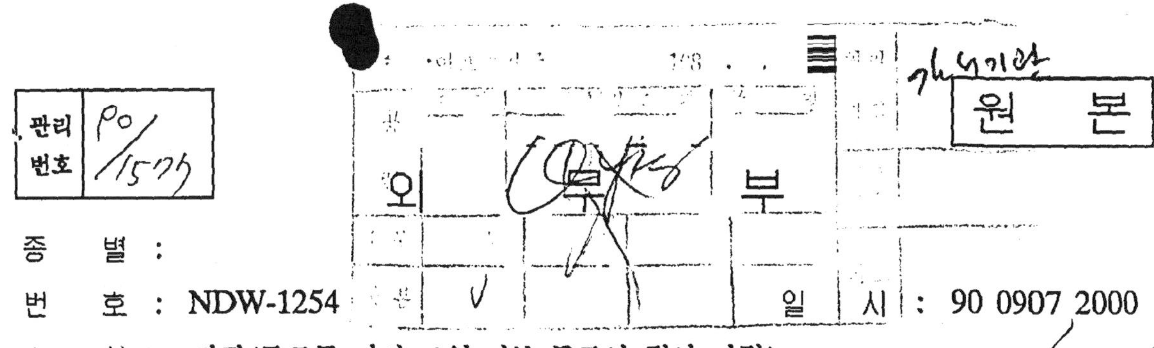

종 별 :

번 호 : NDW-1254 일 시 : 90 0907 2000

수 신 : 장관(중근동,아서,국연,미북,동구일,정일,기정)

발 신 : 주 인도 대사

제 목 : 이락의 쿠웨이트 침공과 관련한 인도의 반응(18)

(자료응신 90-179)

당관 김원수 서기관은 금 9.7(금) 주재국 외무부 SACHDEV 걸프지역담당관을면담, 최근 걸프지역사태와 관련한 인도의 입장과 외교적 대응및 미.쏘회담 전망등에 관해 협의한바, 동인의 언급요지 아래 보고함.

1. 금번사태에 대한 인도의 입장

가. 걸프지역사태에 대해 인도가 소극적으로 대응하고 있다는 일부 비판이 있으나, 이락의 쿠웨이트 합병에 반대하고 사태의 평화적 해결을 지지하는 인도의 입장은 분명함.

나. 인도는 비동맹정책에 따라 분쟁해결을 위한 무력사용을 여하한 경우에도 승인치 않았으며, 이에따라 이락군의 쿠웨이트 철수를 요구함과 아울러 경제제재를 넘어서는 외국군 파병등에도 반대하는 입장임.

다. 또한, 인도로서는 막대한 숫자에 달하는 이락및 쿠웨이트거주 인도인의철수및 보호가 가장 시급한 외교과제인바, 이의 수행을 위해서는 이락의 쿠웨이트 합병을 승인하지 않더라도 이락당국과 필요한 최소한의 협조체제는 유지하지 않을수 없는 형편임.

2. 금번사태와 관련한 인도의 외교적 대응

가. 인도는 금번사태로 인해 경제및 교민보호측면에서 큰 타격을 받고 있으며, 특히 현지 인도인 철수문제는 점점 심각한 국면으로 진전되고 있기 때문에 인도정부로서는 이러한 문제의 우선적인 해결과 아울러 금번사태 수습에 무언가 기여하기 위해 다각도의 외교적 노력을 경주할 계획임.

1)이락측은 최근 아시아계 현지주민의 철수를 허용하면서도 철수용 선박 또는 항공기편에 식량을 수송해 올것을 요구하고 있으나, 미국측은 여사한 식량수송이

중아국	장관	차관	1차보	2차보	아주국	미주국	구주국	국기국
정문국	청와대	총리실	안기부	대책반				

PAGE 1

90.09.08 00:28

외신 2과 통제관 EE

0048

경제제재조치상 반입이 허용되는 특별한 경우(SPECIAL CIRCUMSTANCES)'에 해당되지 않는다는 입장을 보이고 있음.

2)이로인해 인도인은 사실상 이락과 미국사이에 끼인 볼모가 된 형편이며, 철수가 지연되면서 현지 식량사정등 어려움은 더욱 가중되는 이중고를 겪고 있음.

나. 현재 인도가 취하고 있는 외교적 노력은 다음과 같음.

1)9.9 미.쏘 정상회담에 앞서 V.P.SINGH 수상은 미.쏘 대통령에게 각기 보낸 9.6 자 서한을 통해 인도인 철수문제에 대한 인도적 고려를 요청함.

2)GUJRAL 외무장관은 최근 유엔안보리 상임이사국 외상에게 보낸 서한을통해 유엔의 협의체제에 금번사태로 심각한 영향을 받고 있는 국가도 포함하여줄것을 요청하면서 현지 인도인에 대한 식량수송의 시급성등을 강조함.

3)GHAREKHAN 유엔주재 대사는 작 9.6 유엔안보리 의장을 면담, UN 경제제재조치및 미국의 해상봉쇄등으로 인해 인도가 겪고 있는 경제및 교민보호측면에 어려움을 호소하고 이문제의 해결을 위한 안보리의 검토를 요청함.

4)GUJRAL 장관은 금번사태의 조속한 수습을 위해 비동맹운동이 기여할수 있는 방안을 모색하기 위해 유고, 알제리 외상과 내주 유고에서 회의를 가질 예정이며, 동회의 참석후에는 귀로에 화란을 방문, 인권단체등을 통한 현지 인도인에대한 지원가능성등도 협의할 예정임.

3. 미.쏘 정상회담 전망

가. 미.쏘 정상회담에서 금번사태의 수습방안 모색이 가장 중요한 의제가 될 것이나, 현재로서는 분쟁당사국의 입장에 협상의 여지가 전혀 없으므로 금번회담에서 구체적인 성과를 기대하기는 어려울 것으로 전망됨.

나. 특히 소련으로서는 이락의 제재에 미국과 의견을 같이 하면서도 사태수습을 위한 미국의 무력개입에는 계속 소극적인 태도를 보일 것으로 예상됨. 국내경제사정등 제반형편상 미국과 비슷한 수준으로 개입할수 없는 소련의 입장에서 볼때, 미국의 일방적인 개입확대는 동지역에 대한 소련의 영향력 감소를 초래할 가능성이 있기 때문에 바람직한 일은 아닐 것임.

(대사 김태지-국장)

예고:90.12.31. 까지

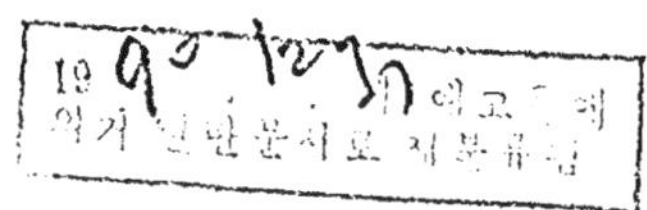

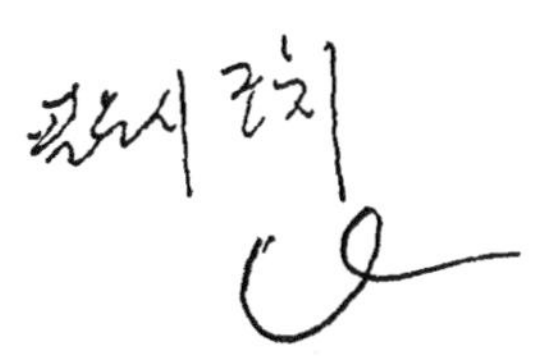

주 인 도 대 사 관

인도(영)20830- 721 90.9.7

수신 : 외무부장관

참조 : 중동아프리카국장

제목 : 걸프지역사태와 관련한 쿠웨이트대사관 요청사항

당지주재 쿠웨이트 대사관은 별첨외교공한을 통해 9.1 부터 쿠웨이트 외교관여권 및 특별여권에 대해 여권뒷장에 증명확인 (Certificate)을 날인할 것임을 통보하여 왔으니 참고하시기 바랍니다.

첨부 : 상기공한 1부. 끝.

주 인 도 대 사

발송 1990. 9. 07 주인도대사관

49718

0050

بسم الله الرحمن الرحيم

THE EMBASSY OF
THE STATE OF KUWAIT
NEW DELHI

سفارة دولة الكويت
نيودلهي

Date 31st August, 1990 — التاريخ

Ref. 230/90 — الرقم

Important/urgent

The Embassy of the State of Kuwait in New Delhi presents its compliments to the Ministry of External Affairs and all Diplomatic and Consular Missions in New Delhi and has the honour to inform them that with effect from Ist September, 1990 this Embassy will henceforth confirm the authenticity of the Kuwaiti Diplomatic or Special passports by affixing a 'certificate' on the last available page of the holder's passport duly sealed and signed by the Head of Mission.

The Embassy of Kuwait avails itself of this opportunity to renew to the Ministry of External Affairs and all the Diplomatic and Consular Missions in New Delhi the assurances of its highest consideration.

The Ministry of External Affairs,
P & V Section,
Patiala House,
New Delhi

All Diplomatic and Consular
Missions in New Delhi

0051

원 본

외 무 부

종 별 :

번 호 : NDW-1257 일 시 : 90 0909 1800

수 신 : 장 관(중근동,아서,아동,정일,기정)

발 신 : 주 인도 대사

제 목 : 이락의 쿠웨이트 침공과 관련한 인도의 반응(19)

(자료응신 90-180)

금 9.9 당지 언론 보도에 의하면, 이락정부는 최근 쿠웨이트 및 이락거주 아시아6개국 주민들에게 식량등의 공급을 중단하겠다는 통보를 해왔다고하는 바, 관련동향 아래 보고함.

1. 이락측 통보내용

가. 이락정부는 식량 및 여타 필수품의 재고가 바닥이 났다고 하면서 인도,파키스탄,스리랑카,방글라데시,태국 및 필리핀등 6개국 주민들에 대해서 더 이상 식량등을공급해 줄 수 없다고 통보해 왔음.

나. 여사한 이락측의 통보는 아시아계 주민들을 볼모로하여 유엔 경제제재조치를이완시키기 위한 압력수단의 하나인 것으로 보임.

2. 인도의 대응

가. 이락 및 쿠웨이트에 비아랍계로서는 최대의 교민을 가지고 있는 인도정부는현지 인도인의 철수가 신속히 진행되지 못하고 있는 상황에서의 여사한 통보를 매우심각한 것으로 평가하고 있으며, 여타 아시아 5개국과 공동 대응하여 조속한 해결방안을 모색키 위해 노력하고 있음.

나. 이와 관련, 인도 및 여타 5개국은 공동으로 아시아계 주민의 어려움을 해결하기 위한 유엔안보리의 긴급회의를 이미 요청하였으며, DUBEY 인도 외무차관은 9.7여타 아시아 5개국대사를 초치, 사태의 심각성과 대응방안등을 협의한 바 있음.

(대사 김태지-국장)

중아국 1차보 아주국 아주국 정문국 안기부 미주국 통상국 대책반

PAGE 1 90.09.09 23:04 DN

외신 1과 통제관

0052

외 무 부

종 별 :

번 호 : NDW-1272　　　　일 시 : 90 0911 1800

수 신 : 장관(아서,중근동,통일,정일,기정)사본:사본처참조

발 신 : 주 인도 대사

제 목 : 중동사태와 인도동향(자료응신 90-183)

사본처:상공부,동자부,산업연구원,대한상의,무역협회,전경련,중소기업중앙회

1. 인도의 대유엔 경제구제 요청

0 90.9.5 MR.C.R. GHAREKHAN 주유엔 대사는 ARTICLE 50OF THE UN CHARTER 에 근거 하여 금번 중동사태에 따라 UN 이 취한 경제제재 조치에 의하여 인도는 수입석유가격 인상부담 24억불, 송금손실 4억불및 무역손실 2억불 총 30억불 손실이 1년간발생하게 되었는데 이와 관련 UN 에서 경제구제(ECONOMIC RELIEF) 를 해줄것을요청하는 공식문서를 PRESIDENT OF THE SECURITYCOUNCIL 에 제출했다고 밝힘.

0 인도관리는 스리랑카 및 필리핀도 인도와 유사한 요구를 했으나 UN 측의 즉각적인 조치는 기대할 수 없다고 언급함.

0 인도의 대유엔 경제구조 요청은 금번 중동사태로 실제 경제적으로 많은 피해를 입고있으나 그 실상이 부각되고 있지 않은 개도국의 어려움을 인도가 앞장서서 표시해야 한다는 국내외적 압력이 있고, 중동사태로 인해 더욱 악화된 국제수지 문제에 대한 이해와 향후 예상될수 있는 IMF 와 협상등에서 활용 필요등이 배경으로 관측되고 있음.

2. 이락, 쿠웨이트 소재 인도인 철수에 따른 항공사 부담 증가

0 이락에 22만명, 쿠웨이트에 17만명등 거대한 규모의 인도인이 있는 것으로 밝혀지고 있으며, 90.8.13 최초로 180명의 성지 순례자(HAJ PILGRIMS)를 철수시킨이래 9.9 까지 2.5만명을 철수시켰고, 9.10 시작되는 일주일간 2만명을 요르단을 통해 인도국영 AIR INDIA 등으로 철수시킬 계획임.

0 중동 소재 인도인 철수에 인도 국영항공사 동원으로 지난주 계획되었던 약 60 프로 운항이 취소 되었고, 중동 운항의 경우 중동향발은 공선운항이 되고 보험료가

아주국	1차보	중아국	통상국	정문국	안기부	대책반	미주국	상공부	동자부
산업연	대한상의	코트라	전경련						

PAGE 1

90.09.11 22:12 DA

외신 1과 통제관

0053

인상되는 등으로 항공사의 부담이 크게 증가하고 있음.

(대사 김태지-국장)

PAGE 2

0054

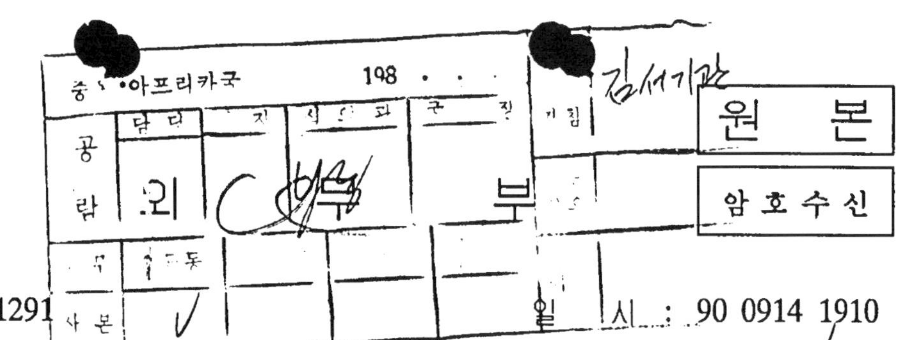

종 별 :

번 호 : NDW-1291 일 시 : 90 0914 1910

수 신 : 장관(중근동,아서,기북,국연,정일,기정)

발 신 : 주 인도 대사

제 목 : 이락의 쿠웨이트 침공과 관련한 인도의 반응(20)

(자료응신 90-185)

최근 인도정부는 쿠웨이트및 이락거주 인도인의 철수및 식량수송문제의 해결을 위해 다각도의 외교적 노력을 계속하고 있는바, 관련동향 아래 보고함.

1. 현지 인도인의 상황

가. 금번사태 발생이전 쿠웨이트(17 만 2 천명)및 이락에 거주하는 인도인은 18 만명 이상에 달하였는바, 현재까지 인도정부는 이중 약 3 만명 정도를 본국에 철수시켰으나 아직도 요르단내 난민캠프에 2 만명, 이락내에 8 천명 이상의인도인이 철수차례를 기다리고 있으며, 여사한 인도인 철수희망자의 숫자는 계속 늘어나고 있음.

나. 인도정부는 현지인도인의 철수를 촉진하기 위해서 인도비행기에 의한 쿠웨이트로부터의 직접공수및 인도선박에 의한 바스라항으로부터의 여객수송방안에 대해 이락측으로부터 동의를 받았던 것으로 알려지고 있으나, 최근 이락측이 여사한 인도비행기및 선박편에 식량및 약품수송조건을 내세움으로써 실현되지 못하고 있음.

다. 현재 요르단내 난민캠프의 식품공급, 위생상태등은 계속 밀려드는 난민들로 인해 매우 심각한 수준에 와있는 것으로 알려지고 있어 인도정부로서는 현지인도인의 철수촉진및 식품공급문제의 외교적 해결을 시급히 추진하는 한편 쿠웨이트거주 인도인들에 대해서는 현상황에서 가급적 요르단으로 이동치 않도록 권고하고 있는 것으로 파악됨.

2. 인도정부의 외교적 대응

가. 인도정부는 인도인의 철수를 위한 당초의 합의를 이행하지 않고 있는데대한 불만을 이락측에 전달하는 한편 인도적 차원에서의 식품수송을 허용토록 여타 아시아국가와 함께 유엔안보리에 긴급 제기하여 동문제는 현재 안보리산하

중아국 차관 1차보 2차보 아주국 미주국 국기국 정문국 청와대
안기부 대책반

PAGE 1

90.09.15 00:42
외신 2과 통제관 CW

0055

제재위원회(SANCTIONS COMMITTEE)에서 검토되고 있음.

나. 이와 병행하여 GUJRAL 외무장관은 비동맹차원에서의 지원을 9.11 유고에서 개최된 유고, 알제리 외상과의 회담에서 요청하였으며, DUBEY 외무차관은 9.16 부터 미국을 방문, 미행정부및 의회인사들과 접촉을 갖고 인도의 입장을 설명할 계획임.

1)특히 DUBEY 차관의 주된 임무는 금번사태와 관련한 인도의 소극적인 대응에 대해 상당한 불만을 갖고 있는 것으로 알려지고 있는 미측의 의구심을 해소하면서 인도인에 대한 긴급 식품수송을 미측이 호의적으로 고려해 줄것을 요청하는데 두어질 것으로 관측됨.

2)한편,9.11 비동맹회의에서는 금번사태의 평화적 해결을 위한 노력을 비동맹운동 차원에서 계속 경주하기로 하고, 주요 비동맹국가 외상회의를 10.4 이전 뉴욕에서 재차 갖기로 합의함.

(대사 김태지-국장)

0056

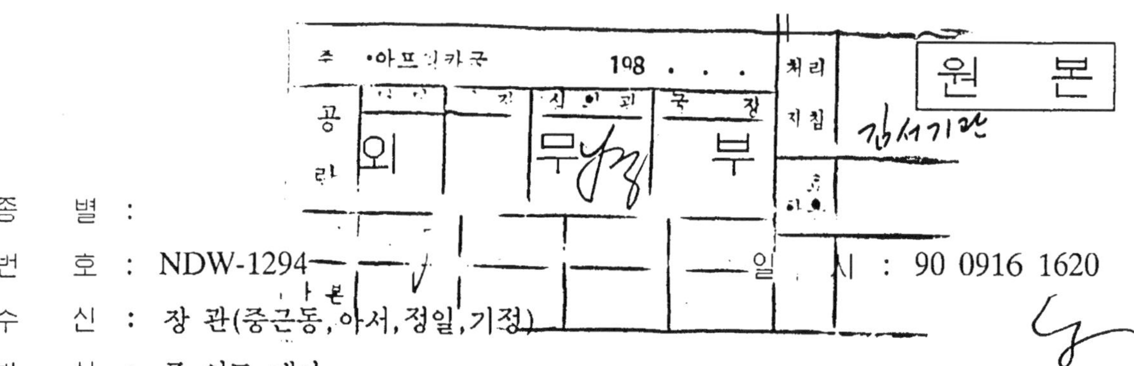
원 본

외 무 부

종 별 :

번 호 : NDW-1294 일 시 : 90 0916 1620

수 신 : 장 관(중근동, 아서, 정일, 기정)

발 신 : 주 인도 대사

제 목 : 이락의 쿠웨이트 침공과 관련한 인도의 반응(21)

(자료응신 90-186)

GUJRAL 주재국 외무장관은 9.10-15간 유고, 화란및 이태리를 방문후 9.15 귀국시 가진 기자회견을통해 자신의 방문결과를 다음과 같이 밝힘.

1. 주요 활동

가. 9.11 유고에서는 유고, 알제리 외상과 비동맹지도국 외상회의를 갖고 금번 걸프지역 사태와관련한 비동맹운동 차원에서의 대응방안을협의함.

나. 이후 화란 및 이태리를 방문하였으며, 특히이태리 방문시에는 ANDREOTTI 수상 및 MICHAELIS외상과 회담을 갖고 걸프지역 사태와 관련한개발도상국 지원문제를 중점 거론함.

2. 주요 성과

가. 금번 방문을 통해 걸프지역 사태로 영향을받는 개발도상국 지원을 위한 세계기금(GLOBALFUND) 의 조성과 걸프지역 사태의 평화적 해결을도모하기 위해 비동맹및 EC 지도국가간에 공동노력키로 어느 정도 의견의 접근을 보았음.

1) 상기 세계기금은 비동맹, 특히 개발도상빈국이당면하고 있는 시급한 어려움을해소해 주기 위해유엔헌장 50조에 의거, 설치를 추진중임.

2) 이태리 정부는 걸프지역 사태와 관련, 요르단,이집트 및 터키에 대한 지원에최우선 순위가두어지고 있으나 서남아시아지역 국가에 대해서도우선적인 고려가 있을 것으로 약속하였으며, EC집행위원회는 이 문제의 협의를 위해 9.17브랏셀에서 회의를 가질 예정임.

나. 앞으로 3개 비동맹 지도국 및 3개 EC국가(이태리, 룩셈부르그, 아일랜드)간외상회의를 9.27, 비동맹 외상회의를 10.4 각기뉴욕에서 개최할 예정임.

(대사 김태지-국장)

중아국 아주국 정문국 안기부 1차보 2차보 대책반 미주국 통상국

PAGE 1

90.09.17 07:04 CT

외신 1과 통제관

0057

외 무 부

종 별 :

번 호 : NDW-1323 일 시 : 90 0921 1740

수 신 : 장 관(아서,중근동,통일,정일,기정)사본:사본처참조

발 신 : 주 인도 대사

제 목 : 중동사태와 인도동향(자료응신 90-187)

사본처:상공부,동자부,산업연구원,대한상의,무역협회,전경련,중소기업중앙회

1. 원유 및 석유제품 수급

0 중동사태 발발에 따라 이락 및 쿠웨이트로부터 도입차질 예상분 5-5.5백만톤을 말레이시아, 이란등으로부터 도입을 추진하고 아울러 국내소비 절약정책을 추진해오고 있는 인도는 LPG 10프로 공급감축에 따라 자동차, 타이어업계 등의 다소의 생산차질은 있으나 전반적인 국내수급상 커다란 문제는 제기되지 않고 있음.

0 석유제품 국내판매가격 인상안이 검토되고 논의된 바 있으나 현재까지 중동사태 이전가격을 유지하고 있음.

2. 수출 애로

0 중동사태 발발 이후 인도수출의 15 프로를 점하고있는 대 GULF 지역 수출에 심각한 영향의차질을 받고 있는데, 특히 동 지역에 대한 수출품목에는 ENGINEERING GOODS, CHEMICALS, DRUGS AND PHARMACENTICALS, TEXTILES, PROCESSED FOOD 등 비교적 부가가치가 높은 품목이 많이 포함되어 있어 경제적 영향이 크며, 이에 대처하기 위해 인도정부는 상무차관을 위원장으로 하고 재무부, 상무부, 외무부, 교통부, 중앙은행(RBI),수출입은행 및 EXPORT CREDIT GURANTEE CORPORATION등의 대표로 구성되는 AN EMPOWERED COMMITTEE 를설치, 운영하기로 결정하였음.

0 인도가 과거 약 10년간 사우디에 쌀 (BASMATI RICE)를 수출해 오고 있었는데, 중동사태 발생 이후 해상운임, 보험인상 등에 따라 발생한 가격문제로 인도가 적극적이지 못한 기회를 이용하여 파키스탄이 230천톤의 쌀수출 계약을 사우디와 체결하였는데, 이에 따라 10년전 파키스탄으로부터 사우디 시장을 확보하여 연간 270천톤, 350천만루피 (약 2천만불) 수출을 해 오던 인도의 시장손실이 큰 것으로 보도됨.

아주국 2차보 중아국 통상국 정문국 안기부 상공부 동자부 산업연
대한상의 무역협회 전경련 중소기업중앙회

PAGE 1

90.09.22 10:09 DN

외신 1과 통제관

0058

0 인도 항공기의 중동지역 투입에 따라 인도산 수출품의 유럽 및 미국지역 선적에 차질을 빚고있고 뉴델리 국제공항에만도 약 2000톤수출화물의 적체현상이 발생하고 있다고 함.

3. 인도인 철수비용

0 인도는 GULF 지역으로부터 약 11만명의 인도인을 철수시키는데 5,000천만루피 (약2.85억불)의 비용이 든다고 발표하였음.

0 현재까지 45천명을 철수시켰으며 향후 약 3주내 65천명을 철수시킬 계획인데, 1 인당 비용이 약30천루피 (약 1,700불)로서 이에는 식품, 의약품, 항공 또는 선박비용이 포함된다고 함.

4. 유엔 제재조치에 따른 피해지원 문제

0 9.5 MR.GHAREKHAN 주유엔대사는 유엔의 대이락 제재조치에 따라 발생한 연간 30 억불의 손실에 대한 유엔의 구제조치를 요청한 바 있음.

0 서방국가들은 유엔 제재조치에 의한 개도국의 문제는 개도국과 선진국과의 직접 양자간 협의 또는 IMF 나 WORLD BANK 와 협의하는 방법으로 대처하라는 입장을 밝혔다고 워싱톤발로 보도됨.

(대사 김태지-국장)

0059

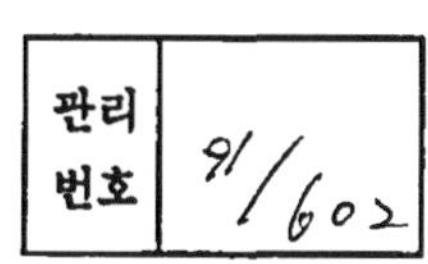

관리번호	91/602

외 무 부

종 별 :

번 호 : NDW-0097　　　　　일 시 : 91 0116 1820

수 신 : 장관(중근동,미북,아서,정일,기정)

발 신 : 주 인도 대사

제 목 : 걸프지역사태(자료응신 91-5)

당관 김원수 서기관은 금 1.16(수) 주재국 외무부 SACHDEV 걸프지역담당관을 면담, 걸프지역사태와 관련한 인도교민 안전대책및 전쟁발발 가능성등에 대해 논의하였는바, 동인의 언급요지 아래 보고함.

1. 인도교민 안전대책

가. 쿠웨이트및 이락에 거주하는 인도인 17 만명중 철수희망자에 대해서는 작년에 비상철수를 완료하였으나, 사우디.바레인등 인접지역에 거주하는 인도인은 아직도 40 만명에 달함.

나. 인도정부로서는 이들을 위한 현지차원의 안전대책과 생필품 확보대책을 수립토록 하고 있으나, 비행기 또는 선박에 의한 비상철수계획은 상금 시행하지 않고 있음.

2. 전쟁발발 가능성및 전망

가. 현재로서는 타협에 의한 사태해결 가능성은 희박한 것으로 보이며, 따라서 미측은 어떠한 형태로든 군사행동을 하게 될 것으로 예상됨.

나. 군사행동이 일단 시작되면 불확실한 변수가 많기 때문에 그 결과에 대해서는 예측하기 매우 어려우나, 본인의 개인적인 견해는 다음과 같음.

1)군사행동의 첫단계에서 미국은 쿠웨이트지역에 대한 집중적인 공중폭격에 주력할 것이며, 여사한 첫단계 군사행동의 결과가 향후 사태발전에 결정적인 영향을 끼치게 될 것임.

2)미측이 첫단계에서 성공을 거둠으로써 후세인 대통령으로 하여금 금번전쟁에 승산이 없음을 인식시킬 경우, 현실적인 계산에 밝은 후세인은 '형제아랍국이 모두 전쟁을 원치 않기 때문에 중단한다'는 등의 적절한 명분을 내세우고 미측과의 타협을 모색케 될 가능성이 클 것임.

중아국	장관	차관	1차보	2차보	아주국	미주국	정문국	청와대
총리실	안기부							

PAGE 1　　　　　91.01.16 22:39

외신 2과 통제관 DO

0060

가)후세인은 이.이전 당시 82 년 전부에서 큰 손실을 받은 이후 거의 모든 병력을 이락국경내로 철수하고 사실상 이란과의 협상을 모색하였으나 이란측의 불응으로 이후 6 년간 전쟁을 지속한바 있음.

나)금번 경우에는 이락측이 협상을 모색한다면 미측은 응할 가능성이 크다고 봄.

3)연이나, 미측이 초기단계에서 확실한 승세를 잡지 못할 경우에는 향후 분쟁은 장기전화하면서 미국에 매우 어려운 양상을 띠게 될 것임.

가)여사한 경우, 이락측이 위협하고 있는대로 사우디등 여타국가에 대한 이락측의 반격및 세계적인 테러보복행위의 가능성이 우려됨.

나)다만, 이스라엘에 대한 공격은 심리전적인 측면에서는 효과가 있을지 모르나 정치.군사적인 면에서는 득보다 실이 더 큰 모험이므로 이락측으로서도 신중히 결정하게 될 것임.

0 이스라엘을 끌어들인다 하더라도 사우디등 여타 아랍국가들이 각자의 국가 이익 대신 반이스라엘 노선으로 뭉칠 가능성은 희박하다고 봄.

0 더우기 이스라엘은 다른 어느 국가보다도 이락의 무력약화에 큰 관심을 갖고 있는 군사대국이기 때문에 이스라엘을 금번 분쟁에 끌어들일 경우 이락으로서는 화를 자초하게 될 가능성이 큼.

(대사 김태지-국장)

19 예고:91.6.30. 파지문에 의거 일반문서로 재 분류됨. ㊞

검토필(1991. 6.30.)

PAGE 2

0061

외 무 부

종 별 :

번 호 : NDW-0101 일 시 : 91 0117 1800

수 신 : 장 관(아서,대책반)

발 신 : 주 인도 대사

제 목 : 페르시아만 사태(1)

1. 주재국 정부는 금일 CHANDRA SHEKHAR 수상 주재하에 비상각료회의, 전정당회의 (ALL PARTY MEETING) 및 주수상회의를 연이어 개최, 페만 전쟁사태에 관한 주재국입장 및 대책을 협의중인 바, 동회의 결과는 금일 저녁 늦게 발표될 것으로 예상됨.

2. 금번 사태와 관련, CHANDRA SHEKHAR 수상은 우선 인도 국민들에게 금번 사태가 심각하기는하나 과다한 공포분위기를 느낄 필요는 없으며, 휘발유등 물자의 절약과매점매석 행위의 자제를 호소함.

(대사 김태지-국장)

아주국	장관	차관	1차보	2차보	미주국	중아국	중아국	정문국
청와대	총리실	안기부	대책반					

PAGE 1

91.01.17 23:20 CG

외신 1과 통제관

0062

외 무 부

종 별 : 지 급

번 호 : NDW-0108 일 시 : 91 0118 1230

수 신 : 장 관 (아서,대책반,정일,기정) 사본: 국방부

발 신 : 주 인도 대사

제 목 : 페르시아만 사태(2) (자료응신 91-6)

1. CHANDRA SHEKHAR 주재국 수상은 작일 저녁 다음요지 성명을 발표함.

0 유엔 안보리 결의에 따라 쿠웨이트로부터 즉각 철수할 것을 후세인 대통령에게 호소함.

0 이락측의 철수후 적대행위를 중단하고 금번 분쟁을 평화적으로 해결하기 위한노력을 재개해야 함.

0 평화적 해결의 구체방안은 현재 개회중인 유엔 안보리에 의해 강구될 수 있을것임.

0 이를 위한 소련측의 제안에 대한 고르바쵸프대통령의 멧세지를 접수한 바 있으며, 인도는 평화를 회복시키기 위해 소련, 비동맹국가 및 같은 생각을 가진 여타 국가들과 적극적으로 협력할 것임.

2. 또한, SHUKLA 외무장관은 외신기자와의 회견을 통해 다음과 같이 언급함.

0 전쟁회피를 위한 마지막 노력을 호소했던 인도수상의 편지에 대한 고르바쵸프대통령의 답신에서도 적대행위의 조기중단을 위한 안보리 역할의 중요성이 강조되고있음.

0 외교에 의한 문제해결이 가능토록 시간을 벌려했던 인도와 여타 국가들의 진지한 노력이 실패한 것을 유감으로 생각함.

0 걸프지역내 인도공관 및 이락당국으로부터의 통보에 의하면, 현지에 거주하는인도인은 무사하다고 함.

3. 한편, 인도내 주요정당에서 발표한 성명요지는 다음과 같음.

가. CONGRESS-I

0 전세계 지도자들이 합심해서 걸프지역의 즉각적인 평화를 회보시킬 것으로 호소하며, 유엔안보리가 평화협상을 개시할 것을 요청함.

아주국	✓장관	차관	1차보	2차보	미주국	✓중아국	정문국
✓청와대	총리실	안기부	국방부	✓대책반			

PAGE 1 91.01.18 20:22 FC

외신 1과 통제관

0063

0 금번 분쟁에 관련된 모든 당사국들이 핵, 생물, 화학무기등 대량 살상무기 사용을 자제할 것을 호소함.

나. JANATA DAL

0 인접지역에서의 전쟁으로 인도는 매우 심각한 영향을 받을 것인 바, 평화의 보존을 위해 전 인도국민이 종교, 당파를 초월해서 합심해야 할 것임.

0 금번 전쟁은 막대한 인적 희생은 물론생태계와 경제에 대한 심각한 훼손을 초래할 것이므로 즉각 중단되어야 함.

다. 공산당계열(CPM)

0 미국은 평화적 해결을 위한 세계여론을 무시하고 전쟁을 감행하였음.

0 인도정부는 제국주의자들에 의해 강요된 걸프지역 전쟁에 반대하는 확실한 입장을 취해야 하며, 유엔 안보리는 전쟁을 중단시키기 위한 회의를 즉각 소집해야 함.

(대사 김태지-국장)

PAGE 2

0064

관리 번호	91/282

외 무 부

종 별 :

번 호 : NDW-0118 일 시 : 91 0119 1540

수 신 : 장관(아서,중근동,대책반)

발 신 : 주 인도 대사

제 목 : 걸프사태(3)

연:NDW-0108

1. 걸프전 발발이후 주재국의 주요반응을 아래 추가보고함.

가.GHAREKHAN 주유엔 인도대사는 1.17 현지 TV 와의 기자회견에서 걸프지역의 다국적군이 UN 군 또는 평화유지군이 아니기 때문에 인도는 다국적군에 참여하지 않을 것이라고 언급함.

나. 당지의 권위있는 여론조사기관(IMRB)에서 걸프전 발발직후 시행한 여론조사결과는 다음과 같음.

0 이락의 쿠웨이트 침공이 정당한지 ?

-부정 60%, 긍정 21%

0 유엔이 걸프사태의 평화적 해결을 위해 충분한 시간을 주었는지 ?

-긍정 65%, 부정 22%

0 이락이 철수하게 될지 ?

-철수예상 30%, 불철수예상 25%, 타협예상 41%

0 걸프전이 얼마나 지속될 것인지 ?

-1 주일미만 22%,1-2 주일 25%,2 주일-1 달 20%,1 달이상 27%

0 인도는 어느쪽을 지지해야 할 것인지 ?

-이락지지 12%, 미국지지 17%

-중립입장 견지해야 한다는 의견 71%

0 인도경제가 어느정도 영향을 받게 될지 ?

-매우 심한(VELY BADLY) 타격예상 57%, 어느정도(SOMEWHAT) 타격예상 35%

다. 한편, 금 1.19 당지언론(TIMES OF INDIA)은 미국무성이 연호 보고한 주재국정부 성명을 환영한다는 입장을 인도측에 전달해 왔다고 보도함.

아주국	장관	차관	1차보	2차보	중아국	정문국	청와대	안기부

PAGE 1 91.01.19 20:13

외신 2과 통제관 FF

0065

0 특히, 미측은 CHANDRA SHEKHAR 수상이 후세인 대통령에게 무조건 철수를 촉구하였으며, SHUKLA 외무장관이 유엔결의에 따른 이락의 철수와 팔레스타인문제와의 연계를 부정한 점에 유의했다고 함.

2. 걸프전 발발이후 주재국입장에 대한 당관관찰은 다음과 같음.

가. 인도정부는 걸프전 발발이후 이락의 쿠웨이트 침공에 반대하는 세계여론을 의식, 이락의 철수필요성을 강조하면서도 아울러 미국이 주도하는 다국적군의 활동에 대해서도 지지 내지는 찬성하는 입장을 표명하지 않는 중립적인 입장을 견지하고 있음.

나. 이러한 기본입장에 서서 인도정부는 금번사태의 수습을 위해 미국등 서방측과의 협조보다는 쏘련및 비동맹국가와 같이 비동맹, 유엔안보리등을 통한 외교협력을 추진해 나가고자 하는 것으로 판단됨.

(대사 김태지-국장)

19예고:91.6.30.에 까지 일반문서에 의거 일반문서로 재 분류됨.

검토필(1991.6.30.)

PAGE 2

0066

외 교 신 영 관계 상 반 의 출 환 예 요

강.

외 무 부

종 별 :

번 호 : NDW-0141 일 시 : 91 0123 1700

수 신 : 장관(아서,중근동,정일,기정)

발 신 : 주 인도 대사

제 목 : 걸프사태(4)(자료응신 91-7)

걸프전의 종식을 위한 인도정부의 최근 외교동향을 아래 보고함.

1. 인도정부의 걸프전 종식을 위한 외교방안

0 인도정부는 걸프전 발발직후 CHANDRA SHEKHAR 수상이 이라크의 즉각적인 쿠웨이트 철군과 그에따른 적대행위 중지를 촉구한바 있으나, 최근에는 이러한 입장을 다소 변경, 다음과 같은 방안을 추진중임.

-외교적 해결 모색을 위한 시간을 벌기 위한 즉각적인 적대행위 중지

-동시에 이락은 유엔안보리 결의를 즉각 수용하고 시한이 명시된 철군계획하에 실질적인 철수를 개시할 것을 촉구

2. 상기방안 추진을 위한 외교적 노력

0 인도는 여사한 방안을 소련및 비동맹국가(특히 비동맹지도국및 안보리 비상임이사국)와 협조, 비동맹의 입장으로 안보리에 상정한다는 목표로 최근 외교적 노력을 경주하고 있는 것으로 파악됨.

0 이를 위한 SHUKLA 외무장관은 1.21 모스크바를 방문, PETROVSKY 소련 외무부차관과 회담을 가진후 1.22 유고에 도착, JOVIC 대통령, MARKOVIC 총리및 LONCAR 외상과 회담을 가졌으며, 이어서 인도, 유고, 알제리, 베네주엘라등 4 개국 외상회담을 추진중인 것으로 알려짐.

0 이와 동시에 D.SINGH 외무부 부장관(DEPUTY MINISTER)은 짐바브웨, 요르단및 알제리를 순방중임.

3. 주요국 반응및 평가

0 GHAREKHAN 주유엔 인도대사가 상기방안에 대해 안보리회원국과 비공식협의를 가진데 대해, 미국은 철수가 선행되지 않는 어떠한 제의도 받아들일수 없으며, 현시점에서 여사한 논의는 오히려 연합국내의 전열만 흐트려 놓을 우려가 있다는

아주국	장관	차관	1차보	2차보	중아국	정문국	청와대	안기부

PAGE 1 91.01.23 21:55

외신 2과 통제관 CH

0067

이유로 냉담한 반응을 보인 것으로 알려짐.

0 또한, 중국측도 TU 주인도대사를 통해 인도측의 걸프전 조기종식을 위한 외교적 노력은 환영하면서도 걸프전 당사국의 입장을 감안할때 안보리에 대한 결의안 상정은 시기상조인 것으로 판단된다는 의견을 전달해 온 것으로 알려짐.

0 당지의 대부분 관측통들은 인도가 비동맹지도국으로서 중립적 입장의 해결책을 모색한체 하더라도 분쟁의 최대당사국인 미국과 이락의 입장에 협상의 여지가 거의 없기 때문에 상황의 극적인 변화가 없는 한 현재로서는 별다른 성과를기대하기는 어려울 것으로 평가하고 있음.

(대사 김태지-국장)

PAGE 2

0068

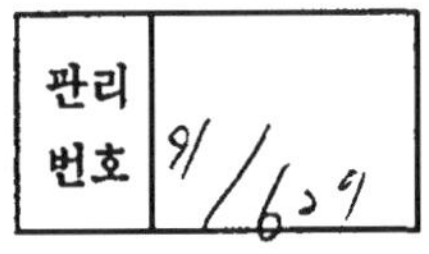

외 무 부

종 별 : 지 급

번 호 : NDW-0149 일 시 : 91 0124 1800

수 신 : 장관(아서,중근동,대책반)

발 신 : 주 인도 대사

제 목 : 걸프사태(5)

본직은 금 1.24(목) 주재국 외무부 고위간부(KHOSLA 정무담당차관보, DASGUPTA 국제기구담당차관보)를 각각 접촉, 걸프전 종식을 위한 인도정부의 외교적 노력 관련동향을 탐문하였는바, 인도측의 언급요지는 아래와 같음.

1. 인도정부가 현재 추진하고 있는 걸프전 종식방안은 다음 2 가지를 기본으로 하고 있음.

가. 이락은 우선 시한을 정해서 언제까지 쿠웨이트로부터 철수할 것인지를 선언

나. 여사한 선언이 이루어지는 시점에서 양측은 무력대결을 중지

0 연합군 철수, 팔레스타인문제등 여타문제에 대해서는 무력대결 중지 이후 논의

2. 인도로서는 여사한 방안에 대해 비동맹국가 중심으로 협의를 가진후 관계 당사국들과의 비공식적인 접촉을 거듭한 다음 마무리는 안보리에서 결정짓는다는 목표하에 현재 걸프전 관련당사국을 포함한 여러국가와 광범위한 협의를 진행하고 있음.

가. 현재로서는 여러갈래의 반응이 나타나고 있으나 대부분 걸프전의 조기종식 필요성과 이를 위한 인도의 주도적 역할에 대해서는 긍정적 반응을 보이고 있음.

나. 이락은 동방안에 동의하지는 않으면서도 일언지하에 거절하지도 않는 태도를 보이고 있으며, 미국은 이미 알려진대로 부정적인 입장이나 연합군측의 일부에서는 인도의 사태수습 노력을 긍정적으로 평가하는 움직임도 있음.

다. SHUKLA 외무장관은 1.22 유고를 방문, 유고측과 1 차 협의를 가진데 이어, 내주에는 다시 유고에서 인도, 유고, 알제리, 베네주엘라등 4 개국 외상회담을 가질 계획임.(SHUKLA 외무장관의 참석이 어려울 경우에는 D.SINGH 부장관이 참석예정임)

(대사 김태지-국장)

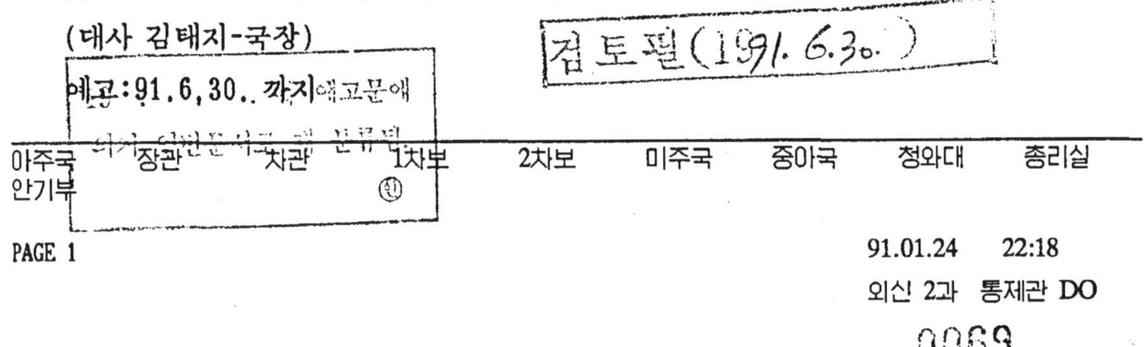

예고:91.6,30.. 까지

검토필(1991. 6. 30.)

아주국	장관	차관	1차보	2차보	미주국	중아국	청와대	총리실
안기부								

PAGE 1

91.01.24 22:18

외신 2과 통제관 DO

0069

외 무 부

암호수신

종 별 :

번 호 : NDW-0163 일 시 : 91 0125 1640

수 신 : 장관(아서,중근동,대책반)

발 신 : 주 인도 대사

제 목 : 걸프사태(6)

1. 걸프전 종식을 위해 인도정부가 기울이고 있는 외교노력의 일환으로 SHUKLA 주재국 외무장관은 1.21-23 소련및 유고방문에서 돌아온 직후 금 1.25 이란방문을 위해 재차 출국함.

2. 최근 이란은 이슬람회의기구를 통한 걸프전 종식노력을 적극 추진하고 있는 것으로 알려지고 있는바, 금번 SHUKLA 장관의 이란방문에서는 비동맹과 이슬람회의기구를 연계하는 방안에 대해 협의가 있을 것으로 관측되고 있음.

(대사 김태지-국장)

아주국 장관 차관 1차보 2차보 중아국 안기부

PAGE 1

91.01.25 20:36
외신 2과 통제관 BW

0070

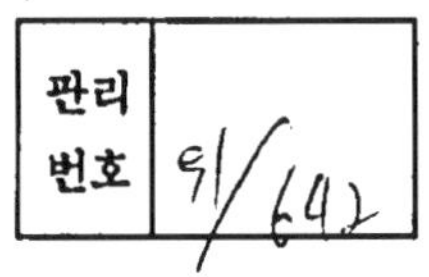

외 무 부

종 별 :

번 호 : NDW-0183 일 시 : 91 0128 1730

수 신 : 장관(아서,아이,중근동,대책반,정일,기정) 사본:주SK대사-본부중계

발 신 : 주 인도 대사

제 목 : 걸프사태(7)-주재국 외무장관 순방외교

(자료응신 91-9)

SHUKLA 주재국 외무장관은 걸프전 발발 이후 걸프전 종식및 주변국과의 현안협의를 묶어서 활발한 순방외교를 전개하고 있는바, 관련동향 아래 보고함.

1. 순방외교 일정

가.SHUKLA 장관은 1.21-23 간 소련및 유고방문,1.25-26 간 이란방문을 통해걸프전 종식방안을 협의한후,2 일간 인도남부 타밀나두주 수도인 MADRAS 에 체재하면서 스리랑카 타밀인 문제에 대한 타밀나두 주정부측의 입장을 청취하고 1.29 부터 3 일간 스리랑카를 방문예정임.

나. 스리랑카 방문기간중에는 스정부측과의 협의외에 LTTE 를 제외한 타밀단체 지도자와의 회합을 통해 스 동북부지역사태및 스 타밀인문제에 대한 인도정부의 관심을 표명할 것으로 관측됨.

다. 스 방문후에는 2.1-6 간 중국방문이 예정되어 있으며, 그후에는 재차 유고를 방문, 비동맹 차원의 걸프전 종식방안 협의를 위해 인도, 유고, 알제리, 베네주엘라및 이란등 주요비동맹국가 외상회담을 갖는 계획을 추진하고 있음.

2. 관찰

0 CHANDRA SHEKHAR 수상 정부는 여사한 외무장관의 적극적인 순방외교를 통해 걸프전 종식을 위한 인도정부의 외교적 노력을 대내외에 과시함으로써 변화하는 세계정세 속에서 제 3 세계 지도국으로서의 외교적 영향력 유지를 도모하는 한편 '일하는 정부'의 이미지를 강화시키려는 국내정치적인 효과도 아울러 겨냥하고 있는 것으로 평가됨.

(대사 김태지-국장)

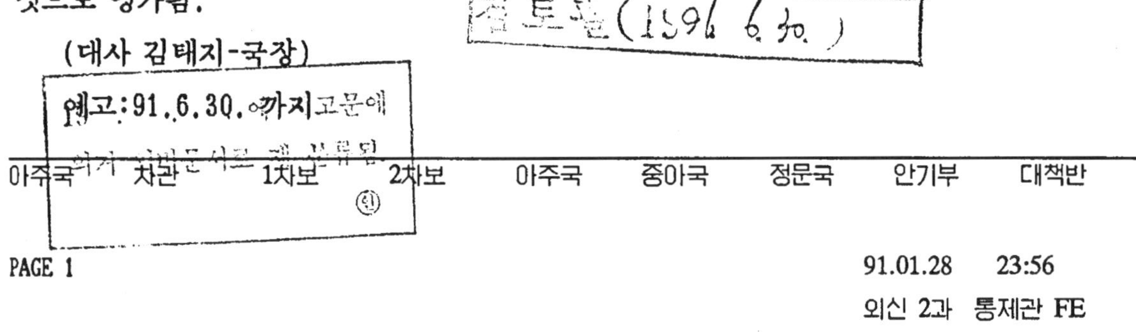

아주국 차관 1차보 2차보 아주국 중아국 정문국 안기부 대책반

PAGE 1

91.01.28 23:56

외신 2과 통제관 FE

0071

관리번호	91-703

외 무 부

종 별 :

번 호 : NDW-0192　　　　　　　　일 시 : 91 0129 1940

수 신 : 장관(아서,중근동,대책반)

발 신 : 주 인도 대사

제 목 : 걸프사태(8)

1. 금 1.29 당지 언론은 걸프전과 관련한 미국 군용기의 봄베이 기착사실을보도함으로써 동문제를 주요 정당간 정치쟁점으로 부각되고 있는바, 관련동향 아래 보고함.

가. 보도내용

1)지난 1.9 이후 현재까지 걸프사태와 관련, 필리핀과 걸프지역을 왕복하는C-141 미군용기 39 대가 봄베이 국제공항에서 중간기착및 급유를 제공받음.

2)인도정부 대변인은 여사한 미군용기에 대한 중간기착및 급유사실을 시인하면서 동군용기는 의약품과 같은 비살상용 물품의 수송및 인원철수등의 목적으로 운항된 것이며 제공된 연료는 추후 현물로 보충하는 조건이라고 밝힘.

3)당지 미대사관측은 군용기의 이동사항에 대해서는 언급하지 않는 것이 미정부의 입장이라고 하고 있으며, 인도정부내 민간항공국에서는 군용기 관련사항은 소관밖이라는 반응을 보이고 있음.

나. 주재국내 반응

1)상기 보도내용에 대해 주요정당들은 다음과 같이 즉각적으로 비판적인 반응을 보이고 있음.

0 공산당 계열은 동문제를 다루기 위한 의회의 임시회기 소집을 요구하였음.

0 CONGRESS-I 는 대변인 성명을 통해 '전쟁수행물자를 수송하는 모든 항공기의 인도기착을 거부하는 것이 인도정부의 확고한 정책이며, CHANDRA SHEKHAR 수상의 소수정부는 이러한 지속적이고 원칙에 입각한 정책에서 일탈할 권리가 없다'고 주장함.

0 J.D. 당지도자(BOMMAI 당수, GUJRAL 전외상)도 동건에 대한 정부의 즉각 해명이 있어야 한다고 주장함.

아주국　차관　1차보　중아국　정문국　청와대　안기부　대책반

PAGE 1　　　　　　　　91.01.30 13:39

외신 2과 통제관 BT

0072

2)또한, 주재국 항공사 관계자들은 걸프전 발발이후 동항공사들에 대한 항공연료 지급을 25% 감축한 상황에서 미군용기에 대한 급유가 계속된데 대한 불만을 표명하고 있음.

다. 관찰

0 CONGRESS-I 는 대변인 성명을 통해 자당의 외곽지원으로 90.11. CHANDRA SHEKHAR 수상정부가 출범한 이래 최초로 '소수'정부라고 언급하는등 가장 강한 어조로 현정부의 정책을 비난하고 나섰는바, 금번문제를 계기로 향후 양당간의 갈등이 본격적으로 표면화하게 될지 여부가 주목됨.

2. 상기 보도와 관련, 당관에서 금일 주재국 외무부및 당지 미대사관측에 확인한 내용은 다음과 같음.

가. 주재국 외무부(동아국장)

1)걸프전 발발이후 인도정부의 외국항공기에 대한 급유불가 입장에는 변함이 없음.

2)미군용기에 대한 급유승인의 자세한 경위는 미상이나, 걸프전 발발이전 승인되었으며 제공된 연료는 추후 보충하는 조건이 부과된 것으로 알고 있음.

나. 미대사관(SMITH 대사대리)

1)미군용기에 대한 급유는 걸프전 발발이전부터 양국 협의하에 계속되어 오고 있으며, 제공된 연료는 추후 인도측이 요청하면 보충할 계획임.

2)인도정부는 동문제에 대해 주요정당간 협의를 가지고 있으며, 곧 최종적인 입장을 결정케 될 것으로 알고 있으나, 자신으로서는 앞으로도 계속할수 있을것으로 예상하고 있음.

(대사 김태지-국장)

예고:91.6.30. 까지 예고문에 의거 일반문서로 재 분류됨.

검토필(1991. 6.30.)

PAGE 2

0073

외 무 부

종 별 :

번 호 : NDW-0194　　　　일 시 : 91 0130 1830

수 신 : 장관(아서,중근동,대책반,정일,기정)

발 신 : 주 인도 대사

제 목 : 걸프사태(9)(자료응신 91-10)

1. 걸프전 종식을 위한 인도정부의 외교동향

가. 알제리및 예멘정부 특사가 금 1.30 인도에 도착, CHANDRA SHEKHAR 수상을 비롯한 인도지도자와 걸프전 종식방안 협의를 가질 예정임.

나. 알제리측과는 최근 D.SINGH 부장관의 알제리 방문에 대한 답방형식을 겸해 유고 비동맹 5 개국 외상회담(2.7 예정) 관련사항에 대해, 예멘측과는 주로안보리에서의 대응방안에 대해 각기 중점적인 협의가 있을 것으로 예상됨.

2. 미군용기 인도 급유관련 문제

가.SHEIKHLY 주인도 이락대사는 작일 KHOSLA 인도 외무부 정무차관보를 면담, 미군용기에 대한 급유는 인도의 비동맹정책및 인.이락 우호관계에 어긋나는 것이라고 항의한데 대해, KHOSLA 차관보는 여사한 서비스는 비살상용 물품의 수송및 인원철수등의 목적으로 위한 항공기에 대해 제공된 인.미 양국관계 범위내의 통상적인 것이라고 설명한 것으로 알려짐.

나.CONGRESS-I 대변인은 금일 동문제와 관련, 당초 CHANDRA SHEKHAR 수상정부를 비난했던 입장을 변경, 미군용기에 대한 급유결정은 90.9 월 V.P.SINGH 수상정부에 의해 내려졌던 것이라고 주장하면서 JANATA DAL 을 공격하고 나섬.

0 이러한 CONGRESS-I 의 주장에 대해 J.D. 측은 CHANDRA SHEKHAR 수상을 정면으로 공격하기 어려운 입장에 있는 CONGRESS-I 가 사실을 날조한 것에 불과하다고 일축함.

다. 금일 당지 언론은 작일의 비판적인 논조에서 후퇴하여, 여사한 서비스가 IATA 및 ICAO 등의 국제항공규약에 가입되어 있고 우호관계에 있는 국가간에는 통상적인 것이라는 정부측 의견도 소개하는 한편 정부측에서 주요정당및 언론의 반응등을 고려, 동문제를 재검토중이라고만 보도하고 있는바, 동문제는 더이상 정치쟁점화하지는 않을 것으로 관측됨.

아주국	장관	차관	1차보	2차보	미주국	중아국	정문국	청와대
총리실	안기부	안기부						

PAGE 1　　　　91.01.30 23:58

외신 2과 통제관 CA

0074

(대사 김태지-국장)

PAGE 2

0075

14 ↘

외 무 부

김

종 별 :

번 호 : NDW-0237 일 시 : 91 0206 1740

수 신 : 장 관(아서,중근동,대책반,정일,기정)

발 신 : 주 인도 대사

제 목 : 걸프사태(10) (자료응신 91-15)

1. CHANDRA SHEKHAR 주재국 수상은 작 2.5 기자회견을 통해 걸프사태 및 미군용기에 대한 급유문제와 관련한 입장을 다음과 같이 밝힘.

가. 걸프사태

0 인도는 어떠한 경우에도 걸프전에 있어서 일방을 지지하지 않을 것임.

0 인도는 걸프전 종식을 위해 최선을 다하고 있으며 평화회복을 위한 노력을 계속 할것임.

나. 미군용기에 대한 급유문제

0 비살상용 물품을 운반하는 미군용기에 대한 급유는 이러한 인도의 정책에 저해되지 않으며 여사한 편의는 모든 국가들이 통상적으로 제공하는것임.

0 여사한 편의제공은 조약이 아닌 행정조치로 가능하며 중단여부는 각계 및 정당들의 여론에 따라 결정될 것임.

2. 한편, 미군용기에 대한 급유문제와 관련, 작일 주재국 하원에서의 토의시 V.P. SINGH 전수상이 이끄는 JANATA DAL 및 공산당 계열은 항의의 표시로 퇴장 하였으며 아울러 공산당 계열은 미대사관 앞에서 항의시위를 가졌음. CONGRESS-I는 문제점은 지적하면서도 정부에 대한 직접적인 비난은 자제하는 태도를 취하고 있으며, BJP 는 중립적인 입장을 취하고 있음.

(대사 김태지-국장)

아주국	장관	차관	1차보	2차보	미주국	중아국	정문국	청와대
총리실	안기부	대책반						

당직실

PAGE 1

91.02.06 21:39 DA

외신 1과 통제관

0076

외 무 부

종 별 :

번 호 : NDW-0245 일 시 : 91 0210 1330

수 신 : 장관(아서,중근동,대책반,정일,기정)

발 신 : 주 인도 대사

제 목 : 걸프사태(11)(자료응신 91-17)

걸프사태와 관련한 인도정부의 최근 외교동향을 아래 보고함.

1. 유고 비동맹 외상회담

가. 걸프전 종식방안 협의를 위한 비동맹 주요국가의 외상회담이 2.12 유고에서 개최예정이며, SHUKLA 인도 외무장관은 동회담 참석을 위해 금 2.10 출국계획임.

나. 동회담에는 당초 5 개국에서 15 개국으로 참석범위가 확대되었으며, 참석국가의 성향에 대한 당지 언론관측통의 분석은 다음과 같음.

0 친이라크 입장: 알제리, 큐바

0 친미국 입장: 유고, 이집트, 사이프러스, 알젠틴, 스리랑카, 베네주엘라

0 중립입장: 인도, 인니, 잠비아, 짐바브웨, 나이지리아

0 입장 불확실: 이란, 가나

다.SHUKLA 장관은 VELAYATI 이란 외상과 수차례 전화협의를 통해 상기 회담에 공동으로 다음 요지의 걸프전 종식방안을 제안할 계획이며, 유고측도 공동제안자가 될 가능성이 있는 것으로 관측되고 있음.

1)제 1 단계

0 이라크측은 쿠웨이트로부터의 철수의지를 선언

0 이와 동시에 적대행위의 중단

0 철수와 적대행위 중단을 감시하기 위한 유엔감독기구의 설치

2)제 2 단계

0 이라크에 대한 제재조치의 해제

0 유엔군 창설검토등을 포함한 걸프지역의 안보장치 수립

0 팔레스타인문제를 포함한 전체 중동문제의 토의를 위한 유엔주관의 국제평화회의 개최

아주국 대책반	장관	차관	1차보	2차보	중아국	정문국	청와대	안기부

PAGE 1

91.02.10 20:18

외신 2과 통제관 FE

0077

라. 상기 회담과 관련, 당지 대부분의 관측통들은 회담 참석국가들의 다양한 성향과 걸프전 당사국인 미국및 이라크등의 비타협적인 태도를 감안할 때 실질적인 성과를 기대하기는 어려울 것으로 전망하고 있음.

2. 유엔 안보리회의 개최 추진

가. 인도 외무부대변인은 작 2.9 발표한 성명을 통해 걸프사태 협의를 위한안보리회의의 긴급소집을 촉구하는 한편 걸프전으로 인한 민간인 살상에 깊은 우려를 표시함.

나. 당지 언론보도에 의하면, 유엔 안보리는 예멘및 큐바의 요청에 따라 걸프전 발발이후 최초로 걸프사태 협의를 위한 공식회의를 2.13 개최예정이나 회의공개여부는 상금 미정임.

(대사 김태지-국장)

PAGE 2

0078

가

외 무 부

종 별 : 지 급

번 호 : NDW-0290 일 시 : 91 0218 1830

수 신 : 장 관(아서,중동일,대책반,정일,기정)

발 신 : 주 인도 대사

제 목 : 걸프 사태(13)

1. 미군용기 급유 문제

가. CHANDRA SHEKHAR 주재국 수상은 작 2.17 가진 기자회견에서 일반국민과 주요정당의 여론을 고려,미군용기에 대한 급유를 중단하겠다고 밝힘.

나. 여사한 급유중단 결정은 특히 CONGRESS-I 의 반대입장을 감안한 것으로 관측되는바,CONGRESS-I 는 2.15 미군용기 급유중단을 요구하는 대변인 명의 성명을 발표한데 이어 라지브 간디 당총재가 2.16 SHEKHAR 수상과의 제반 정국현안 협의시 이 문제에 대해 강한 입장을 전달한것으로 파악됨.

다. 또한 당지 언론 관측통에 의하면, 미행정부도 최근 SHEKHAR 수상에게 현재까지의 군용기급유에 사의를 표명하면서 이 문제와 관련한 인도정부의 국내적인 어려움을 감안, 더 이상의 급유지원을 요청하지 않겠다는 입장을 전달한것으로 알려짐.

2. 이라크의 조건부 철군제의에 대한 인도 반응

가. SHEKHAR 수상의 기자회견시 언급요지

0 이라크의 철수제의를 환영하며, 이라크는 철수의 시행에 관한 구체일정도 발표할 것을 촉구함.

0 또한 이라크의 철수와 동시에 외국군대의 철수도 병행되어야 하며, 필요하다면 유엔 평화유지군으로 대체되어야 할 것임.

0 후세인 대통령과 부시 대통령에 대해 협상을 통해 문제해결을 모색할 것을 촉구하는 바이며,인도는 평화회복을 위해 노력할 것임.

나. 당지 언론은 전반적으로 최근 연합군측의 민간인 살상에 우려를 표시하면서이라크의 철군제의가 조건부이기는 하지만 평화회복을 위해 진지하게 검토되어야 한다는 논조임.끝.

아주국	장관	차관	1차보	2차보	미주국	중아국	정문국	청와대
총리실	안기부	대책반						

PAGE 1

91.02.18 23:08 DQ

외신 1과 통제관

0079

미북

외 무 부

종 별 :

번 호 : NDW-0336 일 시 : 91 0224 1630

수 신 : 장 관(중동일,아서,대책반,정일,기정)

발 신 : 주 인도 대사

제 목 : 걸프사태(16) (자료응신 91-23)

1. 라지브 간디 전수상 소련 및 이란 방문

가. 간디 CONGRESS-I 총재는 개인자격으로 2.23모스크바를 방문, 고르바쵸프 대통령과 4시간에 걸친 회담을 통해 걸프지역 사태 및 걸프전 종식이후에 세계질서에 대해 의견을 교환하였으며,특히 소련의 평화제안에 대한 적극 지지입장을 전달함.

나. 간디 총재는 2.24 테헤란을 방문, 라프산자니 대통령과 회담을 갖고 고르바쵸프 대통령과의 회담 결과 설명 및 걸프전 종식방안등을 협의 할 예정임.

다. 금번 간디 총재의 방문은 라프산자니 대통령의 초청에 따른 형식을 취하고는 있으나,내면적으로는 CHANDRA SHEKHAR 현수상 정부의 존립을 좌우하고 있는 정당의대표로서 주요 외교문제에 대한 조정능력을 과시함으로써 차기대권 확보를 위한 이미지 제고에 활용하려는 의도가 큰 것으로 분석됨.

라. 인도 의회 상.하원은 고르바쵸프 대통령의 평화 제안 실현을 위해 유엔 안보리에서 최대한 노력하고 세계여론의 지지를 확보할 것으로 인도정부에 촉구하는 결의안을 2.22 만장일치로 채택한 바 있음.

마. SHEKHAR 수상은 2.23 기자회견시 부시대통령에게 소련의 평화제안에 대해 재고할것으로 촉구하는 한편, 간디 전수상의 소련 방문에 대해서는 간디와 오랜 친분이 있는 고르바쵸프 대통령의 초청에 하등 잘못된 점이 없다고만 언급함.

2. D.SINGH 외무부 부장관 이락 방문

가. SINGH 부장관은 KHOSLA 외무차관, BAKSHI주이락 대사등을 대동, 바그다드 방문을 위해,2.23 당지 출발, 테헤란에 도착함.

나. 비동맹은 걸프전 종식촉구를 위해 바그다드 및 워싱턴에 각기 대표단을 파견할 계획이며,이락을 방문케 될 국가는 인도,유고,이란 및 큐바등 4개국임.(동 4개국외상들을 2.24 또는2.25 후세인 이락 대통령을 면담 예정임.) 끝.

중아국 장관 차관 1차보 2차보 아주국 미주국 정문국 정와대
총리실 안기부 대책반

PAGE 1 91.02.24 23:46 DQ

외신 1과 통제관

0080

원 본

외 무 부

종 별 :

번 호 : NDW-0520 일 시 : 91 0327 1900

수 신 : 장 관(통일,중동일,국연)

발 신 : 주 인도 대사

제 목 : 쿠웨이트에 대한 경제제재조치 해제

금 3.27자 당지 TIMES OF INDIA 는 인도 정부가 3.18자로 쿠웨이트에 대한 경제제재 조치를 해제하였다고 보도함.

(대사 김태지-장관)

통상국 1차보 2차보 중아국 국기국 안기부

장관 차관

PAGE 1

91.03.28 09:06 WG

외신 1과 통제관

0081

2. 인도네시아

0082

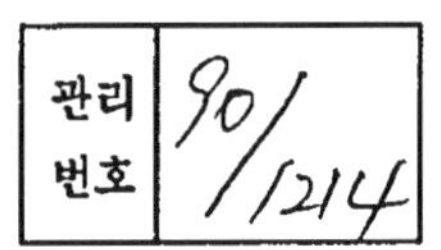

외 무 부

종 별 :

번 호 : DJW-1096 일 시 : 90 08031220

수 신 : 장관(아동,중근동,기정)

발 신 : 주 인니 대사

제 목 : 이라크의 쿠웨이트 침공

1. 주재국 언론은 표제사태를 사실보도및 논설을 통하여 대서특필하고 있으나, 주재국 정부는 아직 공식반응을 보이지 않고있음

2. 주재국 반응등 관련사항 추보하겠음. 끝

(대사 김재춘-국장)

예고:90.8.30 일반

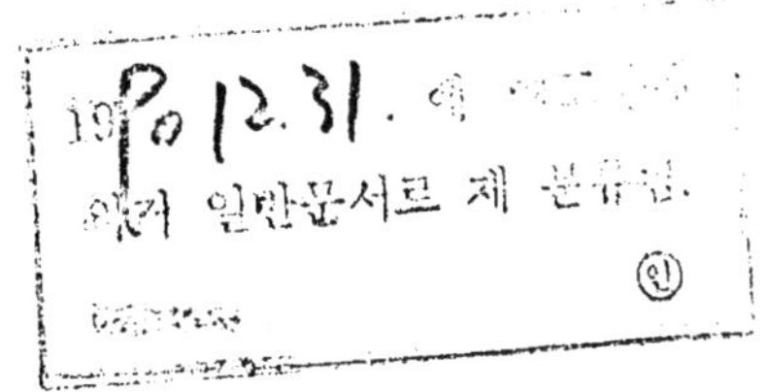

중동·아프리카국	198 . . .				처리	
공람	담당	과장	심의관	국장	지침	
					기록	
					비고	

아주국 중아국 안기부

PAGE 1

90.08.03 15:41

외신 2과 통제관 EZ

0083

관리 번호	90/1250

외 무 부

종 별 :

번 호 : DJW-1102 일 시 : 90 08041530

수 신 : 장관(아동,~~중근동~~,기정)

발 신 : 주 인니 대사

제 목 : 이라크의 쿠웨이트 침공

1. 주재국정부는 8.3. 오후 표제건관련 아래요지의 성명을 발표하였음

0 인니정부는 이라크. 쿠웨이트간 분쟁이 무력충돌을 가져온것에 대해 우려를 표명함

0 인근국가의 모든분쟁, 특히 NAM, OIC 및 OPEC 동료국가간의 분쟁은 협상을 통해 평화적으로 해결되어야 함

0 이라크및 쿠웨이트와 공히 우호관계를 유지하고 있는 인니는 양국이 합의에 의해 분쟁을 해결하기 위해 협상테이블로 돌아가기를 희망하며, 또한 동 위기를 악화시킬수있는 어떠한 조치도 제 3 자에의해 취해지지 않기를 희망함

2. 상기 성명에서 주재국은 자국이 이라크및 쿠웨이트 양국과 공히 긴밀한 관계를 유지하고 있으며, 3 국이 모두 NAM, OIC 회원국임을 감안, 이라크의 쿠웨이트 침공을 직접 비난하지는 않고있음

3. ALI ALATAS 외상도 8.3. SOEHARTO 대통령 면담후 양국이 조속히 협상테이블로 돌아가기를 희망하며, 인니가 동 새태를 면밀히 관찰하고 있다고만 언급하는등 신중한 자세를 취하고 있음을 참고바람. 끝

(대사 김재춘-국장)

예고:90.8.31 일반

1990. 12. 31. 에 예고문에 의거 일반문서로 재 분류됨.

아주국	장관	차관	1차보	2차보	중아국	청와대	안기부

PAGE 1

90.08.04 18:25

외신 2과 통제관 EZ

0084

관리번호	90/1356

외 무 부

원 본

종 별 :

번 호 : DJW-1152 일 시 : 90 08110800

수 신 : 장 관(중근동,아동)

발 신 : 주 인니 대사

제 목 : 쿠웨이트대사관 성명

당지 주재 쿠웨이트 대사관은 아래 요지의 성명을 발표하고 동내용을 당지주재 외교단에 공한으로 배포하였음

1. 쿠웨이트 대사관은 이라크에 의해 만들어진 소위 "신쿠웨이트 정부"를 부인함

2. 쿠웨이트대사관은 동 괴뢰정부가 전세계가 일제히 비난하고 있는 이라크의 쿠웨이트에 대한 용인할수 없는 침략의 결과로서 만달어진 것이므로 쿠웨이트 국민은 동 정부에 어떠한 중요성도 부여할수 없음을 주장함

3. 쿠웨이트 대사관은 쉐이크 자베르 국왕과 쉐이크 상아드 왕세자겸 수상에 대한 충성을 다짐함

4. 쿠웨이트 대사관은 동 괴뢰정부에 연계된 어떠한 집단과의 어떠한 거래에 대해서도 이를 경고함. 끝

(대사 김재춘-국장)

예고:90.12.31 일반

중아국 차관 1차보 2차보 아주국 통상국 청와대 안기부

PAGE 1 90.08.11 10:35

외신 2과 통제관 DL

0085

외 무 부

종 별 :

번 호 : DJW-1157　　　　일 시 : 90 0811 1130

수 신 : 장관(통일,기정)

발 신 : 주인니대사

제 목 : 이락.쿠웨이트 사태

1.주재국 GINANDJAR 광업에너지성 장관은 8.10.ANTARA 통신과의 회견에서 중동사태가안정될때까지 인니경제에 불이익을 감수하면서도 유엔결의에 따라 이락과 모든 무역을 중단한다고 말함.인니는 이락으로부터 3만베럴의 원유를 수입하고,이락에 공산품을 수출하고있으나,이락으로부터 수입하는 원유를 사우디,이란등 제3국으로의 전환가능성을 타진하고 있으며,이락산 원유를 정유하는 CILACAP 비축량이 35일분 남아있어 큰 문제가 없을것이라고 함

2.중국수상 LI PENG 을 수행,BALI 출장중인 ALI ALATAS 외상은 8.10 BALI 에서 기자들에게 유엔결의는 모든 회원국이 준수해야하며,경제부처가 인니.이락간 무역실적 목록을 작성한후 경제조정상이 최종 발표할 것이라 함

3. ARIFIN SIREGAR 무역성장관은 이락으로부터의 원유수입은 일단 중지하고 중동사태가 인니 무역에끼칠 영향에 대해 대책을 강구중이라 함.끝

(대사 김재춘-국장)

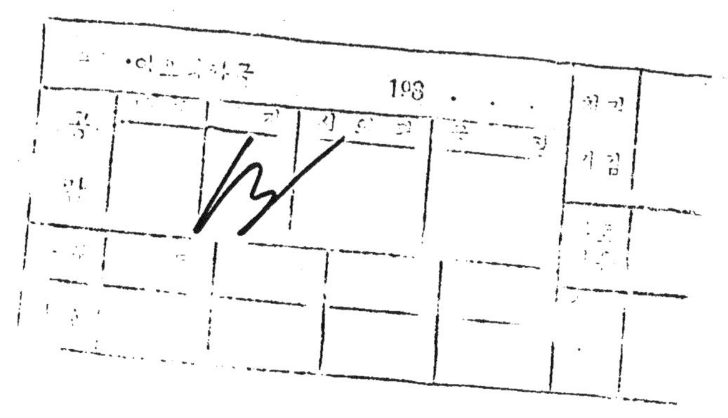

통상국　1차보　2차보　아주국　정문국　안기부　중아국　청와대

PAGE 1　　　　90.08.11　23:42 DP

외신 1과 통제관

0086

관리 번호	90-405

분류번호	보존기간

발 신 전 보

번 호 : WND-0606 900813 1854 DP

종별 :

WMX -0713 WBR -0356 VWDJ -0634

수 신 : 주수신처 참조 ~~대사, 총영사~~

발 신 : 장 관 (미북) 기협)

제 목 : 이라크.쿠웨이트 사태

1. 금번 이라크의 쿠웨이트 침공과 이에 대한 미국정부의 강력한 대응, 국제적인 경제제재 조치 및 군사적 움직임 등 일련의 사태는 그 심각성으로 인해 향후 동 사태가 진정된 이후에도 세계경제 및 정치정세에 다대한 영향을 끼치게 될 것으로 사료됨

2. 본부로서는 현재 이라크.쿠웨이트 사태가 향후 상당기간 가변적이 될 것으로 사료되나, 아국의 중장기 정책수립에 참고코저하니 우선 현재까지 밝혀진 귀주재국 정부의 입장, 학계 및 전략문제 전문가들의 다각적인 견해, 언론 해설 등을 예의분석하여, 앞으로 사태 종결후 예상되는 중동정세 및 세계정세(경제포함)의 변화 등에 관하여 가급적 조속 보고바람.

3. 본건과 관련하여서는 앞으로도 귀주재국 정부의 입장, 각계 의견을 예의 관찰, 분석하여 수시로 보고바람. 끝.

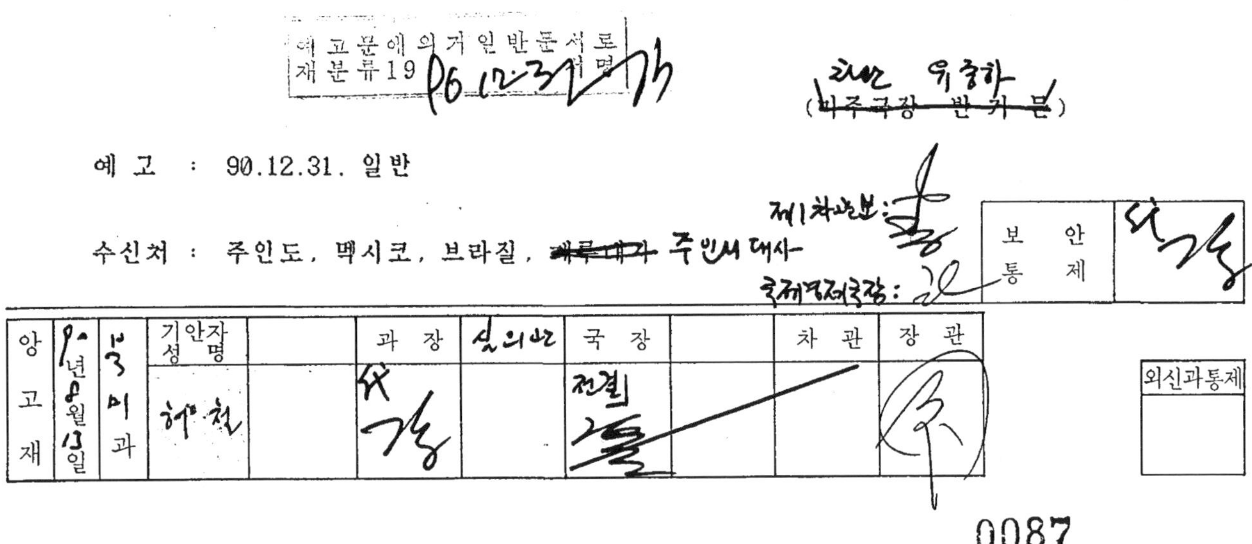

예고문에의거일반문서로 재분류19 90.12.31.

(~~미주국장 반기문~~) 차관 유종하

예 고 : 90.12.31. 일반

수신처 : 주인도, 멕시코, 브라질, ~~페루대사~~ 주인니 대사

제1차관보:
국제경제국장:

보안 통제	

앙 고 재	90년 8월 13일	북미 과	기안자 성명	허 철	과 장	심의관	국 장	전결	차 관	장 관

외신과통제

0087

관리번호	90/1466

원 본

외 무 부

종 별 :

번 호 : DJW-1191 일 시 : 90 08181100

수 신 : 장관(중근동,미북,정일,기정)

발 신 : 주 인니 대사

제 목 : 이라크.쿠웨이트사태(자응69호)

1. 사우디에 대한 파병문제 관련, 8.16 주재국 통합군 사령관은 주재국은 세계평화 유지에의 기여를 명시한 헙법과 비동맹 외교정책에 입각하여 유엔이 사우디 파병을 요청할 경우 유엔평화 유지군의 일원으로 대 사우디 파병을 검토하게될것이라고 언급함

2. 한편 ALATAS 주재국 외상은 주재국이 유엔의 평화 유지군 참가요청 이외의 경우에 해외에 군대를 파병한 일이 없음을 상기 시키고, 금명간 주재국에 도착예정인 사우디 파드국왕 특사와 동 문제를 협의케 될것이라고 밝힘

3. 또한 MOERDIONO 관방상은 주재국의 파병 가능성 질의에 대해 주재국은 유엔 평화유지군 참가 이외에 분쟁지역에 파병을 한예가 없으며, 비군사원조 가능성에 대해서도 주재국은 현재 국내개발에 최우선 순위를 두고 있다고 답변함으로써 사우디에 대한 직접원조 가능성을 부인함

4. 상기 주재국측의 반응을 종합할때, 주재국으로서는 유엔이 평화유지군 참가를 요청할 경우 동참가를 검토할 가능성이 있으나 사우디에 대한 직접 파병이나 군사원조 또는 비군사원조등은 현단계에서 가능성이 희박한것으로 사료됨. 끝

(대사 김재춘-국장)

예고:90.12.31 일반

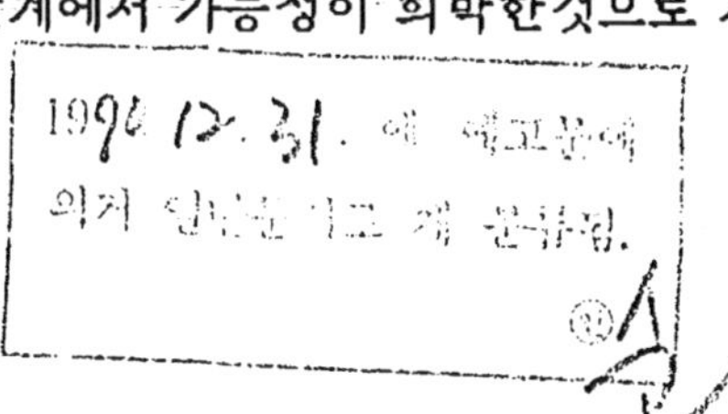

중아국 차관 1차보 아주국 미주국 정문국 청와대 안기부

PAGE 1 90.08.18 16:14

외신 2과 통제관 BT

0088

관리번호	90-1199

외 무 부

종 별 :

번 호 : DJW-1201　　　　일 시 : 90 08201540

수 신 : 장관(중근동,아동,미북,정일,기정)

발 신 : 주 인니 대사

제 목 : 이라크,쿠웨이트 사태(자응71호)

연: DJW-1191

1. 사우디 FAHD 국왕의 특사(ABDUL AZIZ 외무차관)가 8.19 수하르토 대통령을 방문, 동 국왕의 친서를 전달하였는바, FAHD 국왕은 동 친서에서 주재국이 사우디에 군을 파병해 줄것을 요청함

2. 이에 대해 수 대통령은 표제사태 관련 사우디의 입장및 우려에 대해 충분히 동감하나, 군대를 직접 파병할수 없다는 입장을 표명하고 주재국군이 단지 유엔 평화유지군의 일원으로서만 외국에 파병될수 있음을 설명함

3. 주재국은 과거 유엔군의 일원으로 나미비아, 콩고, 이집트, 베트남및 이란, 이라크(국경)에 군을 파병한바 있음. 끝

(대사 김재춘-국장)

90.12.31까지

1990.12.31.에 예고문에 의거 일반문서로 재분류됨

중아국 차관 1차보 2차보 아주국 미주국 통상국 정문국 청와대
안기부 대책반

PAGE 1

90.08.20 19:16

외신 2과 통제관 BT

0089

관리번호	90/1422

원 본

외 무 부

종 별 :

번 호 : DJW-1201 일 시 : 90 08201540

수 신 : 장관(중근동,아동,미북,정일,기정)

발 신 : 주 인니 대사

제 목 : 이라크,쿠웨이트 사태(자응71호)

연: DJW-1191

1. 사우디 FAHD 국왕의 특사(ABDUL AZIZ 외무차관)가 8.19 수하르토 대통령을 방문, 동 국왕의 친서를 전달하였는바, FAHD 국왕은 동 친서에서 주재국이 사우디에 군을 파병해 줄것을 요청함

2. 이에 대해 수 대통령은 표제사태 관련 사우디의 입장및 우려에 대해 충분히 동감하나, 군대를 직접 파병할수 없다는 입장을 표명하고 주재국군이 단지 유엔 평화유지군의 일원으로서만 외국에 파병될수 있음을 설명함

3. 주재국은 과거 유엔군의 일원으로 나미비아, 콩고, 이집트, 베트남및 이란, 이라크(국경)에 군을 파병한바 있음. 끝

(대사 김재춘-국장)

90.12.31까지

19.. 12.31 에 예고문에 의거 일반문서로 재분류됨

중아국	차관	1차보	2차보	아주국	미주국	통상국	정문국	청와대
안기부	대책반							

PAGE 1

90.08.20 19:16

외신 2과 통제관 BT

0090

관리번호 90-438

원 본

외 무 부

종 별 :

번 호 : DJW-1210 일 시 : 90 08211630

수 신 : 장관(미북,기협)

발 신 : 주인니 대사

제 목 : 이라크.쿠웨이트 사태

대: WDJ-0634

대호 관련 당관 여참사관이 8.20 주재국 외무성 AMIN RIANOM 아중동국장으로부터 청취한 주재국 외무성입장 전망등을 우선 보고하며, 관련기관과 계속 접촉 추보위계임

1. 주재국 입장

가. 8.2 외무성 성명을 통해 우려표명, 분쟁 당사국간 협상에 의한 평화적 해결, 제 3 자 개입 불원 입장을 공식으로 밝혔으며, 8.4 자 쿠웨이트에서의 이락군 철수를 호소한 이슬람국회의 (OIC) 선언에 대해 지지를 표명 하였음. 8.7 자GINANDJAR 광업에너지성 장관은 유엔결의 661 호에 따라 이락과의 무역중단을 발표하였으며, 주재국 외무성은 관련 재외공관에 유엔결의 662 호를 지지하는 내용의 훈령을 시달하였음

나. 주재국은 이락과 비동맹, OIC, OPEC 회원국으로서 가능한한 친선을 유지코저하며, 또한 유엔회원국으로서 유엔결의를 존중해야하는 2 중의 어려운 입장에 있음

다. 주쿠웨이트대사는 이미 철수 귀국하였으며, 잔여 공관원및 가족 75 명등 700 여명에 대한 이락측의 철수승인을 받았음

라. 인니는 유엔결의에 의거 쿠웨이트 왕정이 일단 복귀후, 왕정존속 또는 민간정부 수립은 쿠웨이트 국민 자주선택에 맡겨야 한다고봄

2. 사태진전에 관한 의견

가. 당초 쿠웨이트가 이락과 협상에서 신중을 기해 회담을 장기화 시켰을 경우 이락의 전격적인 침공을 지연시킬수 있었을것임

나. 이락의 사담훗세인 대통령은 BAD BOY 이며 아랍종주국 지위확보, 유가상승을 통한 수입일부의 아랍건설사업 부입등 실현불가능한 이상과 자만심을 가진 독선자임

미주국	차관	1차보	2차보	중아국	경제국	통상국	청와대	안기부
대책반								

PAGE 1

90.08.21 21:30

외신 2과 통제관 CW

0091

다. 미.영이 프랑스의 반대에도 불구하고 장기적인 경제봉쇄, 군사보복을 시사하고 있고, 아랍연맹중 이집트, 시리아, 모로코가 군대를 사우디에 파병중에있으며, 파키스탄, 방글라데쉬가 파병에 동의하는등 각종 군사적 압력과 식량부족, 외환고갈, 해외재산의 동결등으로 이락경제가 계속 파국 국면에 있으며 요르단이 아카바항을 봉쇄할경우 이락은 사면초가에 빠질것임

라. 이란과의 8 년 전쟁을 통해 확보한 SHATT AL-ARAB 점령지에서의 이락철군에 대해 1 백만명의 희생자와 국가재정의 고갈 대가가 없는 무모한 전쟁이 었다는 이락 국민들의 불만과 군부의 철군반대 세력의 강한 반발이 있어 국내 정치상황도 예측하기 어려우며, 이란이 사담의 태도에 의심을 품고있어 이락에 부담을주고있음

3. 현사태 관찰

가. 이락. 이란 국경선 주둔 이락군 30 만명이 철수하고, 쿠웨이트에 14 만,사우디국경에 17 만, 터키국경에 10 만 내외의 이락군이 포진하고 있음

나. 상호 오해로 인한 발포 위험성이 있음

다. 인니, 말련은 군대파견을 거절 하였으나 유엔의 요청시는 평화감시군으로 파견할것임. 인니는 현재 이락. 이란 국경지역 유엔감시병으로 15 명의 사병을파견하고 있음

라. 미군의 미국시민 구출작전 가능성도 있음

마. PLO, 쿠웨이트등이 사우디에 이어 주재국에 특사파견을 통고하여 왔음

4. 전망

가. 동사태 전개 방향으로서는

1) 쿠웨트에서 이락군의 철수

2) 사우디가 상당한 보상금을 지불하고 이락과 화해

3) 내부분열에 의한 사담정권 붕괴등을 예상할수 있음

나. 이번 사태가 어떤 방향으로 종결되던 향후 상당수 미군이 사우디에 장기주둔, 중동지역에 친미 세력이 강화될 가능성이 많으며 중동국가들이 향유하던오일의 힘은 점차 위축될것으로 예상됨. 또한 아랍권의 분열은 PLO 의 입지를 더욱 어렵게 함으로서 PLO 는 이스라엘과 대결 보다는 공존을 모색 함으로써 중동의 새로운 질서가 형성될수 있음. 끝

(대사 김재춘-국장)

예고:90.12.31일반

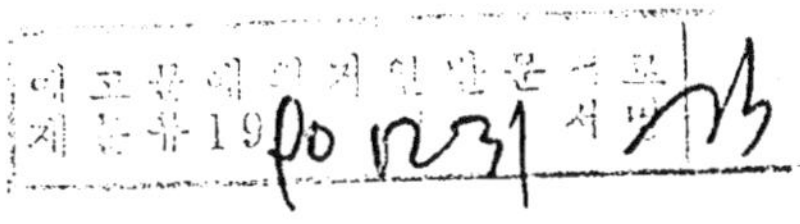

0092

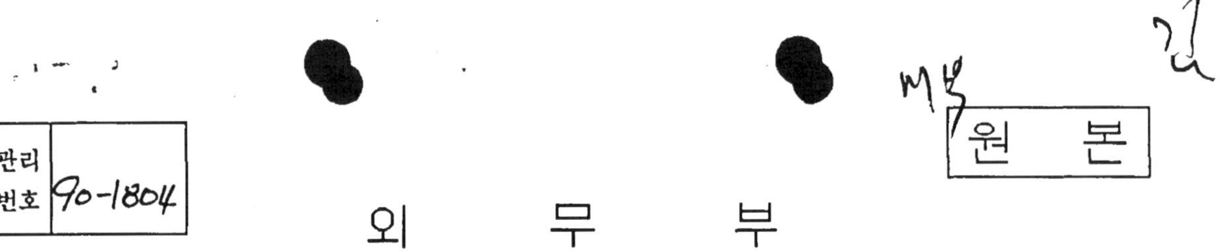

관리 번호	90-1804

원 본

외 무 부

종 별 : 지 급

번 호 : DJW-1219 일 시 : 90 08230850

수 신 : 장관(미북,봉이,기협)

발 신 : 주 인니 대사

제 목 : 이라크.쿠웨이트 사태

대:WDJ-0634

연:DJW-1210

당관 여참사관이 8.22. 주재국 최대회교단체 MUHAMMADIYAH 사무총장 RAKUMAN HARUN 가 면담내용 하기 보고함

1.OPEC 회원국중에서도 쿠웨이트가 쿼타를 무시하고 원유를 생산함으로써 여타 회원국으로부터 비판을 받아왔으며, 막대한 원유수입금으로 왕족과 일부 특권층이 부를 독점, 아랍세계 지탄을 받아 오던중 이락이 원유가 인상을 위해 ,쿠웨이트의 협조를 수차 요청하였으나, 쿠웨이트가 이락의 요구를 묵살함에따라 이번 사태가 발발함

2. 이락으로서는 사우디주둔 미군철수 보장없이 쿠웨이트에서의 철수는 수락할수 없으며, 미군도 쿠웨이트 원상회복없이 사우디에서 철군및 대이락해상 봉쇄를 해제할수 없어 전쟁발발 위험이 고조되고 있음. 중동에서의 전쟁은 중동전체를 폐허로 만들것임

3. 이번 사태로 중동은 분열되고 있으며, 이락을 지지하는 국가는 리비아, 수단, 튜니시아, 알제리아, 예멘등이며, 사우디를 지지하는 국가는 모로코, 시리아, 이집트, UAE, 오만, 카타르등으로 분리되고 있음

4. 미군이 사우디에 주둔, 그 영향력을 확대함에따라 이스라엘의 입지가 강화되고 있고 PLO 의 입장은 더욱 위축되고 있음. 이집트는 미, 사우디로부터의 군사적, 경제적 지원을 바탕으로 중동의 지도국 역할을 담당코저함. 요르단만이 미, 이락분쟁의 틈바구니에서 자구책에 부심하고 있음

5. 앞으로 중동사태가 평화적으로 해결되려면 이락이 쿠웨이트에서 철수하고 미군이 사우디에서 철수해야 한다는것이 아랍인들의 희망사항이지만 미, 이락의

미주국 대책반	차관	1차보	2차보	중아국	경제국	통상국	청와대	안기부

PAGE 1

90.08.23 14:22

외신 2과 통제관 CD

0093

태도는 강경하고 특히 미국은 중동에 발판구축을 위해 노력해왔고 이번 사태가 미국세력 부식에 절호의 기회로 삼아 대중동 영향력을 확대해 나갈것이 예상되므로 전쟁이 아닌 협상에 의한 평화가 정착되어도 금후 미국은 사우디주둔 미군을 근거로 중동에서 상당한 영향력을 행사하는 교두보를 구축할것임

6. 인니는 과거 이락 원유 3 만베럴을 바타제로 도입하였으나, 사우디와는 현금거래를 해야 하므로 경제적으로 부담이 증가됨. 국제원유가격이 계속 강세를 지속할경우 선진국및 개도국의 인니산 공산품 구매력이 감소되므로 경제적으로 유익한점이 없고 일부 OPEC 회원국이 쿼타이상으로 원유를 생산하게 되면 유가 폭락의 우려도 있어 OPEC 회원국이 쿼타를 준수하여 국제유가(21 분선)를 안정시키는것이 중요과제임.끝

(대사 김재춘-국장)

예고:90.12.31 일반

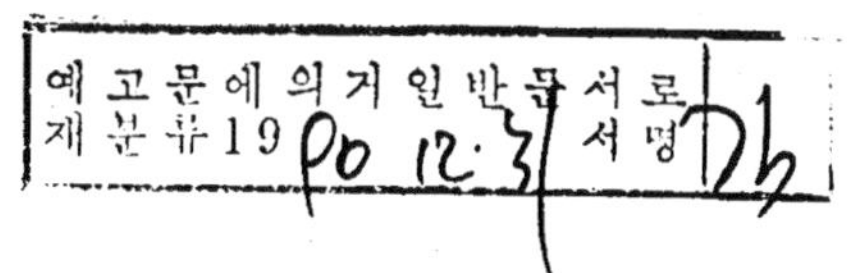

PAGE 2

0094

원 본

외 무 부

종 별 :

번 호 : DJW-1224 일 시 : 90 0823 1430

수 신 : 장관(미북,통이,기협)

발 신 : 주인니대사

제 목 : 이라크.쿠웨이트 사태

이라크.쿠웨이트 사태와 관련 주재국 KOMPAS 지와BISNIS INDONESIA 지 사설요지 하기 보고함

1. KOMPAS 지 8.21자

쿠웨이트가 유가인상에 동조하지 않은데 불만을품은 이락이 쿠웨이트를 침공함으로써 지난주세계유가는 30분선을 육박함.

세계유가상승관련,고유가상황이 장기화될 경우생산국은 경제적으로 WIND FALL 효과를보게되고,비산유국은 국가적 어려움에봉착함.

서방국가들은 원유가 생존에 주요영향을주고있어 미국이 동 사태에 즉각 개입하고있음.

가장 심한 타격을 받는국가는 비산유개도국들임.

70년대 석유파동때보다 적은 진폭의유가인상에도 불구하고 제3세계 경제가 더욱악화되고 있어 이들국가에 주는 충격은 심각함.

제3세계 국가들은 경제적 파탄으로 새로운차관도입이 어려운 실정에 유가 상승은더 큰부담을 주고있음.

멕시코,나이제리아및 인니등은원유수지가 다소 호전되는 반면 브라질은 15억불을추가로 지불해야하는 어려움이 있음.

아프리카빈곤국은 공업용부품 수입대금이 원유수입대금으로 대체되어 장기적인 공업발전을 기대하기어려 운 입장임.

한국,대만같은 중진공업국도신속한 공업발전으로 에너지 소비가 증가되고 자동차수요가 급속히 증가,유류소비가 큰부담이 될것임.

미국은 70년대 석유파동후 에너지원 개발에정진,8-10프로의 원유대체 에너지원을개발하였으며,2030년에는 미국에너지의 28프로를비원유 에너지원으로

미주국 경제국 통상국 대책반 1차보 2차보 안기부

PAGE 1

90.08.24 22:11 CT

외신 1과 통제관

0095

충당할것임.

선진국은 GNP대비 에너지 비용이 절감되고 있으며,연료절약형자동차 개발로 경제성이 높아지고 있음.

전체적으로유가인상은 산유국에 일시 유리하나,개도국및후진국 경제가 어렵게되며,개도국의 공산품에대한 선진국 구매효과가 감소됨에 따라 개도국수출에 타격을 주는점등 미묘한 이해관계가 있어 인니로서는 면밀히 분석,신중히 대처해 나가야할것임.

2. BISNIS INDONESIA 지. 8.20자

이락.쿠웨이트 사태는 중동전역에 확전의위험과 인니의 경제에도 영향을 주고있음.인니는 사우디의 파병요청을 거절하고유엔결의에 따라 이락과 무역을 중단함으로써이번 사태에 중립적인 태도를 보이고있으나,수출에 상당한 손실을 감수하게됨.

이번사태는 쿠웨이트가 2천억불의 해외재산을 가지고 있는 반면 이락은 막대한대외부채 상환부담을 안고 있어 국제원유가를 25불선으로 인상을 요구한데 대해 쿠웨이트가동조하지 않음으로써 발발함.

이번사태로 OPEC의 단합이 시험대에 올랐으며,주요에너지자원공급지역인 중동에서 전쟁위험이 고조되고있음.

세계 에너지원의 보호와 유가안정을 위 해모든 국가들이 전쟁억지 노력에협조하고,선진공업국들이 이락에 경제제재를가한다면 이락에 수출하던 개도국 상품에 대한선진국의 수입문호를 더욱 개방,개도국 경제 를지원해야 할것임.끝

(대사 김재춘-국장)

PAGE 2

0096

긴

메일

외 무 부

종 별 :

번 호 : DJW-1365 일 시 : 90 0913 1555

수 신 : 장 관(정문,해외,체육부)

발 신 : 주 인니대사

제 목 : 북경대회 대이라크 제재

주재국 AKBAR TANJUNG 청년체육성 장관은 9.12. 북경 아시안게임 파견 선수단발대식에서 북경대회 대이라크 제재에 대한 기자들의 질문에 다음과 같이 주재국의입장을 밝혔는바, 참고바람.

가. 인니는 이라크가 쿠웨이트의 대표성까지 주장하지 않는한 이라크의 동 대회참가를 반대하지 않음.

나. 이와 같은 인니의 입장은 이라크, 쿠웨이트가 다같이 OCA 의 회원국임을 고려한 것임.

다. 그러나 이라크가 쿠웨이트의 대표임을 주장할 경우는 이를 용인할수 없으며, 이에 대해 다른 결정을 하게될 것임.

라. 최종적인 결정은 9.20.로 예정된 북경 OCA회의 결과를 기다려야할 것임.

마. 이상의 요지는 당지 9.13.자 신문에 보도됨. 끝.

(대사 김재춘-국장)

정문국 1차보 아주국 중아국 안기부 문화부 체육부 대책반 미주국

PAGE 1

90.09.13 21:46 DA

외신 1과 통제관

0097

관리 번호	91 1655

외 무 부

종 별 :

번 호 : DJW-0151 일 시 : 91 0124 1340

수 신 : 장관(아동,중근동)

발 신 : 주 인니 대사

제 목 : 걸프사태

대:WAAM-0003

연:DJW-0099

1. 당관 이참사관은 1.23. RIANOM 외무성 중동국장을 면담, 걸프사태와 관련 주재국이 취한 조치등에 관해 파악한 내용을 아래 보고함.

가. 인니정부는 1.17. 공식성명으로 발표한 바와 같이 걸프전쟁이 조속히 종결되고 전쟁으로 인한 인적, 물적 피해가 극소화되기를 희망하고 있음.

나.1.7-18 간 뉴욕개최 부분핵실험금지 국제회의에 참석한 ALATAS 외상이 미, 영, 쏘, 인도등 유엔 안보리 이사국 대표와 접촉하는 기회에 다구적군에게 막대한 권한을 위임하고 있는 유엔결의안 제 678 을 수정, 제한하는 문제도 거론된바 있으나, 실현 가능성은 미지수임.

다. 또한 걸프사태 해결을 위한 일부 비동맹국가와 이스람국가(OIC)등의 움직임이 있으나 실효성에는 의문이 제기되고 있음.

라. 인니 정부는 걸프전에 관련된 국가등 28 개 공관에 대한 경비를 강화하고 있음.

2. 한편, 1.18. 당지 미국대사 관저 뜰에서 폭발물이 발견된바 있으며,50 여명의 반전 학생데모가 1.22. 미대사관 앞에서 있는등 소규모 데모가 있는것 외에는 현재 특이 동향은 없음. 끝.

(대사 김재춘-국장)

예고:91.6.30.일반예고문에 의거 일반문서로 재 분류됨.

검토필(1991.6.30.)

아주국 장관 차관 1차보 2차보 중아국 청와대 안기부

PAGE 1

91.01.24 16:40

외신 2과 통제관 BN

0098

―가 제1부

외 무 부

종 별 :

번 호 : DJW-0327 일 시 : 91 0215 1140

수 신 : 장 관(중근동,아동,국연)

발 신 : 주인니대사

제 목 : 걸프전 관련 비동맹 외상회의

연:DJW-0286

1.연호,유고개최 표제회의에 참석하고 귀국한 ALATAS 외상은 2.14. 공항 기자회견에서 걸프전을 해결하기 위한 방안 강구가 어려우나 비동맹 회원국은 동 문제 해결을 위한 노력을 계속 할 것이라 밝혔음.

2.비동맹 의장국인 유고가 이락과 미국에 비동맹 사절단 파견 가능성 문제를 구체적으로 검토할것이며,동 사절단의 방문결과를 협의하기 위한 비동맹 고위급 회담이뉴욕에서 개최될 것이라고 동 외상은 언급하였음.

3.한편 20 여명의 주재국 반전 시위대가 2.14. 당지 미국,영국,불란서 및 일본 대사관앞에서 시위를 하였으며,이중 6명이 경찰에 체포되었음.끝.

(대사 김재춘-국장)

중아국	√장관	차관	1차보	2차보	아주국	미주국	국기국	정문국
청와대	총리실	안기부						

PAGE 1 91.02.15 18:21 DQ

외신 1과 통제관

0099

3. 파키스탄

0100

원 본

외 무 부

종 별 : 지 급

번 호 : PAW-0595 일 시 : 90 0803 1500

수 신 : 장관(중근동,아서,정문)

발 신 : 주 파키스탄 대사

제 목 : 이락,쿠웨이트 침공(자응70호)

1.주재국 외무성 대변인은 이락군의 쿠웨이트침공에 대해 8.2(금)아래와 같은 성명을 발표하고모든 국제분쟁은 평화적인 방법으로 해결되어야한다고 부언하였음.

' IT WAS DEEPLY DISTRESSED AT THE TURN OF EVENTS INIRAQ-KUWAIT DISPUTE AND BELIVED THAT THE USE OR THREAT OFFORCE FOR RESOLUTION OF INTERNATIONAL DISPUTE WASUNACCEPTABLE'

2. 한편 칸 주재국 외상등 43개 OIC 회원국외상과 PLO, 아프간 임정대표가 참석하고 있는OIC 외상회의는 동 긴급사태를 협의하고있으나,상금 공동조치를 취하지 못하고 있는것으로알려짐.

주재국은 금번 OIC회의시 카시미르 사태관련결의안 채택을 위해 부토수상이 OIC14 개국을지난 5월,7월 2차에 걸쳐 순방한바있으나(이락,쿠웨이트는 7월 방문),금번 사태로 이러한주재국의 외교전략이 타격을 받을것으로예상되는바 결과가 주목됨.끝.

(대사 전순규-국장)

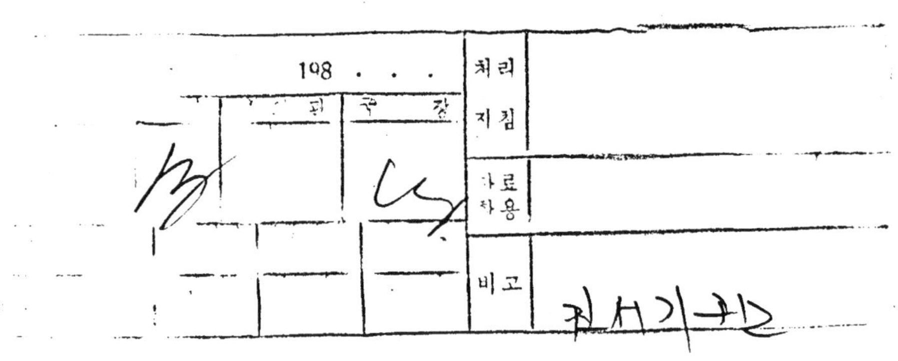

중아국 아주국 정문국

PAGE 1 90.08.03 21:02 CT

외신 1과 통제관

0101

관리번호 90/1388

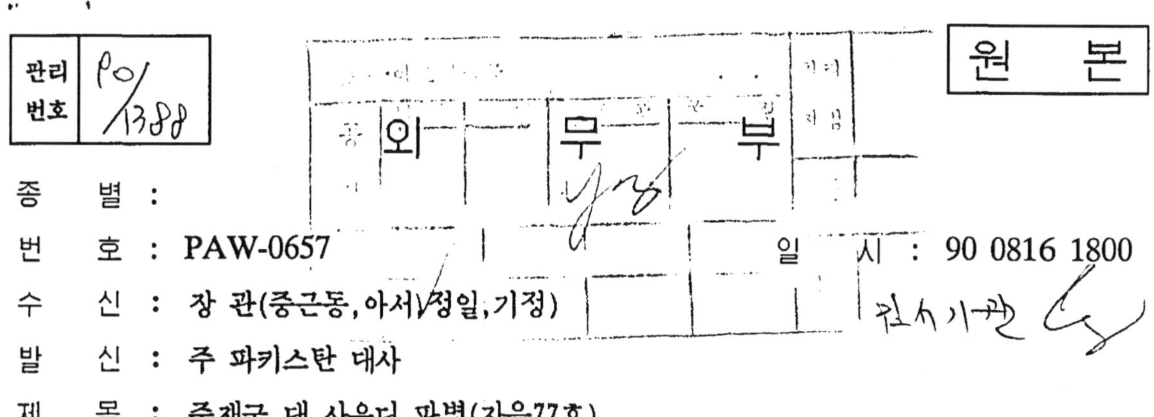

원 본

외 무 부

종 별 :

번 호 : PAW-0657　　　　일 시 : 90 0816 1800

수 신 : 장 관(중근동,아서,정일,기정)

발 신 : 주 파키스탄 대사

제 목 : 주재국 대 사우디 파병(자응77호)

대: AM-144

1. 최근 중동사태 관련, 주재국 자토이 수상은 사우디정부 요청에 따라 주재국 군대의 사우디 파병을 원칙적으로 결정하였으며, 병력규모등 세부 지원방안을 양국 정부간에 조만간 협의 결정할 예정 이라고 8.14(화) 공식 발표함 (당지 언론은 파병규모가 1 차적으로 5 천명이 될것이라고 보도함)

2. 이완 관련, THUNAYYAN 사우디 외무차관이 국왕특사로 주재국을 방문, 야샤크 칸 대통령, 자도이 수상, 베그 육군참모총장등을 예방, 주재국의 지원을 공식 요청하는 FAHD 사우디 국왕친서를 전달하였으며, 주재국은 대통령, 수상, 외상,3 군 참모총장등 군수뇌부가 참석한 8.13(월) 회의에서 동 파병결정을 한것으로 알려짐.

3. 주재국 정부의 상기결정에 대해 주재국 언론과 여론은 찬. 반 양론인바, 양측 주장은 아래와 같음.

(찬성)

가. 사우디와의 기존우호, 협력관계 고려

-사우디의 대 주재국 경제원조 (F-16 구입자금 5 억불 공여등), 최근 OIC 외상회의시 카시미르 결의안 채택지지, 기존 군사협력 관계 (현재 5 천여명의 주재국 비전부 군사요원이 사우디 상주)

나. 주재국 안본전략상 고려

-주재국 안보에 직접적 위협

-주재국의 원유공급선 위협

다. 아랍권과의 유대고려

-ARAB LEAGUE, ARAB SUMMIT 결정사항 준수

라. 대미관계 및 국제여론 고려

중아국 장관 차관 1차보 2차보 아주국 통상국 정문국 청와대 안기부 대책반

PAGE 1　　　　90.08.17 00:31

외신 2과 통제관 DL

0102

-유엔 안보리 결정사항 존중

-아프간 사태에 대한 미국의 지원등 고려

(반대)

가. 미국의 압력에 굴복한 결정

나. 이란, 쿠웨이트 거주 주재국 교민 안전위협

다. 파키스탄의 대외적 이미지 손상

-회교국가간의 분쟁에 외세개입 반대

라. 카시미르 사태, 신드주 사태등에 비추어 안보상 취약요인

-반면 중동사태는 주재국에 직접적 안보위협이 되지 않음.

마. 부토정권 붕괴원인과 관련한 CONSPIRACY-THEORY 입증

-정치적 공백상태를 이용한 독단적 결정으로서 아프간 사태가 지아정권의 존립에 기여했듯이 금번 파병결정으로 현 집권층에 대한 미국의 인준 유도

4. 관찰

자토이 수상과 베그 육군참모총장은 금번 파병으로 주재국 안보태세에 영향이 없을 것이라고 다짐하고, 회교권 특히 사우디와의 전통적 우의와 유대및 성지방어를 파병이유로 들었으나, 가장 근본적 고려는 사우디의 대주재국 경제원조와 미국의 영향력 행사인것으로 관찰됨. 끝.

(대사 전순규-국장)

예고: 90.12.31 까지

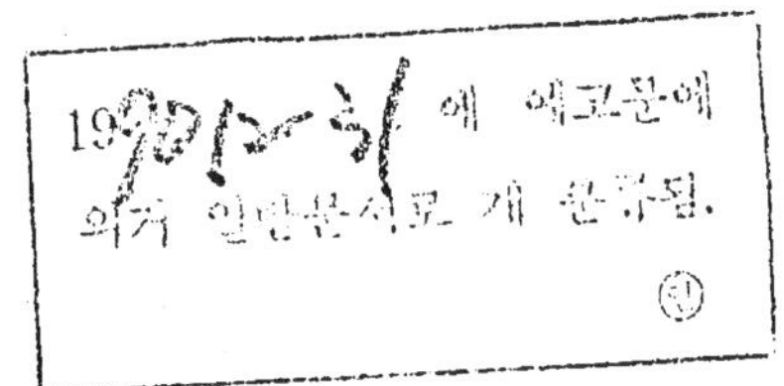

PAGE 2

0103

원 본

외 무 부

종 별 :

번 호 : PAW-0666 일 시 : 90 0819 1600

수 신 : 장 관(중근동,아서)

발 신 : 주 파 대사

제 목 : 주재국 외상 중동방문

연 PAW-471

1.YAQUB KHAN 주재국 외상은 최근 중동사태 협의를 위하여 이란,요르단,사우디, U.A.E.4 개국방문차 금8.19.출국,8.23.귀국 예정임.

2.동외상은 금번 방문시 특히 이란정부와는 최근 이락의 대이란 평화제의,사우디와는 주재국 군대의 대사우디 파병문제,요르단과는 쿠웨이트체류 주재국 교민의 안전철수문제등을 협의할 예정임.

3.주재국은 최근 이란,터어키와 경제협력기구(ECO) 를 통해 강화하고 있는바,금번 중동국가 순방은 이란정부가 이락의 대이란 평화제의에 대한 대응책 협의를 위해 터어키 외상과 함께 긴급 초청함으로서 시작된것으로 알려짐.끝.

(대사 전순규-국장)

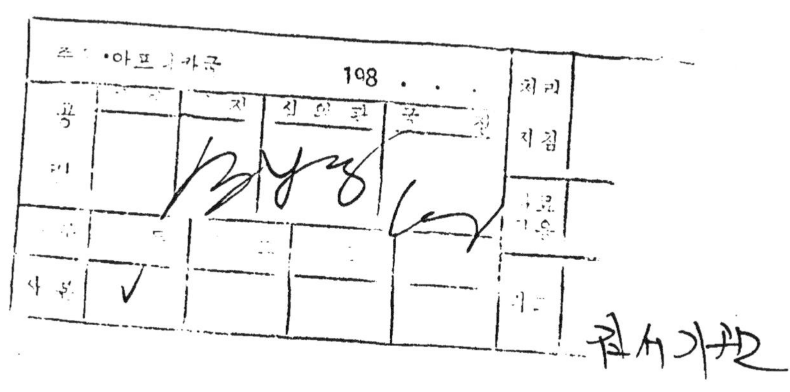

중아국	1차보	2차보	아주국	정문국	안기부	상황실	통상국	차관

PAGE 1

90.08.20 03:27 DY

외신 1과 통제관

0104

관리번호	91-17

외 무 부

종 별 :

번 호 : PAW-0010 일 시 : 91 0107 0800

수 신 : 장관(아서,중근동,기정)

발 신 : 주 파 대사

제 목 : 주재국.이란,터어키 3국 외상회담(자응2호)

연 PAW-1041, 주파(정)760-456

1.VALAYATI 이란외상과 A PTEMOCIN 터어키 외상이 91.1.2-4 간 주재국을 방문, 이샤칸 대통령, 샤리프 수상등을 예방하고, 야쿱칸 주재국외상과 최근 중동사태등 지역정세와 3 국간 협력문제등을 협의한바, 주요내용은 아래와 같음(JOINT STATE 발표)

가. 중동사태협의

-중동사태의 평화적해결과 회교권 단합을 위해 이락이 유엔결의및 제 19 차OIC 외상회의(90.8. 카이로 개최)결의사항을 이행할것을 권유함.

-OIC 사무총장은 OIC 긴급회의 소집을 포함한 가능한 평화적해결 노력을 다하도록 촉구함(주재국 칸외상이 OIC 긴급회의 소집을 위해 회원국 개발접촉예정)

나.ECO 협력증진

-3 국간 경제협력기구창설 협약비준및 ECO 각료회의를 91.4.20-30 사이에 개최하고 ECO7 개분과위원회 회의를 동각료회의에 이어 개최키로 합의함.

샤리프수상 이란, 터어키 방문협의(1.19-24)

2. 분석및 평가

-주재국등 비아랍권 회교국인 ECO 회원국은 최근 중동사태 해결방안에 있어서 미국등 외세개입을 배제하고 회교권국가 자체의 해결방안, 소위 UMMAH SOLUTION 을 모색하는 한편, 이를 계기로 중동지역의 집단안보체제 설치구상을 지난 12월 GCC 정상회의시 제의한것으로 알려짐.

-즉 현 중동사태해결후 미군을 비롯한 모든 외국군이 철수한 다음에 GCC6 개국과 회교권 군사 강국인 ECO3 개국을 연계, 중동지역의 지역안보및 정치협력체제를 설치함으로서, 금번과 같은 사태의 재발을 방지한다는 구상임.

아주국 장관 차관 1차보 2차보 중아국 안기부

PAGE 1

91.01.07 13:40

외신 2과 통제관 BW

0105

그러나 이란과 사우디, 이란과 미국과의 관계및 ECO3 국중 터어키와 여타 2 개국간의 약간의 입장차이에 비추어 동구상의 실현가능성은 희박할것으로 예상됨.

-주재국내에서는 최근의 대미관계 악화원인의 하나로서 중동사태해결방안에대한 양국간 의견차이를 들고있는바, 미국은 주재국, 이란등이 주창하는 소위 UMMAH SOLUTION 이 사태를 더욱 복잡하게 한다고 판단, 중동사태에 대한 주재국의 간여배제를 도모하고있다는 관측도있음. 끝.

(대사 전순규-국장)

예고 91.6.30

1991.6.30.에 예고
의거 일반문서로 재분류

PAGE 2

0106

관리번호 91-70

원 본

외 무 부

종 별 :

번 호 : KAW-0011 일 시 : 91 0115 1600

수 신 : 장관(미북,중근동,영사,아서,기재,사본주파대사)

발 신 : 주 카라치총영사

제 목 : 페만사태관련 대책수립

대 AM-0012

1. 대호관련 당관은 본직주재하에 금 1.15 1230 부터 당지 한국식당에서 공관, 무역관, 한인회, 상사 지사협의회(7 개상사 전원참석) 합동회의를 개최하고 교민비상연락망 재작성, 비상대책을 수립함(상황 추이에따른 공관.교민간 신속한연락, 여행시 사전 공관통보등)

2. 당관은 페만사태와 관련 당지 미국 총영사관과 접촉, 사태 추이에따라 추후연락키로 하였는바 현재 미국 영사및 가족과반수가 본국으로 귀환하였고 미국인 대부분이 본국 또는 동남아로 떠났음. 이는 예상되는 테러로인한 신변보호조치의 일환이라고함. 아울러 당지 교민 대부분의 자녀가 다니는 미국인 학교는 1.15부터 2 주간 휴교키로하였고 수업 재개여부는 사태 추이에따라 결정될 것이라함.

3. 페만사태 관련 1.14 에는 당지 카라치대학과 시내중심가(시장)에서 각각 사담후세인 사진을 게양, 지지 시위를 벌리는등 긴장이 고조되고있음. 따라서당관은 교민보호에 만전을 기하도록 노력하고 당분간 외출(특히 일몰후)을 삼가토록 계도하고있음. 특이 사항은 추보 위계임.끝

(총영사 조 규태-국장)

예고 91.12.31 일반

검 토 필 (1991.6.30.)

일반문서로 재분류(1991.12.31.)

미주국 기획실 아주국 중아국 영교국

PAGE 1

91.01.15 21:36

외신 2과 통제관 FE

0107

관리 번호	91-66

분류번호	보존기간

발 신 전 보

번 호 : WJA-0203 외 별지참조 WPA-0022 / WBA-0016

종별 : 910115 1927

수 신 : 주 수신처 참조 ~~대사, 총영사~~

발 신 : 장 관 (미북)

제 목 : UN 안보리 철군 시한 경과 관련 성명 발표

1. 페만 사태와 관련 UN 안보리가 설정한 1.15. 이라크군 철수 시한이 임박함에 따라 독일 정부는 상기 시한전 이라크군의 철군을 촉구하는 수상실 명의 성명을 1.14. 발표하였음.

2. 본부 조치 결정에 참고코자 하니, 1.15. 시한을 전후하여 주재국 정부의 여사한 입장 표명이 있을 경우 발표 즉시 지급 보고 바람. 끝.

(미주국장 반기문)

검토필 (91. 6. 30.)

예고 : 91.12.31. 일반

수신처 : 주일, 주영, 주불, 주카나다, 주이태리, 주벨지움, 주덴마크, 주그리스, 주터어키, 주호주대사

(사본 : 주미대사) 주카이로총영사, 주파키스탄, 주사우디, 주방글라데시, 주모로코, 주세네갈, 주체코, 주소대사

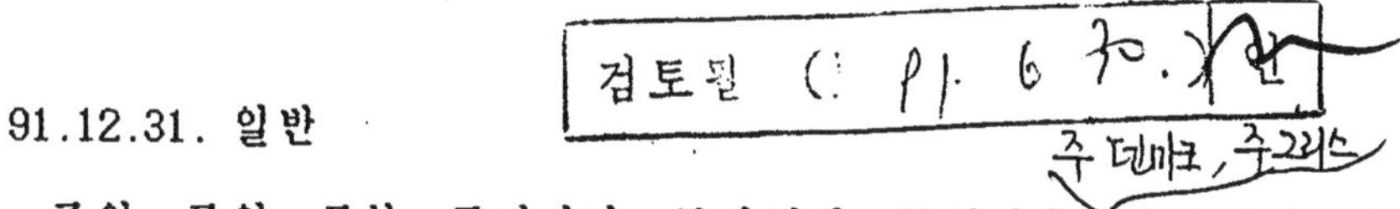

일반문서로 재분류(1991.12.31.)

중동아국장 대변인

보안 통제	

앙고재	91년 1월 15일	북미과	기안자 성명		과 장	심의관	국 장		차 관	장 관
							전결			

외신과통제

0108

유엔 안보리 철군 시한 경과후

~~대한민국 정부~~ 외무부 대변인 성명(안)

1991. 1. 16.

1. 대한민국 정부는 유엔 안보리 결의가 설정한 1.15. 철수 시한이 지났음에도 불구하고 이라크 정부가 쿠웨이트에 불법 주둔중인 이라크군을 아직 철수치 않고 있음을 유감스럽게 생각합니다.

2. 이에 따라 페르시아만 지역정세가 전쟁 발발 일보 직전으로 치닫고 있어 페르시아만 인근지역 전체는 물론 전세계인들을 공포와 불안에 떨게하고 있는데 대해 우리는 깊은 우려를 갖고 있습니다.

3. 우리 정부는 이라크 정부가 지금이라도 전세계 평화 애호인의 염원에 부응하여 유엔 안보리 결의가 요구하고 있는 바와 같이 쿠웨이트로부터 즉각 철군할 것을 거듭 촉구하는 바입니다.

4. 대한민국 정부는 이 기회를 빌어 페르시아만 지역에 파견된 미국을 비롯한 다국적군의 헌신적인 평화유지 노력에 깊은 경의와 찬사를 보내고자 합니다.

끝.

중동아국장
대변인

앙고재	북미과	91년 1월 15일	담당	과장	심의관	국장	차관보	차관	장관

0109

관리번호	91-72

원 본

외 무 부

종 별 : 지 급

번 호 : PAW-0047　　　　일 시 : 91 0115 1730

수 신 : 장관(미북,아서,중근동)

발 신 : 주 파 대사

제 목 : 유엔안보리 철군시한 관련 성명

대 WPA-22

1. 대호관련, 주재국 정부는 1.15. 현재 별도의 성명은 발표치 않았음.

2. 그러나 이샤크 칸 대통령은 1.13(일)주재국 방문중인 ILIESCU 루마니아 대통령 환영만찬시, 이락의 쿠웨이트 로부터의 무조건 철수를 재촉구하고, 주재국정부가 유엔결의에 기초하여 동사태의 평화적 해결을 위한 노력을 계속 할것이라고 천명함. 끝.

(대사 전순규-국장)

예고 91.6.30 일반

예고문에 의거 일반문서로 재분류19 91 6 30 서명

미주국　아주국　중아국

PAGE 1　　　　91.01.15　21:59

외신 2과　통제관 FE

0110

관리 번호	91/258

원 본

외 무 부

종 별 : 지 급

번 호 : PAW-0063 일 시 : 91 0118 1600

수 신 : 장관(아서,중근동,대책반,기정)

발 신 : 주 파 대사

제 목 : 페만사태 주재국반응

대 WAAM-3

1. 주재국 야쿱칸 외상은 중동전 발발관련,1.17(목)기자회견을 가진바, 요지아래보고함.

가. 주재국의 평화적 해결노력에도 불규, 중동전 개전에 깊은충격(DEEP SHOCK)을 받음(주재국의 외교노력설명)

-지난 1.3. 이란, 터어키, 주재국 3 국외상회담을 개최, OIC 등 국제기구를통한 동사태의 평화적 해결시도

-나오즈수상이 1.16. 사담후세인에게 유엔결의를 이해토록 호소하는 메시지를 보내는등 14 개주요관련 국가수반에게 평화적 해결을 촉구하는 메시지발송

나. 주재국등 세계각국지도자들의 호소에도 불구하고, 이락이 쿠웨이트에서철수치 않은것은 유감임(REGRETTABLE)

다. 주재국정부는 조속히 종전이 되고, 평화가 회복되도록 최선 을 다할것임.

라. 기자질문에 대해 아래와 같이 답변함.

-사우디에 파병된 군대는 사우디 군장성의 지휘하에 있으며 대이락 공경에는 참가치 않고 방어적 임무만 수행할것임.

(주재국은 연호, 보병 5000 명파병에 이어 기갑여단(6000 명)의무, 공병대(1000)을 추가파병, 총파병인원은 12000 명에 이르며, 이들은 사우디의 에멘, 요르단, 국경지역에 배치된것으로 알려짐)

-현재 주재구내에서 발생하고있는 반미 친이락 시위는 국민들의 자유로운 의사표시로서 제지할 계획은 없음.

-UAE 정부로부터 요청이 있을시 UAE 파병도 검토예정임(UAE 에 10000 명파병설도 있음)

아주국	장관	차관	1차보	2차보	중아국	청와대	총리실	안기부

PAGE 1

91.01.18 21:19

외신 2과 통제관 CH

0111

2. 주재국 언론및일반국민반응

상기주재국정부 공식입장에도 불구, 주재국언론과 일반국민중에는 미국의 대이락 선제공격에 비판적인 여론이 증가하고있는것을 보임.즉, 주재구 주요도시에서는 지난 1.13. 일경부터 JUI 여 JUP 등 회교원리주의정당 및 PPP 등 사회주의 성향성정당등 정치단체와 노조등 각종 사회단체, 대학생단체등이 중심되어 반미친이락시위가 확산되고있음(수도 이스라마바드와 인근 핀디지역에서도 시위가 발생하였으며, 전국각지에서 시위대와 경찰간 충돌로 약 35 명 부상자 발생), 이에 따라 당지 외국인학교는 잠정휴교, 미국문화원은 폐쇄되었으며, 미국인은 대사관 필수요원을 제외하고 대부분 귀국한것으로 알려짐.

또한 영국등 일부 파병국가 외교관들도 비상시 철수를 준비중으로 알려진바,주재국경찰은 외교단및 외국인에대한 테러가능성에 대비, 경계조치를 강화한편,외무성은 CIRCULAR NOTE 를 통해 외교관및 가족의 이스라마바드를 벗어나지않도록 주의를 환기시켰음.

3. 상기와 같은 주재국 일반국민과 언론태도의 배경은 첫째주재국 국민다수가 회교도로서 같은 회교국인 이락에 대한 심정적 유대와 아울러 PLO 문제와 관련 미국의 'DOUBLE STANDARD'에 반발하고있으며, 둘째이락의 무력화는 회교권세력의 약화를 초래, 결국 이스라엘이 득세할것을 우려하고, 세째최근 주재국 핵개발을 위요한 미국의 대주재국 원조중단등으로 인한 반미감정이 고조된것도 작용한것으로 보임.따라서 이스라엘이 전쟁에 개입하는등 향후 상황전개에 따라서는 주재국 일반여론이 더욱 악화되어 주재국정부 입장이 난처해질 가능성도 배제할수없는것으로 보임.끝.

(대사전순규-국장)

예고 91.6.30.일반고문에 의거 일반문서로 재 분류됨.

검토필(1991.6.30.)

PAGE 2

0112

관리번호	91-1461

원 본

외 무 부

종 별 :

번 호 : PAW-0076 일 시 : 91 0119 1700

수 신 : 장관(중근동,아서,대책반,기정)

발 신 : 주 파 대사

제 목 : 주재국 걸프관련 동향보고

91. 6. 30. 검토필

연 PAW-63

1. 주재국정부는 연호, 대사우디 파병(총 12,000 명)에 추가하여 1 개사단(11,000 명)추가파병을 추진중인것으로 알려지고있으며, 또한 UAE 에 10,000 명 파병도 추진하고있는것으로 알려지고있음.

2. 이러한 주재국의 걸프지역에의 대규모 파병추진은 현 걸프사태 참여뿐아니라, 종전후 걸프지역국가 안보에의 참여를 위한 장기적 고려도 작용한것으로 알려지고있음. 이배경에는 현 인도의 국내정세로 인해 전쟁발발가능성이 적을것이라는 평가와, 미국의 대주재국 원조감소에 대비하여 주재국의 걸프산유국으로부터의 경제지원 필요성을 감안한것으로 보이며, 사우디등 걸프산유국의 국내정치에 영향을 미칠가능성이 적은 국가 군대의(용병성격의 군대)자국내 계속 주둔필요성과 이해가 일치하여 추진되고 있는것으로 보임.또한 주재국과 이란간의 비교적 우호적인 관계도 동사우디 파병에 고려된 요인중의 하나라고함.

3. 상기 파병추진이 순조롭게 진행된다면 이들 산유국으로부터 이에따른 경협제공등으로 주재국의 경제사정에 상당한 도움이 될것으로 예상됨. 연이나, 주재국 국민간에는 대이락 동정감정이 강한것으로 보이며, 각지에서 반미 친이락 시위가 점차확산되고 있음. 동시위는 은행, 극장등 방화 파괴등 난폭화되고 있으며, 특히 동시위를 주동하는 회교세력들은 사우디 파병 군대철수 및 주재국 정부의 친연합군적인 정책변경을 요구하고있음.

4. 이러한 주재국내 일련의 반미 시위사태는 주재국정부측에서 대미 LEVERAGE 로 일부조장하고 있어 비교적 안전할것이라는 관측도 있으나, 이스라엘의 대이락 보복공격등의 사태발생시는 정부도 국민여론을 통제할수 없는상황이 될가능성도 배제키 어려움.

중아국 장관 차관 1차보 2차보 아주국 청와대 안기부

PAGE 1 91.01.19 21:37

외신 2과 통제관 FF

0113

5. 한편 주재국 칸 외상은 현 걸프사태관련, 주재국 정부정책을 변경치 않을것이라고 재확인한바, 주재국 외무성은 당지 이락대사관 공보관을 주재국내에서 친이락 시위선동및 용병모집등 혐의로 기피인물로 추방함. 끝.

(대사 전순규-국장)

예고 91.12.31 일반

관리 번호	91/1608

외 무 부

종 별 :

번 호 : PAW-0100　　　　일 시 : 91 0121 1630

수 신 : 장관(아서,중근동,기정)

발 신 : 주 파 대사

제 목 : 걸프전쟁관련 주재국 동향(자응91-2)

연 PAW-76

1. 나와즈 수상은 1.20(일)저녁 특별성명을 통해 걸프사태관련, 주재국 정부입장을 밝힌바, 요지 아래보고함.

가. 걸프전쟁의 즉각적인 종식을 위해, 연합군측은 이락에 대한 무차별 폭격을 즉각 중지하고, 후세인 대통령은 쿠웨이틀부터 즉각철수 할것을 호소함.

나. 걸프전쟁의 계속은 전회교권의 파멸을 초래할것이며, 이스라엘은 이기회를 이용 중동지역에서 헤게모니 확보를 시도할것인바, 이러한 시도는 중대한 사태를 초래할것임을 경고함(주재국은 이락국민과 깊은 역사적, 문화적, 종교적유대를 가지고 있음을 강조)

다. 주재국 군대의 대사우디 파병은 아프간사태, 대인도관계등에 있어서 사우디정부의 지원등 사우디와의 각별한 우호관계를 고려한것이며, 동군대는 미군지휘하에 있지않으며, 대이락공격에는 가담치않을것임.

라. 주재국정부는 중동사태 동향을 예의주시, 이스람과 국익에 합치되는 결정을 내릴것인바, 국민들은 질서유지및 일치단결하여 정부를 계속지지하여 줄것을 기대함.

2. 분석및 평가

가. 동 특별성명은 주재국내 점차 확산되고있는 반미및 정부의 걸프정책(대사우디 파병등)에 대한 반대시위로 인한 국론분열 수습책의 일환으로 보이나, 동서명이 국민여론에 얼마나 영향을 미칠지는 미지수임.

나. 현재 주재국 국민여론은 물론, 집권 IJI 내 PML 을 제외한 대다수 정파(야당인 PDA.IJI 연립세력인 JI, JUI, JP, ANP)가 주재국정부의 친연합군적 정책에 반대, 주사우디 군대철수, 친미성향의 야쿱칸 외상 사임등을 요구하고있음. 특히 이들 정당은 대사우디 파병시 의회와의 협의를 거치지않은점을 들어, 상, 하원 합동회의를

아주국　장관　차관　1차보　2차보　중아국　청와대　안기부

PAGE 1　　　　91.01.21　21:46

외신 2과　통제관 CE

0115

소집할것을 요구하고있는바(현재 상원은 개원중), 합동의회가 개최되어 이들 반대세력의 정치공세가 강화될경우,(야당인 PPP 는 나와즈정부 사퇴요구하고있음)나와즈 수상정부는 곤경에 처할것으로 보임.

다. 이러한 정세추이는 이스라엘 재참전시에는 현 정부로서 견딜수없는 상황이 될것이며, 주재국정부는 사임 아니면 현대걸프 정책변경의 기로에 설 가능성이 있음.

3. 나와즈 수상은 원래 예정에서 지연,1.22. 이란방문예정이며, 터키 방문여부는 아직 미정이라함. 끝.

(대사 전순규-국장)

예고 91.6.30 일반예고문에 의거 일반문서로 재 분류됨.

검토필(1991. 6. 30)

PAGE 2

0116

관리 번호	91 / 614

외 무 부

종 별 :

번 호 : PAW-0106 일 시 : 91 0123 1330

수 신 : 장관(아서,중근동,기정)

발 신 : 주 파 대사

제 목 : 걸프사태관련 주재국동향(자응3)

연 PAW-76

대 WPA-27

1. 나와즈 수상은 걸프사태 협의를 위해 1.22-24 간 이란, 터어키 방문차 1.2(화)오전 출국함. 동 수상은 사정이 허락하면 이집트, 시리아, 사우디, 요르단등도 방문할 계획으로 알려지고있음.

2. 이란및 터어키 방문은 주재국을 비롯한 3 국간의 ECO 를 통한 지역협력 강화를 위해 동수상 취임이래 추진되어 왔으나, 걸프전 발발에 따른 금번 방문시는 걸프사태가 주로 협의될 것으로 예상됨.

3. 동수상의 금번 걸프지역 순방은 걸프전 개전이후 정부의 대 걸프정책에 대한 비판여론이 비등함에따라, 걸프사태 해결을 위한 정부의 외교적 노력을 부각시킴으로서 국민여론 무마를 기하는 한편, 향후 걸프지역에서 주재국의 영향력을 강화하려는 장기적인 외교포석 인것으로 관측됨.

4. 동수상은 상기 순방국과 걸프전 종식을 위한 평화안을 협의한 것으로 알려진바, 동 평화안의 요지는

가. 즉각적인 휴전

나. 사우디 주둔 연합군과 쿠웨이트 주둔 이락군의 동시철군

다. 이락-쿠웨이트간 분쟁의 국제중재를 통한 해결및 쿠웨이트를 위한 안보장치 마련(유엔 또는 OIC 주도하 회교권국가 군대증강)

라. 팔레스타인 문제 및 카시미르 문제해결을 위한 유엔의 INITIATIVE 등인것으로 알려지고있음. 끝.

검토필(1991. 6. 30.)

(대사 전순규-국장)

예고 91.12.31 일반

아주국 중아국 정문국 안기부

PAGE 1

91.01.23 20:07

외신 2과 통제관 FE

0117

관리번호	91/615

외 무 부

종 별 :

번 호 : PAW-0115 일 시 : 91 0124 1530

수 신 : 장관(아서,중근동,기정)

발 신 : 주 파 대사

제 목 : 걸프전쟁관련 동향(자응91-4)

연 PAW-106

1. 당지 주재 ISMAL H.HUSSAIN 이락대사(최근 10 여일간 본국출장후 귀임)는 1.23(수)당지 MUSLIM 지와의 기자회견시 이락정부는 '사우디에 파병한 모든국가를 대이락 전부참가 여부에 상관없이 모두 침략자(AGRESSOR)로 간주한다"고 언급한것으로 보도됨.

2. 동 대사는 이락이 'ISLAMIC UMMAH'를 위해 미국주도의 연합군과 싸우고있으며, 미국의 목적은 이락뿐만아니라 전회교권의 약화라고 주장하면서, 조만간 당지주재 모든 회교국 대사들을 접촉, 이러한 이락측 입장을 설명할 예정이라고 밝힘. 또한 주재국정부의 당지 주재 이락대사관 공보관 추방조치를 비우호적조치라고 비난하고 주재국정부와 현재로서는 CONTACT 할 계획이 없다고 말함.

3. 이와 관련, 당지 주재 YUSEF M.MOTABBAKANI 사우디 대사는 현 걸프전관련 PRESS RELEASE 를 통해 주재국정부와 국민들의 지원과 성원에 감사하고, 사우디 정부입장을 설명함.

4. 한편 주재국정부는 정부의 대걸프정책에 대한 국민반대여론 무마를 위해 각료급인사를 동원 정부정책에 반대하고있는 주요정당인사를 접촉, 설득하고 있는 것으로 보도됨. 끝.

(대사 전순규-국장)

예고 91.12.31 일반

검토필(1991.6.30.)

아주국	장관	차관	1차보	2차보	미주국	중아국	정문국	청와대
총리실	안기부							

PAGE 1

91.01.24 20:27

외신 2과 통제관 DO

0118

관리번호	91-707

외 무 부

종 별 :

번 호 : PAW-0131 일 시 : 91 0130 0900

수 신 : 장관(아서,중근동,기정)

발 신 : 주 파 대사

제 목 : 걸프전쟁관련 주재국동향(자응5호)

연: PAW-115,106, 주파(정)760-456

1. 주재국 베그 육참 총장은 지난1.28(월)육본에서 600 여명의 군장교에게 행한 연설을 통해, 걸프전쟁관련, 자신의 견해를 밝힌바, 그요지는 아래와 같음.

가. 걸프전쟁의 원인은 1948,56,67 이스라엘-아랍전쟁에 있으며, 이락의 군사강국화로 인한 대이스라엘 위협을 사전제거키 위해 이락은 쿠웨이트를 침략토록 격로되었을 가능성이 있음.

나. 연합군측은 걸프사태의 평화적해결을 위한 노력을 다하지 않고, 성급히개전했으며, 유엔결의가 위임한 전쟁목적(쿠웨이트 해방)에서 벗어나, 이락의 경제적, 군사적 파괴로 전쟁목표를 확대하고있음.

다. 걸프전은 장기화되고 확대될것이며, 결과는 모두 패자가 될것임.이락은미국에게 소련의 아프간이 될것임.즉 전쟁은 교착상태로 여름까지 장기화될것인바, 연합군측은 공군력의 기술적 우위만으로 전쟁을 이길수 있다는 착오를 하고있으나, 이락의 지상군은 건재하고 끝까지 저항할것임.

라. 걸프사태는 회교권의 단합된 노력으로 평화적으로 해결해야하며, 우선 이락이 쿠웨이트로부터 철수하고, 동시에 연합군이 사우디에 철수해야함.

마. 걸프전후 걸프지역의 정치질서는 재편될것이며, 새로운 지역안보장치가마련될것인바, 이를 위해 이지역국가들간의 STRATEGIC CONSENSUS 를 이루어야함.

바. 종전후 소련의 아프간철수후와 같이 미국은 쇠퇴할것이며, 독일, 일본등이 독자적인 세력권을 형성해갈것임.

사. 한편, 주재국정부의 대걸프정책을 위요한 주재국 국내사태와 관련, 가두정치를 통한 해결은 바람직하지 않음. 이락에 대한 무차별폭격등으로 인한 국민감정등은

아주국 장관 차관 1차보 2차보 중아국 정문국 청와대 안기부
국방부

PAGE 1

91.01.30 15:49
외신 2과 통제관 BW

0119

;

이해할수 있음.

2. 한편,1.22-28 간 연호 중동지역 6 개국순방후 귀국한 나와즈 수상은 1.28(월)저녁 기자회견에서 금번 순방성과가 고무적이나 불완전한것으로서, 향후 걸프전쟁종식을 위해 계속노력할것이라고 밝힘.이와 관련 야쿱칸 외상은 마지막 방문국인 사우디에 계속 잔류하면서 걸프사태관련, OIC 긴급총회또는 외상회의(이스라마바드)개최문제를 협의하고있는것으로 알려짐.그러나 대부분 당지 분석가들은 나와즈 수상의 이러한 외교적 INITIATIVE 의 실현가능성은 희박하며, 국내정치용인것으로 평가하고있음.

3. 분석및 평가

가. 베그장군의 동발언은 사우디에 파병을 하고있는 주재국정부입장과 상치될뿐만 아니라, 주재국내 회교원리주의 정당등이 국민선동에 사용하고있는 논리와 동일한바, 국민여론 무마용또는 국민에대한 일종의 인기영합전술로 볼수있음. 동 발언시기가 나와즈수상의 중동순방귀국 기자회견 10 시간전이었다는 점에서 베그 장군의 의중에 대한 여러가지 추축을 자아내고있는바, 지배적인것은 베그장군이 (금년 8 월 참모총장 임기만료)정치적 야심을 노출하고있는것이 아닌가하는점임.

나. 동연설은 주재국의 대미관계를 어렵게 할뿐아니라 현재 주재국의 대외정책 특히 걸프전쟁에 대한 주재국 입장에 혼선을 일으키고 있는바, 그 귀추가 주목됨. 끝.

(대사 전순규-국장)

예고 91.6.30.일반 예고문에 의거 일반문서로 재 분류됨.

토필(1991.6.30.)

PAGE 2

0120

관리번호	91-1645

외 무 부

종 별 :

번 호 : PAW-0140 일 시 : 91 0201 1630

수 신 : 장관(아서,아이,국연,중근동,기정)

발 신 : 주 파 대사

제 목 : 나와즈 수상 중국방문

대: WPA-1

연: PAW-131

1. 연호, 나와즈 수상은 걸프전쟁종식을 위한 'PEACE MISSION'의 일환으로 2월중 중국방문을 검토중인것으로 알려짐.

2. 동인의 방중여부및 구체적 시기등은 추후 파악되는대로 보고위계임.끝.

(대사 전순규-국장)

예고 91.6.30 일반

91.6.30 예고문에 의거 일반문서로 재분류됨.

아주국	차관	1차보	2차보	아주국	중아국	국기국	정문국	안기부

PAGE 1

91.02.01 23:01
외신 2과 통제관 BW

0121

관리 번호	91-245

외 무 부

종 별 :

번 호 : PAW-0151　　　　일 시 : 91 0205 1100

수 신 : 장관(아서,중근동,기정)

발 신 : 주 파 대사

제 목 : 걸프사태관련 동향(자응6호)

연 PAW-131

1. 연호, 베그장군 연설이후 대걸프정책을 위요한 주재국 정치권의 분열, 대립이 심화되고 있는바, 나와즈정부의 걸프정책에 반대하는 25 개 정파는 소위 ALL PARTIES CONFERENCE(APC)를 지난 2.2(토)라호르에서 개최, 정부의 걸프정책수정을 촉구하고, 이락국민과의 유대 표시로 2.10(일)전국적인 파업과 시위개최를 결의함.(동회의는 나오즈 수상소속의 PML 을 제외한 제 1 야당 PDA 를 비롯한 주재국 주요 정당대표가 참석함.)

2. 동 회의참석 정파는 또한 나와즈수상의 소위 PEACE MISSION 이 실패작이라고 비판하고, 비동맹권 국가에 APC 대표단을 별도로 파견키로 결정함.

3. 이와관련, 나와즈수상은 2.4(월)하원에서 정부의 현 걸프정책의 정당성을주장하고, APC 등 일부정치권의 정부정책 반대및 대중 선동움직임을 정치적 음모라고 비난하면서 현정책을 고수할것을 천명함. 한편 IJI 의원 총회는 2.4(월)나와즈 정부의 걸프정책지지를 천명함. 나와즈 수상은 특히 주재국 최초 대사우디파병이 이샤크 칸대통령, 자토이 임정수상, 베그참모총장등 3 자간의 합의에 의해 결정되었음을 밝히고, 이제와서 다른소리를 하는사람들이 있다고 언급, 베그장군 및 연호 베그장군의 연설을 적극지지한 자토이 전수상을 간접적으로 비난하여 주목을 끌고있음.

4. 한편, 나와즈 수상은 카시미르 주민봉기 1 주년을 기념하여 카시미르 주민과의 유대표시로 2.5(화)을 'SOLIDARITY WITH KASHMIR DAY'로 공휴일을 선포한바, 언론및 평화적 집회를 통해 카시미르 문제에 대한 국민의식 제고를 기하기 위한것으로 알려짐.끝.

(대사 전순규-국장)

아주국　차관　1차보　2차보　중아국　청와대　안기부

PAGE 1

91.02.05　15:32

외신 2과　통제관 BN

0122

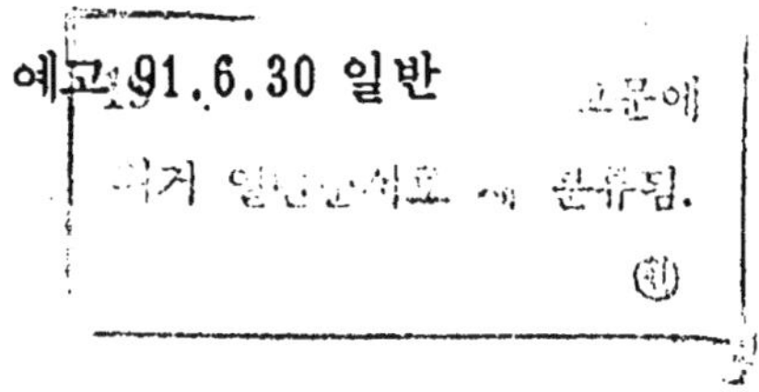
예고:91.6.30 일반
고문에
의거 일반문서로 재분류됨.

검토필(1991.6.30.)

PAGE 2

0123

관리 번호	91-739

외 무 부

종 별 :

번 호 : PAW-0166 일 시 : 91 0207 1800

수 신 : 장관(아서,중근동,기정)

발 신 : 주 파 대사

제 목 : 걸프사태 동향(자응7호)

연 PAW-151,131

1. 나와즈 수상은 연호, 중동지역 6 개국순방에 이은 제차 PEACE MISSION 으로 2.9(토)부터 리비아, 튜니지아, 알제리, 모로코등 회교권국가를 추가 순방할예정으로 알려짐.동 수상은 동국가 순방시 자신의 6 개항 평화안(①이락의 쿠웨이트 철수선언조건으로 즉각종전, ②걸프지역 모든외국군의 철수, ③분쟁지역에 회교국가 군대배치, ④OIC 긴급회의 소집, ⑤쿠웨이트뿐만아니라 팔레스타인, 카시미르관련 유엔결의안 이행, ⑥사우디, 이락소재 성지를 평화지역으로 선포, 공격금지)을 중심으로 협의할것으로 알려짐.

2. 한편, 부토 전수상도 미, 영 방문후 걸프사태 협의를 위해 2.6(수)부터 튜니지아(PLO 의장 면담), 시리아, 이란을 방문예정이며, 아라파트 PLO 의장 주선으로 이락 방문도 추진중인것으로 당지 언론보도됨. 끝.

(대사 전순규-국장)

예고 91.12.31 까지

토곤(1991.6.30.)

아주국 장관 차관 1차보 2차보 중아국 청와대 안기부

PAGE 1

91.02.07 22:58

외신 2과 통제관 CH

0124

관리 번호 91-326

외 무 부

종 별 : 지 급

번 호 : PAW-0174 일 시 : 91 0209 1330

수 신 : 장관(아서,중근동,국연)

발 신 : 주 파 대사

제 목 : 걸프사태 동향(자응8호)

연 PAW-140,166

1. 나와즈 수상은 걸프사태협의를 위해 연호, 마그레부지역 회교국가 순방차 금 2.9(토)오전 출국함(야쿱칸 외상등 수행)

2. 한편 수상실 외교보좌관에 의하면, 동수상은 자신의 평화안에 대한 금번 순방국가들의 반응을 보아, 중국과 소련방문 여부도 결정할것이라는바, 중, 소 양국방문은 양국관계 협의를 위한것이 아니고 걸프사태관련 OIC 회의 개최등 주재국 평화안에 대한 지지획득을 목적으로 할것이라고 함. 끝.

(대사 전순규-국장)

91.12.3

검 토 필(1991.6.30.)

아주국 장관 차관 1차보 2차보 미주국 중아국 국기국 정문국
청와대 총리실 안기부

PAGE 1

91.02.09 19:37

외신 2과 통제관 DO

0125

관리번호	91-755

외 무 부

종 별 : 지 급

번 호 : PAW-0195 일 시 : 91 0214 1400

수 신 : 장관(아서,아이,중근동,기정)

발 신 : 주 파 대사

제 목 : 걸프사태동향(자응 9호)

연: PAW-174

연호, 마그레브국가 및 사우디순방(쿠웨이트 국왕접촉 예정)중인 나와즈 샤리프수상은 2.15 귀국한후,이어 2.20-25간 중국을, 2.25 부터 소련을 방문계획으로 알려짐.끝. (대사 전순규-국장)

예고:91.6.30.일반고문에 의거 일반문서로 재 분류됨.

검토필(1991.6.30.)

아주국 장관 차관 1차보 2차보 아주국 미주국 중아국 청와대 총리실 안기부

PAGE 1 91.02.14 18:59

외신 2과 통제관 DG

0126

관리 번호	Ħ-336

외 무 부

종 별 :

번 호 : PAW-0207 일 시 : 91 0218 1200

수 신 : 장관(아서,아이,중동1,기정)

발 신 : 주 파 대사

제 목 : 걸프사태동향(자응10호)

연 PAW-195

1. 나와즈 수상은 연호 마그레브 4 개국및 사우디순방후 2.15(금) 귀국함. 동 수상은 또한 연호 방중일정을 연기 2.26-3.1 간 중국을 방문할계획이라고 발표한바, 금번 방중시 걸프사태가 협의될것이나 긴밀한 양국관계에 비추어 양국관계등도 포괄적으로 협의할 예정으로 알려짐.

2. 한편 야쿱칸 외상은 2.17(일) 이란외상과의 걸프사태 협의차 이란향발하였으며, 동인은 이란방문후 걸프사태관련 2.20. 부터 카이로에서 개최되는 회교 10 개국 외상회의에 참석할 예정으로 알려짐.끝.

(대사 전순규-국장)

예고 91.6.30 일반

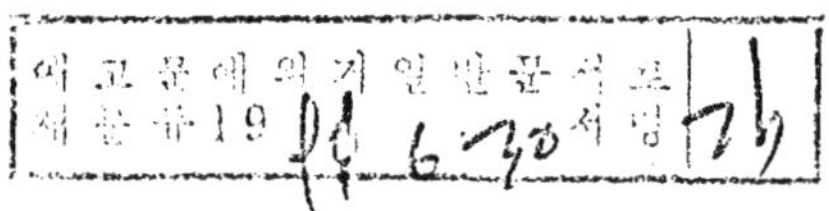

아주국	장관	차관	1차보	2차보	아주국	미주국	중아국	정문국
청와대	총리실	안기부						

PAGE 1

91.02.18 19:51

외신 2과 통제관 DO

0127

정리보존문서목록					
기록물종류	일반공문서철	등록번호	38128	등록일자	2011-07-05
분류번호	772	국가코드	XF	보존기간	영구
명 칭	걸프사태 동향 : 아주지역, 1990-91. 전4권				
생 산 과	중근동과/동북아1과/동북아2과	생산년도	1990~1991	담당그룹	
권 차 명	V.3 중국/중화민국				
내용목차	1. 중국 및 홍콩 2. 중화민국				

0001

1. 중국 및 홍콩

0002

원 본

외 무 부

종 별 :

번 호 : HKW-2063 일 시 : 90 0803 1400

수 신 : 장관(중근동,아이,정일,기정)

발 신 : 주 홍콩 총영사

제 목 : 이라크의 쿠에이트 침공에 대한 중국반응

1. 중국은 이라크 군대의 쿠웨이트 침공사태를 크게 우려, 8.2 아래 요지의 외교부 대변인 성명을 발표함.

' 중국정부는 제3세계 국가들간에 근본적인 이익에 관해 갈등이 없으며, 어느 국가도 분쟁해결을 위해 무력사용을 수단으로 이용해서는 않된다고 항상 믿어왔음.이라크와 쿠웨이트는 공히 중국의 친구들인바, 중국은 군사활동의 즉각적인 중지와평화적 협상에 의한 분쟁해결을 호소함.'

2. 중국은 89.12 양상곤의 쿠웨이트 방문및 90.3 전기침의 이라크 방문을 통해 동 국가들과의 교역증진에 주력하는 동시에 관계강화를 기해 왔으므로 어느 일방을 지지하기가 곤란할것으로 보이며, 동 사태의 악화가 중국의 대중동 외교추진에 불리한영향을 초래할것을 우려 조기수습을 위한 외교적 노력을 강화할것으로 보임.끝.

(총영사 정민길-국장)

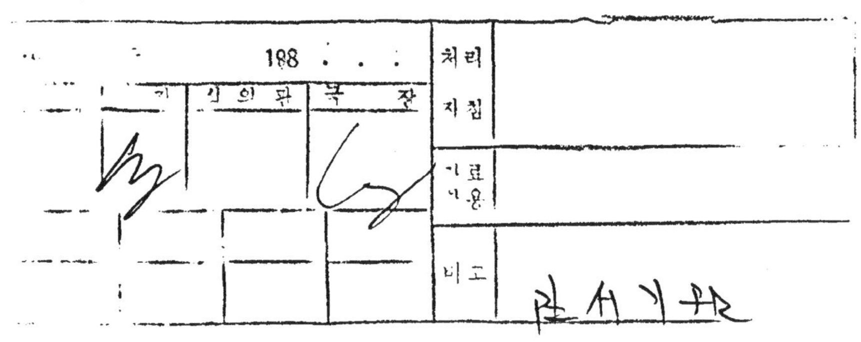

중아국 1차보 아주국 정문국 안기부

PAGE 1

90.08.04 08:36 DN

외신 1과 통제관

0003

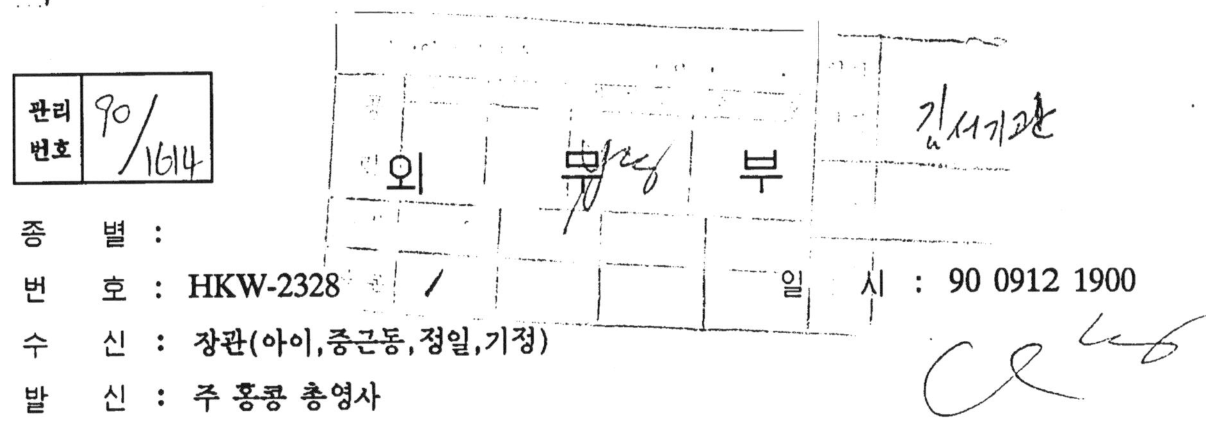

관리번호 90/1614

외 무 부

종 별 :

번 호 : HKW-2328 일 시 : 90 0912 1900

수 신 : 장관(아이,중근동,정일,기정)

발 신 : 주 홍콩 총영사

제 목 : 중동사태에 대한 중국입장(자료응신 제98호)

금 9.12 김창수영사는 SCOTT 당지 미영사와 표제관련 논의한바, 동인 언급내용 아래보고함

1. 중국은 미국등 서방측과 아라크간에 균형(GAME OF BALANCE)을 취하면서어느 일방도 자극하지않는 가운데 스스로의 이익확대를 도모하고 있음

2. 따라서 중국의 입장은 때로 상충되기도 하는 이중성을 보이고 있으며 이로 인해 곤란한 상황에 놓이기도 하나, 전체적으로 중동사태가 중국의 국제적 지위향상에 유리한 계기를 부여하고 있다고 판단하는것으로 보임

3. 중국은 안보리 제결의안에 국제적 여론을 의식 거부권을 행사않음으로써이미지를 제고함과 동시에 미국등 서방과의 관계개선을 도모하는한편, 중동에대한 미국의 간섭확대가 영향력 확대로 연계되어 중국의 제 3 세계 정책을 제약하는게 되고 중동에 대한 중국의 영향력 약화를 초래하게 될것을 우려 유엔을표면에 내세우면서 사실상 독자적 입장을 추구하는 노력을 기울이고 있음

4. 이라크 부수상 방중관련 중국은 의약품과 식량이 유엔의 제제범위에 포함되지 않는다고 밝혔으나 이는 동물품공여에 대한 중국의 권리유보 선언을 통해중동정책에 자주성을 갖겠다는 입장표명으로 보여지며 중국이 독자적으로 물품공여에 착수하겠다는 것은 아닌것으로 보임

5. 이라크에 대한 상기 물품공급이 유엔의 결의내용에 포함된다고 볼수없으나, 중국이 독자적으로 이를 실행코자할경우 REPERCUSSION 을 신중하게 생각할것임. 특히 정상회담에서 동공급 결정은 유엔 범위안에서 이루어져야하고 MONITOR되어야한다고 미.쏘가 합의함에 따라 중국이 독자적으로 행동할 가능성은 더욱크지않다고 봄.

6. 아울러 아주대회관련 중국은 일부아랍권의 보이콧을 우려하고 있어 이들국가들을 자극하는 대이라크 지원을 자제해야하는 상황에 있다는 점도

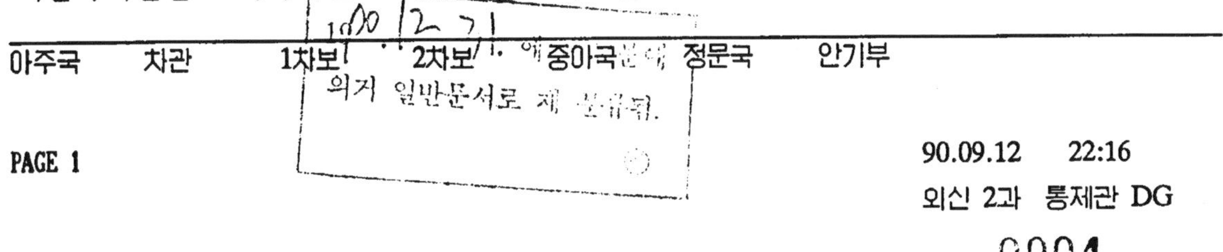

아주국 차관 1차보 2차보 중아국 정문국 안기부

1990.12.31 의거 일반문서로 재 분류됨.

PAGE 1

90.09.12 22:16

외신 2과 통제관 DG

0004

고려되어야할것임

7. 중국이 이라크에 무기판매를 재개할 가능성은 단기적으로 없다고봄. 다만 중국의 대내외 여건상 중동에 대한 무기수출에 큰 이해관계를 갖고 있어 중.장기적으로 무기공급 가능성은 상존함

8. 그러나 중국이 기 판매한 무기류의 부품등이나 기타 소규모 장비류까지완전히 공급중단 했다고는 보기 어려우며 파키스탄등을 통한 육상공급가능성을배제할수 없을것임.끝

(총영사 정민길-국장)

년말까지

0005

외 무 부

종 별 : 지 급

번 호 : HKW-0253 일 시 : 91 0117 1530

수 신 : 장 관(해신,아이,정홍)

발 신 : 주 홍콩 총영사

제 목 : 대이락전 언론반응

1. 홍콩의 ATV 및 TVB 는 1.17 현지시간 07:30부터 정규방송을 중단하고 각각 CNN 및 CBS 를 위성중계하여 대이락전 경과를 보도함.

2. 주요지 SCMP 는 13:00 4면 호외를 발행하고 'DESERTSTORM' 작전의 개시와 부시대통령 성명을 대대적으로 보도함.

3. 주요언론방응있는 경우 추보하겠음. 끝.

(총영사 정민길-외보부장)

공보처 1차보 아주국 정문국 안기부

PAGE 1

91.01.17 17:05 WG

외신 1과 통제관

0006

원 본

외 무 부

종 별 : 지 급

번 호 : HKW-0254 일 시 : 91 0117 1600

수 신 : 장 관(아이, 대책반)

발 신 : 주 홍콩 총영사

제 목 : 페르시아만 사태

중국외교부 대변인은 1.17 페르시아만 사태와 관련 하기요지의 성명을 발표함.

0 중국정부는 동사태에 깊은 우려 (DEEP ANXIETY AND CONCERN)를 표명함.

0 걸프사태 초기부터 중국정부는 이라크의 쿠웨이트 침공을 반대하고 쿠웨이트로부터 무조건 즉각 철수할것과 쿠웨이트의 독립, 주권 및 영토보전과 정통성있는 정부가 재건되어야 한다는 명확한 입장을 표명하여 왔음.

0 한편, 중국정부는 걸프사태의 정치, 외교적 교섭을 통한 평화적인 해결노력을 주장하고, 국제사회와 함께이를 위한 노력을 경주하여 왔음.

0 현 위기상황에서 중국정부는 국제사회가 평화적 해결을 위한 방안을 강구할수 있도록 전쟁당사자가 최대한 자제하여 줄것을 강력히 호소함. 끝.

(총영사 정민길-국장)

아주국	장관	차관	1차보	2차보	중아국	정문국	청와대	총리실
안기부	대책반							

PAGE 1

91.01.17 17:16 WG

외신 1과 통제관

0007

외 무 부

종 별 : 지 급

번 호 : HKW-0272 일 시 : 91 0118 1200

수 신 : 장 관(해신,아이,정홍,기정)

발 신 : 주 홍콩 총영사

제 목 : 현지언론 반응

연: HKW-0253

1. 주요일간 SCMP, HK STANDARD 및 중문지 문회보 1.18.자는 페만 개전에 관한 각국 반응을 보도한 외신종합 보도를 통해 대통령의 부시대통령에게 보내는 메시지, 대통령 주재 비상각의 개최, 정부대변인 성명발표, 군의료지원단 파견, KAL 에 대한 미군수송지시등 아국의 다국적군 지원조치에 관해 보도함. 반면 북한은 대이락 공격을 비난했다고 보도함.

2. 보도상황

0 SCMP:

제목: A DAY OF PRAYERS AND PROTESTS

내용: 노대통령 주재 비상각의 개최, KAL 에 대한 미군 수송지원 지시, 미국의 다국적군 지원요청, 군의료 지원단 파견 결정및 선발대 파견, 북한의 이락공습 비난

0 HK STANDARD

제목: MOST LEADERS GIVE BACKING TO WAR STRIKE

내용: 노대통령 부시대통령에게 전폭지지 메세지 타전,정부 대변인 성명중 이락응징을 위한 미국주도 다국적군의 결의 지지 부분 인용 보도

0 문회보

제목: 세계각국 조기에 전쟁을 종결시킬것을 희망 (

내용: 노대통령 부시대통령에게 전폭지지 메시지 타전, 북한은 미국비난. 끝.

(총영사 정민길-관장) WG

공보처 1차보 아주국 정문국 안기부

PAGE 1 91.01.18 13:33

외신 1과 통제관

0008

91. 1. 22

걸프戰 關聯 中國 反應

1. 中國은 美國主導 多國籍軍의 對이락 攻擊개시(1.17 09:00 한국시간)와 관련

가. 外交部 代辯人 성명(1.17)을 통해

○ 中國은 美 공군의 對이락 공격에 우려와 불안을 표시하면서

○ 交戰 雙方이 戰爭擴大 防止를 위해 最大限 自制를 해줄 것을 촉구하면서 平和的 解決을 바란다는 입장을 표명한데 이어

나. 中國 국영 CC-TV 및 北京放送도 전쟁 전개상황을 신속 보도하는 등 敏感한 反應을 보이고 있음.

2. 걸프戰 關聯 中國反應 推移

가. 이락의 쿠웨이트 침공(90.8.2) 이후 中國은

○ 이락軍의 쿠웨이트 침공 反對 및 쿠웨이트내 無條件 撤收 촉구, 쿠웨이트 主權回復 강력주장 등을 비롯

※ 이락의 쿠웨이트 침공 및 병력 주둔 반대와 쿠웨이트내에서 무조건 철수를 촉구(90.9.6 李鵬 總理, 9.12 錢其琛 外交部長)

※ 쿠웨이트의 독립주권과 영토보전 및 「알 사바」영도의 쿠웨이트 망명정부가 합법정부로 회복되어야 함(90.12.18 「알 사바」쿠웨이트 國王 방중시 中·쿠웨이트 共同聲明)

32-11

0009

○ 걸프事態 惡化 防止를 위해 强大國의 武力介入 反應 표명(90.8.21 李鵬 總理, 9.3 錢其琛 外交部長) 하면서

○ 쿠웨이트와 이락 當事者간에 平和的 協商을 통해 紛爭 解決을 촉구해 왔으며

나. UN의 對이락 制裁措置와 관련해서는

○ 包括的 經濟 制裁措置 決議案(90.8.6 661號), 最小限 武力使用 決議案(90.8.24 665號) 및 對이락 空中封鎖 決議案(90.9.25 670號)에 찬성하면서

○ UN에서 91.1.15까지 이락이 쿠웨이트로부터 철수치 않을 경우 UN 會員國들이 필요한 모든 手段의 行使 권한을 부여하는 678號 決議案 표결시(90.11.30) 기권, 多國籍軍의 軍事行動을 가능케 하였으며

다. 1.13부터 中國 民航의 中東地域 運航禁止 결정(1.12 新華社), 이락駐在 中國 大使館員의 撤收(1.17 李肇星 外交部代辯人) 措置등을 취한 바 있음.

3. 評 價

가. 이락軍의 無條件 撤收 및 쿠웨이트 主權回復을 再强調하는 가운데 戰爭이 擴大되지 않도록 當事國들이 最大限 自制해 줄 것을 요청하는 등 관망적 태도를 보이고 있는 점이 특징적인 바

32-12

0010

나. 이와 같은 中國의 反應은 그간의 第3世界 外交政策에 따라 美國主導 多國籍軍 또는 쿠웨이트 侵略國인 이락등 어느 一方을 적극 支持할 수 없는 立場에서 비롯된 것으로서

다. 中國이 第3世界 指導國으로서의 地位를 유지하면서 國際的인 對이락 制裁 輿論에 부응하려는 複合的 意圖가 작용된 것으로 평가됨.

외 무 부

종 별 :

번 호 : HKW-0344 일 시 : 91 0122 1700

수 신 : 장관(해신,아이,정홍)

발 신 : 주 홍콩총영사

제 목 : 현지 언론반응(4)

연: HKW-294

1. 당지 언론은 군의료진 파견에 대한 국회 동의내용을 논평없이 외신인용 보도하였음

0 SCMP (외신면 3단)

제목: KOREA AGREES ON MEDICAL AID

기사: AP

0 HK STANDARD (외신면 2단, 외신종합)

제목: S KOREA WILL SEND FIRST AID. 끝

(총영사 정민길-외보부장)

공보처	차관	1차보	2차보	아주국	미주국	중아국	정문국	정와대
총리실	안기부	국방부	대책반	장관				상황실

PAGE 1

91.01.22 20:51 DA

외신 1과 통제관

0012

외 무 부

종 별 : 지 급

번 호 : HKW-0350 일 시 : 91 0123 1100

수 신 : 장 관(해신, 아이, 정홍, 기정)

발 신 : 주 홍콩 총영사

제 목 : 현지언론반응(5)

연 : HKW-344

1. 주요일간 SCMP 는 1.23 팀스피리트 훈련을 걸프만 사태, 남북대화촉진 등의 이유로 대폭 축소했다는 REUTER 기사를 ' US, SOUTH KOREA SCALE DOWN ARMY EXECRISE' 제목 으로 보도함(외신면4단).

2. 한편, HONG KONG STANDARD 는 ' KOREA STUDENTS OPPOSE CONFLICT' 제하 외신종합(1단)으로 반전 학생시위내용을 보도함.끝.

(총영사 정민길-외보부장)

공보처 아주국 정문국 안기부

PAGE 1

91.01.23 13:07 FG

외신 1과 통제관

0013

외 무 부

종 별 :

번 호 : HKW-0369 일 시 : 91 0124 1300

수 신 : 장관(해신,아이,정홍,기정)

발 신 : 주홍콩총영사

제 목 : 현지 언론반응(6)

대 HKW-0350

1. 중국계 주요일간 대공보는 1.24 4면에 군의료지원단 파견에 관한 신화사 논평(1.23 평양발, 고호영기)을 '신문분석' 칼럼란에 남한의 걸프 군의료지원단 파견 목적' 제하 게재함

2. 동기사는 다음 3항을 군의료지원단 파견이유로 열거함

가. 한.미 양국은 정치,군사,경제적으로 밀접한 관계이며, 향후 미국의 지속적인지원을 얻기위해 미국의 요청에 응한것임

나. 금년말 유엔가입 외교에 역점을 두고있는것과 관련 유엔결의에 대한 지지표명으로 유엔회원국들의 호의적인 반응을 얻고자함

다. 중동산 원유에 의존하고 있는것과 관련 걸프사태 조기종결을 통한 원유의 안정적 공급과 전후 복구사업에의 참여기회를 갖기를 기대함.

3. 기사원문 팩스 송부함.끝

(총영사 정민길-외보부장)

공보처 1차보 아주국 정문국 안기부

PAGE 1 91.01.24 20:36 DP

외신 1과 통제관

0014

외 무 부

종 별 : 지 급

번 호 : HKW-0549 일 시 : 91 0205 1200

수 신 : 장 관(해신,아이,정홍,기정)

발 신 : 주 홍콩 총영사

제 목 : 현지언론반응(10)

연 HKW-535

1. 홍콩은 걸프전 분담금 3천만불 지원건을 2.5 행정원 (EXECUTIVE COUNCIL) 심의를 거쳐확정할 예정임

2. 동관련 2.4 입법원 (LEGISLAIVE COUNCIL)에서는 찬반논의가 잇었고 중국계 대공보와 문회보는 각각 사설과 컬럼을 통해 적극적인 반대의사를 표명함. 주요일간지에 보도된 반대주장 다음과 같음

대공보: 홍콩의 이해에 부합되지 않음. 지구전이될 경우 제2, 제3의 지원요청을 받을것임

입법위원 ELSIE TU: 홍콩은 UN 회원국이 아니므로 영국식민지 자격으로 지원하게 됨. 영국이 중국계 홍콩인을 영국국민으로 인정안하므로 영국의 전쟁수행을 지원할 필요가 없음

입법위원 MARTIN LEE: 분담금이 석유오염 제거, 난민구호등 비전부 목적에 쓰인다면 반대없음. 3천만불이라는 숫자가 어디서 나왔는지 모르겠음

2. 한편 HK STANDARD 2.5 자는 GULF AID A MUST INGLOBAL VILLAGE' 제하 사설을 통해 분담금 지원을 적극 지지함. 동지는 매일 5-10억불씩 전비가 소요됨을 지적하고 국제사회의 일원으로서 그혜택을 누려오고 앞으로도 누릴 홍콩이 전쟁의조기 종결과 걸프지역 안정의 회복을 위해 작은기여라도 해야한다고 주장하고 분담금이 전체 전비에비해 극히 작은 액수임을 강조함

4. 동분담금 문제에 관한 신화사 홍콩분사 사장조남은 홍콩주민의 생각에 달렸다'고 중립적인 태도를 취한것으로 보도되고 있음.끝

(총영사-외보부장)

공보처 1차보 아주국 정문국 안기부

PAGE 1

91.02.05 14:34 WG

외신 1과 통제관

0015

외 무 부

종 별 : 지 급

번 호 : HKW-0565 일 시 : 91 0206 1130

수 신 : 장 관(해신,정홍,아이)

발 신 : 주 홍콩 총영사

제 목 : 현지언론반응(11)

연: HKW-549

1. 연호관련 분담금 지원안은 2.5 행정원의 승인은 얻었으나 입법원 비공개회의에서 반대의사가 14:11 로 우세하였다함. 최종 결정은 2.8 입법원 재정위 (FINANCIAL COMMITTEE) 에서 이루어진다함.

2. SCMP 2.6 자는 ' DEMOCRACY TAKES A KNOCK OVER DONATION' 제하 사설을 통해 총독으로 부터 분담금 지원안 처리를 위임받은 대표입법위원 ALLEN LEE 의 비민주적처리 방식을 비판함. 그러나 동지는 걸프전은 세계적인 이슈이므로 홍콩의 분담금 지원여부는 홍콩을 지원하여온 국가등 전세계의 관심사가 도리것이라고 논평하여 지원결정을 찬성하는 논조를 보임. 끝.

(총영사 정민길-외보부장)

공보처 1차보 아주국 정문국 안기부 2차보 중아국

PAGE 1

91.02.06 12:46 WG

외신 1과 통제관

0016

원 본

외 무 부

종 별 :

번 호 : HKW-0610 일 시 : 91 0209 1200

수 신 : 장 관 (아이,중근동)

발 신 : 주 홍콩 총영사

제 목 : 홍콩정부, 걸프전쟁 지원결정

1. 홍콩정부는 2.8 걸프전쟁과 관련 2.3억 홍콩불(300백만미불)을 병참, 의료, 인도및 여타 비군사적 목적에 사용토록 하기위하여 영국에 지원하기로 잠정 결정함

2. 상기 걸프전쟁 지원을 위한 정부안은 홍콩입법회의 재정분과위원회에서 통과되었으나 일부 입법위원들이 동 의안을 입법회의 전체회의에 회부할 것을 주장하고 있어 이에 대한 검토가 진행중이나 전체회의에 회부된다 하더라도 통과될 것으로 전망되고 있음.끝

(총영사 정민길-국장)

아주국 장관 차관 1차보 2차보 미주국 중아국 정문국 청와대
총리실 안기부 대책반

PAGE 1

91.02.09 18:17 FC

외신 1과 통제관

0017

관리 번호	91-137

외 무 부

조

종 별 :

번 호 : ARW-0116 일 시 : 91 0214 1730

수 신 : 장관(미남,아이,정일,기정,국방)

발 신 : 주 아르헨티나 대사

제 목 : 걸프사태 관련 중국입장

2

1. 본직은 2.14. 주재국 외무부 아주국장 FIGUERERO 대사 면담시(신참사관 배석)동 국장은 걸프사태관련 중국의 입장에 관한 주북경대사의 보고서 내용을 알려준바, 주요 요지 아래와 같음.

-걸프전쟁 전까지의 중국의 입장은 이라크군의 쿠웨이트 철수이며 외국군의걸프만 파견을 반대하나 사우디의 외국군 접수 입장을 이해

-안보리 결의 678 관련 중국이 거부권을 행사치않은것은 천안문 사태관련 세계 여론의 비난을 의식한 결과임.

-걸프사태는 외교적 정치적으로 해결되어야 하며 걸프만에서의 군사적인 활동이 더욱 활발해지는것을 원하지 않고 있으며 소련과 함께 걸프사태의 정치적, 외교적 해결을 위한 중국의 역할을 희망하고 있음.

-벨그라드 비동맹회의에서 걸프사태 해결을 위한 조정안 내용을 지지하고 있으나, 동 문제는 아랍제국에 의해 추진 해결되어야 할것임.

-걸프 전쟁은 향후 수개월이 갈것으로 전망

-선진국의 이지역에 대한 DOMINATION 우려

-걸프전쟁후 외국군의 동 지역내 일시적 또는 장기적 주둔에는 반대하고 있음.

-PLO 문제는 중동문제에 있어서 핵심적인 문제로 보고있음.

2. 동국장은 걸프사태 관련, 깊숙히 개입하는것도, 그렇다고 개입 안하는것도 아니며, 이라크나 다국적군을 일방적으로 지지하는것도 반대하는것도 아닌 것으로 방관자도 참가자도 아니라고 부연 설명하였음.

(대사 이상진-국장)

예고:91.12.31. 까지

일반문서로재분류(1991.12.31.)

미주국	장관	차관	1차보	2차보	아주국	정문국	청와대	총리실
안기부	안기부	국방부						

PAGE 1

91.02.15 06:35

외신 2과 통제관 DG

0018

관리번호	91-149

외 무 부

종 별 : 지 급

번 호 : CPW-0069 일 시 : 91 0219 2100

수 신 : 장관(중동,아이,동구일,국연)

발 신 : 주 북경 대표부

제 목 : 소련의 대 이락 평화안

연:CPW-64

연호 면담시 소련대사는 GORBI 의 대 이락 평화안이 필히 성공할것으로 믿고있는 어조였으며 만약 실패하면 세계평화에 매우 불행한일이 될것이라고 말하였음.

예고:91.12.31 일반

일반문서로재분류(1991.12.31)

중아국	장관	차관	1차보	2차보	아주국	구주국	국기국	청와대
안기부								

PAGE 1

91.02.20 09:27

외신 2과 통제관 BW

0019

22

관리번호	91-154

외 무 부

종 별 :

번 호 : CPW-0073 일 시 : 91 0220 2230

수 신 : 장관(중동,아이,동구일)

발 신 : 주 북경 대표부

제 목 : 걸프전

본직은 2.20 당지 ALAMDAR 사우디대사를 예방한바, 동인은 걸프전 종결을 위한 최근 소련측의 중재노력은 이란과의 긴밀한 협조하에 진행되고 있으며, 향후 특히 이란의 동향에 주의를 기울어야 할것이라고 언급함.

예고:91.12.31일반

일반문서로재분류(1991.12.31.)

중아국	장관	차관	1차보	2차보	아주국	구주국	청와대	안기부

PAGE 1

91.02.21 10:10

외신 2과 통제관 CW

0020

외 무 부

종 별 : 지 급

번 호 : CPW-0074　　　　일 시 : 91 0221 1600

수 신 : 장관(중동,아이,기정)

발 신 : 주북경대표

제 목 : 이라크 부수상 방중

1. SAADOUN HAMADI 이라크 부수상은 쏘련 방문후 귀로에 당지 도착, 2.20 이붕 수상을 예방하고 걸프전에 관한 이라크의 입장을 설명하였다고 금일자 주재국 언론이 보도 함.

2. 이붕 수상은 이라크 측의 2.15자 성명이 철군을 향한 이라크의 첫번째 제스처로서 이를 긍정적인 변화(A POSITIVE CHANGE) 로 간주한다고 언급하면서 조속하고도 구체적인 조치를 취해 줄것을 요청하였다 함.

(대사 노재원-국장)

중아국　1차보　2차보　아주국　정문국　안기부　대책반

PAGE 1　　　　91.02.21 20:38 DP

외신 1과 통제관

0021

외 무 부

종 별 : 지 급

번 호 : HKW-0765 일 시 : 91 0222 1900

수 신 : 장관(아이,중동일)

발 신 : 주홍콩총영사

제 목 : 걸프전쟁 관련 중국 반응

2.22 중국외교부 대변인은 이라크의 쿠웨이트로부터의 무조건 철수 용의를 환영한다는 하기 요지의 성명을 발표함

0 이라크가 소련의 평화안에 대하여 무조건 쿠웨이트로부터 철수한다는 용의를 표명한것은 걸프전쟁의 평화적 해결을 위한 긍정적이며 주요한 사태발전임

0 중국은 이라크군의 쿠웨이트로부터의 무조건 철수와 걸프사태의 평화적 해결을 주장하여왔음

0 만약 전쟁이 확대된다면, 동지역 주민들에게 커다란 재앙이 될뿐아니라 중동지역과 나아가서는 세계의 평화와 안전에 끊임없는 문제(ENDLESS TROUBLES) 를 야기할것임

0 중국은 이라크가 가능한한 빨리 철군을 위한 구체적인 조치를 취하고 전쟁 당사자가 신속한 결정을 취함으로써 전쟁을 종식시키고 평화를 이룩할수 있는 이번 기회를 놓치지 않기를 희망함.끝

(총영사 정민길-국장)

아주국	장관	차관	1차보	2차보	미주국	√중아국	정문국	청와대
총리실	안기부	대책반						

PAGE 1

91.02.22 20:50 DQ

외신 1과 통제관

0022

관리 번호	91-184

원 본

외 무 부

종 별 :

번 호 : CPW-0101　　　　일 시 : 91 0303 1500

수 신 : 장관(아이,중동일)

발 신 : 주 북경 대표

제 목 : 걸프전에 관한 중국입장

1. 걸프전쟁 관련 당 주재국의 입장에 관하여 당지 외교단등의 평가를 다음과 같이 보고함

가. 중국은 걸프전에 관한 안보리 5 개 이사국으로서의 역할을 수행치 못하였으며 모호한 입장을 견지하여 위신이 추락되고 아랍제국과의 관계도 곤란해졌음

나. 종전 중재역에 관해서도 중국내 미묘한 의견차(적극개입파와 불개입파간)로 모호한 입장을 취하여, 소련처럼 적극 개입해서 손해를 보지는 않았으나 마찬가지로 불리한 입장에 섰음

2. 한편 안보리의 대이라크 군사제재조치 결의안에 대해서 주재국이 기권입장을 표시한것은 당초 외무성등 정부부처에서는 찬성하는 방향으로 의견을 제시하였으나 최고 원로들의 모임에서 과거 안보리가 한국전 참전 결의안을 통과시켜 중국자신이 안보리를 상대로 싸운경험이 있음을 들어 동 안보리 결의안에 기권키로 번복하였다함. 끝

(대사 노재원-국장)

91.6.30 까지

일반문서로재분류(1991.6.30.)

아주국　장관　차관　1차보　2차보　미주국　중아국　청와대　안기부

PAGE 1　　　　91.03.04 00:29

외신 2과 통제관 DO

0023

관리번호	91-192

원 본

외 무 부

종 별 :

번 호 : CPW-0102 일 시 : 91 0303 1500

수 신 : 장관(아이,아일,중동일,미북,동구일)

발 신 : 주 북경 대표

제 목 : 걸프전의 영향

본지근 3.1 당지 하시모토 일본대사와 접촉한바 걸프전이 금후 세계정세에 미칠 영향에 관한 동인의 평가를 다음 보고함

1. 미국의 압도적인 군사적 승리는 중국, 노련에 커다란 소크였으며, 금후 중.소는 대미관계에서 서로 카드화가 불능시됨. 중국은 미국이 일방적인 군사적 승리로 페르시아만에서 압도적인 영향력과 발언권이 확보되는것을 가장 우려해왔음

2. 금번 소련의 중재를 무시한 미국의 행동은 소련을 무시한데서 기인하며 소련의 위신실추는 역력함. 지금부터 5-10 년 이전에는 미국이 소련을 그렇게 대하는것은 생각도 못했을것임

3. 동북아 지역에서 북한, 월남에도 큰충격을 주었음. 미국은 지금까지 PAPER TIGER 라고 지칭해왔으나 앞으로는 그렇게 할수 없게 되었음. 끝

(대사 노재원-국장)

91.6.30 까지

일반문서로재분류(19 91.6.30.)

아주국 장관 차관 1차보 2차보 아주국 미주국 구주국 중아국
청와대 안기부

PAGE 1

91.03.04 00:31
외신 2과 통제관 DO

0024

외 무 부

종 별 :

번 호 : CPW-0126 일 시 : 91 0308 1600

수 신 : 장관(아이,중근동일)

발 신 : 주북경대표

제 목 : 걸프사태에 관한 외교부대변인 발언

주재국 외교부 ''단진'' 대변인은 3.7 정례 기자회견에서 걸프사태 관련 아래와같은 입장을 밝힘.

1.중국정부는 불란서 정부의 중동문제 조기 해결을 위한 노력을 평가 함.

중국은 UN 이 중동문제 해결을 위해 더욱 많은 공헌을 할것에 찬성함. 또한 유엔주관하에 유엔 안보리와 중동관계국 회의를 소집하여 중동문제를 정치적으로 해결할 것을 일관해서 주장해왔음.

2. 중국은 무바락 애급 대통령의 걸프만 복구에 관한 아랍안을 평가함. 우리는 아랍국가들이 분열을 종료하여 단결과 협력을 도모함으로써 중동지역의 평화,안정 및발전을 공동 추구하기를 희망함.

3.중국은 쿠웨이트가 신속히 전쟁의 상처를 치유하고 재건하기를 희망하며, 쿠웨이트를 포함한 걸프만 각국이 평등호혜의 기초위에 우호, 협력관계를 발전, 강화해나가기를 희망함.끝.

(대사 노재원-국장)

아주국 장관 차관 1차보 2차보 미주국 중아국 정문국 청와대
총리실 안기부

PAGE 1 91.03.08 21:48 BX

외신 1과 통제관

0025

관리 번호	91/253

외 무 부

종 별 : 지 급

번 호 : CPW-0160 일 시 : 91 0314 1800

수 신 : 장관(아이,미북,국연,중동일,아동,정이,정일,기정)

발 신 : 주 북경대표

제 목 : 솔로몬 차관보 방중결과

미국무성 솔로몬 아. 태 담당차관보는 3.10-12 간 방중, 중국측과 중동평화, 캄보디아문제, 한국및 버마문제등에 관해 협의하였는바, 동 관련 금 3.14 정상기 서기관이 당지 미대사관의 JOHN FOARDE 2 등 서기관으로 부터 청취한 방중결과를 다음과 같이 보고함.

91. 6. 30 전모함

1. 방중 개요

가. 솔로몬 차관보는 보좌관인 CHRISTOPHER FLEUR 와 함께 3.10 당지 도착 3.11(월) 오전 및 오후 중국측과 협의를 가진후 3.12 출발하였음.

나. 금번 방중목적은 두가지 주요 의제(걸프전후의 중동평화, 캄보디아 문제)에 관한 미측의 입장을 설명하고 이에 대한 중국측의 의견을 타진하는 것이었으며, 미.중 양국관계 및 한국문제, 버마국내정세 문제도 논의하였음.

다. 솔로몬 차관보는 중동 평화 및 캄보디아 문제 계속협의를 위하여 방중후 일본, 인니, 태국을 아울러 방문예정임. 그는 북경체재시 시아누크를 예방하였으며 현재 방중중인 로가체프 쏘 외무차관(마슬로토프 부수상 수행)과도 만났으나 미리 북경에서 만나기로 계획된 것은 아니었음.

2. 중국측과의 협의 결과

가. 한국문제

1) 한국문제에 관해서는 3.11(월) 오후 XU DUNXIN 외교부 차관보(90.11 까지 아주국장 역임)와 캄보디아 문제에 관한 협의 직전 약 25 분간 통역을 통해 의견을 교환하였음. 중국측에서는 외교부 아주국 ZHANG TING YAN 부국장(한국담당)이 참석하였으며 당지 미대사관측에서는 릴리대사 및 자신이 참석하였음.

2) 금번 회의시 미측은 2 가지 의제(북한의 대이라크 무기판매 및 한국의 유엔가입)에 대한 미측의 입장을 밝히고 중국측의 협조를 요청하였음.

아주국	장관	차관	1차보	2차보	아주국	미주국	중아국	국기국
정문국	정문국	청와대	안기부					

PAGE 1

91.03.14 20:15

외신 2과 통제관 CH

0026

3) 먼저 미측은 북한이 이라크에 대한 무기판매를 검토중에 있다는 정보가 있는바 이라크에 대한 유엔의 제재조치 결의안이 계속 유효하고 있는 현 시점에서 북한의 무기판매는 국제법에 저촉될 뿐 아니라 북한의 대외관계 및 대외이미지에 매우 나쁜 영향을 미칠것이라고 언급하고 북한이 유엔결의를 존중해 주도록중국측이 영향력을 발휘해 줄것을 강력히 요청하였음.(북한이 검토하고 있는 대이라크 판매 무기 종류에 관한 정서기관의 문의에 대해, FOARDE 서기관은 자신도 알지 못하지만 만약 판매를 한다면 미사일 종류일 가능성이 있다고 언급함.)

4) 이에 대해 중국측은 동건에 관해 아는바 없다고 언급하면서 미측이 북한에 대해 동건을 직접 제기하라고 대답하였으며, 미측이 동문제는 북경에서의 미.북한 접촉시 이미 북한측에 제기한바 있다고 언급하자, 향후 기회가 있으면 미측의 관심을 북한측에 전달하겠다고 답변하였음.

5) 한편 유엔가입문제 관련, 미측은 지난해 한국이 유엔가입문제에 관해 인내심을 가지고 대처하면서 유엔가입 신청을 보류하였으나, 미측의 추측으로는 금년에는 한국이 남북한의 동시가입을 계속 추진하되 북한이 계속 반대할 경우에는남한만의 선가입을 신청할 것 같다고 언급하면서 이경우 중국측이 적어도 거부권 행사는 하지 말아 줄것을 요청하였음.

6) 이에 대해 중국측은 과거와 동일한 반응(STANDARD RESPONSE)을 보였는바, 직접 회답을 피하면서 동시 가입이든 단독가입이든 모든 문제는 남북한간의 직접 대화로 해결할 수 있으며, 미.중 등 제 3 국이 남북대화를 ENCOURAGE 시킬것과 남북한 총리회담과 같은 좋은 계기에서 동 문제를 협의하는게 좋을것이라는반응을 보였음.

7) 또한 중국측은 미.중 양국은 통일을 위한 남북한의 노력을 다같이 지지하여야 할 것이라고(WE SHOULD HAVE SYMPATHY ON THE EFFORTS OF BOTH SIDES TO UNITY THEIR COUNTRY) 부연하였다 함.

나. 중동평화 및 캄보디아문제(별전 보고 예정)끝.

(대사 노재원-국장)

예고: 91.12.31. 일반

PAGE 2

0027

관리번호	91/254

원 본

외 무 부

종 별 : 지 급

번 호 : CPW-0162　　　　　　　　　　일 시 : 91 0314 1930

수 신 : 장관(중동일,아이,아동,미북,기정)

발 신 : 주 북경 대표

제 목 : 솔로몬 차관보 방중

연: CPW-0160

연호 솔로몬 차관보 방중시 중동평화 및 캄보디아 문제에 관한 미.중국간 회의 내용을 다음과 같이 보고함(이하 FOARDE 서기관 언급 요지)

1. 중동 평화

가. 중동평화및 세계정세에 관해서는 LIU SHUQING 국무원 대외업무실 주임(외교부차관 역임) 및 LIU HUAQIU 외교부 부부장과 각각 의견을 교환하였음.

나. 미측은 걸프전후의 중동평화에 대한 구체적인 복안이나 BLUE PRINT 를 미측이 갖고 있지 않다는 점과, 미측의 희망을 관련국에 강요할 의사가 없으며 관련 국가들과 협의하여 향후 문제를 풀어나갈 예정임을 전제로한후 향후 중동 평화에 대한 미측의 구상을 정치.경제. 군사 등 측면에서 다음과 같이 4 가지로 설명함.

1) 항구적인 중동평화를 위해서는 특별한 POLITICAL ARRANGEMENT 가 이루어져야 함. 이를 위해서는 첫째, 향후 중동평화 정착과정에서 유엔의 역할이 강조되어야 하며(미측은 중국이 안보리 상임이사국이라는 점을 강조시켰다 함)

둘째, 역내 국가간의 지역협력이 중요하며 이를 위해 새로운 형태의 지역기구가 필요하며(OTHER TYPE OF REGIONAL ORGANIJATION IS NEEDED), 셋째, 이러한 지속적인 평화를 위해서는 양국간 또는 다자간 외교의 적절한 운용이 필요함.(PROPER MIX OF BILATERAL AND MULTILATERAL DIPLOMACY)

2) 금번 이라크의 쿠웨이트 침공과 같은 사태 재발방지를 위해서는 동지역의 군비통제(REGIONAL ARMS CONTROL)가 이루어져야 함.

3) 현재와 같은 중동 각국간의 부의 편재 현상이 시정되어야 하며 각국간 공동개발 전략이 마련되어야 함. 예를 들어 가칭 걸프지역 개발은행(GULF REGIONDEVELOPMENT BANK)의 설립등을 생각할 수 있겠음.

중아국 안기부	장관	차관	1차보	2차보	아주국	아주국	미주국	청와대

PAGE 1　　　　　　　　　　91.03.14　21:25

외신 2과　통제관 CH

0028

4) 중동지역에서의 긴장완화를 위해 아랍국과 이스라엘간의 대화 및 이스라엘. 팔레스타인 간의 대화등 REGIONAL PEACE PROCESS 가 이루어 져야함.

다. 미측은 상기 4 개항 설명후 이에 관한 중국측의 의견 또는 조언을 요청하였으나 중국측은 평화공존 5 원칙만 되풀이하면서 구체적인 입장이나 의견을 밝히지 않아 정확한 중국측 의중을 타진할 수 없었음.(FOARDE 서기관은 중국측의소극적 반응에 실망했다고 부연)

2. 캄보디아 문제

가. 캄보디아 문제에 대해서는 "유엔 평화안"의 실현이라는데 대해 미.중 양국이 기본적으로 이미 의견이 일치하고 있기 때문에 실행 전략상의 이견에 대한 단순한 의견 교환만 있었음.

나. 주로 각 파벌들간의 불화해소 방안에 관한 협의가 있었음.

3. 미얀마 국내 정세

가. 미측은 미안마 군사정권의 정책에 실망하고 있다고 전제하고, 모든 사안을 법에 따라 해결하도록 미얀마측에 촉구해 왔다는 내용을 중국측에 언급한 후 중국.미얀마 관계를 문의하였음.

나. 중국측은 미얀마와는 좋은 관계를 유지하고 있으나 국내정세에 관해 많이 알고 있지는 않다고 언급하고 대미얀마 무기판매는 방어력에 적당한 양만 판매했다고 언급했음. 끝.

(대사 노재원-국장)

예고: 91.12.31. 일반

원 본

외 무 부

종 별 :

번 호 : CPW-0195 일 시 : 91 0316 1800

수 신 : 장관(중근동일,아이)

발 신 : 주 북경대표

제 목 : 중국 중동평화 5개항 제안

주재국 외교부의 DUAN JIN 대변인은 3.14 정례브리핑시 중동문제의 공정하고도 합리적인 해결을위하여 다음과 같은 5개 평화안을 제안하였음.

1. 중동문제는 정치적 경로를 통해 해결되어야 하며모든 당사국은 무력에 호소해서는 안됨.

2. 중국은 유엔주관하에 안보리 상임위 5개국과 모든 관련 당사자들이 참가하는중동국제평화회의의 개최를 지지함.

3. 중국은 중동문제에 관한 각 당사국들이 그들이 적합하다고 생각하는 각종 형태의 대화-PLO 와 이스라엘간의 대화 포함- 재개를지지함.

4. 이스라엘은 점령지에서 팔레스타인인에 대한 탄압을 중지하고 점령 아랍 영토로 부터 철수해야하며, 이와 함께 이스라엘의 안전도 보장되어야 함.

5. 팔레스탄인국(THE STATE OF PALESTINE)과 이스라엘은 상호 승인하고 아랍민족과 유태 민족이 평화롭게 공존하여야 함.끝.

(대사 노재원-국장)

중아국	장관	차관	1차보	2차보	아주국	정문국	청와대	안기부

PAGE 1 91.03.17 00:33 BX

외신 1과 통제관

0030

2. 중화민국

0031

외 무 부

종 별 :

번 호 : CHW-1265 일 시 : 90 0809 1430

수 신 : 장 관(아이,중근동,기정)

발 신 : 주 중 대사

제 목 : 이락, 쿠웨이트 침공

1.이락의 쿠웨이트 침공관련, 8.8. 주재국 외교부는 아래요지 담화 발표함.

-미국정부가 대이락 제재 문제를 논의해온 바 있음.

-현재 이락및 쿠웨이트와 아국과의 실질관계 현황을 파악중인바 향후 적절한조치를 취할 예정임.

2.주재국은 대이락 국제제재 참여에 유보적인 태도를 보이고 있는바 향후 이락과의 관계를 고려한 것으로 보임.끝

(대사 한철수-국장)

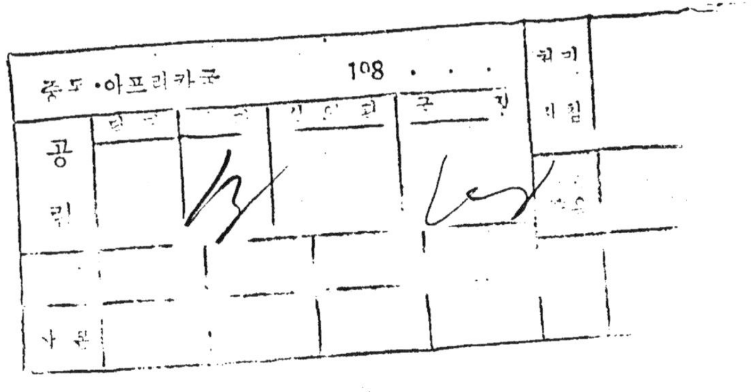

이주국 중이국 안기부 1차보

PAGE 1 90.08.09 20:16 EY

외신 1과 통제관

0032

외 무 부

종 별 :

번 호 : CHW-1272 일 시 : 90 0810 1400

수 신 : 장관(아이,중근동,기정)

발 신 : 주 중대사

제 목 : 이락, 쿠웨이트 침공

연: CHW-1265

연호 주재국은 전일 유보적인 태도를 변경, 이락의 침략행위를 아래와같이 비난함.

가. 이등휘 총통

-중화민국은 국제정의, 평화수호 입장에서 UN안보리의 대이락 제재 결의안을 찬성하고 부시 미대통령의 성명을 지지함.

나. 학백촌 행정원장

-미국은 침략자에게 제재를 함으로써 중동및 세계평화와 안정을 유지하여 주기희망함.

다. 외교부 성명

-이락의 쿠웨이트 합병및 중동지역의 평화와 안전을 위태롭게하는 행위를 비난하며, UN 안보리의 대이락 제재 결의안을 찬성하며 지지함.

-전반적 정세를 고려후 적절한 조치 예정임. 끝

(대사 한철수-국장)

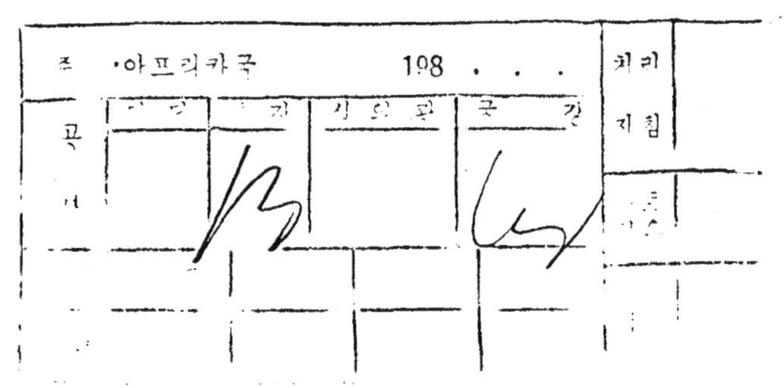

아주국 1차보 중아국 정문국 안기부 통상국

PAGE 1

90.08.10 20:18 DA

외신 1과 통제관

0033

원 본

외 무 부

종 별 :

번 호 : CHW-1319　　　　일 시 : 90 0820 1500

수 신 : 장관(중근동,아이,기정)

발 신 : 주 중대사

제 목 : 이락 사태

8.19.및 8.20. 당지 언론은 주재국 쿠웨이트 상무대표부 직원등 11명은 한국 주쿠웨이트 대사관의 적극적인 협조로 쿠웨이트를 8.19. 안전하게 철수 한바 있음을 보도함.

끝.

(대사 한철수-국장)

중아국　1차보　아주국　정문국　안기부

PAGE 1　　　　90.08.20　21:44 DA

외신 1과 통제관

0034

원 본

외 무 부

종 별 :

번 호 : CHW-1397　　　　　일 시 : 90 0906 1600

수 신 : 장관(중근동,아이)

발 신 : 주중대사

제 목 : 이락 사태

1.9.5.전복 외교부장은 이락 사태관련 아래 요지 발언함.

- 중화민국 정부는 국제정의 및 인도주의에 입각하여 이락사태로 정치,경제적으로 곤란을 겪고 있는 중동지역 국가에 대하여 재정원조를 고려하고있으며 우선 대상국가는 특수 우호관계가 있는 요르단이 될것임.

- 외교부는 이미 총통부에 원조 구상안을 보고한바있어 조만간 확정될 것이며 현재 고려중인 원조형식은 현금,차관,의료용품등이 될것임.

2.또한 9.4.베이커 미국무장관의 대만에 대한 이락사태 관련 군사경비 분담 요처관련발언관련 9.5. 전복외교부장은 미국과 중화민국은 수교 관계가 없어 미국은 중화민국에 군사경비 분담 요청 가능성은 적으며 현재까지 미국측이 요청해온바 없다고밝힘.

끝.

(대사 한철수-국장).

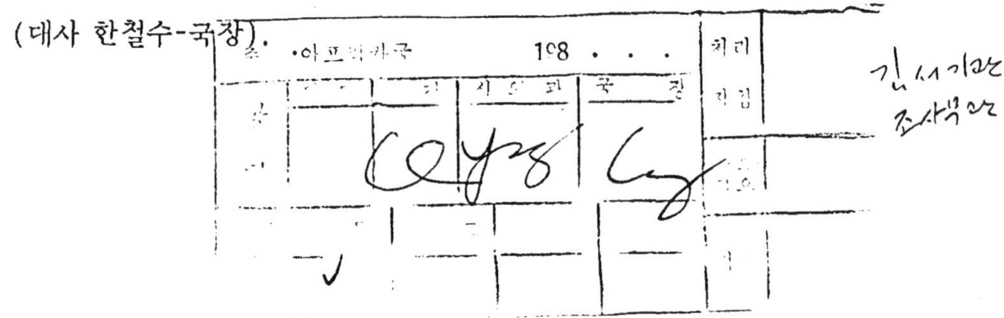

중아국　1차보　아주국　미주국　통상국　대책반

PAGE 1　　　　90.09.06 21:10 CG

외신 1과 통제관

0035

원 본

외 무 부

종 별 :

번 호 : CHW-1494 일 시 : 90 0925 1630

수 신 : 장관(중근동,아이,기정)

발 신 : 주중대사

제 목 : 이락사태

연: CHW-1397

9.24. 전복 주재국 외교부장은 이락사태 관련 아래요지 발표함.

-중화민국 정부는 중동위기로 경제적으로 피해를 겪고있는 요르단,이집트,터어키3개 전선국에 총액 3,000만 미불의 현금내지 물자를 원조할 것임.(동 원조대상국가는 요르단이 주가 될 것으로 알려짐)

-요르단 정부가 UN 의 대이락 경제제재 결의안에 위반할 경우, 중화민국 정부는동 원조행동을 즉각 중지할 것임.

-미측은 아측에 군사경비 부담을 아직까지 요청해온바 없으며, 아국은 UN 의 요청 아래 페르시아만에 군사를 파견한 국가들과 외교관계가 없을 뿐만아니라 UN 회원국이 아니기 때문에 미국의 군사경비 부담에 참여하는 것은 바람직하지 못함.끝

(대사 한철수-국장)

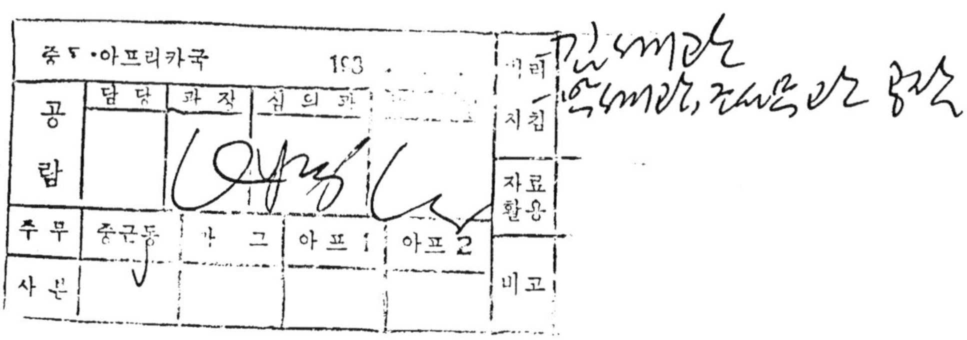

중아국 1차보 아주국 안기부

PAGE 1 90.09.25 21:03 CG

외신 1과 통제관

0036

외 무 부

종 별 :

번 호 : CHW-1494 일 시 : 90 0925 1630

수 신 : 장관(중근동,아이,기정)

발 신 : 주중대사

제 목 : 이락사태

연: CHW-1397

9.24. 전복 주재국 외교부장은 이락사태 관련 아래요지 발표함.

-중화민국 정부는 중동위기로 경제적으로 피해를 겪고있는 요르단,이집트,터어키3개 전선국에 총액 3,000만 미불의 현금내지 물자를 원조할 것임.(동 원조대상국가는 요르단이 주가 될 것으로 알려짐)

-요르단 정부가 UN 의 대이락 경제제재 결의안에 위반할 경우, 중화민국 정부는동 원조행동을 즉각 중지할 것임.

-미측은 아측에 군사경비 부담을 아직까지 요청해온바 없으며, 아국은 UN 의 요청아래 페르시아만에 군사를 파견한 국가들과 외교관계가 없을 뿐만아니라 UN 회원국이 아니기 때문에 미국의 군사경비 부담에 참여하는 것은 바람직하지 못함.끝

(대사 한철수-국장)

중아국 1차보 아주국 안기부

PAGE 1

90.09.25 21:03 CG

외신 1과 통제관

0037

외 무 부

종 별 :

번 호 : CHW-0084　　　　　　일 시 : 91 0114 1730

수 신 : 장관(기협,아이)

발 신 : 주중대사

제 목 : 페만사태

연:CHW-1395

대:WCH-0031

1.대호관련 주재국 경제부 에너지위원회는 1.12.대만전력,중국석유등 관계기관과의 긴급회의를 통해 향후 3단계 에너지 절약시책을 결정하였음.

가. 제1단계(전쟁발발및 유전봉쇄 또는 파괴시)

0 유류및 전기의 10 퍼센트 소비절약 유도

-주요소의 영업시간 단축, 네온싸인 광고용 전기및 가로등에 대한 절전

나. 제2단계(전쟁 1개월이상 지속및 장기화 징후시)

0 에너지의 10 퍼센트 소비절약 강제실시및 TV 방송시간단축, 자동차,모터싸이클에 대한 격일제 주유실시

다. 제3단계(전쟁장기화로 석유공급량이 20-40퍼센트 감소시)

0 석유제품에 대한 배급제 실시및 공업용 전기의 제한

2.주재국 중국석유공사는 현재 국내 민생용 석유제품 141일분의 재고량을 확보하고 있어 전쟁이 발발하더라도 약 5개월은 부족사태가 일어나지 않을것이라고 밝히고있음.끝

(대사 한철수-국장)

경제국　2차보　아주국

PAGE 1　　　　　　91.01.14 22:46 DP

외신 1과 통제관

0038

외 무 부

종 별 : 지 급

번 호 : CHW-0089 일 시 : 91 0116 0900

수 신 : 장 관(기협,아이,기정)

발 신 : 주 중 대사

제 목 : 페만사태

연:CHW-0084

1.주재국 석유공사는 현재 국내 민생용 석유제품 141일분의 재고량을 확보하고있는바, 동공사가 밝힌 각 석유제품 재고량현황은 다음과 같음.

- 휘발유 85일분(150만 키로리터)
- 디젤유(경유) 151일분(34만 키로리터)
- 연료용유 118일분(발전용포함시 248일분)
- 원유 45일분(300만 키로리터)

2.아울러 주재국 정부는 상기 석유제품중 휘발유재고량이 3개월미만 (현재 1개월 약 50만 키로리터소모)임에 비추어 비상시 배급제를 실시할 경우에는 휘발유가 최우선 배급제 실시품목이 될것이라 함.끝

(대사 한철수-국장)

경제국 1차보 아주국 중아국 정문국 안기부

PAGE 1

91.01.16 10:12 WG

외신 1과 통제관

0039

원 본

외 무 부

종 별 :

번 호 : CHW-0099 일 시 : 91 0117 1700

수 신 : 장관(중근동,아이,기정,해기)

발 신 : 주중대사

제 목 : 폐만사태관련 주재국반응(1)

폐만사태관련 주재국당국 반응 아래 보고함.

- 1.14. 국방부는 전면적인 3군의 경계 강화태세 실시, 특히 중공과 대치하고있는 일선 도서지역 장병들은 휴가 취소하고 임전태세

- 1.15. 학백촌 행정원장은 이총통에게 최근 중동정세에 관한 행정원의 대책 보고 및 중동사태로 국제적 혼란이 조성될시 중공의 대대만 침략 가능성에 대한 의견교환

- 1.16. 이등휘주석은 국민당 중앙상무위원회에서 폐만사태에 깊은 관심을 표명하고, 행정책임을 맡고있는 당원들은 적절한 대응조치를 취할수 있도록 지시

- 1.16. 외교부는 중동 긴급사태 대책회의 소집코 아래 결정함.

. 전쟁발발 6일후 철수개시 계획

. 요르단, 바레인 주재 각기관 주재원들은 상황을 보아 자율적으로 철수토록 권고

. 중공의 교민철수 협조의사 거절

. 중동지역주재 외교부직원들은 개전여부와 관계없이 철수치 않을 예정

- 1.16. 행정원 신문국장은 아래발표함.

. 학 행정원장은 중동정세의 발전상황을 장악하고 필요시 긴급 관련부서회의를소집토록 전천후 대기근무 돌입

. 중동사태로 인한 중공의 모험 시도사태에 주의,이미 3군의 경계 강화중. 끝

(대사 한철수-국장)

중아국	장관	차관	1차보	2차보	아주국	미주국	중아국	정문국
청와대	총리실	안기부	공보처	대책반				

PAGE 1 91.01.17 20:51 CG

외신 1과 통제관

0040

원 본

외 무 부

종 별 :

번 호 : CHW-0100 일 시 : 91 0117 1720

수 신 : 장관(중근동,아이,대책반,기정,해기)

발 신 : 주 중 대사

제 목 : 페르시아만 사태(2)

1. 1.17. 이등휘 주재국총통은 성명을 발표, 전국민이 냉정유지, 일치단결 및 법령을 준수하며, 민생용품 축재로 인한 물가앙등을 방지하여 모든 가능한 난관을 극복할 것을 호소함.

2. 1.17. 이총통은 긴급각료회의를 소집하여, 국방, 외교, 재정 금융의 긴급대책을 지시하고 페만사태의 대만해협 안전에 대한 영향을 논의함.

3.주재국 군당국은 중공이 페만사태를 이용 대만안전에 위협을 줄 가능성을 감안, 전군 비상 경계태세를 갖춤. 끝

(대사 한철수-국장)

중아국 장관 차관 1차보 2차보 아주국 미주국 중아국 정문국
청와대 총리실 안기부

PAGE 1

91.01.17 20:51 CG
외신 1과 통제관

0041

외 무 부

종 별 :

번 호 : CHW-0101 일 시 : 91 0117 1730

수 신 : 장관(기협,아이)

발 신 : 주 중 대사

제 목 : 페만사태(3)

연:CHW-0089

주재국 경제부는 페만전쟁 발발로 인한 국내물가 폭등에 대비한 '물가안정유지 6개항 조치' 를 1.16.부터 실시키로 하였는바 동 내용 다음과 같음.

1.91.1.16.부터 물가조사 담당요원을 각 시장에 부정기 파견, 시장동태 파악

2.각 조합에 가격인상 금지통고 및 위반시 '공업단체법' 또는 '상업단체법' 등 관련 규정에 의한 처벌

3.시장거래질서 감독강화 및 인위적 물가인상 사례방지

4.구정특수등을 감안 주요 민생물자의 안정공급 도모

5.주요물자 유통현황을 수시 파악, 부족사태 또는 가격앙등 징후가 보일시 수출금지 혹은 수입관세 인하를 통한 안정공급 도모

6.소비자에 대한 시장물가 정보의 신속, 정확한 전달로 물가인상 심리해소. 끝

(대사 한철수-국장)

경제국	장관	차관	1차보	2차보	아주국	미주국	정문국	정와대
총리실	안기부							

PAGE 1

91.01.17 21:08 CG

외신 1과 통제관

0042

외 무 부

종 별 :

번 호 : CHW-0106 일 시 : 91 0118 1000

수 신 : 장 관(대책반,아이,기정,해기)

발 신 : 주 중 대사

제 목 : 페르시아만 사태(4)

1.17. 소옥명 주재국 행정원신문국장 (정부대변인)은 성명을 통해 이락이 국제적인 평화해결의 각종행동을 거절한후, 다국적 군대가 취한 군사행동은 필요한 조치였으며 이락정부가 조속히 반성하여 쿠웨이트로부터 빠른 시일내에 철수, 중동지역의 평화와 안정이 조속히 이루어지기 희망한다고 발표함.끝

대책반 장관 차관 1차보 2차보 아주국 중아국 정문국 청와대
총리실 안기부 공보처

PAGE 1

91.01.18 11:31 WG
외신 1과 통제관

0043

외 무 부

종 별 :

번 호 : CHW-0144　　　　일 시 : 91 0122 1150

수 신 : 장 관(기협,아이)

발 신 : 주 중 대사

제 목 : 걸프사태(5)

연:CHW-0101

1.중국석유 공사는 원유부족 사태에 대비, 1.20.-27.간 총 78만톤의 원유를 예정대로 수입하게 됨으로써 주재국의 석유재고량은 기존의 140일분에서 총 160일분을 확보하게 되었다 함.

2.주재국 정부는 국제원유가 동향을 계속 주목하고 있는바, 향후 국제원유가의 대폭적인 변화가 없는한 국내유가 인상은 고려치 않을것이라 함.끝

(대사 한철수-국장)

경제국 1차보 2차보 아주국 중아국 정문국 안기부

PAGE 1　　　　91.01.22 16:11 WG

외신 1과 통제관

0044

외 무 부

종 별 :

번 호 : CHW-0148 일 시 : 91 0122 1700

수 신 : 장관(중근동,아이,기정,해기)

발 신 : 주 중대사

제 목 : 걸프사태(6)

1.걸프사태 관련, 1.21. 주재국 외교부는 '중동위기 긴급대책회의' 를 개최하여 1.21. 중화항공 전세기를 중동에 파견, 중동지역 교민 철수를 하려던 계획을일시 연기하여 향후 2대 비행기가 수시대기하여 긴급사태 발발시 수시출발토록결정함.

(중동지역교민 철수 대상자: 약 550명)

2.주재국 당국의 교민 철수계획 연기이유는 아래와같음.

-사우디내 공항이 전면 개방되지 않음.

-주사우디 대표처가 1.19. 현지 회의소집 결과, 사우디의 현지상황이 그렇게 위험치 않다고 의견일치.

-현재 철수를 원하는 교민수가 많지않아 전세기를 운영하기에 어려움이 많고 현지 교민들이 대부분 안전지대에 있음.

3.이와관련 주재국 외교부는 중동지역 대표처 대표들에게 교민철수에 필요한 모든 교통수단 (비행기, 선박등)을 최대한 확보토록 지시함.

4.주재국과 사우디간 협정에 의해서 걸프사태 이전부터 주재국 의료단 125명이 사우디에 체류하고 있는바, 현재 동 의료단중 80퍼센트 이상이 귀국을 희망하고있으나 주재국 당국은 국제적 도의에 입각하여 철수를 실시치 않고있음. 끝

(대사 한철수-국장)

중아국	장관	차관	1차보	2차보	아주국	미주국	정문국	청와대
총리실	안기부	공보처	대책반					

PAGE 1

91.01.22 20:54 DA

외신 1과 통제관

0045

원 본

외 무 부

종 별 : 지 급

번 호 : CHW-0168 일 시 : 91 0124 2030

수 신 : 장관(아이,중근동,기정)

발 신 : 주중대사

제 목 : 걸프사태(7)

1.24. 19시 당지 중국TV 는 걸프전쟁 보도방송에서, 미 CNN 방송에서 보도한 미군사 정세분석관의 발언을 인용, 중공이 북한을 통해 이라크에 무기판매 가능성이 있다는 요지의 보도함. 끝

(대사 한철수-국장)

아주국	장관	차관	1차보	2차보	중아국	정문국	청와대	총리실
안기부	대책반							

PAGE 1

91.01.25 04:38 DQ

외신 1과 통제관

0046

관리번호	91-88

외 무 부

종 별 : 지 급

번 호 : CHW-0228 일 시 : 91 0203 1030

수 신 : 장관(미북,아이),사본:주미대사-중계요

발 신 : 주 중 대사

제 목 : 걸프사태관련 주재국 지원현황

대:WCH-0099

1. 대호 주재국 정부의 3 개 전선국에 대한 3,000 만불 원조 집행내역 아래보고함.

-요르단: 2,000 만불(현금으로 기제공)

-터어키: 500 만불(현금및 의약품으로 기제공)

-이집트: 500 만불(현재까지 제공치 않았으며, 이집트정부측과 제공방법에 관해 협의중)

2. 주재국정부는 상기 전선국에 대한 지원외에 걸프사태 관련 미국에 대한 재정지원 제공은 현재 검토중이나 결정한바 없음. 끝

(대사 한철수-국장)

예고:91.6.30. 까지

1991.6.30.에 예고문에 의거 일반문서로 재분류됨

미주국 장관 차관 1차보 아주국

PAGE 1 91.02.03 12:03

외신 2과 통제관 BT

0047

외 무 부

종 별 :

번 호 : CHW-0250 일 시 : 91 0206 1730

수 신 : 장관(중근동,아이,기정,해기)

발 신 : 주 중대사

제 목 : 걸프사태(9)

미국 TIME 지(2.11.자)가 중화민국이 과거 이락에 반탱크 지뢰및 어뢰를 판매했다고 보도한것과 관련, 2.5. 주재국 행정원 신문국장 (정부 대변인), 국방부,외교부는 성명을 발표하여 중화민국 정부는 과거 이락에게 어떠한 군사무기및 설비를 판매한적이 없으며 TIME 지의 동보도는 사실이 아니라고 공표함.

끝

(대사 한철수-국장)

중아국	장관	차관	1차보	2차보	아주국	미주국	정문국	청와대
총리실	안기부	공보처	대책반					

PAGE 1 91.02.06 21:00 DA

외신 1과 통제관

0048

외 무 부

종 별 :

번 호 : CHW-0339 일 시 : 91 0222 1730

수 신 : 장관(중동일,아이,기정,국방부)

발 신 : 주중대사

제 목 : 걸프 사태

2.22. 소련.이란간 걸프사태 평화협의안 발표 관련,당일 전복 주재국 외교부장의기자회견 발표 내용 요지 아래보고함.

-중화민국의 대걸프 사태의 일관된 입장은 정의에 합치한 평화의 조속 실현임.

-침략자는 응분의 댓가를 치뤄야 하며, 고무를 받아서는 안됨.

-후세인 대통령의 태도의 돌연한 변화는 과거의 입장과 일치하지 않는바, 후세인의 진정한 의도가 무엇인지 관찰임 필요함. 끝

(대사 한철수-국장)

중아국	장관	차관	1차보	2차보	아주국	미주국	정문국	청와대
총리실	안기부	국방부	대책반					

PAGE 1

91.02.22 21:34 DQ

외신 1과 통제관

0049

정리보존문서목록					
기록물종류	일반공문서철	등록번호	2012090051	등록일자	2012-09-03
분류번호	772	국가코드	XF	보존기간	영구
명 칭	걸프사태 동향 : 아주지역, 1990-91. 전4권				
생 산 과	중근동과/동북아1과/동북아2과	생산년도	1990~1991	담당그룹	
권 차 명	V.4 기타				
내용목차	1. 호주 2. 기타국				

0001

1. 호주

0002

관리 번호	90/1211

	분류번호	보존기간

발 신 전 보

번 호 : WUS-2550 900802 1742 DY 종별 : 긴급

수 신 : 주 수신처 참조 대사//총영사//

발 신 : 장 관 (중근동)

제 목 : 이라크, 쿠웨이트 침공

WUK -1277 WFR -1472
WJA -3270 WCN -0782
√WAU -0529 WCA -0258
WSB -0277 WIR -0250

표제 사태 관련, 주재국 반응(영문) 및 사태 평가 내용 긴급 파악 보고 바람. 끝.

(중동아프리카국장 이 두 복)

수신처 : 주미, 영, 불, 일, 카나다, 호주, 이집트, 사우디, 이란

1990.12.31. 에 예고문에 의거 일반문서로 재 분류됨.

보안 통제	

앙 고 재	90년 8월 일	중근동과	기안자 성명		과 장		국 장		차 관	장 관

외신과통제

0003

관리 번호	90/1213

원 본

외 무 부

종 별 :

번 호 : AUW-0571 일 시 : 90 0803 1130

수 신 : 장관(중근동,아동,기정동문)

발 신 : 주 호 대사

제 목 : 이라크, 쿠웨트 침공

대:AUW-0529

1. 대호 사태에 대해 EVANS-외상(인도방문중)은 "이라크츠의 쿠웨이트 침공은 변명의 여지가 없으며 이를 규탄한다.(THIS IS JUST INDEFENSIBLE, WE OPPOSE IT AND CONDEMN IT ABSOLUTELYM OUTRIGHT AND UNRESERVEDLY)"고 밝힘.

2. 아울러 주재국 외무성은 DUFFY 외상대리명의 8.2 자 별첨 NEW RELEASE 를 통해 이라크의 침공을 규탄하고 이라크군의 즉극 철수를 촉구함. 또한 8.2 하오 당지 이라크대사를 초치, 표제관련 주재국 입장을 전달함.

3. 한편 주재국 외무성및 당지 언론은 금번사태가 걸프지역 안정에 유해하다고 보고있으며 앞으로의 아랍내부관계, 국제원유시장, 호주, 이라크 교역관계등에 나쁜 영향을 미칠 가능성이 큰것으로 평가 하고 있음.(대사 이창수-국장)

예고:90.12.31. 까지

첨부

'AUSTRALIA CONDEMNS IRAQI INVASION OF KUWAIT

THE ATTORNEY-GENERAL AND ACTING MINISTER FOR FOREIGN AFFAIRS AND TRADE, MICHAEL DUFFY, SAID TODAY THAT AUSTRALIA CONDEMNED THE IRAQI INVASION OFKUWAIT AND CALLED FOR THE IMMEDIATE WITHDRAWAL OF ALL IRAQI FORCES.

MR DUFFY SAID IRAQ'S ACTION AHD EXTREMELY SERIOUS IMPLICATIONS FOR THESTABILITY AND SECURITY OF THE GULF REGION.

IT WAS CONTRARY TO THE UNITED NATIONS CHARTER, THE SOVEREIGNTY AND INTEGRITY OF ALL STATES IN THE REGION, INCLUDING KUWAIT, WERE FUNDAMENTAL TO REGIONAL STABILITY.

THE IRAQI GOVERNMENT HAD CONFIRMED EARLIER TODAY THAT IRAQI FOECES CROSSED

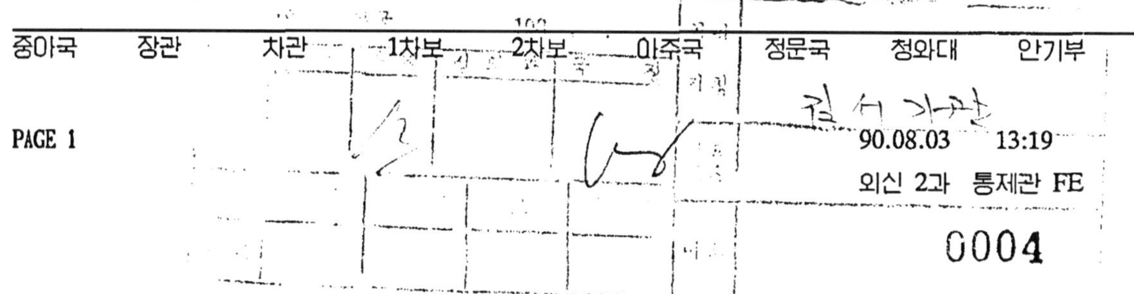

중아국	장관	차관	1차보	2차보	아주국	정문국	청와대	안기부

PAGE 1

90.08.03 13:19

외신 2과 통제관 FE

0004

THE BORDER INTO KUWAITI TERRITORY. A STATEMENT ON IRAQI RADIO CLAIMEDTHAT THE IRAQI ARMY ENTERED KUWAIT TO ASSIST THE SO-CALLED" KUWAITI REVOLUTIONALRY COUNCIL" WHICH HAD MOUNTED A COUP.

MR DUFFY SAID AUSTRALIA REJECTED THIS EXPLANATION AND CONSIDERD THAT IRAQ HAD VIOLATED KUWAIT'S TERRITORIAL INTEGRITY.

THE AUSTRALIAN EMBASSY IN RIYAHD HAD BEEN INSTRUCTED TO MAKE URGENT ENQUIRIES ABOUT THE WELL-BEING OF AUSTRLIANS IN KUWAIT. IT WAS BELIEVED THATTHERE WERE ABOUT 150 AUSTRLIANS THERE."END.

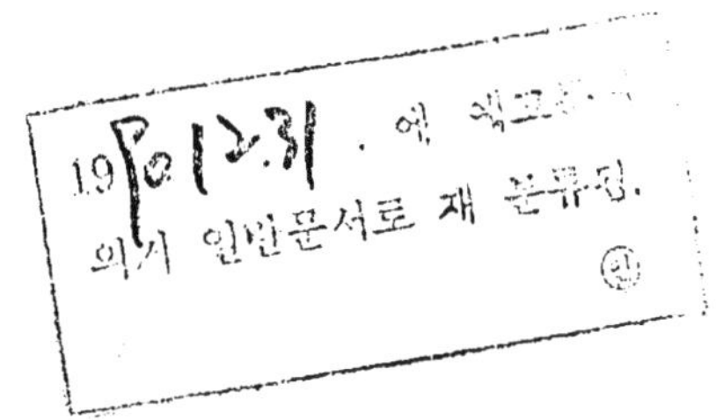

PAGE 2

0005

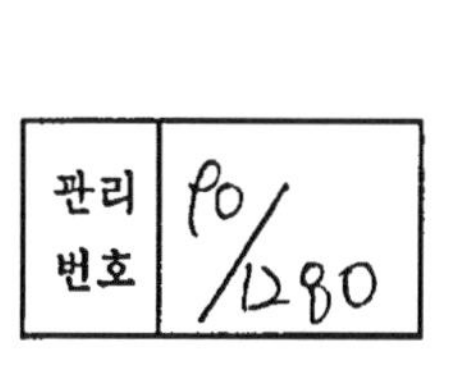

원 본

외 무 부

종 별 :

번 호 : AUW-0586 일 시 : 90 0807 1100

수 신 : 장관(중근동,아동,기정)

발 신 : 주 호주 대사

제 목 : 이라크,쿠웨이트침공

연:WAU-0529

1. 주재국은 8.6 표제관련한 각의를 열고, 이라크에 대해 다음과같은 부분적 제재조치를 취하기로함.

- 이라크 및 쿠웨이트로부터의 원유수입 금지
- 호주내 쿠웨이트 재산 보호 및 이라크 재산 동결
- 대이라크 군수물자 금수
- 이라크 항공사 시드니 사무실 설치 불허

2. 또한 주재국은 유엔안보리 대이라크 제재권고 결정의 이행상태를 지켜본후, 무역 제재 조치의 확대 여부를 검토할것이라고함.

3. 현재 호주의 대이라크 수출 주종품목은 소맥과 식용유, 양 인바, 앞으로 대이라크 전면 제재조치가 시행되는 경우, 약 10 억 호주불상당(상기 주종품목 판매 미수대금 7 억 및 동품목에 대한 기수주액 3 억)의 대이라크 수출이 영향을 입을 것이라함. 끝.

(대사 이창수-국장)

예고:90.12.31. 까지.

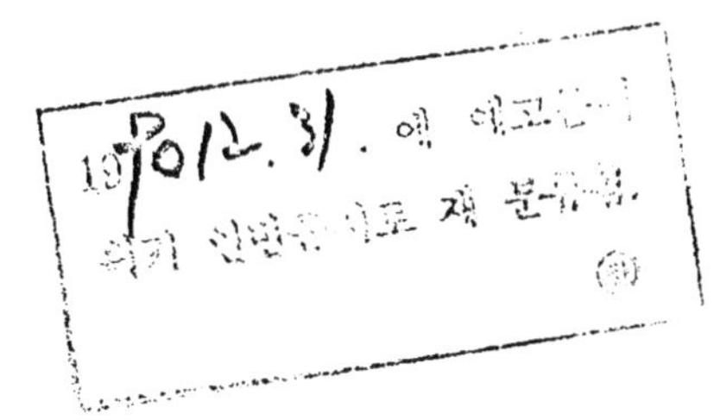

중아국 차관 1차보 아주국 정문국 청와대 안기부

PAGE 1 90.08.07 11:38

외신 2과 통제관 DH

0006

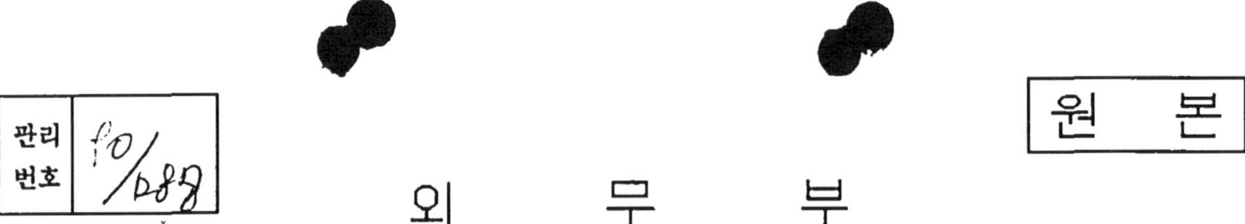

관리번호	90/588

원 본

외 무 부

종 별 :

번 호 : AUW-0588 일 시 : 90 0808 1200

수 신 : 장관(중근동,아동,기정,사본:국방부장관)

발 신 : 주 호주 대사

제 목 : 이라크,쿠웨이트 사태

연: WAU-0529,0586

주재국은 유엔안보리 대이라크 제재결정을 이행키 위해 연호 대이라크 제재조치를 아래와같이 확대키로 결정함.

- 이라크, 쿠웨이트가 원산지인 1 차산품 및 제품 수입금지
- 이라크, 쿠웨이트 수출을 고무하는 조치 채택금지
- 상기 목적으로 대이라크, 쿠웨이트 자금 송금 금지
- 의약품, 인도적 목적의 식품이외 1 차산품 및 제품 대이라크 수출 금지
- 상기 수출목적 판촉활동 금지
- 주재국내 이라크, 쿠웨이트 재산 반출 금지, 끝

(대사 이창수-국장)

예고:90.12.31. 까지.

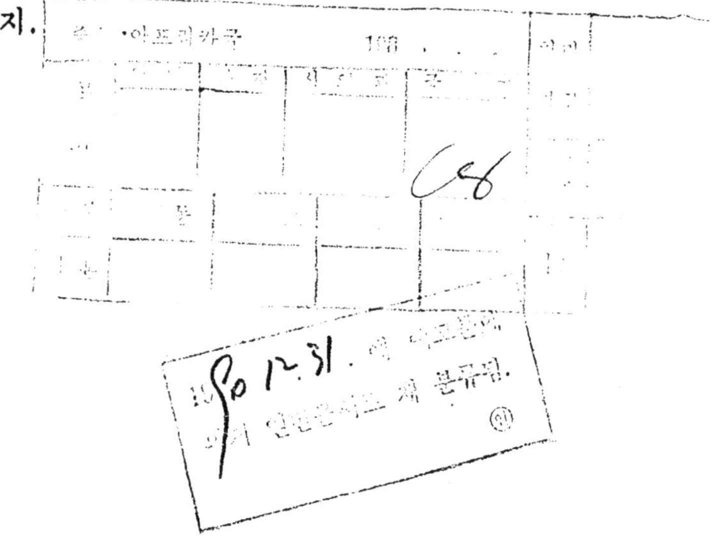

중아국 차관 1차보 2차보 아주국 정문국 청와대 안기부 국방부

PAGE 1

90.08.08 15:25

외신 2과 통제관 BT

0007

예고:90.12.31까지

관리번호	90/1311

외 무 부

종 별 :

번 호 : AUW-0597 일 시 : 90 0809 1530

수 신 : 장관(기협,중근동,아동,기정)

발 신 : 주 호주 대사

제 목 : 이라크.쿠웨이트 사태

대:WAU-0548

연:AUW-0588

대호관련, 주재국 전문가(일간지, TV 등)의 사태전망 분석 내용 및 외무 무역성, 1차산업성등이 발표한 주요대책을 다음과 같이 보고함.

1. 금번 사태에 대한 전망

0 유엔 및 미국의 대이라크 경제제재 조치로 이라크 경제는 큰 타격을 받을것으로 전망, 그러나 이라크가 미국의 요구조건(쿠웨이트로부터 완전, 무조건 철수, 쿠웨이트 국왕 복구등)을 쉽게 수락할 가능성은 희박한것으로 분석

- 전례없는 국제적 호응으로 강경한 경제 제재 이행 예상

- 대외무역 동결 등으로 이라크의 경제침체 불가피

0 동 경제조치가 장기화될시 미국, 서방선진국의 경우에도 경제 침체를 초래, 자국및 및 관련사업계의 지지기반 상실 가능성 대두로 인해 정책 딜렘마 현상 야기 가능, 금번 사태는 이라크의 야망과 관련, 미국의 제 3 세계에서의 영향력 쇠태 및 미군사력의 무력감에 대한 시험대로 작용, CREDIBILITY 및 자존심의 대결 양상으로 발전가능

- 경제제재 조치의 비능률성 및 사태해결의 한계

- 피제재국 뿐 아니라 제재국도 타격 감수

- 동조치의 효과가 적을시 미국의 NAVAL BLOCADE 등 추가조치 예상

- 미국의 공세적인 군사작전은 위험부담(이라크의 화학전 대응및 여타 파급영향등)이 많아 가능성이 적은것으로 예측되나, 미국의 대이라크 요구사항 관련,사태해결을 위한 하나의 전략 OPTION 으로서의 군사적인 압력가중 가능성.

0 경제적 측면에서, 단기적으로는 유가인상으로 인하여 국제경제의 침체현상이

경제국 차관 1차보 2차보 아주국 중아국 청와대 안기부

PAGE 1

90.08.09 15:57

외신 2과 통제관 CF

0009

예상

- 인프레 압력, 환율불안, 주식시장 급변, 국제무역 감소, 경제성장 둔화등

0 장기적으로는 각국정부(특히 미국)들의 충격의 단기 및 최소화를 위한 노력으로 국제경제 전반의 흐름을 되찾을 가능성도 많음.

- 국제경제의 대이라크, 쿠웨이트 원유에의 의존도가 낮은점.

- OPEC 의 가격결정시 이라크의 영향력 확대가능성이 희박한점.

- 미국, 원유수급 부족을 없애기 위한 사우디와의 협조등으로, 금번사태의 국제경제에 미치는 영향 최소화 노력계속.

이하 AUW-0590 호로 계속

PAGE 2

0010

관리번호	90/2040

외 무 부

종 별 :

번 호 : AUW-0598 일 시 : 90 0809 1530

수 신 : 장관

발 신 : 대사

제 목 : AUW-0597 PART 2

2. 금번사태의 장기화시 국제수급 및 유가전망

0 이라크, 쿠웨이트의 원유 수급중단시, 유가는 현수준(지난주보다 배럴당 3불 이상 인상)보다 25-50 %선 까지 인상예상

- 앞으로 배럴당 25-35 %까지 인상 추측

- 인상추세가 어느정도 지속될지는 의문

0 원유가격 인상으로 생산 증가요인 발생, OPEC 회원국및 비회원국이 일당 450 만 바렐을 증산, 충당할 가능성이 많다고 전망(이경우 유가안정에 기여)

- 사우디(일당 2 백만바렐 증산 보도), 멕시코 등(단, 시설투자 기간 소요)

- 주재국의 경우, 시추.개발회사에 대한 정부의 혜택 부여 문제 대두

3. 광역 전쟁등 확산시 국제수급 및 유가전망

0 중동은 물론 국제정세 전반에 불안요인으로 등장, 원유의 국제수급은 많은 차질을 받게될것으로 우려

- OPEC 의 원유생산량 및 가격설정, 통제기능이 사실상 어려울것으로 전망.

0 따라서, 유가인상에 대한 예측 불허 실정

4. 주재국의 대책

0 대 이라크. 쿠웨이트 경제재재 조치 참여

- 원칙적으로 무역 및 자금 송금 동결(상세 연호 참조)

- 주재국은 약 10 억호주불(수출판매 미수대금 7 억 및 수출품에 대한 수주액등)손실감소 예상(주재국의 연간 대이라크. 쿠웨이트 수출(소맥, 육류)은 4 억2 천만 호주불, 수입(원유)은 쿠웨이트로부터 1 억 호주불 규모임.원유소비는 일 66 만 바렐 규모로서 이중 40%를 사우디, UAE, 인니등으로부터 수입하고 있음)

0 인프레 억제를 위한 대내적 조치 강구

PAGE 1

90.08.09 16:01

외신 2과 통제관 CF

0011

- 유가인상 억제를 위한 에너지 소비세 인하 추진

- 정부예산 수입감소에 따른 예산지출규모 축소화

-노조와의 임금 인상협상 정책 재고

- 주재국내 석유시추, 개발회사들에 대한 혜택 고려등. 끝.

(대사 이창수-국장)

예고:90.12.31. 까지.

관리 번호	90-457

외 무 부

종 별 :

번 호 : AUW-0605 일 시 : 90 0810 1730

수 신 : 장관(중근동,아동,통일,기정,사본:국방부장관)

발 신 : 주 호주 대사

제 목 : 대 이라크 제재

1991.12.31.에 예고문에 의거 일반문서로 재분류됨

연:AUW-0588,0599

대:AM-0145

1. 연호 주재국은 대이라크 해상봉쇄에 참여키 위해 군함 2 척 (GUIDED MISSILE FRIGATES) 와 원유보급선 1 척 (OIL REPLENISHMENT TANKER) 을 중동지역에 파견키로 결정함.

2. HAWKE 주재국 수상은 금 7.10 기자회견을 갖고 금번 해군함 파견은 대 이라크, 쿠웨이트 해상봉쇄, 여타 중동 산유국을 위한 원유수송로 확보, 이라크의 더이상의 침공 저지를 목적으로 취해진 결정이며, 현재 시드니에 정박중인 상기 3척은 8.13(월)출항, 중동지역으로 출동할 예정이라고 밝힘. 상기 군함 2 척에는 각각 함대공 미사일, 함대함 미사일, 전자식 반격장치, SEA HAWK 헬기등이 장착될것으로 알려짐.

3. 금번 결정은 미국의 요청에 대해 호주가 호응한것으로서, 현재 이라크, 쿠웨이트 및 주변 중동국가에 호주인이 잔류하고 있음에도 불구, 대이라크 국제제재조치에 적극 참여하겠다는 호주의 의지를 표명한것이라고 해석되고 있음.끝.

(대사 이창수-국장)

예고:90.12.31. 일반.

중아국	차관	1차보	아주국	통상국	정문국	청와대	안기부	국방부

PAGE 1

90.08.10 17:24

외신 2과 통제관 DH

0013

관리번호 90-408

분류번호 | 보존기간

발 신 전 보

번 호 : WUK-1351 900813 1854 DP 종별 :

수 신 : 주수신처 참조 ~~대사, 총영사~~

WJA -3423 WFR -1546
WGE -1161 WAU -0562

발 신 : 장 관 (미북) 기협

제 목 : 이라크.쿠웨이트 사태

1. 금번 이라크의 쿠웨이트 침공과 이에 대한 미국정부의 강력한 대응, 국제적인 경제제재 조치 및 군사적 움직임 등 일련의 사태는 그 심각성으로 인해 향후 동 사태가 진정된 이후에도 세계경제 및 정치정세에 다대한 영향을 끼치게 될 것으로 사료됨

2. 본부로서는 현재 이라크.쿠웨이트 사태가 향후 상당기간 가변적이 될 것으로 사료되나, 아국의 중장기 정책수립에 참고코저하니 우선 현재까지 밝혀진 귀주재국 정부의 입장, 학계 및 전략문제 전문가들의 다각적인 견해, 언론 해설 등을 예의분석하여, 앞으로 사태 종결후 예상되는 중동정세 및 세계정세(경제 포함)의 변화 등에 관하여 가급적 조속 보고바람.

3. 본건과 관련하여서는 앞으로도 귀주재국 정부의 입장, 각계 의견을 예의 관찰, 분석하여 수시로 보고바람. 끝.

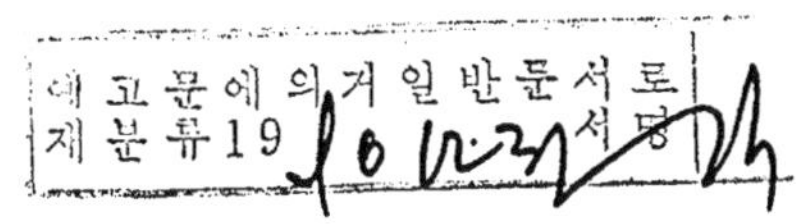
예고문에 의거 일반문서로 재분류19 90.12.31 서명

차관 유종하 ~~(미주국장 반기문)~~

예 고 : 90.12.31. 일반

수신처 : 주영국, 일본, 프랑스, 독일, 호주대사

제1차관보: 홍
국제경제국장: 김

보안통제

앙고재	90년 8월 13일	북미과	기안자 성명	과 장	심의관	국 장	차 관	장 관
			허 철			전결		

외신과통제

0014

관리번호	90/p61

원 본

외 무 부

종 별 :

번 호 : AUW-0625 일 시 : 90 0817 1800

수 신 : 장관(중근동,아동,영재,기정)

발 신 : 주 호주 대사

제 목 : 이라크,쿠웨이트 사태

연: AUW-0586,0588

주재국 외무성은 8.9 자로 주재국 국민들의 대사우디, 바레인, 이라크 및 쿠웨이트 여행연기 및 동 국가에 체류중인 불요불급 요원의 일시적 철수 권고조치 발표에 이어, 8.16 자로 동 대상국가에 UAE 및 카타르를 추가, 동일한 내용의 권고 조치를 발표함. 끝.

(대사 이창수-국장)

예고:90.12.31. 일반.

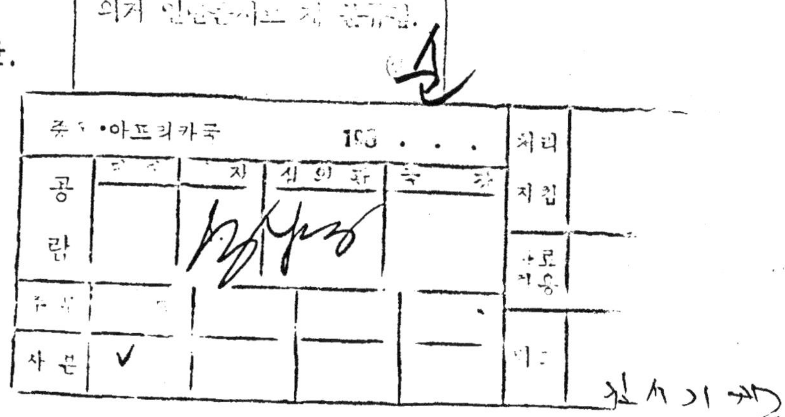

중아국 대책반	장관	차관	1차보	2차보	아주국	영교국	청와대	안기부

PAGE 1

90.08.17 18:49

외신 2과 통제관 CD

0015

'4

관리번호	90-417

원 본

외 무 부

종 별 :

번 호 : AUW-0629 일 시 : 90 0820 1500

수 신 : 장관(미북,기협,중근동,아동,국연,기정)

발 신 : 주 호주 대사

제 목 : 이라크,쿠웨이트 사태

대: WAU-0562

연: AUW-0597,0605

대호 관련, 표제 사태전망 및 향후 국제정세 변화에 관한 주재국 정부, 언론, 학계 전문가 평가를 아래 보고함.

1. 주재국 정부 입장 및 평가(외무성 중동관계관)

가. 사태전망

0 급박히 전개되고 있는 현 상황에 비추어 중동사태를 미리 예견하는 것은 매우 어려운 일이나 표제사태 진전에 있어 두가지 중요한 변수가 있다고 보며, 우선 가장 중요한 변수는 이라크의 마지막 경제 공급선인 요르단의 태도로서, 앞으로 요르단이 자국 국내정치를 고려하면서 유엔 경제조치를 얼마나 적절히 이행하느냐 여부에 따라 대이라크 경제제재의 효과가 판가름날것임.

0 다음으로 미국.이라크간 신경전 가운데 양측의 의지및 결의가 얼마나 강한가 하는 문제로써, 이라크. 쿠웨이트내 미.영국민을 일정 장소에 집결 시키고 있다는 보도와 관련, 미국은 만약 미국민에 대해 위해가 가해질시 군사작전을 배제하지 않을것으로 전망됨.

- 현재 대 이라크 해상봉쇄는 군함을 파견한 각국이 자국기를 게양한 일종의독자적인 작전단계인바, 미국은 사태 진전을 보아가며 유엔안보리에 유엔깃발하군사 작전에 관한 결의안을 상정하려는 계획을 가지고 있으며, 결의안 통과가 확실하다고 판단할 내 까지는 우선 유엔헌장 제 47 조의 안보리산하 MILISARY STAFF COMMITTEE 를 설치하여 다국적 군함의 군사작전 활동결과를 동 COMMITTEE 에보고 하므로써 결과적으로 다국적군의 해상작전을 유엔안보리 및 안보리 결의와자동 연결 시키려는 구상을 갖고있는것으로 보임.

미주국 차관 1차보 2차보 아주국 중아국 국기국 경제국 통상국
청와대 안기부 대책반

PAGE 1 90.08.20 15:22
외신 2과 통제관 BT

0016

- 유엔안보리 결의(660-662)는 경제봉쇄를 통한 이라크군의 쿠웨이트 철수에 관한 것으로 이라크의 태도에 비추어 볼때 현재 안보리 결의 이행 가능성은 크지 않으며, 미국이 주장하는 쿠웨이트 LEGITIMATE 정부 복귀는 동결의에 포함되어 있지 않음으로 유엔결의와 미국의 주장과는 다소 차이가 있는것으로 보임.

0 이라크가 이란으로부터 얻은 이익을 포기하면서 까지 쿠웨이트 점령을 고수하려는 태도를 보이고 있음에 비추어 쿠웨이트로 부터 철수하지 않겠다는 이라크의 결의는 매우 강한것으로 보이며, 한편, 상기 미국의 자세 역시 강경함에 비추어 현사태는 그 향배를 예측할수 없는 상황에 처해있음. 이하 나항 계속됨.

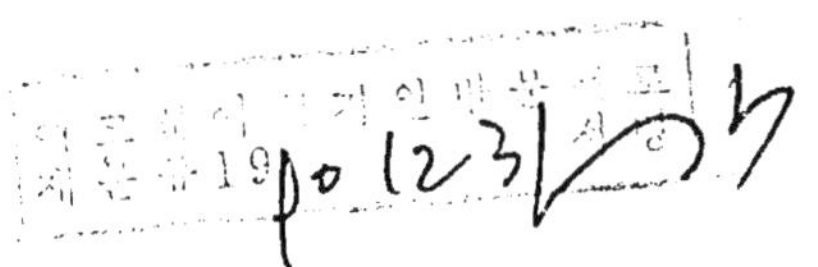

PAGE 2

0017

관리번호	90-418

원 본

외 무 부

종 별 :

번 호 : AUW-0630 일 시 : 90 0820 1500

수 신 : 장

발 신 : 대

제 목 : AUW-0629 PART2

나. 향후 국제정세

0 미.소 해빙 무드속에서 일어난 금번 사태는 미.소가 2 차대전후 최초로 지역분쟁에 공동보조를 취한 경우로서 향후 미.소가 자국에 영향을 줄만한 중요 지역분쟁 해결에 공동보조를 취할수 있는 계기를 마련하였고 이를 세계에 보여준데, 국제정치적 의미가 있다고봄.

0 금번 사태는 후세인 계속 집권 또는 실각여부에 관계없이 중동 아랍권 내부단결에 큰 타격을 줄것으로 예상됨.

- 쿠웨이트 침공, 합병을 계기로 이라크에 대한 역내국의 불신이 깊어졌으며아랍권이 전후 최대 분열상을 나타내고 있음.

- 한편 팔레스타인 또는 이라크가 앞으로 국제 테러화할 가능성 또한 배제할수 없음.

2. 학계 전문가 견해(호주 국립대 SAIKAL 교수)

0 미국이 경제제재, 해상봉쇄등 대이라크 압력을 가중시키고 있는 가운데 신경전이 계속되고 있는바, 이라크측의 해상봉쇄 돌파 시도등을 계기로 미국.이라크 직접 충돌로 가열화될 가능성이 적지않으며 향후 1-2 주간이 사태향방에 극히 중요한 시기라고봄.

0 미.이라크 직접충돌시 승자없는 전쟁이 될것이며 이라크, 쿠웨이트 및 사우디내 산유관련 시설 상당부분이 파괴되어 세계원유시장에 쇼크를 줄것임.

0 현 상황하에서 이라크, 쿠웨이트 원유공급 중단에 따른 부족분(하루 4-5 백만 배럴)을 사우디, 이란, 오만, UAE 등지에서의 증산으로 일부 충당, 오일쇼크를 막더라도 세계원유시장의 불안은 세계경제에 부정적 영향을 끼칠것으로 봄.

3. 언론 주요입장

미주국	장관	차관	1차보	2차보	아주국	국기국	경제국	통상국
청와대	안기부	대책반						

PAGE 1 90.08.20 15:52

외신 2과 통제관 BT

0018

0 주재국 언론은 군함 3 척을 중동에 파견한 정부 결정을 지지하는 입장이며, 현재의 대치상태가 장기화될 가능성이 많고 해상봉쇄 및 경제제재 효과가 나타내는데는 수개월이 소요될것으로 평가 하면서도 최근 미국측의 병력증강, STEALTH 전폭기등 공격용 무기배치 및 이라크측의 대이란 화해, 국내 영. 미국인 집결등 쌍방이 강경한 결의를 표시하여 아랍권내 중재노력 실패이후 상황이 가열화되고 있음에 비추어 미국.이라크간 직접 충돌 가능성이 적지않으며 향후 월남전에서 처럼 주재국 참전이 확대될 가능성에 대한 우려를 나타내고 있음.

0 쿠웨이트내 호주인 집결 보도와 관련, 호크수상은 이를 비열한(DESPICABLE) 조치로 비난하는등 강경한 입장을 보이고 있으며 외무성은 현재 자국민에 대해 상황에 따라 각자 판단하에 집결 명령에 대처토록 권고하고 있음. 끝

(대사 이창수-국장)

예고:90.12.31. 일반.

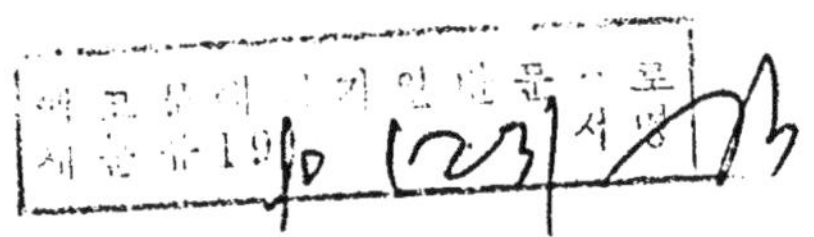

PAGE 2

0019

관리 번호	PO-1802

외 무 부

원 본

종 별 :

번 호 : AUW-0639 일 시 : 90 0822 1500

수 신 : 장관(미북,기협,중근동,아동,기정)

발 신 : 주 호주 대사

제 목 : 이라크,쿠웨이트 사태

대:WAU-0562

연:AUW-0629

연호, 표제사태 관련국 입장과 향후 중동정세에 관한 주재국 중동전문가(국립대 SAIKAL 교수) 평가를 아래 보고함.

1. 관련국 입장

가. 미국입장

0 미국의 사태대처 방안은 두가지 인바, 우선 첫째는 경제재재. 해상봉쇄를 철저히 계속 시행하는 방안임.

0 둘째는 정면출동 방안으로서, 사우디주둔 미군 및 이집트군을 증강하고 터키를 설득하여, 사우디, UAE 터키의 3 개 방향에서 연합전선을 구축, 이라크 본토와 사우디 국경지대를 중심으로 충돌하는것임.

0 주재국 다수 전문가는 미국이 첫째 방안을 택하고 있는것으로 보고있으나, 동 경제재재.봉쇄방안은 사막에서 장기대치하는데 따른 기후문제, 주둔 비용문제 및 미군 사기 문제가 있으며 대치상태 장기화되면 현재로서는 호의적인 미국내 여론이 수개월후에도 지속될것이라고 장담키 어려움(미국의 그레나다와 파나마 침공때와는 다른 상황임)

0 따라서 표제사태관련 이라크의 쿠웨이트 침공과 합병문제 자체보다 미.영국인 억류인질 문제가 부각되고 있는 현재로선 미국은 인질사태에 억매인 장기대치 보다는, 유엔의 군사력 사용허용 결의 통과를 기다려 군사작전에 돌입할 가능성이 커지고 있는것으로 생각함.

나. 이라크 입장

0 이라크는 세가지 대안을 가지고 있는바, 첫째 방안은 쿠웨이트로부터의

미주국 차관 1차보 2차보 아주국 중아국 경제국 통상국 청와대 장관
안기부 대책반

PAGE 1

90.08.22 16:01
외신 2과 통제관 DO

0020

철수로서, 이경우 대이란 8 년 전쟁에 통해 얻은 이익을 포기하면서까지 미국과 대치하여 얻은 결과가 없다는데 대한 국내비판과 아랍권 지지세력의 실망으로 인해 후세인 정부가 자멸할 것이므로 선택 가능성이 희박함.

0 둘째로는 현재의 신경전을 계속하며 대치하는 방안으로서, 장기대치시 미국에 비해 이라크 입장이 다소 유리할수 있다고는 하나 경제제재가 철저히 시행될 경우 3 개월정도 이후면 이라크 경제가 심각한 타격을 입을것이고 100 만에 달하는 병력유지가 큰 부담으로 될것임.

0 세째로는 정면충돌 방안으로서, 미.영. 불등 강대국 연합군을 상태로 승리 가능성은 전무하나 후세인은 순교자가 되고 향후 아랍민족주의 세력의 추앙을 받게될것임.

0 이라크는 상기방안중 어느것도 선택키 어려워 궁지에 몰려있으며 최근 이라크의 일련의 화해안 제시는 전쟁준비시간 확보보다는 다급한 사정 때문이라고 봄.

0 결국 후세인은 쿠웨이트 침공시 소련의 유엔안보리 거부권행사로 유엔이 통일된 입장을 취하지 못할것으로 오산한데 큰 착오가 있었다고 생각함.

이하 다항 이후 640 호로 계속.

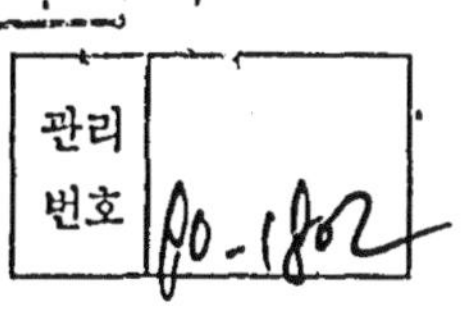

외 무 부

원 본

종 별 :

번 호 : AUW-0640 일 시 : 90 0822 1500

수 신 : 장관

발 신 : 주 호주 대사

제 목 : AUW-0639 PART2

다. 여타국 입장

0 요르단은 이라크. 미국 양측으로부터 경제봉쇄참여를 둘러싼 압력을 받고 있는바, 사태의 향방이 판가름날때까지는 어느쪽에도 기울지 않으면서 국내적으로는 여론을 의식, 자발적 이라크 지지시위를 허용하는 한편 미국이 군사력사용에 관한 새로운 유엔결의에 따라 항구를 봉쇄하면 저항치 않겠다는 태도를 보이고 있음.

- 요르단은 이스라엘과 아랍권 강대국간 완충국 역할인 지정학적 위치로 인해서 금번 사태결과에 불구, 독립을 보전하게될것임.

- 만약 이라크 또는 이스라엘군이 요르단에 진입하면 금번사태는 이라크. 이스라엘 분쟁으로 확대되고 나아가서는 이스라엘. 아랍분쟁으로 비화될 가능성이 있음.

0 이란은 이라크와의 화해 조치에도 불구, 금번사태에 있어 이라크를 지원할 이유가 없으며, 이라크 현정부의 붕괴를 기다려 신정부와 관계 개선한다는 입장인 것으로 보임.

- 이라크내 현 수니파 후세인 정부몰락이후 시아파정부가 세워지면 이란. 이라크 관계발전 가능성이 많으나, 이러한 가능성은 미국및 주변중동국가에게 큰 우려가 되고 있음.

2. 향후전망및 중동정세

0 표제사태는 앞으로 무력사용에 관한 유엔안보리 결의내용, 각국참여및 미국의 실행의지에 따라 향배가 크게 좌우될것으로 예상됨.

0 쿠웨이트로부터 이락이 철수하고 쿠웨이크에 전통정권이 복귀되더라도 쿠웨이트 통치는 매우 어려울것임.

0 사태이후 중동정세는 상호불신과 혼란속에서 불확실한 정세가 당분간 계속될것임.

미주국	차관	1차보	2차보	아주국	중아국	경제국	통상국	청와대	장관
안기부	대책반								

PAGE 1 90.08.22 16:04

외신 2과 통제관 DO

0022

- 시리아가 미국.이스라엘과 한편이 된것은 유례없는 일이며, 사우디는 이라크를 지지한 예멘을 용서치 않을것임.

- 팔레스타인은 금번사태에서 이라크를 지지하였기 때문에 이라크 현정부몰락시 PLO 도 몰락할것이며 이후 중동산유국으로부터의 자금지원이 격감할것임.

- 이스라엘 점령지내 팔레스타인 저항운동에 대한 서방의 관심이 줄어들가능성이 있는반면 이라크의 쿠웨이트 침공과 비교되어 이스라엘에 대한 점령지 철수 압력은 증대되고 이것은 미국의 대이스라엘정책, 나아가서는 대중동정책에 영향을 미칠것임.

0 또한 금번사태는 중동대다수 왕정체제국가의 통치스타일에 큰 변화를 가져올것임.

- 산유국 왕가들은 자국내 일반국민과 여타 아랍인의 여론동향에 더욱 관심을 가지게 될것이며, 아랍민족주의에 대한 대처방안을 모색할것임.끝.

(대사 이창수-국장)

예고:90.12.31. 일반.

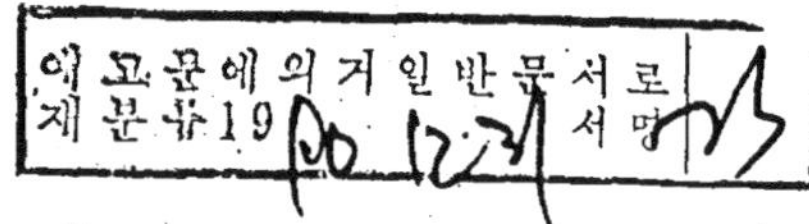

PAGE 2

0023

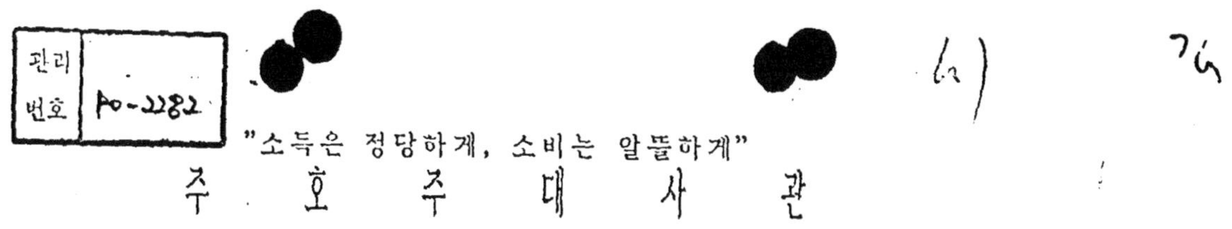

"소득은 정당하게, 소비는 알뜰하게"

주 호 주 대 사 관

호주(정) 20710- 83　　　　　　　　　　　　1990. 10. 17.

수신 장 관

참조 미주국장, 국제경제국장, 중동국장, 아주국장, 정보문화국장(공보)

제목 이라크, 쿠웨이트 사태

대 : WAU-0562(90.8.13)

연 : AUW-0639(90.8.22)

대호관련 90.10.17. 당관 장동철 참사관은 주재국 중동문제 전문가인 Saikal 호주국립대 교수를 면담, 최근 중동사태 현황과 향후 전망에 관해 파악한 바 동교수 언급요지를 별첨 보고합니다.

첨 부 : 면담 내용 1부. 끝.

예 고 : 90.12.31. 일반

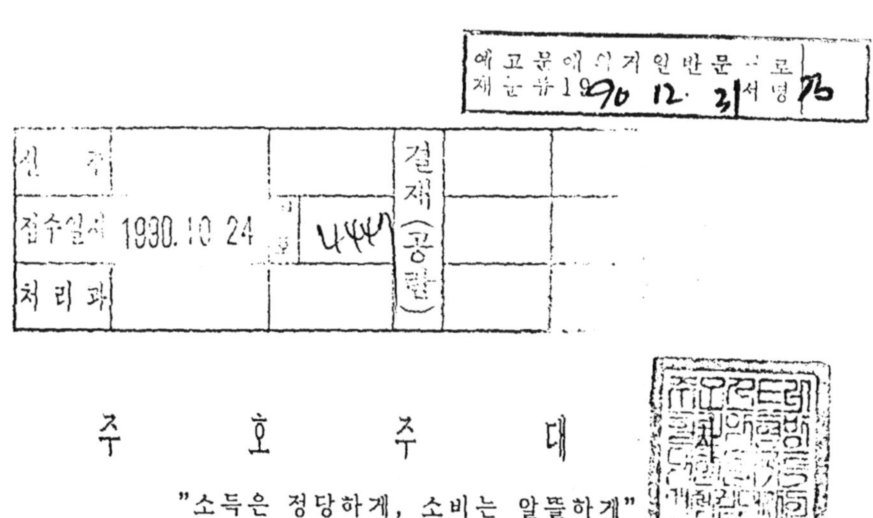

예고문에 의거 일반문서로 재분류 1990. 12. 31. 서명

선 결			결재(공람)	
접수일시	1990.10.24	44447		
처리과				

주 호 주 대

"소득은 정당하게, 소비는 알뜰하게"

0024

중동사태 현황과 전망

1. 면담일시 : 90.10.17(수)

2. 면 담 자 : 장동철 참사관(황승현서기관 배석)

   Saikal 호주국립대 교수

3. Saikal 교수 언급 요지

   가. 예루살렘 발포사건

   o 최근 예루살렘에서 이스라엘 경찰이 팔레스타인 시위대에 발포, 20여명이 사망하고 다수의 부상자가 발생한 사건에 관하여, 동 사건은 이스라엘 경찰의 시위 진압과정에서의 실수나 우발적 과잉행동에 기인한다기 보다는 현재의 복잡한 중동사태에 관련한 이스라엘측의 계산된 행동인 것으로 의심함.

   o 이는 과거에 이스라엘측이 팔레스타인 시위 진압에 있어 고무탄환을 사용하였으나 이번에는 특별한 이유없이 실탄을 사용하였으며 현재의 복잡한 상황에서 회교도의 성지내에 유태교 사원 신축을 시도하였다는 점에서 계산된 행동이라는 의심이 가고 있음.

   o 이스라엘측은 금번 중동사태가 평화적으로 해결되어 이라크 현정부가 온전히 살아남는 경우, 5-6년내에 핵무장 가능성이 다분하며 중동 이슬람의 지도국으로 부상하게될 이라크와 결국 일전을 벌일 개연성이 크다고 판단, 아랍의 지도자로 자처하고 있는 이라크로 하여금 이스라엘에 대해 군사적 도발을 하도록 유인함으로써 이스라엘이 이라크에 대해 대량보복을 할 수 있는 기획로 삼으려고 하고 있는 것으로 보임.

0025

o 이러한 배경에서 이스라엘은 워싱턴의 동향을 예의 주시하면서 중동사태의 정치적 해결을 방해하는 한편, 그간의 이라크의 대이스라엘 위협(이스라엘 영토전반에 불세례를 주겠다는등)의 강도를 시험해 보기 위한 계산에서 전세계의 관심이 쏠리게 될 것을 알면서도 금번 발포 사건이 발생되도록한 것으로 봄.

나. 평화적 해결 방안논의와 전쟁준비

o 최근 영국 대처수상과 허드외상이 중동사태 해결을 위한 전쟁의 불가피성을 언급하자 미국측은 대이라크 경제봉쇄가 효과를 나타내고 있으며 전쟁이 임박하지 않았다고 이에 찬물을 끼얹었는 바, 미국측의 평화의지는 평화적 해결 방안을 계속 논의함으로써 국제여론의 동조를 얻고 이라크측에 압력을 행사하기 위한 대외용에 불과하고 미국측의 본의는 불가피한 전쟁 준비에 있다고 봄.

o 궁극적인 군사작전을 위해서는 미국은 국제사회의 지지가 필요함으로 다국적군 군사력 증강과 함께 유엔에서 외국인 인질석방과 군사력사용에 관한 명백한 지지를 얻기위해 단계적으로 조치를 취해 나갈 것으로 예상되며 군사력사용에 관한 국제사회의 확실한 지지가 있을 때까지는 계속 분쟁의 평화적 해결에 관한 가능성에 대해 언급할 것임.

o 이라크측은 최근 이라크를 방문한 소련대통령 특사에게 이라크는 쿠웨이트 유전지대 일부 및 섬 할양, 해상로 확보를 조건으로 쿠웨이트로 부터 철수할 의향도 있다고 제시했는 바, 이러한 이라크의 제시는 미국측으로서는 받아들일수 없는 것이며 오히려 미국측은 이라크가 경제 봉쇄로 인해 어려움을 겪고 있으며 이라크 의지가 약화되고 있는 조짐이라고 판단, 계속 강경한 태도를 견지할 것임. 아마도 미국측은 앞으로 취할 행동방향을 이미 결정했을지도 모름.

0026

- 한편 이라크의 대안은 일방적 철수 아니면 전쟁인 바, 이라크 정부로서는 어느쪽을 선택해도 결과는 후세인 정부 몰락인 까닭에 먼저 움직이지 않고 현재의 대치 상태를 최대한 계속 유지해 나가려고 할 것임.

다. 소련입장

- 중동사태에 대응하는 소련의 태도는 냉정하리만치 실리적임. 미국이 중동사태 해결에 군사적으로 기여토록 요청했을 때 무반응이다가, 사우디와 수교가 성사된 직후 유엔 기치하에서라면 군사 작전 참여할 용의 있다고 표명한 것이 그 일례이며 경제 이익추구가 유선하고 있음을 보여주고 있음.
- 이라크가 소련이 미국에 군사비밀을 알려줄 경우 이라크내 잔류 중인 소련인에 대한 위해 가능성을 경고하자 소련은 미국측에 군사 비밀을 통보치 않을 것이라고 했으나 과연 소련이 어느정도 이를 준수할 것인지도 의문임.

라. 향후 전망

- 부쉬 미대통령은 11월 8일 미국하원 중앙선거가 끝나면 중동 사태에 전념할 수 있게 되고 영국지상군 중동도착, 날씨등 전쟁 개시 여건이 무르익었다고 판단할 것으로 보며, 따라서 (Sailkal 교수는) 11월중순 이후가 사태진전에 매우 중요한 시기라고 생각함.
- 내년초보다 11월중순 이후가 중요할 것이라고 보는 것은 부쉬 대통령의 국내인기하락등 여론이 변하기 잘하며 우방국내 평화 해결 지지여론이 더욱 증폭될 가능성도 무시할 수 없는 점을 감안, 장기 대치는 미국에 이익이 아니라는 점도 그 이유의 하나이며 결국 후세인이 미측의 요구를 전면 수용하지 않을 경우 군사대결로 이르게 될 것임.

0027

마. 국제원유동향

o 한편 이라크.쿠웨이트 봉쇄이후 세계 원유공급 감소분은 하루 백만 배럴에 불과하며, 일부 OPEC회원국의 원유증산을 감안할때 현재 원유가 상승은 수급불균형보다는 국제 Major 석유회사들의 장난에 기인한 점이 크다고 보며 이는 지난 제1차, 제2차 석유 파동시의 국제 Major의 행태를 보면 이해할 수 있을 것임.

o 중동에서 전쟁 발발시는 배럴당 60불 또는 그이상으로 유가가 상승할 것으로 생각함.

바. 미국의 대중동정책 실책

o 결국 미국은 과거 중동정책의 실수로 인한 결과를 오늘날 갚아 나가고 있는 것으로 생각함. 이란의 샤를 지지하다가 호메이니 집권후 이란.이라크전에서는 이라크를 키워주고 이제 다시 이라크를 막고자 중동에 군사를 파견하게까지 된 것은 미국의 역대행정부가 중동을 중동입장에서 이해하는 바탕위에 정책을 수립하지 않고 대국적 자만에서 미국의 기준으로 정책을 입안한데 따른 당연한 결과로 봄. 그간 이라크를 누가 키워주었는가를 생각한다면 이점에서 영.불.독로 마찬가지임.

4. 참 고

Saikal 교수는 아프가니스탄 출생으로써 미국에서 고등교육을 받은후 호주국립대학에서 중동문제를 연구, 박사학위를 취득 하였으며 그간 미국 Princeton, Harvard 대학에서 객원교수로 활동한바 있으며 현재 호주국립대 중동, 쏘련관계 교수로 재직중이며 저서로는 "이란 샤의 등장과 몰락"등이 있음

0028

관리 번호 90-2220

"소득은 정당하게, 소비는 알뜰하게"

주 호 주 대 사 관

호주(정) 20710- 86　　　　　　　　　　1990. 10. 30.

수신 장 관

참조 ~~미주국장,~~ 국제경제국장, 중동국장, 아주국장, 정보문화국장(정일)

제목 이라크, 쿠웨이트 사태 (자료응신 42 호)

대 : WAU-0562(90.8.13)

연 : 호주(정) 20710-83(90.10.17)

연호, 90.10.26. 호주 국립대학에서 개최된 "걸프만 위기와 그 영향"이라는 제목의 심포지움에서 논의된 내용 요지를 별첨으로 보고하오니 업무에 참고하시기 바랍니다.

첨 부 : 상기 중동사태에 관한 심포지움 내용 1부. 끝.

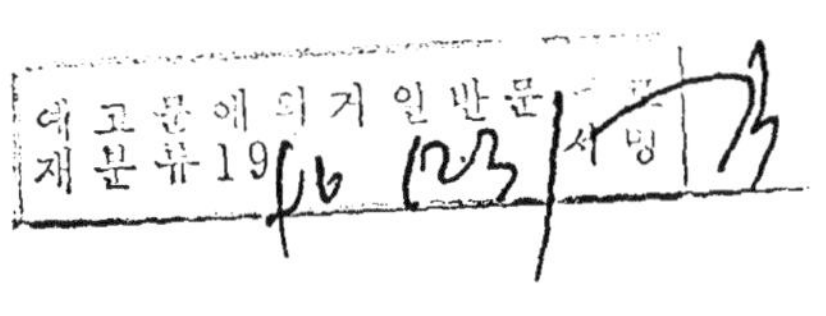

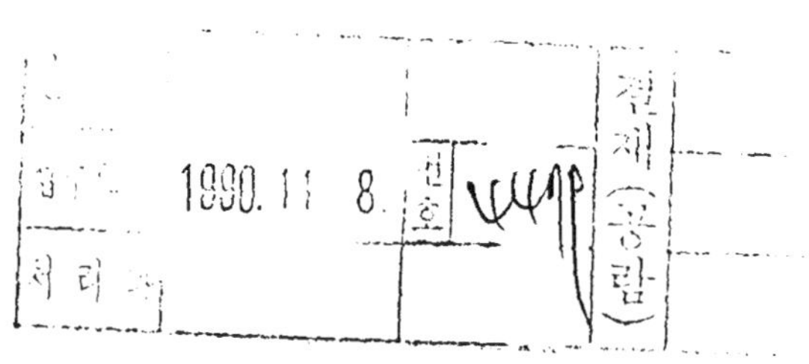

주 호 주 대

"소득은 정당하게, 소비는 알뜰하게"

0029

중동사태에 관한 ANU 심포지움

주 호주 대사관
작성자 : 황승현

1. 일시 및 장소 : 90.10.26(금), 호주국립대(ANU)

2. 주 제 : The Persian Gulf Crisis and Its Implications

3. 주요연사 언급요지

가. Woolcott 외무.무역부 차관 : 개회사

o 호주는 금번사태의 평화적 해결에 이해관계 있음.

- 국제 질서에도 관계있는 문제임.

- 호주인 34명이 억류되어 있음.

o 호주의 외교정책은 이해관계를 뒷받침할 수 있는 호주 국력.영향력에 대한 현실적 평가위에 기초하고 있음.

o 목 표

- 유엔결의에 따른 평화적.원칙적 해결

- 이라크를 쿠웨이트로부터 축출하고 쿠웨이트 정부 복귀

- 억류인질 구출

o 원 칙

- 장기적으로 보다 안정된 지역정세 추구

- 호주.중동 관계 일반 및 경제.교역 이익 수호

- 인적 손실.피해 최소화

o 그동안의 조치

- 침략강력 규탄

- 국제협조에 적극 참여하여 해군력 제공하는등 Cost 감수

- 원조제공

0030

o 전 망

- 안보리 통한 효율적 대응 통해 안보리는 국제 노력의 중심으로 등장
- 장기적 관점에서 국제체계에 영향
- 미국의 지도적 역할 인정
- 미.소 협조는 후냉전시대를 구획하는 Striking feature

o 결 론

- 가능하면 군사충돌 회피코자 하나 appeasement 통한 해결책은 단호히 배제
- 상황전개를 긴밀히 관찰중이며 억류인질 문제 및 피난민 문제에도 관심
- 상금 긴장 팽배하여 향후 전망곤란
- 중동문제의 복잡성 보여주는 일례로 예루살렘 총격사건 언급
- 1930년대과 비교하여 교훈을 얻어야 함.(히틀러와 후세인 간접 비교)

(The Crisis and the Region)

나. 이라크 정부.정세 분석 : Mr. Steele (전 주이라크대사)

o 후세인 개인신상 소개

o 후세인 국내정치 공적 : 이라크의 진정한 통일 실현, 단순한 인기라기 보다 카리즈마(Baarthism에 기초), 경제발전 이룩, 부패없는 정부 확립, 부국강병(돈, 자원, 무기 획득으로 열강지위로 부상한다는 목표제시)

다. 금번사태의 원인(Origins) : Spingborg 교수

(이라크의 쿠웨이트 침공 의도 해석을 둘러싼 5가지 견해소개)

o 제2의 히틀러(영토확장)

o Monster (주인에게 대든 후랑켄스타인)

0031

o 오히려 신식민주의의 피해자

o desperate gambler (국내정세 불안해소를 위한 막판 모험)

o 과격아랍주의 기수

라. 지역적 의미 : Saikal교수 (ANU 중동과 교수)

(radical Arab nationalism 관점에서 아랍 정치, 지역정치에 미치는 영향 분석)

o 침공이후 순식간에 여타아랍국입장은 서방 보호국으로 전락함

- 소련 묵인하 미국.서방 재진출

- 다시금 서방진영 Playground화

o 아랍분열, Realignment 활발하게 진행되고 있음

- 종래 보수.급진 양분이 아니고 각(보수. 급진) 진영내 원자분열

예) 요르단, 시리아가 종전입장과 달리 편가름

o 수니.시아파간 갈등 심화 - 이란은 이에 편승, 중동 헤게모니 획득을 도모할 것으로 예상됨

o 결론 : 최대 피해자는 아랍

- 금번 사태와 팔레스타인 문제를 동시 해결할 것을 주장함

(선택과 전망)

마. 선택 : Andrew Mack (ANU Peace Research Centre 소장)

미 국 o 전쟁론자, 신중론자간 논쟁이 활발하며 행정부는 전쟁론자 입장인 것으로 봄

이라크 o 매우 조심하고 있으며 아래 어느 방안도 선택키 어려워 현 대치상태 계속할 것으로 봄

① 개전해도 패배

② 대치 계속해도 제재로 인해 곤란

③ 철수해도 체면손상

0032

(국제 질서에 미치는 영향)

바. 제4차 Oil Shock가 올 것인가 : Leaver교수

o 90.8.2.이후 유가상승 동향

- 그간 석유비축, 에너지효율 제고, 거시경제정책, 충격흡수력 신장으로 경제충격 비교적 적었음.

o 오히려 석유 Major등의 투기움직임이 가격교란 주요원인인 것으로 봄.

o 미.일간 연료효율성 차이(일본은 73년에 비해 30%나 연료효율성 제고한데 비해 미국은 답보상태)는 장기적으로 의미깊다고 언급함.

사. 세계경제질서 전반에 걸친 영향 : Higgott 교수

o UR에 미치는 영향

- GATT UR협상에 악영향

o 미국경제에 미치는 영향

- 적자, 경쟁력 회복등 개혁시도에 악영향을 주고 다시금 고립주의로 회귀케 될 것으로 우려함

o 지도력이 절실히 필요한 시기이며 미국과 여타주요국과의 협력이 긴요함.

(호주에의 영향)

아. 호주외교정책 : Harris 교수 (전 외무무역부차관)

o 국제사회에서 가능하면 free ride도 좋겠으나 호주는 free ride 배제하고 책임있게 행동하고 있음

o 호주는 대이라크 제재에 적극 참여중임

- 미국 선도하 유엔 통한 국제노력 지원

- 이러한 참여는 중동원유에 관련한 국익수호 차원에서 추진

o 금번사태는 후냉전시대를 구획하는 중요사건으로 평가함

- 침략, 비인도적인 인질잡기를 단호히 배격해야 함.

0033

o 일부에서 거론되는 이라크 지도자 전쟁범 재판 회부 주장에는 반대함

o 금번사태로 인한 호주 국내 cost

- 호주인 사상자 발생 가능성

- 호주내 중동계이민 소외

o 국제 cost

- 군사행동에 대한 책임부담

- 미국주도를 너무 따르는데 따른 부담

  · 미국선도가 다받아들일만한 것은 아니나 유엔은 대체감 못됨

  · 항상 미국입장 지지해 온 기록도 언급함

4. 심포지움 참석한 이라크대사 언급 요지

o 금번 심포지움에서 대체의견이 후세인 제거, 이라크군 축출인데 이라크도 금번사태의 관계국이므로 해결책 제시할 권한 있음.

o 침략직전 이라크.쿠웨이트간 협상.대화있었음

- 전쟁끝내자마자 다른나라하고 또 전쟁하는데 그만한 이유있음.

- 이라크.쿠웨이트간 역사적 관계 언급함

  · 4개의 region중 3개를 묶어 이라크로, 1개는 분리 쿠웨이트로 독립시킨 서방정책 비난

- 6일전쟁결과 이스라엘의 주변영토 점령, 시리아의 레바논 점령 상기(킨/시)며 이라크의 쿠웨이트점령과 상호 긴밀한 연관강조함

o 사태발전 검토

- 아랍국가에 내두었으면 벌써 평화적으로 끝났을 것을 서방의 간섭으로 긴장이 고조되고 있다고 주장함

- 누가 침략자인가에 대해, 이라크는 사우디를 위협할 의도가 없으며 사우디를 침략하려면 다른 방도가 있었음 강조함

  · 이라크 ⇒ 쿠웨이트 ⇒ 사우디가 아니라 이라크 ⇒ 사우디 ⇒ 쿠웨이트로 침공했었을 것임

0034

· 그간 이라크.사우디 관계 좋았 으며 양국간에 불가침 조약도 있음.

· 오히려 미국은 수십만명의 병력을 파병하며 후세인 축출을 공헌하고 있음

- 미국의 진정한 의도 의심

· 이라크는 사우디에 대해 아무일도 안했는데 미국은 이라크 국경 주변에 병력집중함

· 중동지역을 장악하려는 의도로 중동국가에 미군파병을 접수토록 압력넣고 있음

- 이라크는 석유가격 교란의도 없고, OPEC 일원으로 행동할 것임

- 미국의 대유엔 영향력 너무 큼

o 선택 및 평화안 제시

① 전 쟁

② 평화해결 : 후세인,부쉬,사우디왕간의 3자 회담에서 해결책 모색하자고 제의함

5. 첨 부

o 심포지움 프로그램 1부.

o 연사명단 1부. 끝.

0035

PROGRAMME

9.15 am	**Opening Address** Mr. Richard Woolcott, Secretary, Dept. of Foreign Affairs and Trade Chair: *Prof. Max Neutze,* Deputy Vice-Chancellor
9.30	**1: The Crisis and the Region** Iraq: The Saddam Hussein Regime *Mr. Rory Steele* The Origins of the Crisis *Assoc. Prof. Robert Springborg* Regional Implications *Dr. Amin Saikal* Chair: *Mr. J.L. Richardson*
11.00	**Morning Tea**
11.30	**2: Options and Prospects** Future Options: Washington and Baghdad *Mr. Andrew Mack* The Soviet Role *Mr. Geoffrey Jukes* The Israeli Perspective *Mr. Ralph King* Chair: *Ms Christine Jennett*
1.00 pm	LUNCH
2.00	**3: Implications for the International Order** The Post-Cold War Order *Dr. Coral Bell* The Role of the United Nations *Prof. Philip Alston* The Fourth Oil Shock *Mr. Richard Leaver* Wider Implications for the International Economic Order *Dr. Richard Higgott* Chair: *Dr. John Hart*
3.30	**Afternoon Tea**
4.00	**4: Implications for Australia** Australian Foreign Policy: Costs and Benefits *Prof. Stuart Harris* National Security Planning and Defence Strategy *Dr. Graeme Cheeseman* Deliberate Regression: Australian Foreign Policy and the Gulf Crisis *Dr. Michael McKinley* Chair: *Mr. Ian Wilson*

SPEAKERS

Mr Richard Woolcott	Secretary, Department of Foreign Affairs and Trade
Professor Philip Alston	Centre for International and Public Law, Faculty of Law, ANU
Dr Coral Bell	Strategic and Defence Studies Centre, RSPacS, ANU
Dr Graeme Cheeseman	Peace Research Centre, RSPacS, ANU
Professor Stuart Harris	Department of International Relations, RSPacS, ANU
Dr Richard Higgott	Department of International Relations, RSPacS, ANU
Mr Geoffrey Jukes	Department of International Relations, RSPacS, ANU
Mr Ralph King	Department of International Relations, RSPacS, ANU
Mr Richard Leaver	Department of International Relations, RSPacS, ANU
Mr Andrew Mack	Peace Research Centre, RSPacS, ANU
Dr Michael McKinley	Department of Political Science, Faculty of Arts, ANU
Dr Amin Saikal	Department of Political Science, Faculty of Arts, ANU
Assoc.Prof.Robert Springborg	School of History, Philosophy and Politics, Macquarie University
Mr Rory Steele	Political and Military Adviser, Department of Foreign Affairs and Trade, formerly Australian Ambassador in Iraq

CHAIRS

Professor Max Neutze	Deputy Vice-Chancellor, ANU
Dr John Hart	Department of Political Science, Faculty of Arts, ANU
Ms Christine Jennett	Department of Political Science, Faculty of Arts, ANU
Mr James Richardson	Department of International Relations, RSPacS, ANU
Mr Ian Wilson	Department of Political Science, Faculty of Arts, ANU

0037

관리번호	91/536

원 본

외 무 부

종 별 :

번 호 : AUW-0022 일 시 : 91 0111 1200

수 신 : 장관(중근동,아동)

발 신 : 주 호주 대사

제 목 : 호.이라크 외교관계

당지 이라크 대사관은 1.2 자 회람 공한을 통하여 AL-RAWI 대사가 임기 만료로 1.4 출국함을 알리면서, 앞으로 이라크는 대호주 외교사절을 격하시켜, 대리대사(1등서기관급)를 주재 시키기로 결정 했다고 알려왔음. 끝.(대사 이창수-국장)

예고:91.12.31. 까지.

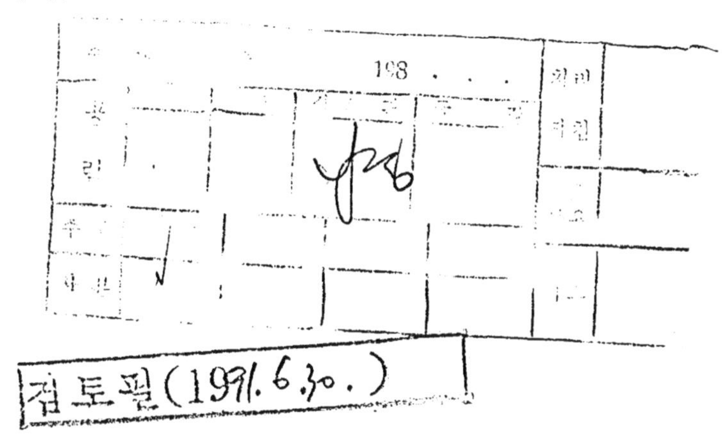

검토필(1991.6.30.)

중아국 1차보 2차보 아주국 정문국

PAGE 1

91.01.11 13:57

외신 2과 통제관 FE

0038

관리번호	91-66

	분류번호	보존기간

발 신 전 보

번 호 : WJA-0203 외 별지참조 WAU-0027

종별 : 910115 1927

수 신 : 주 수신처 참조 ~~대사, 총영사~~

발 신 : 장 관 (미북)

제 목 : UN 안보리 철군 시한 경과 관련 성명 발표

1. 페만 사태와 관련 UN 안보리가 설정한 1.15. 이라크군 철수 시한이 임박함에 따라 독일 정부는 상기 시한전 이라크군의 철군을 촉구하는 수상실 명의 성명을 1.14. 발표하였음.

2. 본부 조치 결정에 참고코자 하니, 1.15. 시한을 전후하여 주재국 정부의 여사한 입장 표명이 있을 경우 발표 즉시 지급 보고 바람. 끝.

(미주국장 반기문)

검토필 (91. 6. 30.)

예고 : 91.12.31. 일반

수신처 : 주일, 주영, 주불, 주카나다, 주이태리, 주벨지움, 주덴마크, 주그리스, 주터어키, 주호주대사, 주카이로총영사, 주파키스탄, 주사우디, 주방글라데시, 주모로코, 주세네갈, 주체코, 주소 대사

(사본 : 주미대사)

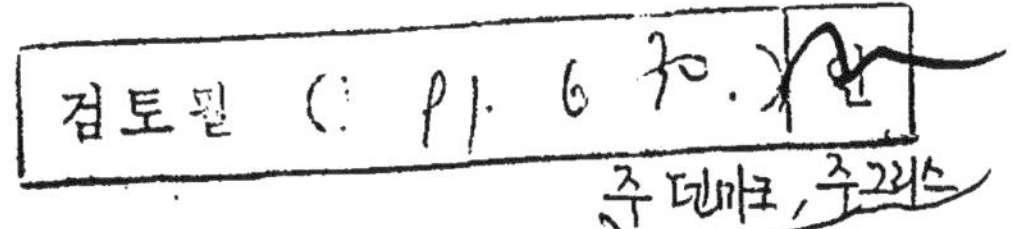
일반문서로 재분류(1991.12.31.)

중동아국장 대변인

보안통제	

앙고재	91년 1월 15일	북미과	기안자 성명		과 장	심의관	국 장		차 관	장 관
							전결			

외신과통제

0039

유엔 안보리 철군 시한 경과후

~~대한민국 정부~~ 외무부 대변인 성명(안)

1991. 1. 16.

1. 대한민국 정부는 유엔 안보리 결의가 설정한 1.15. 철수 시한이 지났음에도 불구하고 이라크 정부가 쿠웨이트에 불법 주둔중인 이라크군을 아직 철수치 않고 있음을 유감스럽게 생각합니다.

2. 이에 따라 페르시아만 지역정세가 전쟁 발발 일보 직전으로 치닫고 있어 페르시아만 인근지역 전체는 물론 전세계인들을 공포와 불안에 떨게하고 있는데 대해 우리는 깊은 우려를 갖고 있습니다.

3. 우리 정부는 이라크 정부가 지금이라도 전세계 평화 애호인의 염원에 부응하여 유엔 안보리 결의가 요구하고 있는 바와 같이 쿠웨이트로부터 즉각 철군할 것을 거듭 촉구하는 바입니다.

4. 대한민국 정부는 이 기회를 빌어 페르시아만 지역에 파견된 미국을 비롯한 다국적군의 헌신적인 평화유지 노력에 깊은 경의와 찬사를 보내고자 합니다.

끝.

중동아국장
대변인

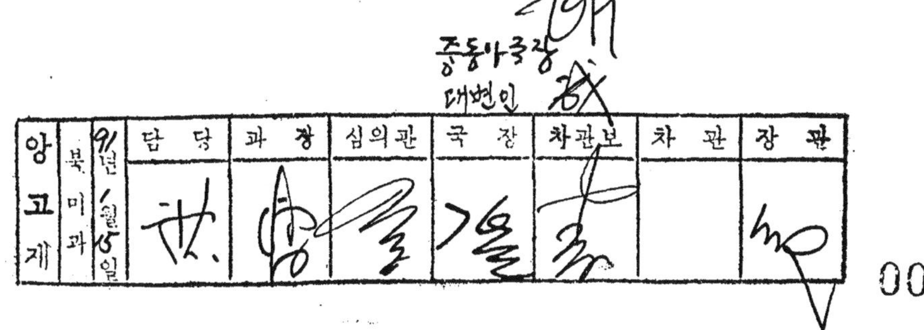

앙고재	북미과	91년 1월 15일	담당	과장	심의관	국장	차관보	차관	장관

0040

관리 번호	91-1517

원 본

외 무 부

종 별 :

번 호 : AUW-0050　　일 시 : 91 0120 1030

수 신 : 장관(중근동,아동,대책반,기정,사본:국방부장관)

발 신 : 주 호주대사

제 목 : 주재국의 대테러 경계강화

1. 주재국 정부는 걸프 전쟁관련, 태국 주재 호주대사관및 호주인에 대한 테러위협 첩보와 관련, 태국정부에 대해 호주대사관 및 호주이익보호를 위한 적절한 조치를 취해줄것을 요청하는 한편 태국내 호주인에 대해 LOW PROFILE 로 행동하고 서구인들이 모이는 장소를 회피하도록 권고하였음.

2. 한편 주재국 정부는 정부요인, 공항, 석유저장소, 당지 미.이스라엘, 이집트 대사관, 호주내 NURRUNGER 군사통신 우주중계소 시설등 군사시설에 대한 테러 가능성에 대비, 특별 경계를 강화한것으로 보도되고 있음.

3. 또한 주재국 정부는 당지 이라크 대사관 직원들의 칸베라 50KM 밖으로 여행을 금지 하였음. 끝.

(대사 이창수-국장)

예고:91.12.31. 일반.　　91.6.30. 전도일

중아국　장관　차관　1차보　2차보　아주국　안기부　국방부

PAGE 1　　91.01.20 09:24

외신 2과 통제관 BW

0041

외 무 부

종 별 :

번 호 : AUW-0054 일 시 : 91 0123 1510

수 신 : 장 관(중근동, 아동, 기정) 사본:국방부장관

발 신 : 주 호주 대사

제 목 : 걸프전 관련 주재국 임시의회 소집

1. 주재국 의회는 1.21-22간 임시회의를 열어 걸프전과 관련한 주재국 입장을 검토한 후 HAWKE수상이 제안한 아래내용의 호주의 연합국 군사작전 참여 지지결의안을 여야의 압도적지지하에 채택하였음(하원에서는 구두 VOICE로써, 상원에서는 표결로써 채택).

2. 한편 극소수의 반대도 있었는바 상원내 소수야당인 민주당과 집권 노동당내 좌파의원일부가 전쟁 반대를 표명하였음.끝.

(대사 이창수-국장)

중아국 장관 차관 1차보 2차보 아주국 미주국 정문국 청와대
총리실 안기부 국방부

PAGE 1

91.01.23 14:06 FG

외신 1과 통제관

 0042

메보 길

외 무 부

암 호 수 신

종 별 :

번 호 : AUW-0055 일 시 : 91 0123 1520

수 신 : 장관(중근동,아동,기정,사본:국방부장관)

발 신 : 주 호주 대사

제 목 : 걸프전관련, HAWKE 수상의 외교단 설명회 개최

연:AUW-0054

1. HAWKE 수상은 1.23 상호 10 시 걸프전 다국적군 참여국가 28 개국(한국,싱가폴, 스웨덴, 알젠틴등)대사들을 의회각료 회의실에 초청, 호주가 걸프전에참여한 목적과 연호 호주의회가 채택한 참전지지 결의내용등에 관해 설명함.

2. HAWKE 수상은 중동지역 평화와 질서유지, 중동원유의 원할한 공급확보, 유엔헌장에 따른 집단안보를 위해 호주가 걸프전 다국적군 활동에 앞으로도 적극협조할것이라고 밝힘.

3. 금일 HAWKE 수상이 다국적군 참여 28 개국 대사들을 초치 상기와같이 직접 설명한 배경에 대해, 참석한 각국 대사들은 호주참전에 대한 최근의 열띤 국내토론, 전쟁반대론자들의 적극적 반대 켐페인등을 감안, 호주국내 여론을 겨냥하여 유엔결의 이행을 위한 다국적군에 28 개국이나 되는 다수국가가 참여하고 있다는점을 수상이 직접 호주국민에게 재환기 시키고, 아울러 연합국의 결속을 다짐하기 위한 호주자신의 노력과 함께 특히 미국, 사우디를 의식한 여사한 호주정부의 노력을 대외에 과시하기 위한것으로 분석하고 있음.

4. 참석대사 명단, 의회에서의 HAWKE 수상 연설문등 파편 송부예정임.끝.(대사 이창수-국장)

중아국	장관	차관	1차보	2차보	아주국	미주국	안기부	국방부

PAGE 1

91.01.23 14:26
외신 2과 통제관 BN

0043

긴

외 무 부

암호수신

종 별 :

번 호 : AUW-0065 일 시 : 91 0127 1130

수 신 : 장관(중근동,아동,기정,사본:국방부)

발 신 : 주 호주 대사

제 목 : 이라크 대리대사 출국조치

1. 1.26 주재국 정부는 SAAD OMRAN 당지 이라크 대리대사를 72 시간이내(1.29 오전 10 시까지) 출국하도록 요구했음.

2. EVANS 외상은 외교관계에 관한 비엔나 협약 9 조에 의거 동 대리대사를 PERSONA NON GRATA 로 통고했다고만 밝히고 "안보"를 이유로 해서 더이상 구체적 추방사유를 말하지 않았으나, OMRAN 대리대사가 지난주 테러활동을 조장하는 내용의 발언을 한바 있으며 1.14 까지 당지 이라크 대사관에서 근무하던 이라크인이 최근 태국에서 추방된것과 연관이 있는것으로 알려졌음.

3. 또한 동대리대사의 출국 조치는 최근 이라크의 석유 해상 유출로 인한 걸프환경오염에 대하여 주재국 정부가 분노를 느끼고 있으며 구주제국 등에서 이라크 외교관을 안보상 이유로 추방하고있는데 대한 동조조치의 일환으로도 해석되고 있음.

4. 아울러 EVANS 외상은 당지 이라크 대사관(추후 3 등서기관 1 명 및 아타쉐 2 명 잔류)과 주이라크 호주대사관(현지인 직원만 잔류)은 상호 본국과의 연락을 위해 폐쇄되지 않을것이라고 말함.

5. 한편 주재국 정부는 걸프만 연합국 군사작전에 참여하고 있는 해군함정 3 척 이외에 기뢰제거 전문 잠수부 23 명을 걸프지역에 파견키로 결정하였음을 첨언함. 끝.

(대사 이창수-국장)

중아국	장관	차관	1차보	2차보	아주국	미주국	청와대	총리실
안기부	국방부							

PAGE 1 91.01.27 12:29

외신 2과 통제관 DO

0044

2. 기타국

0045

원 본

외 무 부

종 별 : 지 급

번 호 : SGW-0483 일 시 : 90 0803 1000

수 신 : 장 관(중동,아동,정일,기정)

발 신 : 주 싱가폴 대사

제 목 : 이락 대쿠웨이트 침공(자료응신 제42호)

1. 싱가폴 정부는 8.2. 성명을 발표하고 이락의 대쿠웨이트 침공을 BLATANT DISREGARD OF THE UNCHARTER AND PRINCIPLES OF INT'L LAW 라고 강력 비난함.동 성명은 금번 침공은 약소국들의 안보에 대한 위협이며, 이락은 쿠웨이트로부터 즉각, 무조건철수하고 양국간및 주변국간의 견해차를 평화적방법으로 해결하라고 촉구함.

2. 한편 당지 유력지인 THE STRAITS TIMES 지도 금번침공을 강력 비난하는 사설을 게재함. (사설전문FAX 송부).끝.

(대사-국장)

중동아프리카국 198 . . .				처리지침	
공람	담당	과장	심의관	국장	
					자료활용	
보류					
사본					비고	강서기관

중아국 차관 1차보 아주국 정문국 청와대 안기부

PAGE 1 90.08.03 11:27 WG

외신 1과 통제관

0046

Outrage by Baghdad

WSG-
유첨물

IRAQ'S invasion of Kuwait, in cocky defiance of all rules of civilized conduct between nations, is particularly nasty because there was no military provocation the Iraqis could claim to be responding to. It was entirely cynical in using a number of incredulous, unacceptable demands as the excuse for invading a tiny, unprotected neighbour. First, it accused both Kuwait and the United Arab Emirates of undermining its economy by exceeding output quotas set by the Organisation of Petroleum Exporting Countries and thus depressing oil prices. It demanded US$14 billion (S$25 billion) in compensation from the two countries. Then, Iraqi President Saddam Hussein accused Kuwait of drilling for oil in southern Iraq — a charge that was swiftly denied — and demanded US$2.4 billion in repayment. As if this were not enough, he wanted Kuwait and other Gulf states to write off about US$30 billion in loans these countries made to Iraq to fund its war with Iran. Even before Arab mediators could get Baghdad and Kuwait to the conference table, he intensified military movements on the border, yet shamelessly gave assurances that Iraq would not invade Kuwait. The two countries met for talks in Saudi Arabia. Barely had news spread of the talks breaking down when Baghdad invaded Kuwait. The deviousness of it all is terrifying.

There is no way in which anyone can condone the blatant Iraqi disregard for another country's sovereignty and territorial integrity. The UN Security Council has added its voice to that of the United States, the Soviet Union, Britain, France and many other countries, including Singapore, in condemning the Iraqi action. As a first step, Iraq should withdraw its troops, but even this will leave open the question of the puppet government it claims to have set up in Kuwait. Arab countries might find it more difficult to criticise Baghdad openly for fear of attracting its wrath, but they surely cannot pretend that what has happened in Kuwait cannot happen to many Gulf states tomorrow if President Hussein's dangerous machinations are not stopped. It is Israel which, recognising this cancerous threat to Middle Eastern peace and stability, has responded with the warning that it is prepared to meet any Iraqi aggression.

The Iraqi action has wider international implications. For those who believe that superpower detente equals global peace, the invasion should provide an early corrective. In an indication of the mind's susceptibility to the search for single causes and simple conclusions, some people came to believe that the root cause of conflict in international relations after World War II was the ideological and military rivalry between the US and the Soviet Union. Thus, they also believed that the disappearance of this rivalry would lead to the establishment of a more peaceful world. Given the way superpower relations have loomed over international relations till very recently, this is an understandable illusion, but it is no less an illusion for that.

Strewn throughout this unhappy world are local conflicts rooted in history, race, religion and the sheer personal distaste of one ruler for another. These conflicts precede the rise of the superpowers; they are likely to survive into the coming decades long after the bipolar world is gone. When Washington and Moscow jointly held the balance of international power in their stalemated struggle for supremacy, they contained local tensions most of the time. With the Soviet Union's influence contracting around the world and the US re-examining its global role, local and regional conflicts have begun to move centre-stage in international politics. Small states which do not defend themselves, depending on the stated goodwill of larger neighbours, will pay dearly for their mistakes, as Kuwait is doing. But not only small states. Any country, no matter where, which believes in peace has a vested interest in preventing the Iraqi aggression from setting a rabid pattern for international behaviour.

1-1

0047

관리번호	90/1254

원 본

외 무 부

종 별 :

번 호 : NPW-0196　　　　일 시 : 90 0803 1700

수 신 : 장관(중근동,아서)

발 신 : 주 네팔 대사

제 목 : 이라크-쿠웨이트사태

대:WAAM-0025

주재국정부는 8.2 성명발표,"이라크의 무력에 의한 쿠웨이트 침공을 규탄하고, 쿠웨이트로 부터의 철군을 요구하고, 또한 이라크-쿠웨이트양국과 공히 친선관계를 맺고있는 네팔로서는 양국이 평화적 방법으로 분규를 해결할것을 촉구"함. (대사김일건-국장)

예고: 90.12.31 까지

1990.12.31. 에 예고문에 의거 일반문서로 재 분류됨.

중아국　아주국

PAGE 1

90.08.04 22:10

외신 2과 통제관 EZ

0048

외 무 부

종 별 :

번 호 : MAW-0995 일 시 : 90 0804 1840

수 신 : 장관(아동)

발 신 : 주 말련대사

제 목 : 이락의 쿠웨이트 침공사태 반응

1.주재국 외무성은 8.3.성명을 발표, 이락군의 쿠웨이트 침공행위에 대해 심히고뇌를 금할수 없다고 하고, 동군대의 즉각적인 철수를 요구했음

동 사태가 국제평화와 안전을 위태롭게하고 있다고 전제, 다른국가의 개입등 또다른 사태가 유발되지 않토록 유엔의 해결노력을 적극 지지한다고 강조하였음

2.현재 베네주엘라를 방문중인 마하틸 수상은 같은 이스람 국가로서 이락군의쿠웨이트 침공이 매우 슬픈일이라고 말하고, 과거 베트남이 캄보디아를 침공하여꼭두각시 정권을 수립했었던 사실을 용납할수 없는것과 마찬가지로 강대국의 인접 약소국에대한 호전적 태도를 용인할수 없다고 표명하였음. 끝

(대사 홍순영-국장)

아주국 차관 1차보 중아국 정문국 안기부

PAGE 1

90.08.05 08:37 DA

외신 1과 통제관

0049

외 무 부

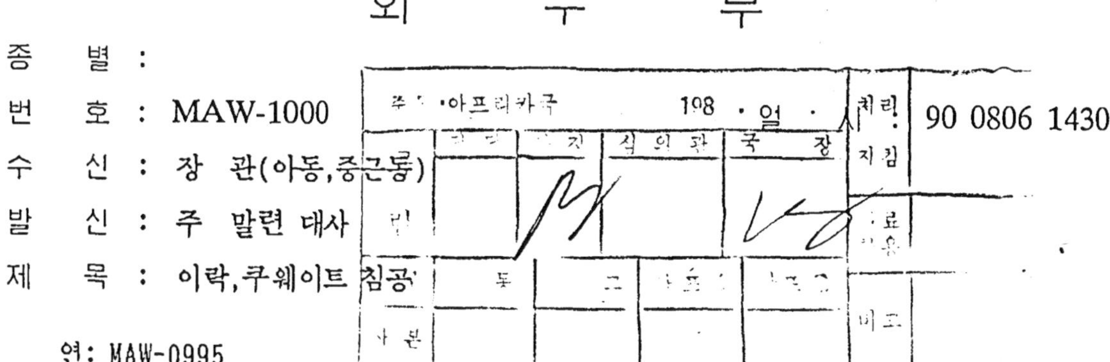

종 별 :

번 호 : MAW-1000 | 90 0806 1430

수 신 : 장 관(아동,중근동)

발 신 : 주 말련 대사

제 목 : 이락,쿠웨이트 침공

연: MAW-0995

1. 표제관련, 주재국은 8.2.유엔안보리결의의 공동제안국으로서 이락군의 쿠웨이트 침공 비난 및 이락군의 조속철군을 요청함.8.5. KAMIL JAAFAR외무부 사무차관(현재 마하틸수상을 수행 베네주엘라 방문중)은 배경설명을 통해 주재국은 과거베트남의 캄보디 아침공,쏘련의 아프가니스탄 침공 및 미국의 파나마침공등을 강력히 비난 해온 사실을 상기시키면서 이락정부가 무력불사용 및 타국의 내정불간섭원칙을 준수해야 할것임을 강조함

2.동차관은 또한 이락이 상기 유엔 안보리결의를 준수하지않을 경우 유엔은 다음 단계로서 대 이락 제재 조치를 취하게 될것이라고 경고하면서,주재국은 이락과우호관계를 유지하고 있음에도 불구,동 제재조치에 동참하게 될것이라고 부연함

3.쿠웨이트내 주재국 교민은 BRITISH AIRLINE 탑승객 39명을 포함 약190명으로 추산 되고있으나 상금이들에 대한 피해는 없는것으로 알려지고 있음.끝

(대사 홍순영-국장)

아주국 중아국 정문국 안기부

PAGE 1

90.08.06 16:55 WH

외신 1과 통제관

0050

관리 번호	90/1293

외 무 부

종 별 :

번 호 : PHW-1105 일 시 : 90 0806 1805

수 신 : 장관(아동,중근동), 사본:주쿠웨이트대사-중계필

발 신 : 주 필리핀 대사

제 목 : 쿠웨이트거주 필리핀인 사망관련보도

1. 당지 8.4(토) 일간지는 아국의 주쿠웨이트대사가 쿠웨이트에 설치된 이락군사령부를 방문하고 이락의 쿠웨이트 침공으로 필리핀인 1 명이 사망한것이외다른 외국인 희생자는 없다는 이야기를 이락장교로부터 들었다는 기사를 보도하였음.

2. 동기사와 관련 주재국 외무부 YAN 차관은 8.6(월) 본직에게 통화하여 아측이 상기 필리핀인 신원파악에 협조하여 줄것을 당부하였는바, 동 신원에 대한 정보가 입수되면 당관에 통보바람.

(대사 노정기-국장)

예고:90.12.31(일반)

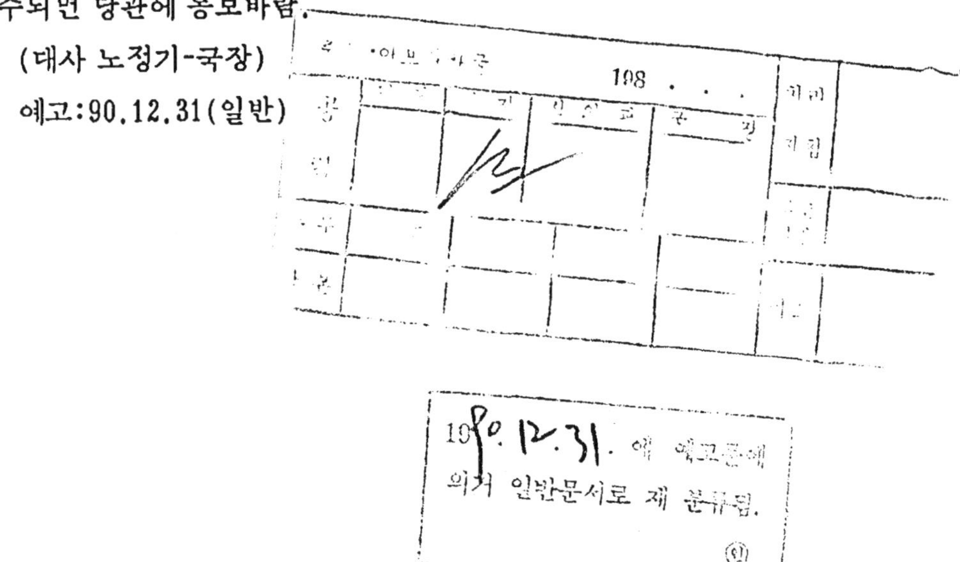

1990.12.31.에 예고문에 의거 일반문서로 재 분류됨.

아주국 차관 1차보 중아국

PAGE 1

90.08.06 22:47

외신 2과 통제관 CW

0051

원 본

암 호 수 신

외 무 부

종 별 :

번 호 : BMW-0466　　　　일 시 : 90 0807 1200

수 신 : 장 관(중근동,아서,기정동문,국방부)

발 신 : 주 미얀마 대사

제 목 : 이라크,쿠웨이트 사태에관한 주재국 반응

1. 주재국 정부는 표제건 관련 공식적인 반응을 보이지 않고 있으며, 국영 MNA 통신및 WORKING PEOPLE'S DAILY 지는 연일 사태추이및 각국반응에 관한 사실 보도만을 하고있음

W.P.D. 지는 8.6 서울발로 "R.O.K. CALLS FOR WITHDRAWAL OF IRAQI TROOPS FROM KUWAIT" 제하 아국 외무부대변인 명의 논평 내용과 쿠웨이트에서 아국 근로자 실종사실을 보도 하였음

2. 주재국 외무부 관계자에 의하면 주재국은 중립 외교노선에 따라 금번 사태와 같은 경우 지금까지 자국의 입장을 급히 공식적으로 밝히지 않는것이 상례이며, 금번 경우에도 당분간 정부의 공식 논평계획이 없다고함. 다만 UN 등에서 태도 표명을 해야만 할 경우에는 그때가서 검토할것이라고 부언 하였음

3. 주재국은 쿠웨이트와는 국교가 없으며, 인도주재 대사관이 이라크를 겸임하고 있으며, 이라크의 경우 태국주재 대사관이 주재국을 겸임하고 있음. 끝

(대사 김항경-국장)

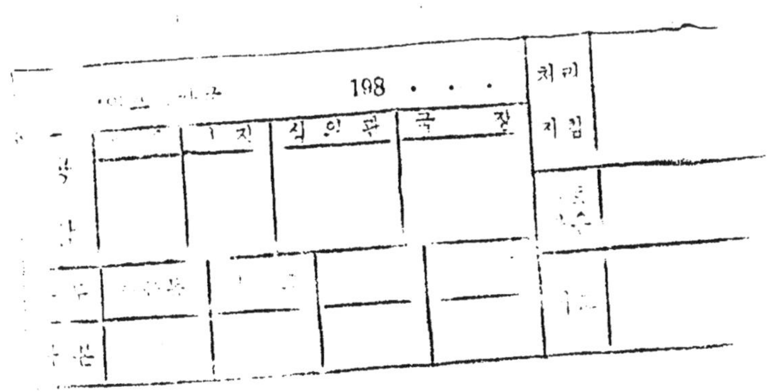

중아국　차관　1차보　2차보　아주국　정문국　청와대　안기부　국방부

PAGE 1　　　　90.08.07　17:16

외신 2과　통제관 DL

0052

원 본

외 무 부

종 별 :

번 호 : SKW-0361　　　　일 시 : 90 0807 1640

수 신 : 장관(중근동,아서,기정)

발 신 : 주 스리랑카대사

제 목 : 이락의 쿠웨이트 침공사태

대: WAAM-0025

1. 표제관련,주재국정부는 아무런 성명을 발표하지 않고 있는바,이는 국내 북동부 지역의 유혈사태를 안고있는 주재국이 이락및 쿠웨이트로부터 원유등 수입에 의존하며 많은 자국근로자들을 파견시키고 있어 적극적인 반응을 자제하고 있는것으로 판단됨.

2.한편,당관 관할국인 몰디브정부는 8.6.표제관련 성명을 발표한바,몰정부는 이락정부가 안보리및 국제사회의 요청에 부응,이락군의 무조건 즉각철수및 평화적 방법에 의한 분쟁해결을 촉구함.

(대사 김봉규-국장)

중아국　1차보　아주국　정문국　　안기부

PAGE 1

90.08.07　21:57 DP

외신 1과 통제관

0053

외 무 부

종 별 :

번 호 : SKW-0370 일 시 : 90 0809 1420

수 신 : 장 관(중근동,아서)

발 신 : 주 스리랑카 대사

제 목 : 이락의 쿠웨이트 침공사태

대 WAAM-0025

연 SKW-0361

1.주재국 정부는 8.8.표제관련 아래내용의 성명을 발표함.

-이락과 쿠웨이트간 분쟁이 협상을 거쳐 해결되지 못하고 무력충돌 결과를 초래한데 대한 유감 표명과 함께 분쟁의 평화적 해결을 촉구하고, 이락측의 가까운 장래철군 약속에 유의함-.

2.동 성명은 쿠웨이트내 약 9만명의 스리랑카인 보호를 위해 이락측을 크게 자극하지 않는선에서 신중을 기한것으로 보이며, HERAT 외무장관은 8.8.국회답변에서쿠웨이트내 약 9만명의 스리랑카인의 안전에 대한 이락측 보장을 받았다고 답변함.

(대사 김봉규-국장)

중아국 아주국 1차보 2정조 2차보

PAGE 1

90.08.09 21:11 EY

외신 1과 통제관

0054

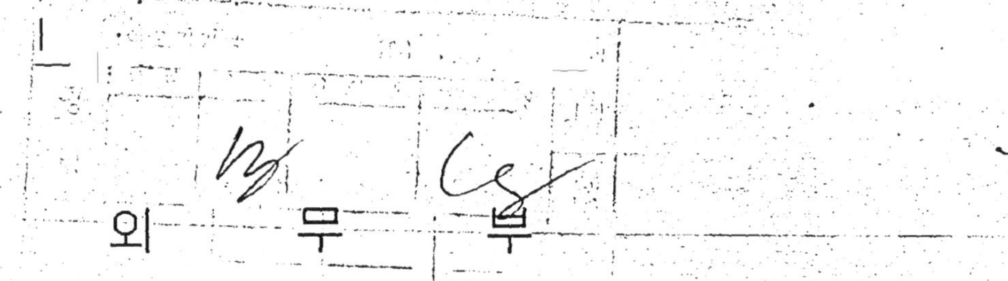

외 무 부

종 별 :

번 호 : SGW-0494 일 시 : 90 0809 0900

수 신 : 장 관(아동,중동,정일,기정)

발 신 : 주 싱가폴 대사

제 목 : 이락의 쿠웨이트 침략 반응(2) (자료응신제45호)

1. 고촉봉 제1부수상겸 국방장관은 이락의 쿠웨이트 침공관련하여 싱가폴이 제2의 쿠 웨이트가 되는 불행한 사태를 방지하기 위하여는 싱가폴이 자체 국방을 소홀히 해서는 안된다고 경고하고,싱가폴인들이 현 군복무기간 (2년내지 2년반)단축을 요구해서는 안될것임을 촉구하였음.

2. 한편 YEO NING HONG 싱가폴 제2국방장관겸 공보장관은 만일 초강대국이 해외군사개입에 주저할 경우 약소국들은 인접대국으로부터의 침략위험에 직면하게 될것임을 지적하고,초강대국의 이러한 자제가 계속된다면 침략국들은 이웃 약소국들을 거리낌없이 짓밟게 될것이라고 말하면서 고부수상과 마찬가지로 싱가폴인의 군복무기간이 단축 되는 일이 있어서는 안된다고 재촉구함.

3. 당지언론들은 당국이 8.7. 안보회의 경제제 재결의에 관하여 상금 입장 표명은 없으나 동결의를 준수, 대이락 무역을 중단할 것으로 보인다고 보도함. 끝.

(대사-국장)

아주국 1차보 중아국 정문국 안기부 2차보

PAGE 1

90.08.09 13:12 WH

외신 1과 통제관

0055

외 무 부

종 별 :

번 호 : SGW-0495 일 시 : 90 0809 1130

수 신 : 장 관(아동,중동,정일,기정)

발 신 : 주 싱가폴 대사

제 목 : 이락의 쿠웨이트 침공반응 (유엔안보리결의)

(자료응신 제46호)

WONG KAN SENG 싱가폴 외무장관은 8.8. 싱가폴독립 제25주년 기념일 전야제 행사후 STRAITS TIMES지 기자의 질문에 대해, 싱가폴은 유엔회원국으로서 유엔안보리의대이락 제재조치 결정을 준수할 것이며 싱가폴의 대이락 통상 및 여타 거래에 대해금지시킬 것이라고 말함.끝.

아주국 1차보 중아국 정문국 안기부

PAGE 1

90.08.09 13:14 WH

외신 1과 통제관

0056

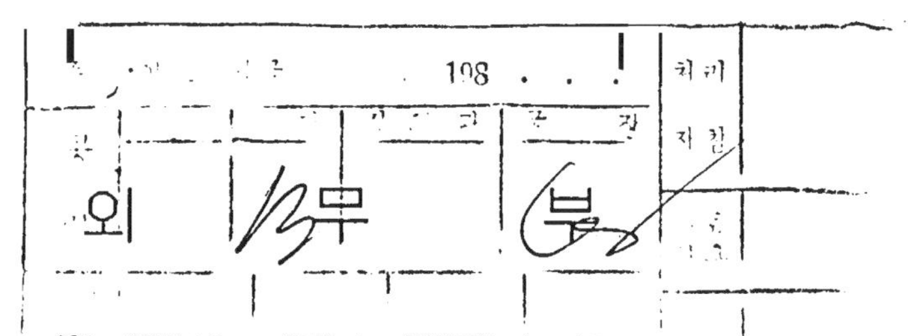

종 별 :

번 호 : MAW-1020 일 시 : 90 0809 1720

수 신 : 장 관(아동,~~중근동~~,기정,국방)

발 신 : 주 말련 대사

제 목 : 이락.쿠웨이트 사태 반응

연: MAW-0995

1. 베네주엘라 공식 방문을 마치고 8.8.귀국한 마하틸 수상은 이락의 침공을 강대국의 약소국에대한 약탈행위로 비난하면서 유엔안보리 이사국인 주재국은 유엔안보리의 대이락 경제제재 조치에 동참할 것을 밝힘.(주재국내 쿠웨이트 재산은 10억마불 이내로 알려짐) 한편 사우디에대한 미군의 증강 조치에 대해 가능하면 유엔의 결의에 따를것을 희망하면서도 이를반대하지 않는다고 덧붙임

2. 동수상은 또한 금번사태로 인해 원유시장에서의 유가앙등 및 수급차질이 빛어지지 않기를 희망하면서 주재국으로서는 이에대비 원유생산량을 증가시킬 계획이 현재로서는 없으나 금번 사태의 추이를 면밀히 검토, 적절히 대처해 나갈것이라고언급함

3. 한편, 주재국 상공 회의소등 경제계에서도 유엔의 대이락 경제제재를 지지한다고 하면서도 중동국가들의 과거 잦은 태도 변화를 감안, 어느일방을 두둔하는데는 신중해야할 것이라는 반응을 보이고 있음. 주재국으로서는 금번사태로 수출입에 단기적인 어려움은 있을것이나, 장기적으로는 대체시장을 쉽게 발견할수있을 것으로 낙관하고 있음

√ 4. 금번사태로 주재국은 현재 신발,석탄,식료품등 약200만 마불의 수출 물량이동결된 상태에 있으며 금년1.4분기중 쿠웨이트로부터의 원유수입은 78백만 마불에달하고있음(사우디로부터는 지난해 2.1억마불수입).끝

(대사 홍순영-국장)

아주국 장관 차관 1차보 2차보 중아국 정문국 청와대 안기부
국방부

PAGE 1 90.08.09 21:35 EY

외신 1과 통제관

0057

관리번호	90/2041

외 무 부

종 별 :

번 호 : MAW-1035　　　　일 시 : 90 0810 2040

수 신 : 장 관(통일,기협,중근동,아동)

발 신 : 주 말련 대사

제 목 : 이라크,쿠웨이트사태

대:WMA-0546

연:MAW-1014

본직은 금 8.10. 국책석유회사인 PETRONAS 회장 BASIR 박사를 면담, 대호에 관해 의견을 청취한바, 요지 아래 보고함

1. 이락의 쿠웨이트 침공은 단기적으로는 (수개월간) 유가앙등 등으로 인하여 국제적 불안을 야기 시킬것이나 그이상의 위기로 발전됨이 없이 조만간 진정될것으로 전망함

2. 이락에 대한 미쏘의 공동보조 계속및 아랍권의 반이락 입장등이 확고해지고 경제제재 조치가 유효히 이행된다면 이락은 식량 및 무기 수입등에 있어 심각한 난관에 봉착하여 조만간 후퇴하거나 후세인이 실각되는 사태로 발전될 것으로 봄

3. 주재국은 이같은 전망과 일단 증산을 시작하면 감산하기가 어렵다는 점에서 현재로서는 원유의 증산을 고려하고 있지 않다 함. 끝

(대사 홍순영-국장)

예고:90.12.31.까지

통상국	차관	1차보	2차보	아주국	중아국	경제국	청와대	안기부

PAGE 1　　　　90.08.11 12:07

외신 2과 통제관 DL

0058

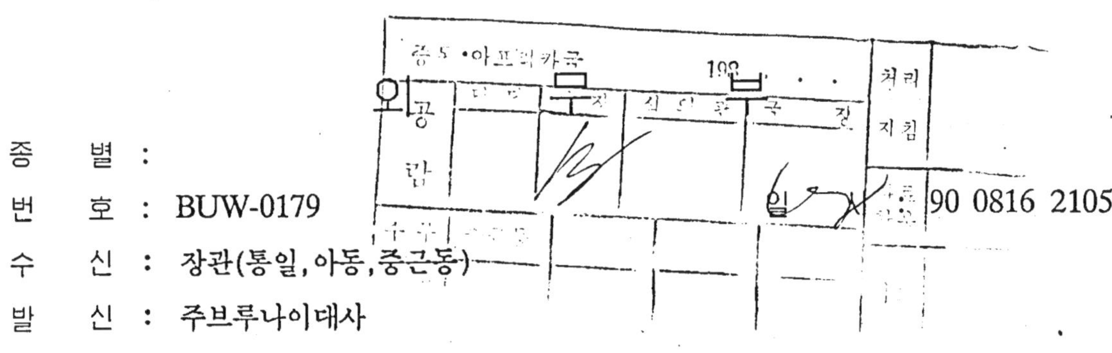

종 별 :

번 호 : BUW-0179 일 시 : 90 0816 2105

수 신 : 장관(통일,아동,중근동)

발 신 : 주브루나이대사

제 목 : 이락,쿠웨이트사태에대한주재국입장

연: BUW-173

임족생 외무성사무차관은 8.16.공관장(아세안대사제외)을 외무성에 초치 자카르타개최 제23차 AMM 과 PMC회의 경과및 성과 제2차 APEC 각료회의결과 OIC 회의및 이락,쿠웨 이트사태에 대한 주재국입장을 브리핑한바 AMM 과 PMC회의 결과는 제1차 한,브 정책협의회에서 논의되었으므로 OIC회의에서의 MOHAMED 외무장관의 발언내용과 입장 유엔안보리 결의661호에 관한 주재국의 입장 아래 보고함

1. OIC 에서의 주재국입장

MOHAMED 외무장관은 8.2. OIC 총회에서 아래와같이 발언한바 동회의에서는 인니및 주재국만이 이락을 규탄하는 발언을 하였으며 8.4. OIC 의 이락쿠웨이트사태에 관한 결의안을 지지함

IT SADDENS TO LEARN THAT THE MISUNDERSTANDING BETWEEN OURBROTHERS IRAQ ANDKUWAIT HAS ESCALATED INTO A SERIOUSCONFLICT. I WOULD LIKE TO APPEAL TO OUR BROTHERS TO SETTLETHEIR PROBLEM PEACEFULLY THROUGH NEGOTIATIONS.

2. 유엔 안보리 결의에 대한 주재국입장

이락의 쿠웨이트합병은 인정치않으며 경제제재는 주재국이 과거 이락으로부터 8,000 미불상당의 NUTS를 수입한 실적밖에 없기때문에 경제제재를 위한 기구의 설치나별도의 행정조치는 취하지 않고있음.끝

(대사허세린-국장)

통상국 1차보 2차보 미주국 중아국 안기부 대책반

PAGE 1

90.08.16 23:56 DN

외신 1과 통제관

0059

외 무 부

종 별 :

번 호 : SKW-0381 일 시 : 90 0817 1630

수 신 : 장관(통일,중근동,아서,기정)

발 신 : 주 스리랑카대사

제 목 : 스리랑카의 대이라크 제재문제

연호관련,주재국 외무부에 확인한바에의하면,쿠웨이트내 약 10만명의 스리랑카인 보호그리고 주재국의 주요 수출품 홍차의 제2수출대상국인 이라크(총 수출액의 20프로차지,제1수출대상국은 이집트)에 대한 유엔 결의에따른 제재조치를 준수함은 심각한국내사태를겪고 있는 자국에 중대한 경제문제를 야기시킬것으로 판단,최근 유엔헌장제 50조에 따른특별배려를 위하여 유엔측과 교섭을 개시함.

(대사김봉규-국장)

통상국 아주국 중아국 안기부 대책반 1차보 2차보

PAGE 1

90.08.17 21:55 CT

외신 1과 통제관

0060

외 무 부

종 별 :

번 호 : BAW-0333 일 시 : 90 0817 0900

수 신 : 장 관(아서,중근동,기정)

발 신 : 주방대사

제 목 : 주재국 대사우디 지원군 파견

(자료응신90-25)

1.주재국은 FAHD 사우디 국왕의 요청에따라 이락-쿠웨이트 사태와 관련, 사우디에 병력을 파견하기로 결정하였다고 작 8.15 발표하였음.

2.사우디에대한 파병을 요청하기 위하여 8.14 SHEIKH ABDUL AZIZ 사우디 외무차관이 주재국을 방문한바 있으며, 파병시기및 규모에 관하여는 양국정부가 계속 협의키로 하였음.

3.주재국 AHSAN 외무차관은 파견될 병력은 사우디정부의 지휘하에 있게 될것이며, 순수히 방어목적을 위하여만 운용될것이라고 밝힌바있음.

(대사 이재춘-국장)

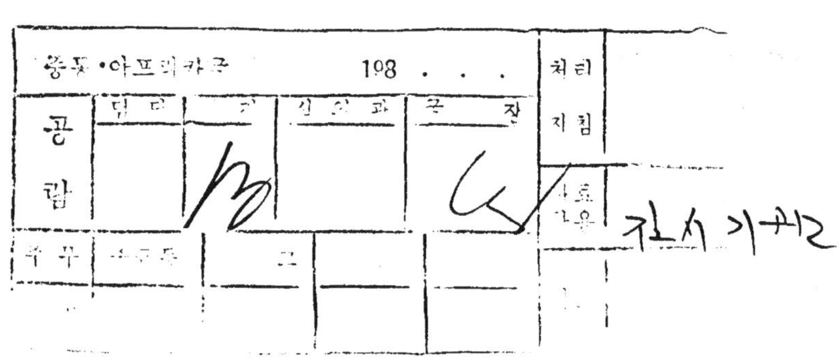

아주국 중아국 안기부

PAGE 1

90.08.17 20:52 CG

외신 1과 통제관

0061

원 본

외 무 부

종 별 :

번 호 : MAW-1073 일 시 : 90 0817 1830

수 신 : 장관(중근동,기정,국방)

발 신 : 주말련 대사

제 목 : 사우디 국왕 특사 방말

1. SHAIK ABDUL AZIZ 사우디 외무차관은 FAHD국왕의 특사 자격으로 방마, 8.16 AZLAN SHAH국왕을 예방하고 이락의 공격에 대한 사우디방어를 위해 이슬람국의 일원인 주재국이사우디에 군대를 파병하여 줄것을 요청함.

2. MAJID 외무부 정부차관보는 AZIZ 특사의파병 요청에 대해 주재국 정부는 이를검토(CONSIDER)할 것이라고 말하고 금명간 각의에서본건이 논의될 예정이라고함.

3. 한편 RIGHAUDDEEN 국방장관은 주재국은이락.쿠웨이트 사태를 면밀히 분석한후신중이대처할것이나 주재국으로서는 금번 사태에군사적으로 직접 개입되는것을 원치않고있다고 말함.

4. 파키스탄,방그라데쉬 방문후 주재국을 방문한 AZIZ 사우디 특사는 8.16 인니방문차 출국한바,진전사항 추보하겠음.끝

(대사 홍순영-국장)

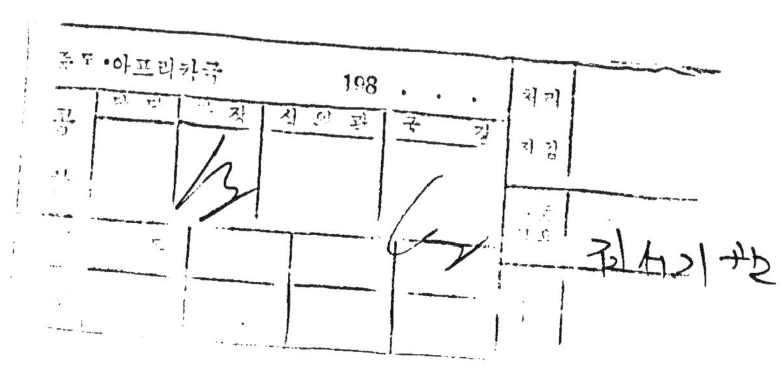

중아국 안기부 국방부 대책반 통상국 1차보 2차보 차관

PAGE 1 90.08.17 21:51 CT

외신 1과 통제관

0062

관리번호	90/880

원 본

외 무 부

종 별 :

번 호 : MAW-1083

수 신 : 장관(중근동,아동,기정,국방)

발 신 : 주 말련 대사

제 목 : 이락.쿠웨이트 사태

일 시 : 90 0820 1800

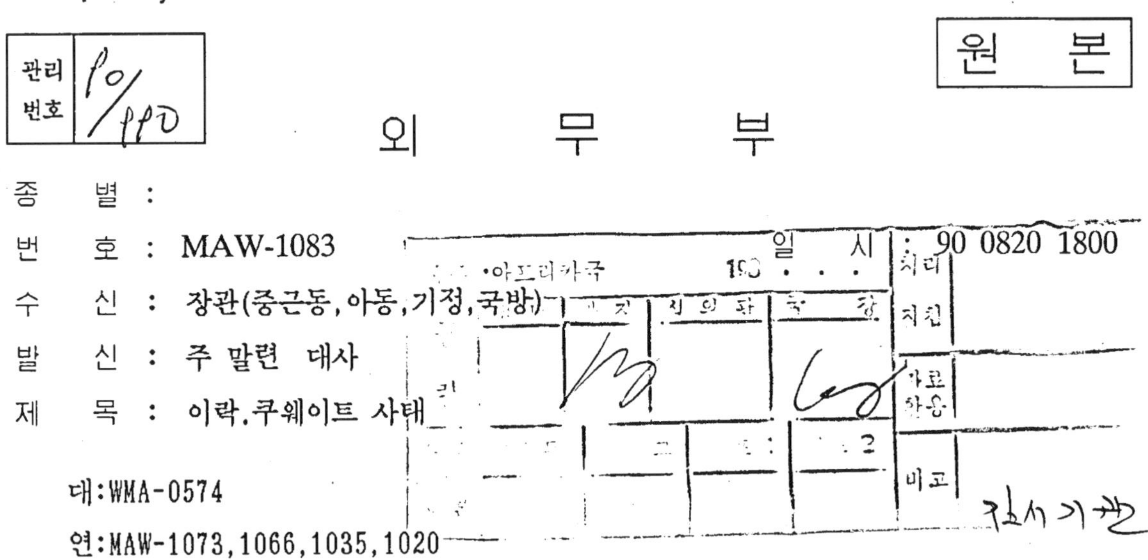

대:WMA-0574

연:MAW-1073,1066,1035,1020

8.20 오참사관은 MAIMUN 외무부 서아 과장과 면담, 표제 관련 주재국 정부의 입장및 조치 사항을 문의한바 아래 보고함.

1. 쿠웨이트 사태에 대한 주재국 입장

가. 이락 사태이후 주재국은 유엔 안보리 결의 660 호(이락의 쿠웨이트 침공 규탄)및 661 호(무기 금수및 경제 제재조치)의 공동 제안국이 되었으며 662 호(이락의 쿠웨이트 합병 무효 선언)는 공동 제안국은 아니었으나 동 결의를 지지함을 천명한바 있음. 이에따라 주재국은 현재 이락, 쿠웨이트와의 수.출입등 모든 경제관계를 동결하고 있다고함.

나. 금번 사태와 관련, 주재국 정부는 개별 국가들에 의한 독자적 행동은 반대하며 모든 조치는 유엔 (또는 아랍 연맹) 을 통하여 이루어져야 한다는 것이기본 입장이라고 함.

2. 대 사우디 파병문제

연호(MAW-1073) SHAIK ABDUL AZIZ 사우디 특사의 주재국에 대한 파병 요청문제는 명일 각의에서 최종 결정될 것이나 대체로 상기 입장에 따라 검토될 것이라고함.

3. 쿠웨이트 주재공관 철수

가. 8.17 연호(MAW-1066) 주재국의 쿠웨이트 주재 공관 철수 결정에 따라 주재국 외무부는 이락 정부의 승인하에 약 200 명에 이르는 교민및 공관 직원을 3단계로 나누어 철수한다는 계획을 수립하고, 1 진 69 명은 8.18 암만으로 이미철수하였으며, 2 진 90 명은 8.18 바그다드에 도착 하였다고함. 마지막으로쿠웨이트 주재 공관 직원및 가족(33 명)과 필수 요원을 제외한 바그다드 주재 공관 직원을 가능한 8.24

중아국 차관 1차보 2차보 아주국 통상국 청와대 안기부 안기부
국방부 대책반

PAGE 1

90.08.20 19:30
외신 2과 통제관 BT

0063

까지 전원 철수 할 예정이나 철수가 지연 될것에 대비, 8.24 까지의 시한을 연장해 주도록 이락 정부에 요청해 두고 있다고함.

나. 현재 철수 작업은 바그다드및 암만 주재 자국 공관의 공용차및 버스, 미니버스 일부를 임차하여 쿠웨이트-바그다드-암만 루트를 통해 육로로 수송하고있다고 하며 암만-쿠알라룸풀간은 AIR JORDAN 편으로 귀국 시킬 예정이라고함.

다. 쿠웨이트 현지와의 통신은 당지 주재 PLO 사무소및 스톡홀름을 통한 3 각 중계방식을 병용하고 있다고함. 끝

(대사 홍순영-국장)

90.12.31 일반

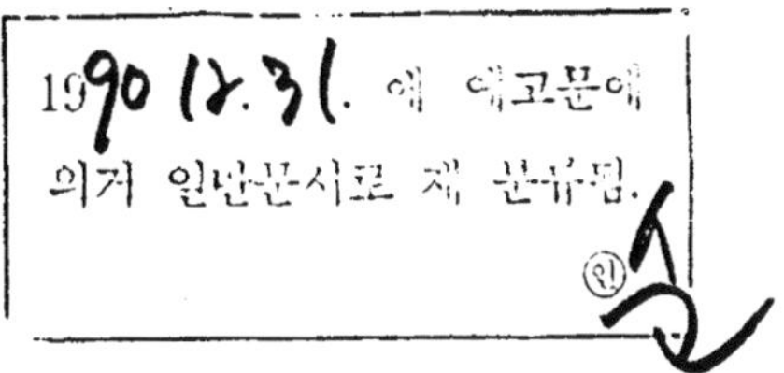
1990.12.31. 에 예고문에 의거 일반문서로 재 분류됨.

PAGE 2

0064

관리 번호 90-504

외 무 부

종 별 :

번 호 : MAW-1083 일 시 : 90 0820 1800

수 신 : 장관(중근동,아동,기정,국방)

발 신 : 주 말련 대사

제 목 : 이락.쿠웨이트 사태

1990.12.31.에 예고문에 의거 일반문서로 재분류됨

대:WMA-0574

연:MAW-1073,1066,1035,1020

8.20 오참사관은 MAIMUN 외무부 서아 과장과 면담, 표제 관련 주재국 정부의 입장및 조치 사항을 문의한바 아래 보고함.

1. 쿠웨이트 사태에 대한 주재국 입장

가. 이락 사태이후 주재국은 유엔 안보리 결의 660 호(이락의 쿠웨이트 침공 규탄)및 661 호(무기 금수및 경제 제재조치)의 공동 제안국이 되었으며 662 호(이락의 쿠웨이트 합병 무효 선언)는 공동 제안국은 아니었으나 동 결의를 지지함을 천명한바 있음. 이에따라 주재국은 현재 이락, 쿠웨이트와의 수.출입등 모든 경제관계를 동결하고 있다고함.

나. 금번 사태와 관련, 주재국 정부는 개별 국가들에 의한 독자적 행동은 반대하며 모든 조치는 유엔 (또는 아랍 연맹) 을 통하여 이루어져야 한다는 것이기본 입장이라고 함.

2. 대 사우디 파병문제

연호(MAW-1073) SHAIK ABDUL AZIZ 사우디 특사의 주재국에 대한 파병 요청문제는 명일 각의에서 최종 결정될 것이나 대체로 상기 입장에 따라 검토될 것이라고함.

3. 쿠웨이트 주재공관 철수

가. 8.17 연호(MAW-1066) 주재국의 쿠웨이트 주재 공관 철수 결정에 따라 주재국 외무부는 이락 정부의 승인하에 약 200 명에 이르는 교민및 공관 직원을 3단계로 나누어 철수한다는 계획을 수립하고, 1 진 69 명은 8.18 암만으로 이미철수하였으며, 2 진 90 명은 8.18 바그다드에 도착 하였다고함. 마지막으로쿠웨이트 주재 공관 직원및 가족(33 명)과 필수 요원을 제외한 바그다드 주재 공관 직원을 가능한한 8.24

중아국 차관 1차보 2차보 아주국 통상국 청와대 안기부 안기부
국방부 대책반

PAGE 1 90.08.20 19:30

외신 2과 통제관 BT

0065

까지 전원 철수 할 예정이나 철수가 지연 될것에 대비, 8.24 까지의 시한을 연장해 주도록 이락 정부에 요청해 두고 있다고함.

나. 현재 철수 작업은 바그다드및 암만 주재 자국 공관의 공용차및 버스, 미니버스 일부를 임차하여 쿠웨이트-바그다드-암만 루트를 통해 육로로 수송하고있다고 하며 암만-쿠알라룸풀간은 AIR JORDAN 편으로 귀국 시킬 예정이라고함.

다. 쿠웨이트 현지와의 통신은 당지 주재 PLO 사무소및 스톡홀름을 통한 3 각 중계방식을 병용하고 있다고함. 끝

(대사 홍순영-국장)

90.12.31 일반

PAGE 2 0066

주 파 뉴 대 사 관

파뉴(정) 20210 - 146 1990. 8. 21

수 신 : 장 관

참 조 : 아주국장, 아중동국장, 통상국장

제 목 : 이라크의 쿠웨이트 침공에 대한 주재국 정부입장

1. 이라크의 쿠웨이트 침공에 대한 주재국 정부입장을 표명한 Circular Note 사본을 송부하오니 업무에 참고하시기 바랍니다.

2. 주재국 정부는 이라크의 군사행동을 평화공존, 불간섭, 분쟁의 평화적 해결이라는 유엔헌장의 원칙들에 위배되는 행위라고 비난하면서 쿠웨이트의 주권 회복을 위한 유엔의 조치들을 지지한다고 발표하였음을 첨언합니다.

첨 부 : 동 Note 사본. 1부. 끝.

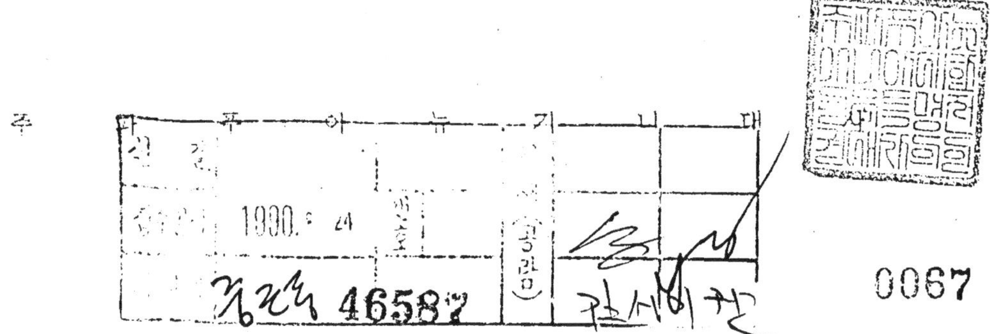

주 파 푸 아 뉴 기 니 대

0067

(File number)

Note No ......363/90....................................

The Department of Foreign Affairs presents its compliments to all Diplomatic and Consular Missions accredited to the Independent State of Papua New Guinea and with regard to Iraq's invasion of Kuwait has the honour to state the position of the Government of Papua New Guinea.

The Government of Papua New Guinea abhors the aggression by Iraq directed at its smaller neighbour and fellow Arab state of Kuwait.

The Government of Papua New Guinea strongly condemns the Iraqi action, which contravenes the basic principles of peaceful co-existence, non-interference and settlement of disputes through peaceful means as stipulated in the Charter of the United Nations.

Papua New Guinea will support initiatives of the United Nations aimed at expediting the process of peace between Iraq and Kuwait and the restoration of Kuwait's sovereignty and intergraty.

The Department further has the honour to attach a copy of a Press Release by the then Acting Prime Minister, Hon. Ted Diro, M.P.

The Department of Foreign Affairs avails itself of this opportunity to renew to all the Diplomatic and Consular Missions accredited to the Independent State of Papua New Guinea the assurances of its highest consideration.

Department of Foreign Affairs

WAIGANI

0068

17 August 1990

PRESS RELEASE

PAPUA NEW GUINEA TO SUPPORT INTERNATIONAL INITIATIVES TO SECURE WITHDRAWAL OF INVADING IRAQI TROOPS FROM KUWAIT

Papua New Guinea does not support settlement of disputes through armed agression.

Commenting on the Iraqi invasion of Kuwait yesterday, Acting Prime Minister, Hon. Ted Diro stated today that Papua New Guinea believes in the principles of peaceful co-existence, non-interference and settlement of disputes through peaceful means in accordance with the principle of the United Nations Charter.

"I am saddened that a developing country has opted to resort to armed agression to settle disputes with another developing and a much smaller country."

Mr. Diro said that he hoped other leading Arab States together with all other peace loving nations of the world will, persuade Iraqi to unconditionally withdraw its forces. He said the Middle east is already a very volatile region and the Iraqi invasion adds further tension as well as real danger for peace and stability within the Persian Gulf including the world at large.

0069

"Papua New Guinea will support all efforts, especially through the United Nations to secure the withdrawal of Iraqi troops for a negotiated settlement to the dispute between the two Arab States".

Acting Prime Minister said that it is also in Papua New Guinea's national economic interest that peace and harmony is re-established between the feauding oil-rich-countries of Iraq and Kuwait.

In that regard he called upon the world super-powers to play a constructive role in resolving the current crises through internationally recognised means.

The Acting Prime Minister has instructed the Papua New Guinea's Permanent Representative to the United Nations to provide a briefing on the developments in Kuwait as well as proposed actions that the United Nations may take.

Tollerro

3/8/90

0070

관리 번호	90/1447

외 무 부

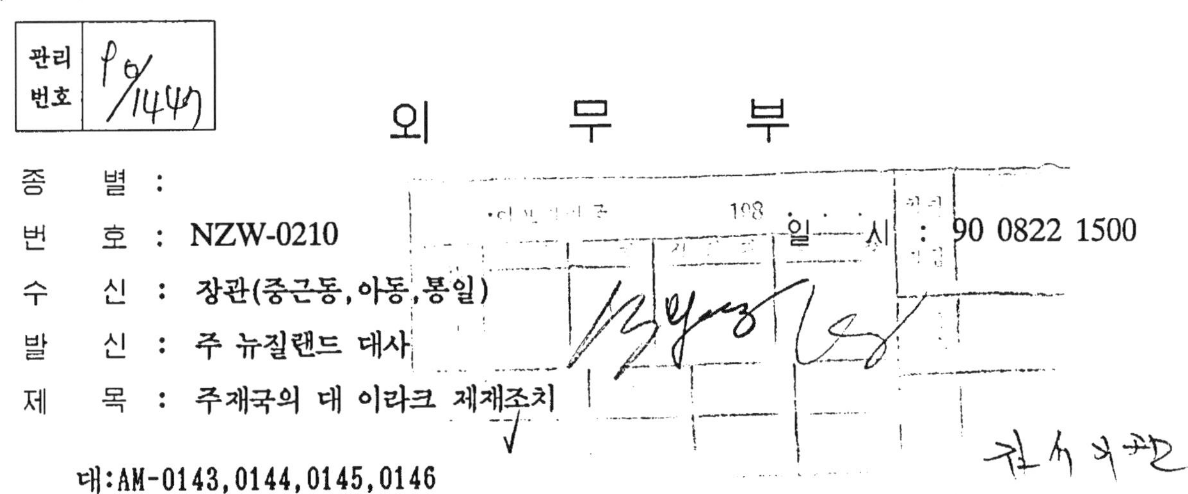

종 별 :

번 호 : NZW-0210 일 시 : 90 0822 1500

수 신 : 장관(중근동,아동,통일)

발 신 : 주 뉴질랜드 대사

제 목 : 주재국의 대 이라크 제재조치

대:AM-0143,0144,0145,0146

1.8.20 주재국 정부는 주유엔 쿠웨이트 대사의 대이라크 경제제재 조치의 실행을 위한 다국적군 지원 요청을 검토한 결과, 주재국은 ANDOVER 공군기 2 대와 20 명 정도로 구성되는 민간 의료진을 사우디로 파견할 것을 UN 에 제의했다고 발표하였음.

2. 주재국 정부는 이라크의 쿠웨이트 침공과 관련, 이라크의 침략행위를 비난하고, 철군을 촉구하는 한편, 8.7 유엔 안보리 결의 661 호에 따라 8.10 이라크와 쿠웨이트에 대한 교역 중단등의 경제제재 조치를 취한바 있음.

3. 주재국 정부는 대 이라크 경제제재 조치 실시 이후 미국의 군대 파견과 부시 미 대통령의 요청에 따라 영국, 불란서 등의 서방 국가들이 군사력을 지원하고, 호주정부도 8.10 2 척의 해군 구축함을 페르시아 만으로 파견키로 결정함에 따라 주재국의 군사력 파견 문제를 검토해 왔으나, PALMER 주재국 수상은 주재국의 군사 개입은 유엔의 결정에 따르며 뉴질랜드의 독자적인 군사개입은 어렵다는 입장을 표명해 왔음.

4. 주재국은 제한된 군사력으로 유엔의 결의가 있다 하더라도 중동사태 개입은 상징적 수준에 머물것으로 보이나, 호주를 비롯한 여타 서방국가와는 달리 부시 미대통령이 주재국의 지원을 요청하지 않고 있으므로, 유엔 안보리의 결의에 따른 군사력 지원 방안을 선택한 것으로 보이며 상기 뉴측 제의는 유엔 회원국에 대한 군사력 지원을 촉구하는 유엔 안보리 결의가 통과 되어야 실행 가능하게 될것임.

5. 부시 미대통령이 주재국에 대해 협조 요청을 않고 있는것은 주재국의 비핵정책으로 사실상 ANZUS 동맹 체재가 붕괴된 이후 미.뉴 양국간에 불편한 관계가 지속되어 왔고, 미 정부가 정치 외교 분야에서 주재국과 협력하는것을 회피하는 정책에 기인하는 것으로 판단됨.

중아국 대책반	장관	차관	1차보	2차보	아주국	통상국	청와대	안기부

PAGE 1

90.08.22 13:26

외신 2과 통제관 EZ

0071

6. 한편, 주재국은 자국내 석유 수요의 55-60% 를 자급하고 있고, 나머지 수요량의 주요 공급지는 사우디와 UAE 인 관계로 석유 도입에는 큰 지장이 없으나, 교역 중단등의 경제제재 조치로 연간 4 천-5 천만 미불의 수출 손실(주로 낙농제품)이 예상되고 있음.

(대사 서경석-국장)

예고:90.12.31 까지

PAGE 2

0072

72

주 브 루 나 이 대 사 관

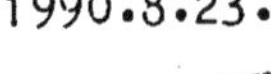

브 (정) 751 - 192   1990.8.23.

수신 : 장 관

참조 : 동상국장, 아주국장, 중동아프리카국장

제목 : 이락.쿠웨이트 사태에 대한 주재국 입장

연 : BUW - 0179

연호 Mohamed 주재국 외무장관의 OIC 회의에서의 연설문 및 이락.쿠웨이트 사태에 대한 OIC 성명을 별첨 송부합니다.

첨부 : 동연설문 및 성명서 사본 각 1 부. 끝.

주 브 루 나 이 대

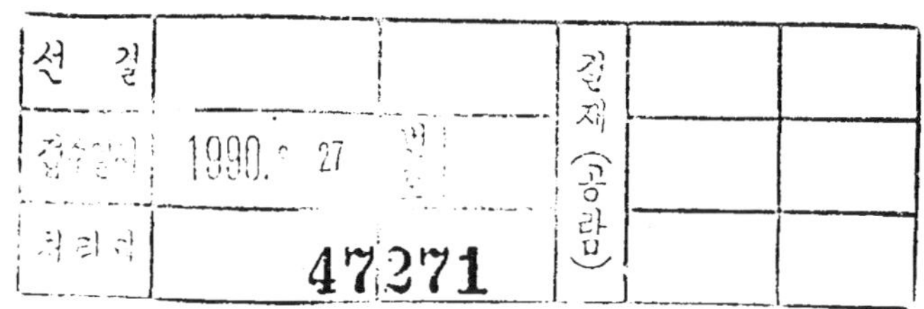

선 길			결재 (공람)		
접수일시	1990. 8. 27				
처리과	47271				

0073

ICFM/19-90/ORG/PLEN.9

~~DRAFT~~ DECLARATION ON THE SITUATION BETWEEN IRAQ AND KUWAIT.

The Conference received with deep regret the news of the tragic incidents arising between two members of the Organisation of the Islamic Conference, namely Iraq and Kuwait. It so happened that these incidents took place during the current session of the Conference, at a time when hopes had been placed on the imminent successful outcome of the direct contacts which had been well arranged by sincere fraternal Arab parties, so as to contain the crisis arising between the two sister countries and reach a satisfactory and peaceful settlement of the dispute.

The Conference expresses support for the statement issued by H.E. the Secretary General of the Organisation, on this issue on 11 Muharram, 1411H corresponding to 2 August 1990.

The Conference condemns the Iraqi aggression against Kuwait, and rejects all its consequences; it does not recognize anything arising therefrom; and demands that the Iraqi forces withdrawn immediately from Kuwaiti territories and return to the positions they had held before 10 Muharram 1411H, corresponding to 1 August, 1990. It calls for adherence to the principles of the OIC Charter, particularly the provision that disputes among Member States be settled by peaceful means, and non-interference in the internal affairs of any State. It also .demands that both countries abide by the dictates of good neighbourliness; refrain from any attempt to forcibly change the internal systems of either state; respect the sovereignty, independence and territorial integrity of all states; and urges them to refrain from the use, or the threat of use of force, against the unity, territorial integrity and political independence of either of them.

Noting that the Iraqi Government has declared its intention to withdraw its armed forces from Kuwait, the Conference will follow up the unconditional implementation of this pledge by the Iraqi side, while expressing support for the legitimate regime in Kuwait under His Highness the Emir, Sheikh Jaber Al-Ahmed Al-Jaber Al-Sabah, the Emir of the State of Kuwait, and Chairman of the Fifth Islamic Summit; confirming its full solidarity with the Emir, Government and people of Kuwait.

Hame
HD5

0074

TEXT OF SPEECH

BY

HRH PRINCE MOHAMED BOLKIAH

THE MINISTER OF FOREIGN AFFAIRS OF BRUNEI DARUSSALAM

AT

THE 19TH ISLAMIC CONFERENCE OF FOREIGN MINISTERS

CAIRO, ARAB REPUBLIC OF EGYPT

31 JULY - 4 AUGUST 1990.

BISMILLAH HIRAHMAN NIRAHIM

MR. CHAIRMAN,
YOUR HIGHNESS,
YOUR EXCELLENCIES AND DISTINGUISHED DELEGATES

ASSALAMUALAIKUM WARAHMATULLAHI WABARAKATUH

I WOULD LIKE TO JOIN THE OTHER DELEGATIONS AND PRESENT MY WARM CONGRATULATIONS TO YOU, MR. CHAIRMAN, ON YOUR UNANIMOUS ELECTION AS CHAIRMAN OF THE 19TH ISLAMIC CONFERENCE OF FOREIGN MINISTERS. MY DELEGATION IS CONFIDENT THAT YOU WILL GUIDE US WELL TOWARDS ACHIEVING OUR OBJECTIVES.

2/....

0075

ON BEHALF OF MY DELEGATION, I WOULD ALSO LIKE TO THANK THE OUTGOING CHAIRMAN, HIS ROYAL HIGHNESS PRINCE SAUD AL FAISAL, FOR HIS GUIDANCE AND WISDOM DURING THE WORK OF THE 18TH CONFERENCE.

MR. CHAIRMAN,

OUR MEETING LAST YEAR IN RIYADH CAME AT THE END OF A DECADE. DURING THAT DECADE, WE FACED MANY INTERNATIONAL CRISES. HOWEVER, BY THE TIME IT HAD ENDED, WE HAD BEGUN TO SEE A NUMBER OF POSITIVE DEVELOPMENTS. NOTABLY, THERE WAS LESS TENSION BETWEEN THE SUPERPOWERS. ALSO, NATIONS SEEMED TO BE MORE WILLING TO SETTLE REGIONAL CONFLICTS BY NEGOTIATION. IF THESE HOPEFUL SIGNS REMAIN, OUR WORK MAY BE EASIER THAN IN THE PAST.

NEVERTHELESS, MR. CHAIRMAN, WE STILL OBSERVE MUCH WHICH CONCERNS US.

FOR EXAMPLE, WE HAVE WELCOMED THE CONTINUING CEASEFIRE BETWEEN IRAN AND IRAQ WITH GREAT RELIEF. IT IS AN EVENT WHICH BRINGS JOY TO THE ISLAMIC UMMAH. HOWEVER, WE HAVE ALSO NOTED THAT THE PROGRESS OF NEGOTIATIONS WHICH STARTED UNDER THE AUSPICES OF THE UNITED NATIONS HAS BEEN SLOW. CONSEQUENTLY, WE FEEL

3/...

0076

THAT WE SHOULD BE SUPPORTING URGENT MOVES AIMED AT ESTABLISHING A PERMANENT PEACE. WITH THIS ACHIEVED, THE PEOPLES OF IRAN AND IRAQ CAN CONCENTRATE UPON FURTHERING THEIR SOCIAL AND ECONOMIC PROGRESS.

ALSO, THE SITUATION IN AFGHANISTAN IS STILL A SOURCE OF CONCERN. THE WITHDRAWAL OF THE SOVIET MILITARY FORCES HAS NOT BROUGHT PEACE AND STABILITY. THEREFORE, WE FEEL THAT IT IS THE DUTY OF OUR ORGANISATION TO ENCOURAGE THE AFGHAN PEOPLE TO SETTLE THEIR DISPUTES AND START REBUILDING THEIR COUNTRY.

IT SADDENS US TO LEARN THAT THE MISUNDERSTANDING BETWEEN OUR BROTHERS IRAQ AND KUWAIT HAS ESCALATED IN TO A SERIOUS CONFLICT. I WOULD LIKE TO APPEAL TO OUR BROTHERS TO SETTLE THEIR PROBLEM PEACEFULLY THROUGH NEGOTIATIONS.

MR. CHAIRMAN,

BRUNEI DARUSSALAM HAS BEEN DEEPLY CONCERNED AT THE GRAVE SITUATION IN PALESTINE TODAY.

IN SUMMARY, WE NOTE THAT ISRAEL CONTINUES TO PURSUE ITS GOAL OF A GREATER ISRAEL. THIS INVOLVES

4/...

POLICIES OF REPRESSION AND DISREGARD FOR INTERNATIONAL LAW AND WE CONDEMN THEM. IN STATING THIS, BRUNEI DARUSSALAM REAFFIRMS ITS SUPPORT FOR THE CONVENING OF AN INTERNATIONAL CONFERENCE FOR PEACE IN THE MIDDLE EAST INVOLVING THE PERMANENT MEMBERS OF THE SECURITY COUNCIL AND ALL CONCERNED PARTIES, INCLUDING THE PALESTINIAN LIBERATION ORGANISATION ON AN EQUAL FOOTING, AS THE SOLE LEGITIMATE REPRESENTATIVE OF THE PALESTINIAN PEOPLE.

MR. CHAIRMAN,

I HAVE BRIEFLY NOTED SEVERAL SITUATIONS WHICH CONTINUE TO WORRY US. HOWEVER, THERE ARE ENCOURAGING SIGNS IN MANY PARTS OF THE WORLD WHICH SHOW THAT NATIONS ARE SEEKING NEGOTIATION RATHER THAN CONFRONTATION. THESE SIGNS CAN POINT THE WAY TO A NEW ERA OF PEACE, STABILITY AND PROSPERITY WHICH WILL REMOVE THE THREAT OF WAR AND HALT THE ARMS RACE. THE SIGNS ARE REAL BUT WE MUST NOT TAKE THEM FOR GRANTED. IF A PROSPEROUS AND STABLE WORLD IS TO EMERGE FROM THE ISLAMIC PERSPECTIVE, OUR ISLAMIC UNITY AND SOLIDARITY MUST BE ENHANCED. WE THUS BELIEVE THAT IT IS MOST IMPORTANT FOR THIS CONFERENCE TO AFFIRM INTERNATIONALLY THAT OUR WORLD VIEW IS STILL SHARPLY FOCUSSED UPON ETERNAL ISLAMIC VALUES.

5/....

MR. CHAIRMAN,

ON BEHALF OF MY DELEGATION, I WOULD LIKE TO THANK THE PEOPLE AND GOVERNMENT OF THE ARAB REPUBLIC OF EGYPT FOR THEIR GENEROUS HOSPITALITY. I WOULD ALSO LIKE TO CONCLUDE BY THANKING THE SECRETARY-GENERAL AND HIS STAFF FOR THE VALUABLE ASSISTANCE GIVEN TO ME AND MY DELEGATION DURING THIS CONFERENCE.

WABILLAHITAUFIK WAHIDAYAH WASALAMUALAIKUM WARAHMATULLAHI WABARAKATUH.

0079

관리번호	90/1461

원 본

외 무 부

종 별 :

번 호 : BMW-0517 일 시 : 90 0824 1620

수 신 : 장관(중근동,아서,국방부)

발 신 : 주 미얀마 대사

제 목 : 이라크,쿠웨이트 사태에 관한 주재국 반응

연:BMW-0466

1. 주재국 "우옹조" 외무차관은 8.23 당지의 한 외교단 모임에서 주재국 정부는 연호와 같이 이라크, 쿠웨이트 사태에 관하여 공식입장은 발표하지 않을 것이나 UN 안보리의 대이라크 제재 결의안은 존중할 것이라고 언급 하였음.

2. 한편 동 차관은 만일 이라크가 주재국 정부에 쌀 수출을 거론해올 경우 어떻게 하겠느냐는 질문에 대하여 인도적인 상품교역은 구체적으로 문제가 제기될 경우 신중히 검토하겠으나, 주재국과 이라크의 현재 교역 현황(극소량)에 비추어 그와 같은 요청은 없을 것이라고 답변했음.

(대사 김항경-국장)

예고:90.12.31 까지

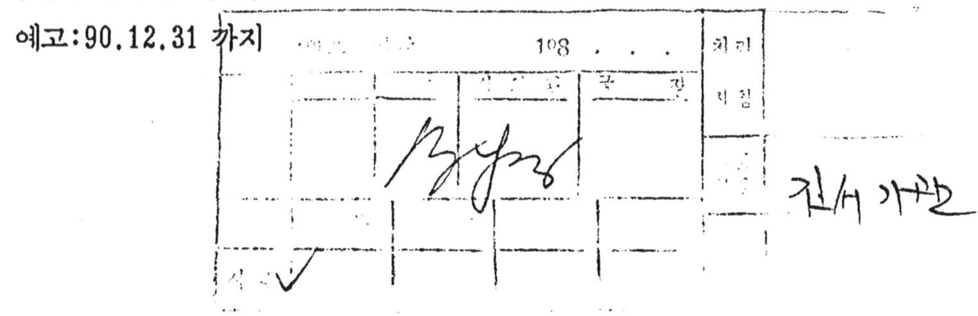

중아국 차관 1차보 2차보 아주국 통상국 정문국 청와대 안기부
국방부 대책반

PAGE 1 90.08.24 22:08

외신 2과 통제관 DO

0080

원 본

외 무 부

종 별 :

번 호 : MAW-1136 일 시 : 90 0825 1000

수 신 : 장관(중근동,아동,기정,국방)

발 신 : 주 말련 대사

제 목 : 주재국의 대 사우디 파병

1. 마하틸 수상은 8.24 ALOR STAR 선거유세에서 주재국은 MECCA 와 MEDINA 에대한이락의 공격이 임박했을 경우에만 사우디에 군대를 파견할 것이며 현재와 같이 절박한 위험이 없을경우에는 UN 의 결정에 따를 것이라고 말함으로써 당분간 사우디에 대한 군대 파견계획이 없음을 시사하였음.

2. 그러나, 유엔의 평화 유지군 파견 결정이 있을경우에는 콩고,나미비아,이란,이락의 경우와 같이 주재국이 즉각 군대를 파병할 것이라고 부연함.끝

(대사 홍순영-국장)

중아국 1차보 아주국 안기부 국방부 대책반 미주국

PAGE 1

90.08.25 18:33 CG

외신 1과 통제관

0081

외 무 부

종 별 :

번 호 : SGW-0537 일 시 : 90 0825 1200

수 신 : 장 관(통이,중동,아동,정일,기정)

발 신 : 주 싱가폴 대사

제 목 : 싱가폴의 대이락 제재조치(자료응신 제52호)

1. 싱가폴 외무부는 8.24.자 성명을 통해 유엔안보리의 8.6.자 대이락 경제제재 조치 결정에따라 이락및 이락 점령 쿠웨이트와의 경제활동을 금지한다고 발표함. 금번싱가폴 조치는 이락과의 통상, 화물운송, 금융등 경제거래 전반에 걸치는 포괄적인성격의 것으로서 통상금지 조치의 경우 유엔안보리가 제재조치를 부과한 8.6. 이후이락 및 쿠웨이트를 출발한 모든 상품에 적용되며 싱가폴로부터 이락으로의 화물선적은 금 8.25. 부터 효력을 발생토록 되었음.

2. 또한 이번 조치는 위반에대한 벌칙도 포함하고 있는바, 통상금지를 위반한 경우 최고 12개월징역 또는 5천미불 이하의 벌금을 부과하고 있음.

3. 당지 기업인, 무역인들은 이번조치의 싱가폴 경제에 대한 충격이 크지 않으므로 별반 우려할 일이 못된다는 반응을 보인 것으로 보도되었음.

4. 싱가폴의 대이락 및 쿠웨이트 수출입규모(89년)는 아래와 같으며, 총액 기준으로 싱가폴 전체교역액의 1 퍼센트 미만임.

가. 이락

- 수출: 11.4 백만미불
- 수입: 1.2 백만미불

나. 쿠웨이트

- 수출: 99 백만미불
- 수입: 624 백만미불. 끝.

(대사-국장)

통상국 1차보 2차보 아주국 중아국 정문국 안기부 대책반

PAGE 1

90.08.25 18:36 CG

외신 1과 통제관

0082

원 본

외 무 부

종 별 :

번 호 : SGW-0543 일 시 : 90 0830 1700

수 신 : 장 관(중동,통이,아동,정일,기저)

발 신 : 주 싱가폴 대사

제 목 : 쿠웨이트 석유장관 방문(자료 제 53호)

1. ASHEED SALEMQ AL-AMEERI 쿠웨이트 석유장관이 8.28.-30.간 싱가폴을 방문,고촉통 제 1부수상겸 국방장관과 당지 쿠웨이트 석유공사 (KUWAITPETROLEUM CORPORATION: KPC) 사무소 책임자들과 면담한 것으로 보도됨.

2. AL-AMEERI 장관의 싱가폴을 비롯한 아시아수개국 방문목적은 쿠웨이트 망명정부에 대한 계속적인 지지 확보 KAETOVV러 KPC 가 전적으로 망명정부의 소유하에서 아직도 효과적으로 기능하고 있음을 강조하기 위한 것으로 알려졌음.

3. 동 장관의 싱가폴 방문일정 주선은 당지 주재 사우디 대사관이 하였다 하며 고촉 통 장관 면담시는 말레지아 주재 쿠웨이트 대사가 수행하였다 함.

4. 보도에 의하면 AL-AMEERI 장관은 싱가폴 방문전 인니를 방문 하였으며 싱가폴 다음에는 태국과 한국을 방문할 예정이라 함. 끝.

(대사-국장)

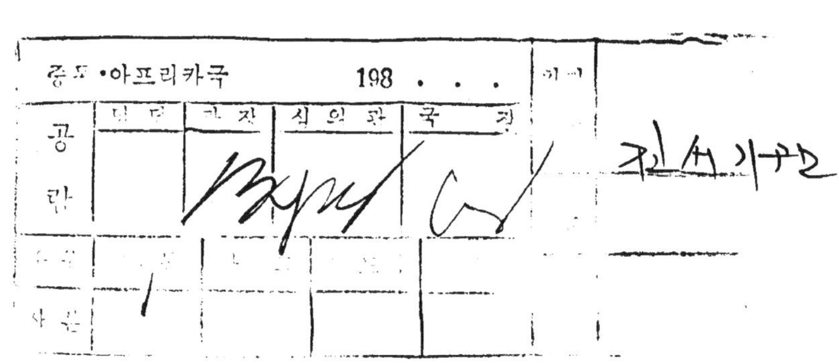

중아국 2차보 아주국 통상국 정문국 안기부

PAGE 1

90.08.30 21:33 DA

외신 1과 통제관

0083

/ 74

외 무 부

종 별 :

번 호 : PHW-1228 일 시 : 90 0831 1830

수 신 : 장관(아동,정일,중동,국방부,기정)

발 신 : 주필리핀 대사

제 목 : 주재국 외무장관간의 중동 방문결과(자료응신 132호)

주재국 외무부는 망글라푸스 장관의 중동 방문 결과를 아래와 같이 발표하였음.

1.이락 AZIZ 외무장관과 면담(90.8.29)가. 주쿠웨이트 필리핀 대사관 직원을 바그다드로 옮기는 문제와 관련 이락측은 주쿠웨이트 필리핀 대사관에 행정요원 3명을잔류시키는데 동의하며 이들에게 외교관 특전 면제가 계속 허용됨. 또한 바그다드 주 재 필리핀 대사관 직원이 언제든지 쿠웨이트에 가는것을 허용함.

나. AZIZ 이락 외무장관은 금번 중동 사태의 지리적,역사적 배경을 설명하고, 이락은 전쟁을 원하지않으며, 평화적 해결을 촉구하는 여러 국가에 사의를 표명함.

2.필리핀 노무자 수용소 방문

바그다드의 3천명이 수용되어 있는 필리핀 노무자 수용소를 방문하고 이들을 격려하였으며, 출국 심사없이 이들이 출국할수 있도록 아락측과 합의함.끝

(대사 노정기-국장)

아주국 1차보 중아국 정문국 안기부 국방부 미주국 통상국 대책반 그리번

PAGE 1

90.08.31 23:48 DP

외신 1과 통제관

0084

관리 번호	90-1993

외 무 부

종 별 :

번 호 : MAW-1632 일 시 : 90 1123 1200

수 신 : 장관(아동,중근동)

발 신 : 주 말련 대사

제 목 : 대이락 무력 사용에 관한 유엔결의 채택문제(자료응신 38호)

1. NAIMUN ASHAKLI 외무부 중동과장에 의하면 11.20 JAMES BAKER 미국무장관은 주미 말련 대사를 통해 표제관련 유엔안보리 비상임 이사국인 주재국에 대한 지지요청을 위해 미.말련 외무장관 회담(장소는 사우디를 제의)을 제의하여왔다고함.

2. 마하틸 수상은 그간 미국이 중동사태를 미국 주도로 해결하고자하는 태도에 불만을 표시하면서 기본적으로 동 문제가 유엔을 통해 평화적으로 해결되어야 한다는 입장을 고수하여왔음. 상기 입장에 비추어 마하틸 수상은 동 외상 회담 초청을 거부할것으로 전망되고 있음.

3. 본건 진전사항 추보하겠음. 끝

(대사 홍순영-국장)

예고:91.6.30 까지

아주국 차관 1차보 2차보 중아국 국기국 정문국 안기부

PAGE 1

90.11.23 14:59

외신 2과 통제관 BA

0085

관리번호	90/1884

외 무 부

종 별 :

번 호 : MAW-1662 일 시 : 90 1129 1630

수 신 : 장관(아동,중근동)

발 신 : 주 말련 대사

제 목 : 대 이락 무력사용에관한 유엔 안보리 결의

연:MAW-1644,1632

1. 11.28 개최된 주재국 각의는 표제건에 대한 주재국의 입장을 결정한바 있으나 동 내용은 현재 비밀에 부쳐지고 있으며 명일 유엔안보리 개최(당지시간 11.30 오전) 직후 마하틸 수상이 직접발표할 예정인것으로 알려짐.

2. 미국 제안을 일반적으로 지지하는 것으로 탐문되고 있으나 상이한 교섭지침등은 신축성을 위하여 수상이 직접 관장하고 있다고함. 끝

(대사 홍순영-국장)

91.6.30 까지

아주국 차관 1차보 중아국

PAGE 1

90.11.29 21:23

외신 2과 통제관 CA

0086

길

외 무 부

종 별 :

번 호 : MAW-1680 일 시 : 90 1202 1500

수 신 : 장관(아동,중근동,국연)

발 신 : 주 말련 대사

제 목 : 대 이락 무력사용에 관한 유엔 안보리 결의

(자료응신 49호)

1. 11.30 마하틸 수상은 유엔 안보리 비상임 이사국인주재국이 지난 11.28 표제건에 관한 유엔 안보리 표결시 찬성투표한것과 관련 담화문을 발표함.

2. 마하틸 수상은 동 담화문에서 이슬람기구(OIC)및 비동맹 회원국인 주재국으로서는 지난 11.24미.말련 외무장관 회담이후 관계 당사국들과 동건에 관해 긴밀히 협의하여 온바 있음을 밝히고 무력을 통한 강대국의 약소국에 대한침공이나 병합행위는 타협의 여지가 없음을 강조함. 따라서, 이락이 UN 헌장에 따른 의무를 준수, 안보리가 제시한 시한내에 쿠웨이트로부터 군대를 철수함으로써 중동사태가 평화적으로해결되기를 촉구함.

3. 그러나, 마하틸 수상은 이락,쿠웨이트 사태를 팔레스타인 문제와 결부시키지는 않는다고 하면서도 미국의 대 팔레스타인 정책도 보다 공정하고 팔레스타인의 기본권을 존중하는 방향으로 전환되기를 희망함.끝

(대사 홍순영-국장)

아주국 1차보 중아국 국기국 정문국 안기부 대책반 그룹 미주국 통상국

PAGE 1 90.12.02 19:11 DY

외신 1과 통제관

0087

원 본

암호수신

외 무 부

종 별 :

번 호 : NZW-0298 일 시 : 90 1204 1100

수 신 : 장관(중근동,아동,국연,정일)

발 신 : 주 뉴질랜드 대사

제 목 : 걸프 다국적군 참여(자료응신 제9호)

1. 주재국 정부는 12.3 유엔의 대이락 제재 결의에 부응키위해 HERCULES 130 수송기 2 대와 군의료 부대를 걸프 지역에 파견키로 결정 하였음. 동파견에는약 3 개월 기간에 걸쳐 2-3 백만불이 소요될 것이라고 함.

2. 이에따라 항공기 승무원및 정비요원 약 60 명과 군의료 요원 약 35 명이크리스마스 이전에 주재국을 출발할 예정이며, 동 부대는 바레인에 기지를 둔 영국 공군과 공동 작전을 할것으로 예상됨.

3.BOLGER 수상은 현단계에서 동 부대의 역할이 비군사적이며, 금번 결정이 전쟁 개입을 의미하는 것이 아님을 분명히 하고 주재국 정부는 걸프 지역에서 작전중인 다국적군에 적절한 기여를 함으로써 전쟁 방지에 최선을 다하려 하며, 협상에 의한 분쟁 해결을 강력 지지 한다고 언명함.

4. 주재국 정부의 금번 결정은 상징적인 기여에 불과하며, 미국과의 동맹관계 재개를 위한 조치가 아니라는 BOLGER 수상의 설명에도 불구하고 주재국의 전통적인 동맹국과의 관계 재조정을 위한 대외정책의 중대한 변경인 것으로 분석됨.

5. 금번 조치에 대해 CLARK 노동당 부당수(MOORE 당수는 브랏셀 출장중)는 특정 외국의 비위를 맞추려는 기도라고 비난하고, ANDERTON 신노동당 당수는 금번 결정은 약체 정부가 영. 미의 압력에 굴복한 결과이며, 뉴질랜드 국민은 걸프사태의 군사적 개입에 강력 반대한다고 논평함. 또한 중동 사태관련 평화 그룹등 일부 민간 단체도 금번 결정을 반대하고 있음.

(대사 서경석-국장)

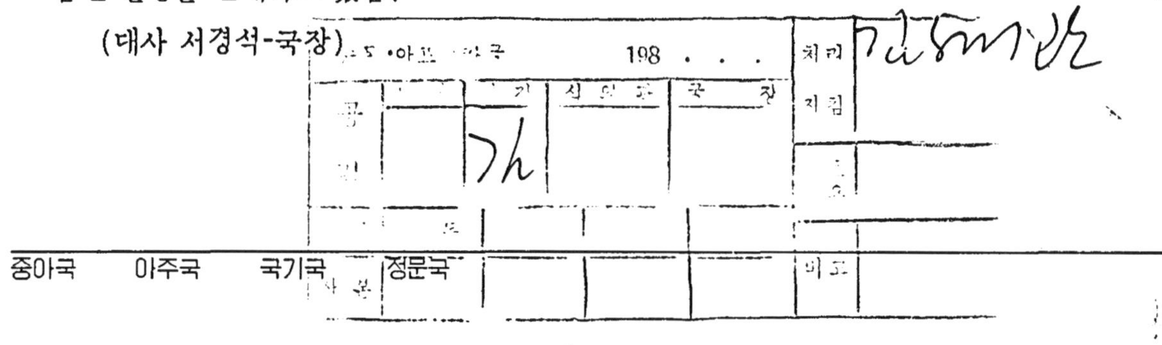

중아국 아주국 국기국 정문국

PAGE 1 90.12.04 11:30

외신 2과 통제관 FE

0088

외 무 부

종 별 :

번 호 : MAW-0059 일 시 : 91 0114 1700

수 신 : 장관(기협,아동,기정,사본:동자부장관)

발 신 : 주 말련 대사

제 목 : 페만사태:말련 원유 생산및 수출(자료응신 1호)

대:WMA-0051

연:MAW-1701

1. 주재국은 걸프사태 발생시 일산 595,000 배럴하던 원유 생산량을 계속 늘려 현재 650,000배럴을 생산하고 있으며, 조만간 30,000-50,000배럴의 추가 증산을 계획하고 있음.

2. 사태후 90.12말까지 주재국은 6개국에 대하여 총410만 배럴의 원유 추가공급을 약속하였으며,아국및 세이셀과 추가 공급에 대한 협의를 진행하고 있음. 개별 국별 추가공급 현황은 아래와 같음.

0 방그르데쉬:900,000배럴(90.11월및 12월 2차에걸쳐 선적 예정이었으나 방측 국내 사정으로 지연)

0 파키스탄:1,350,000배럴(90.10월,11월,12월 3차에걸쳐 선적예정이었으나 파측사정으로 현재 1차분 450,000배럴만 완료)

0 태국: 500,000배럴(90.12 선적 완료)

0 인도: 450,000배럴(90.12 공급 합의, 상금 미선적)

0 스리랑카: 450,000배럴(90.12 공급 합의, 상금 미선적)

0 필리핀: 450,000 배럴(90.9 1차에 선적 완료, 상금추가 공급 요청없음).끝

(대사 홍순영-국장)

경제국 2차보 아주국 안기부 동자부

PAGE 1

91.01.14 22:44 DP

외신 1과 통제관

0089

관리번호	91/1088

원 본

외 무 부

종 별 :

번 호 : MAW-0066　　　　일 시 : 91 0115 1730

수 신 : 장관(중근동,아동)

발 신 : 주 말련 대사

제 목 : 페만 사태 관련 주재국 대응

연:MAW-0012

1. NAMUN ASHAKLI 외무부 중동과장에 의하면, 1.15 현재 이락 주재 자국 공관원은 전원 본국으로 철수하였으나 사우디, 요르단, 시리아등 인근 국가에는 아직도 자국 공관원은 포함 약 2,000 여명의 교민이 잔류하고 있다고함.

2. 따라서, 주재국 외무부에 기 설치된 연호 비상 대책반도 24 시간 운영하면서 페만 전쟁 발발시 자국 교민의 비상대피 계획(대사관에 집결 현지 공관장 재량하 육로 또는 차량편 철수)등 안전 대책을 수립중에 있음.

3. 주재국 정부는 주재국 경제가 페만 사태로 인하여 심각한 타격을 입는다고 보고있지 아니하므로 교민 철수 대책이외에 상금 전쟁에 대비한 특별한 국내적인 비상조치 계획은 수립하지 않고 있음. 아울러, 아랍테러 문제에 대하여서도주재국이 간접적인 영향을 받을수는 있어도 주재국인이 직접적인 대상이 되지는 않을 것으로 보고있음.

4. 상기에 비추어 주재국 정부는 사전 구체적인 위기관리 계획보다 페만 사태 진전여하에 따라 수상 자신이 입장을 표명하는등 그때그때 임시 방편적으로 대응해 나갈것으로 관측됨. 끝

(대사 홍순영-국장)

91.6.30 일반

중아국　차관　1차보　2차보　아주국

PAGE 1　　　　91.01.15　21:46
외신 2과　통제관 FE

0090

긴

원 본

외 무 부

암호수신

종 별 :

번 호 : NZW-0015 일 시 : 91 0116 1100

수 신 : 장관(미북,중근동,아동,정일)

발 신 : 주 뉴질랜드 대사

제 목 : 페만사태 관련 군의료단 파견(자료응신 제1호)

연: NZW-0298(90.12.4)

1. 32 명으로 구성된 주재국 군의료단(단장: CIVIL 소령)이 금 1.16 중동 향발하였음. 동 의료단은 바레인 주둔 미군 병원에서 근무하게 된다함.

2. 주재국 정부는 90.12.3 유엔의 대이락 제재 결의에 부응키 위해 HERCULES 수송기 2 대및 군의료단을 걸프지역에 파견키로 결정한바 있으며, 수송기 2 대와 승무원 및 정비용원 약 46 명이 기파견 되어 현재 리야드 주둔 영국 공군과같이 일하고 있음.

3. 이와 관련, BOLGER 주재국 수상은 걸프에서 전쟁이 발발하더라도 주재국은 전투행위는 결코 수행치 않을 것임을 분명히 하고 주재국이 파견한 수송기도 폭탄 투하등의 능력이 없다고 부연하였음.

4. 주재국 정부는 금일 특별 각의를 소집, 걸프사태에 따른 대책을 협의할 예정임.

5. 한편, 1.15 수도 웰링톤에 GULF CRISIS COMMITTEE 및 평화그룹등이 주도하는 약 5,000 명의 시위대를 비롯한 전국 주요 도시에 평화적 시위대가 중동전 반대 시위를 벌렸음.

(대사 서경석-국장)

미주국 차관 1차보 아주국 중아국 정문국 청와대 안기부

PAGE 1

91.01.16 07:47
외신 2과 통제관 BT

0091

관리 번호	91-77

원 본

외 무 부

종 별 : 지 급

번 호 : BAW-0024 일 시 : 91 0116 1030

수 신 : 장 관(미북,아서)

발 신 : 주 방 대사

제 목 : UN 안보리 철군시한 경과 관련 성명 발표

대:WBA-0016

1. 1.14 주재국 외무차관은 당지 주재국 이락대사를 초치, 이라크의 쿠웨이트로부터의 철수를 요구하는 주재국 대통령 권한대행 명의 사담 훗세인 대통령 앞멧세지를 전한것으로 발표됨.

2. 멧세지 요지는 아래와 같음.

-THE WAR IN THE GULF BECOMES MORE REAL THAN EVER BEFORE AND THE POSSIBLE LOSS OF LIFE, DEVASTATIONS OF PROPERTIES AND INFRA-STRUCTURES AND OTHERCONSEQUENCES OF SUCH A WAR WOULD BE COLOSSAL

-BANGLADESH WOULD LIKE TO SEE THE WAR AVERTED AT ALL COST

-IN OUR VIEW, WITHDRAWAL OF THE IRAQI TROOPS WILLS CREATS THE NECCESARY ATMOSPHERE FOR SOLUTION OF THE OUT-STANDING PROBLEMS BETWEEN IRAQ AND KUWAIT.

-EQUALLY WE ARE OF THE OPINION THAT OUR COMMON GOAL OF THE REALISATIONOF THE LEGITIMATE NATIONAL RIGHTS OF OUR PALESTINIAN BRETHERN WHICH HAS CONSISTENTLY OCCUPIED A PRIORITY CONCERN OF OUR FOREIGN POLICY WOULD BE BEST SERVED THROUGH SUCH AN APPROACH.

-CONCERNED FOR THE IMPLEMENTATION OF THE UN RESOLUTIONS ON KUWAIT AS FOR THE SECURITY AND WELLBEING OF OUR BRETHREN IN IRAQ PEACE AND STABILITY IN THE REGION AND UNITY AND SOLIDARITY OF THE ISLAMIC UMMAH.

-HOPE THAT PRESIDENT SADDAM HUSSAIN AND IRAQI PARLIAMENT WHICH IS CURRENTLY IS SESSION WOULD RESPOND POSITIVELY TO OUR REQUEST EVEN AT THIS LASTMOMENT.

(대사 이재춘-국장)

예 고:91.12.31 일반.

검 토 필 (1991.6.30.)

미주국 장관 차관 1차보 2차보 아주국 중아국 청와대 총리실
안기부

일반문서로 재분류(1991.12.31.)

PAGE 1

91.01.16 14:35

외신 2과 통제관 CH

0092

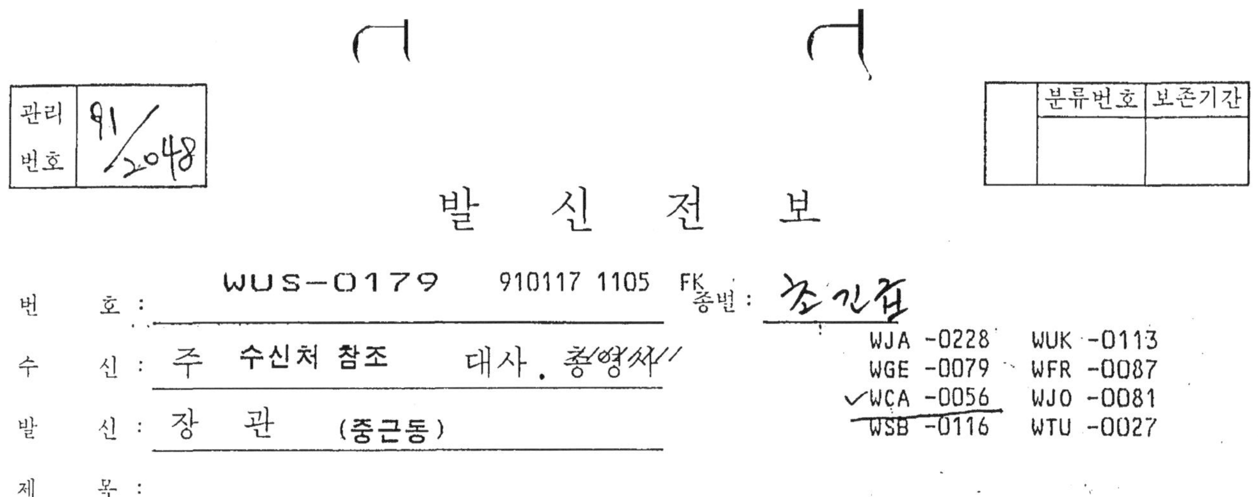

관리 번호 91/2048

분류번호 | 보존기간

발 신 전 보

번 호 : WUS-0179 910117 1105 FK 종별 : 초긴급

수 신 : 주 수신처 참조 대사. ~~총영사~~

발 신 : 장 관 (중근동)

제 목 :

WJA -0228 WUK -0113
WGE -0079 WFR -0087
WCA -0056 WJO -0081
~~WSB -0116~~ WTU -0027

귀지에서 파악할수 있는 페르샤만의 전황을 수시로 긴급 보고 바라며, 이스라엘의 참전 여부가 금후 사태 발전의 큰 변수가 될것인바, 이에 관한 정보도 적극 수집 보고 바람. 끝.

(장 관) ~~(미 상 목)~~

수신처 : 주 미, 일, 영, 독, 불, 카이로, 요르단, 사우디, 터키 대사

예 고 : 91.6.30. 일반

보안 통제	가

앙 고 재	91년 1월 17일	중근동과	기안자 성명		과 장		국 장		차 관	장 관
			김호식		가					가

외신과통제

0093

관리번호	91/240

원 본

외 무 부

종 별 : 지 급

번 호 : BUW-0016 일 시 : 91 0117 1700

수 신 : 장관(중근동,아동,정일,기협)

발 신 : 주 브나이 대사

제 목 : 폐만전쟁발발

1. 폐만에서의 전쟁발발과 관련 주재국정부는 상금 공식성명이나 코멘트를 발표치 않고있으며 1.14. 외무부내에 관계부처(종교부, 체신부, 보건부, 재무부, RBA 항공사)로 구성된 폐만 비상대책본부를 설치하여 폐만사태관계 정보수집과 사우디, 오만및 애급에 체류중인 자국민의 철수및 보호 대책수립 시행을 담당케하고있음.

2. 주재국 외무부는 상기 3 개국에 체류중인 브루나이공관원 가족 32 명을 기철수시켰음.

3. 주재국은 폐만사태후 일산 15 만배럴을 약간상회(일 2 천배럴)하는 수준의 원유를 생산 (70 만배럴증산)한바, 아세안 석유안전협정에따라 비산유회원국에 현물시장판매분을 최우선 수출할 계획이라함. 끝

(대사허세린-국장)

19예고:91.6.30 예고문에 의거 일반문서로 재 분류됨.

중아국	장관	차관	1차보	2차보	아주국	경제국	정문국	청와대
총리실	안기부	동자부						

PAGE 1

91.01.17 19:00

외신 2과 통제관 BW

0094

원 본

외 무 부

종 별 :

번 호 : MGW-0029 일 시 : 91 0117

수 신 : 장관(아이, 기정동문)

발 신 : 주 몽골 대사

제 목 : 페만개전관련 주재국동향

1. 주재국 외무성 대변인은 금 1.17 17:00 페만 개전관련, 하기 요지 성명서를 발표했음

- 몽골정부는 이락크의 쿠웨이트 점령은 처음부터 부당한 행위로서 UN 헌장, 국제법 및 국제관례를 위배한 것으로 인정했음.

- UN 안보리의 결정에 의거 UN 군이 금일 쿠웨이트를 독립시키기 위해 군사행동정를 취했는바, 몽골정부는 이와관련 국제정세가 악화되고 인적, 물적 자원이 손실된데 대해 유감스럽게 생각함

- 몽골정부는 쿠웨이크 독립후 군사행동이 중단되고 페만지역에 평화가 이룩되기를 희망함

2. 상기관련, 주재국 안론 동향 등 진전사항 추보위계임

(대사- 국장)

아주국	장관	차관	1차보	2차보	중아국	중아국	정문국	청와대
총리실	안기부	안기부	대책반					

PAGE 1

91.01.17 21:13 CG

외신 1과 통제관

0095

관리번호 91/285

원 본

외 무 부

종 별 : 긴 급

번 호 : SGW-0026 일 시 : 91 0117 1940

수 신 : 장관(중근동,아동,대책반)

발 신 : 주 싱가폴 대사

제 목 : 페만전쟁(유가동향)

대: WSG-0038, WAAM-0003

페만전쟁 발발에 따른 당지 유가동향을 아래 보고함.

1. 두바이산 원유:

작 1.16. 종가가 배럴당 25.40 불이었으나 금 1.17. 09:00 26 불로 개장되었다가 10 시경부터 하락하기 시작하여 14:30 에 LIMITED DOWN 으로 22 불까지 하락함으로 인해 거래가 중단되었음.

2. 벙커 C 유(HSFO)

작 1.16. 종가는 2 월분이 톤당 177 불, 3 월분이 163.5 불이었으나 금 1.17. 오전 196 불과 173 불로 각각 개장되었다가 계속 폭락, 18:00 현재 137 불과 117 불로 각각 폐장되었음. 끝.

예고: 91.12.31. 까지

검토필(1991. 6.30.)

중아국 장관 차관 1차보 2차보 아주국 청와대 안기부 대책반

PAGE 1 91.01.17 21:14

외신 2과 통제관 CF

0096

외 무 부

종 별 :

번 호 : THW-0091 일 시 : 91 0117 1830

수 신 : 장관(아동,대책반,해외)

발 신 : 주 태국 대사

제 목 : 페르시아만 사태

대 : WAAM-0003

대호 당지 영자지 BANGKOK POST 1.17(목)자 석간란은 아래요지로 보도하였음

1. 차티차이 주재국 수상, 미국 주도 군사행동개시 지지

0 차티차이 수상은 1.17(목) 아침 주태 미국대사와 면담하는 자리에서 미국 주도 다국적군의 대이라크 군사행동개시에 대한 지지를 표명하였음

2. 차티차이 주재국 수상, 에너지 절약

0 차티차이 수상은 국민들에대해 유류 및 전기사용 절약을 촉구하면서 네온사인광고, 가로등 사용절제, TV 방영시간 단축등을 시사하였음

3. 이라크 주재 잔류 태국외교관 터어키로 철수

0 KASEM 외무성 사무차관은 주이라크 태국대사관의 마지막 잔류 외교관들을 터어키로 안전하게 철수시켰다고 밝혔음

(대사 정 주년-국 장)

아주국	장관	차관	1차보	2차보	미주국	중아국	정문국	청와대
총리실	안기부	공보처	대책반					

PAGE 1

91.01.17 21:17 CG

외신 1과 통제관

0097

관리 번호	91/249

외 무 부

종 별 :

번 호 : BMW-0029 일 시 : 91 0117 1740

수 신 : 장관(아서,중근동,국방부)

발 신 : 주 미얀마 대사

제 목 : 페르시아만 사태

대:WAAM-0003

1. 대호 본직이 주재국 외무부 '우옹조'외무차관과 접촉 파악한바에 의하면, 현재 주재국측은 외무부내에 페만사태 TASK FORCE 를 구성 전황을 모니터링하고 있으며, 전쟁 발발과 관련 정부 공식논평등은 계획치 않고 있다함. 주재국내의 이락 동조세력의 테러가능성에 대해서는 크게 우려치 않고 있으나 주재국내 회교도들의 동향을 주시, 출입국 심사강화등의 조치를 취하고 있으며 외국공관(미, 영등 거론)및 외국인에 대한 경비강화를 검토하고있다함. 동차관은 당관및 당지 주재 한국인 경비강화에 대해서는 필요시 적극 협조하겠다고 약속함.

2. 현재 주재국은 페만전황에 대해 정규방송 시간에 간간이 보도하고 있으나 특별한 움직임은 없으며 일반주민들은 석유소비제한등을 예견하고 이에따른 물가상승등을 우려하고 있음. 끝

(대사 김항경-국장)

예고:91.6.30. 일반예고문에 의거 일반문서로 재 분류됨.

검토필(1991. 6.30.)

아주국 장관 차관 1차보 2차보 중아국 청와대 안기부 국방부

PAGE 1

91.01.17 21:56

외신 2과 통제관 CF

0098

관리번호	91/245

외 무 부

종 별 :

번 호 : MAW-0087 일 시 : 91 0117 2300

수 신 : 장관(아서,아일,아이,아동, 대책반,기정,국방)

발 신 : 주 말련 대사

제 목 : 주재국 외무부, 페만 사태관련 성명발표

대:WAAM-0003

1. ABU HASSAN 외무부 장관은 1.17 하오 페만 전쟁 발발에 따른 성명을 발표한바, 요지 아래보고함.

0 이락 정부가 유엔 결의를 준수할것을 희망하였음에도 불구, 전쟁이 발발하게 된것을 슬프게 생각

0 말련은 약소국이 인접한 강대국에 의해 점령되는 것은 반대하였으나 금번사태가 이슬람 국가간의 형제애에 의해 해결되지 못한것을 유감으로 생각

0 말련이 유엔 안보리 비상임 이사국일 당시 페만 사태의 평화적 해결을 위해 여타 중립국들과 함께 최선을 다하였으나 여사한 노력은 여타국에 의해 거부된바 있음.

0 비록 전쟁은 발발하였으나 유엔 안보리는 전쟁의 즉각적인 중단및 대화를통한 문제 해결을 위해 계속 노력할것을 촉구함.

0 아울러, 말련은 이락이 쿠웨이트로부터 철군하여 파멸을 자초하지 않기를호소.

2. 한편 주재국 정부는 페만에서의 전쟁 발발에도 불구 유류공급 통제, 인플레 억제책등 특별한 국내 경제 정책을 취하지는 않고 있음. 끝

(대사 홍순영-국장)

91.12.31 까지

검토필(1991. 6. 30.)

아주국	장관	차관	2차보	아주국	아주국	아주국	중아국	청와대
안기부	대책반							

PAGE 1 91.01.18 02:51

외신 2과 통제관 CA

0099

관리 번호	91/247

원 본

외 무 부

종 별 : 지 급

번 호 : BUW-0017 일 시 : 91 0118 1200

수 신 : 장관(중근동,아동,정일,기협)

발 신 : 주 브루나이 대사

제 목 : 페만 전쟁 발발

연:BUW-0016

1.17 저녁 FATIMAH 외무부 경제 정보국장은 표제관련, 아래내용의 성명을 발표함

브루나이정부는 걸프만 사태진전을 예의 주시 하고있음

사우디, 애급및 오만주재 공관원과 애급 체류 주재국 유학생들은 안전한바

국내가족은 외무부, 동지역거주 브인은 대사관과 긴밀히 협조바람. 끝

(대사허세린-국장)

, 예고:91.12.31. 까지

검토필(1991. 6.30.)

중아국 아주국 경제국 정문국 안기부

PAGE 1

91.01.18 13:17

외신 2과 통제관 FE

0100

관리번호	91/232

외 무 부

종 별 :

번 호 : PHW-0077 일 시 : 91 0118 1350

수 신 : 장관(아동,아서,아일,아이,중근동)

발 신 : 주 필리핀 대사

제 목 : 페르시아만 사태(자료응신 12)

대:WAAM-3

1. 주재국 대통령은 1.17.(목) 미국이 주도하는 다국적군의 이락시설에 대한 공격을 전면 지원한다고 하면서 이번 조치로 중동지역에 영원한 평화가 있기를 희망한다고 하였음.

2. 대통령 대변인은 아키노 대통령의 동 성명이 이락과의 평화 노력이 실패한후 유엔이 부여한 강제 조치를 취한것을 필리핀이 지지하는 것이라고 하면서 대통령의 동성명이 필리핀과 이락과의 외교관계를 단절하는 것을 의미하는 것이 아니라고 하였음.

3. 주재국은 중동으로부터 주재국의 유류 소비량 80 프로를 수입하고 있는바, 금번 사태로 주재국 유류 공급에 큰 차질이 있을 경우 대통령이 긴급 상태를선포할 준비를 하고 있는 것으로 보도 되고 있음.

~~(대사 노정기-국장)~~

19예고:91.6.30일 까지문에 의거 일반문서로 재 분류됨.

아주국	차관	1차보	2차보	아주국	아주국	아주국	중아국	안기부

PAGE 1

91.01.18 15:53

외신 2과 통제관 BA

0101

관리 번호	91/241

외 무 부

종 별 : 지 급

번 호 : SKW-0029 일 시 : 91 0118 1430

수 신 : 장관(아서, 대책반)

발 신 : 주 스리랑카 대사

제 목 : 페만 사태

대:WAAM-0003

AM-0017

대호 아래 보고함.

1. 주재국 외무부는 사태직후 1.17 0930 아래 요지 성명을 발표함. 5 개월 이상의 진지한 외교적 노력에도 불구하고 평화적 방법으로 해결되지 않고 전쟁이발발한데 대하여 애석함을 표하면서 스리랑카는 관계 유엔 결의를 준수 하여 조속히 종전 되기를 희망함.

2. 한편,1.17 1600 주재국 HERAT 외무장관은 당지 주재 공관장들을 초치한 브리핑 자리에서(정정검 참사관 참석) 페만 사태와 관련 대통령의 지시로 외무, 국방, 재무등 관계부처 특별 대책반이 가동중이며 당지 주재 공관및 외국인 보호를 위하여 군경 합동으로 특별 경계를 강화하고 있음을 밝히고 주재 외국공관들과 상호 정보 교환등 긴밀한 협조를 행할것임을 밝힘.

3. 당관에서도 대호 지시에 따라 비상 근무 태세 강화및 자체 비상연락망을수시 점검, 공관및 가족의 안전에 만전을 기하고 있음. 또한 당지 주재 아국업체및 교민들의 보호를 위해 기존 비상 연락망을 수시 점검하여 만약의 사태에 대비케 조치함.

(대사 장훈-국장)

19예고:91.6.30일까지 고문에 의거 일반문서로 재 분류됨.

아주국	장관	차관	1차보	2차보	중아국	청와대	안기부

PAGE 1

91.01.18 18:59

외신 2과 통제관 CW

0102

외 무 부

종 별 :

번 호 : SGW-0029 일 시 : 91 0118 1540

수 신 : 장 관(중근동,아동,대책반,기정)

발 신 : 주 싱가폴 대사

제 목 : 페르시아만 사태(주재국 반응)

1. 주재국 외무부 대변인은 1.17.자 성명을 통해 싱가폴 정부는 걸프지역의 다국적군이 유엔 안보리 결의, 특히 결의 678호 이행을 위해 취한 대이락 군사행동을 지지한다고 발표하였음. 동 대변인은 또한 이락이 계속 유엔결의를 무시하는 상황에서는 국제사회가 더이상 할 것이 없으며,유엔결의를 이행치 못함은 국제법에 대한 존중뿐만 아니라 유엔의 신빙성도 와해시킬것이라고 지적하였으며 이와같이 되어서는 모든 국가,특히 싱가폴과 같은 소국들에게 장기적으로 이익이 되지 못할 것이라고 덧붙임.

2. 싱가폴 정부는 30명으로 구성되는 싱가폴군 의료지원단을 금 1.18. 사우디 전선 400 KM 후방지역의 군병원 (BRITISH ARMY REAL HOSPITAL)에 파견함. 끝.

(대사-국장)

중아국	장관	차관	1차보	2차보	아주국	미주국	정문국	청와대
총리실	안기부							

PAGE 1

91.01.18 20:28 DQ

외신 1과 통제관

0103

관리번호	91/385

외 무 부

종 별 :

번 호 : NPW-0025 일 시 : 90 0118 1730

수 신 : 장관(아서,대책반)

발 신 : 주 네팔 대사

제 목 : 페르시아만 사태

대:WAAM-0003

주재국은 페만 개전이후 1.17(목)오후 K.P.BHATTARAI 수상 주재하에 비상각의를 소집, 페만 사태관련 대책을 협의 하였는바, 동 각의후 BHATTARAI 수상의 발표및 조치사항등을 다음과같이 보고함

1. 반응

가. 그간 UN 의 모든 중재 노력에도 불구, 전쟁이 발발한데 대해 깊은 우려를 표하면서, 아직도 이라크의 쿠웨이트 철수를 전제로한 평화적, 정치적타결을 통해 조기수습될 가능성과 희망을 피력함.

나. 주재국으로서는 금번 페만전쟁이 장기화될경우, 약소빈국으로서 유류등생필품공급에 곤란을 겪게 될것이라고 우려를 표함.

2. 주요조치

가. 주재국은 당분간은 충분한 유류, 식량및 생필품이 비축되어 있으므로, 국민들은 당황하지 말고 사재기등을 자제하여줄것과 상공인들은 매점매석을 하지말고 물품공급이 원활히되도록 당부함.

나.1.18 현재 시내주유소에서는 차량종류에따라 유류공급을 3,5,10 리터로 제한하고 있음. 끝.

(대사 김일건-국장)

예고:91.12.31 까지 검토필(1991. 6.30.)

아주국	장관	차관	1차보	2차보	중아국	청와대	총리실	안기부

PAGE 1

91.01.18 22:14

외신 2과 통제관 CH

0104

관리번호	91/281

외 무 부

종 별 :

번 호 : NZW-0017 일 시 : 91 0118 1540

수 신 : 장관(아동,대책반)

발 신 : 주 뉴질랜드 대사

제 목 : 페르시아만새태

대:WAAM-0003

연:NZW-0015

1.1.17 당지시간 1300 개전 소식 접수후 BOLGER 수상은 기자회견을 통해 전쟁의 발발은 유감이나 불가피하며 전쟁과 평화의 선택은 SADDAM HUSSEIN 에게 달려 있던만큼 HUSSEIN 이 이성을 회복, 문제가 해결되기를 바란다는 입장을 발표하고, 군수송기편으로 바레인으로 향하고 있는 32 명의 군의료단과 이미 파견된 군수송기 2 대 이외에 추가로 병력의 파견은 고려치 않고 있음을 재확인함.

2. 한편 지난 90.11 국민당 신정부 출범이후 첫 해외 방문으로 휘지등 남태평양 도서국가들을 순방중인 MCKINNON 부수상겸 외상과 COOPER 국방장관도 뉴칼레도니아 방문을 취소하고 귀국중에 있으며, 페르시아만 사태를 논의하기 위한 임시 의회가 1.22 긴급 소집될 예정임.

3. 주재국 정부는 또한 테러공격에 대비, 경찰, 군및 보안기관의 정보수집활동을 강화하도록 하는 한편, 정유시설, 저유시설, 등에 대해서도 보안조치를 강화토록함.

4. 유류 수급문제 관련, 1.17 LUXTON 에너지장관은 주재국은 국내 유류수요의 54%를 자급할 수 있으며 170 일간 수입 소요분의 물량을 이미 비축하고 있어서 페르시아만 사태가 장기화 되더라도 1-2%의 국내 유류 수요만 감소할경우, 차량운행 통제, 유류배급제 실시, 속도제한등의 별도 비상 조치를 취하지 않고 대응할 수 있다고 발표한바 있음.

(대사 서경석-국장)

예고:91.6.30 까지

19 예고문에 의거 일반문서로 재 분류됨.

검토필(1991.6.30.)

아주국 장관 차관 1차보 2차보 중아국 안기부

PAGE 1

91.01.19 06:18

외신 2과 통제관 BW

0105

원 본

외 무 부

종 별 :

번 호 : MGW-0031　　　　일 시 : 91 0118 1800

수 신 : 장 관(아이,기정동문)

발 신 : 주 몽골 대사

제 목 : 페만개전 관련 주재국 동향

2(시)

연: MGW-0029

1. 주재국 BYAMBASUREN 수상은 페만 개전관련 작 1.17 저녁 비상각의를 열어, 페만사태등에 따른 대책방안등을 협의한후, 기자회견에서 페만개 전은 유감스러운 일이며, 이로인한 몽골에 미칠 경제적 영향등을 우려하며, 페만전쟁이 장기화 되거나 또는 국지전이 확대되지 않기를 희망한다고 말했음.

2. 금 당지 일간지들은 페만정세관련 외신인용, 사실보도했으며, 사설등 을 통한 논평은 하지않았음

(대사- 국장)

아주국	장관	차관	1차보	2차보	중아국	정문국	청와대	총리실
안기부								

PAGE 1　　　　91.01.19　10:00 WG

외신 1과　통제관

0106

외 무 부

종 별 :

번 호 : MAW-0105 일 시 : 91 0119 1100

수 신 : 장 관(아서,아일,아이,아동,대책반,기정)

발 신 : 주 말련 대사

제 목 : 페만 사태관련, 주재국 반응

1. 페만 전쟁 발발과 관련, 민주행동당 (DAP), 이슬람당 (PAS)등 주재국 야당들은 미국의 무력사용을 비난하면서 연합군의대 이락 공습을 즉각 중단하고 긴급 유엔안보리를 소집하는등 평화적인 방법으로 페만 사태를 해결토록 촉구함. 특히, PAS는 이락-쿠웨이 트 분쟁은 NON-ISLAM 의 간섭없이 이슬국간 형제애에 의해 해결되어야 할문재임을 강조하고 필요시 이락을 지원하기 위한 자원 봉사자 파견도 검토할 것이라고 말함.

2. 금번 사태와 관련, 주재국에서는 1.18 페나에서 소규모 반전 시위가 있은것을 제외하고는 전반적으로 평온을 유지하고 있음. 한편, 주재국 경찰은 1.18 반전 시위를 엄단할것임을 경고하고 미.영.불.일.사우디등 페만전쟁에 직접 관계된 국가들의 대사관 경비를 더욱 강화하고 있음.끝

(대사 홍순영-국장)

아주국	차관	1차보	2차보	기획실	아주국	아주국	아주국	정문국
청와대	총리실	안기부	대책반					

PAGE 1

91.01.19 12:17 WG

외신 1과 통제관

0107

외 무 부

암 호 수 신

종 별 :
번 호 : BAW-0028 일 시 : 81 0119 1100
수 신 : 장 관(아서,기정)
발 신 : 주 방 대사
제 목 : 걸프사태관련 동향

1. 작 1.18 사카시내에 수천명의 반전데모가 있었음.

2. 데모대는 대부분 시내도처 MOSQUE 에서 열린 전쟁조기종결 특별기도에 참석했던 회교도들로서, 오후늦은시간까지 시내요소를 행진한후, 미국대사관과 사우디대사관으로 돌진, 경찰의 경계선을 뚫고 청사에 부석하였으며, 사우디대사관의 창문이 파손됨.

3. 도처의 데모와중에서 다카거주교민 1 명이 자동차유리창파손및 경상을 입음. 일본인 1 명도 유사한 피해를 입음.

4. 당지주재 교민들에 대하여 당분간 외출을 자제시키고있음.

(대사 이재춘-국장)

암호송신

아주국	장관	차관	2차보	중아국	청와대	안기부

PAGE 1

91.01.19 15:23
외신 2과 통제관 CA

0108

외 무 부

종 별 :

번 호 : BUW-0020 일 시 : 91 0121 1705

수 신 : 장관(중근동,아동,정일,기협)

발 신 : 주 브루나이대사

제 목 : 걸프사태

연: BUW-18

주재국 정부는 1.20. 애급에서 유학중인 브루나이 유학생 108명을 RBA 전세기편으로 철수시킴.

끝

(대사 허세린-국장)

중아국 장관 차관 1차보 2차보 아주국 미주국 경제국 정문국
정와대 총리실 안기부 대책반

상황실

PAGE 1

91.01.21 18:55 DA

외신 1과 통제관

0109

긴

메모.

외 무 부

암호수신

종 별 :

번 호 : BAW-0036　　　　일 시 : 91 0121 1800

수 신 : 장 관(아서,기정)

발 신 : 주 방 대사

제 목 : 걸프전쟁 관련 동향

연:BAW-0028,0032

1. 걸프전쟁으로 인한 주재국 이락지지 회교도들의 반미, 반사우디 데모가 격화되는 가운데 미대사관은 당지주재 미국인들을 대부분 철수시키고, 영국은 1.20 표민들을 철수시키기로 결정하였음.

2. 금 1.21 주재국 회교도주최의 WORLD MUSLIM CONGREGATION 에 참석한 약 150 만명의 회교도들이 동집회 종료후 반미, 반전데모를 강행할것으로 추정되며, 미국, 사우디 공관을 습격할것에 대비하여 각국공관에 경찰을 증원배치함.

3. 다카대학교수협의회는 모허인 미구군대의 중동지역에서의 철수성명을 발표하였으며, 동교수협의회에 학생 또는 회교도단체가 가세할 경우 사태는 상당히 악화될것으로 관측됨.

4. 금일 11:00 이임인사차 당관을 방문한 일본대사와 걸프사태 관련 주재국 정세에 대하여 의견을 교환한바 전쟁이 장기화할 경우 주재국의 회교도들의 동향이 폭도화할것으로 우려를 표명하고, 일본대사관도 교민들의 철수 가능성에 대비하고 있다고 하였음.

(대사 이재춘-국장)

아주국	장관	차관	1차보	2차보	미주국	중아국	청와대	총리실
안기부								

PAGE 1　　　　91.01.22　17:14

외신 2과　통제관 DO

0110

관리번호	91/606

외 무 부

종 별 :

번 호 : NZW-0020 일 시 : 91 0122 1110

수 신 : 장관(아동,대책반)

발 신 : 주 뉴질랜드 대사

제 목 : 걸프사태-군의료단 추가파견

연:NZW-0017

1. 주재국 BOLGER 수상은 1.21 각의를 소집, 당지 영국대사를 통한 영국정부의 군의료단 추가 파견 요청을 긍정적으로 검토, 20 명의 군의료단을 걸프지역에 추가로 파견키로 결정했다고 발표함.

2.BOLGER 수상은 동 군의료단의 구성및 정확한 파견 시기등은 아직 결정되지않았으나, 추가 의료단은 이미 바레인에 파견된 군의료단과는 달리 사우디내 영국군들과 함께 주둔하게 될것이라고 언급함.

3. 한편 주재국정부는 1.19 군의료단 1 진을 바레인으로 수송한 HERCULES 수송기 1 대를 동지역에 체류중인 주재국인의 철수 필요시에 대비, 걸프지역에 잔류시킬 예정임.

(대사 서경석-대사)

예고:91.6.30 까지 예고문에 의거 일반문서로 재 분류됨.

검토필(1991. 6.30.)

아주국 중아국 청와대 안기부

PAGE 1

91.01.22 07:46

외신 2과 통제관 FE

0111

74

제1호

관리 번호	91-112

외 무 부

종 별 :

번 호 : PHW-0097 일 시 : 91 0122 1000

수 신 : 장관(아서,아일,아이,아동,대책반)

발 신 : 주 필리핀 대사

제 목 : 걸프전(자료응신 12호)

대:WAAM-3

연:PHW-77,1. 주재국 망글라푸스 외무장관은 1.21(월) 주비 이락 총영사겸 1등서기관인 MUFAWAK HASSIM AL-ANI 를 기피인물(PNG)로 선언하고 동인이 72 시간 이내에 자발적으로 주재국을 떠날것을 요청하였으며 아키노 대통령도 1.22(화) 대통령실 공보시서관을 통하여 동 추방 사실을 확인하였음.

2. 주재국 외무차관은 1.21(월) 정오 주비 이락대사를 외무부로 초치하고 장관명의 상기 내용의 구상서를 동 대사에게 전달하였으며 동 대사는 상기 사실을 본부에 보고하겠다고 하였음.

3. 주재국은 이락 외교관 추방 이유에 관하여는 문서상 명시하지는 않았으나 1.19(토) 오후 당지 미문화원에서 발생한 폭발사고가 이락 테러 단체에 의한 것이라는 주재국 군.경찰 당국의 보고에 기인한 것과 관련있는 것으로 파악됨.

4. 주재국 외무장관은 상기 조치가 대이락 외교관계에 영향을 미치느냐는 질문에 대하여는 동 조치가 개인에게 행하여진 것이며 이락 국가에 대하여 취하여진 조치가 아님을 강조하였음.

(대사 노정기-국장)

예고:91.6.30. 까지

아주국	장관	차관	1차보	2차보	아주국	아주국	아주국	미주국
중아국	정문국	청와대	총리실	안기부	대책반			

PAGE 1 91.01.22 16:32

외신 2과 통제관 DO

0112

관리번호	91/610

외 무 부

종 별 :

번 호 : BMW-0042　　　　일 시 : 91 0123 1150

수 신 : 장관(아서,중근동,국방부)

발 신 : 주 미얀마 대사

제 목 : 걸프사태 관련 주재국 동향

대:WAAM-0003

연:BMW-0029

1. 걸프사태와 관련 주재국 군사정부는 연호와 같이 중립적 입장을 계속 견지중에 있음.(신문및 TV 도 미국이나 이락 어느쪽에 치우친 논평이나 뉴스는 보도하지 말도록 SLORC 정부의 지침이 내려와 있다고 함) 금번 걸프 사태에대해 SLORC 정부 고위층은 걸프 국가들이 그간 정치, 경제적으로 외국과 지나치게 밀접한 관계를 가져옴으로서 결국 외세가 개입되는 전쟁발발의 상황까지 초래되었다는 인식하에 그간 SLORC 정부의 외세배격의 폐쇄적 대외정책의 정당성을 더욱 확신하는 분위기라고 함.

2. 또한 서방국가들의 관심이 걸프사태에 몰려, 주재국 민주화문제에 대한 관심이 멀어짐과 함께 SLORC 정부는 NLD 등 반정부세력을 약화시키고 자신들의 주도하의 재반 정치일정 추진에 몰두하고 있는 것으로 보이며, 서방측 외교단들도 걸프전의 추이를 지켜보며 현 주재국 정세에 대해서는 일단 관망하고 있는 상황임.

3. 한편 SLORC 정부는 걸프사태와 관련 주재국내 모슬렘교도(인구의 약 4 프로)들에 대한 동태를 면밀히 관찰 대비하고 있다함.

(대사 김항경-국장)

예고:91.6.30 까지 예고문에 의거 일반문서로 재 분류됨.

아주국 장관 차관 1차보 2차보 중아국 정문국 안기부 국방부

PAGE 1　　　　91.01.23 15:09

외신 2과 통제관 BN

0113

관리번호	91/652

원 본

외 무 부

종 별 :

번 호 : THW-0140 일 시 : 91 0123 1630

수 신 : 장 관(중근동,대책반)

발 신 : 주 태국 대사

제 목 : 걸프사태

본직은 1.23(수) IPU 아. 태지역 경제협력회의 관련 업무 협의차 당관으로 본직을 방문한 MOHAMMAD MEHDI SAZEGARA 당지주재 이란대사에게 걸프사태 관련사항을 문의한바, 동 대사는 사견이라고 전제하면서 아래 요지로 설명 하였으니 참고바람

1. 이란은 유엔 결의에 따라 이라크군의 쿠웨이트 로부터의 철수를 요구하여 왔으며 다른한편 아랍권 내에서는 대 이라크 엄정 중립을 견지하고 있음

2. 봉쇄조치로 인하여 이라크가 식량공급 부족을 겪고 있으나 이라크군이 식량보급 부족으로 전의를 상실하는 사태는 발생치 않을것으로 예견됨. 왜냐하면요르단등 인근 아랍국가들로 부터 그러한 상황발생전에 최소한의 기본생필품은공급 될것이기 때문임

3. 이스라엘이 대이라크 반격을 개시하는 경우 상황은 복잡한 양상을 띄게될것인바, 그런 측면에서 미국의 대이스라엘 자제노력은 현명하다고 평가함. 이스라엘 참전등으로 전쟁이 장기화되고 군사적 방법에 의한 해결전망이 불투명할경우, 전쟁양상이 다수 아랍제국의 단결에 의해 대미 정치 투쟁으로 변질될 가능성도 우려됨

(대사 정주년-국 장)

예 고: 91.6.30 일반 예고문에 의거 일반문서로 재 분류됨.

검 토 필(1991. 6.30.)

중아국 차관 1차보 2차보 청와대 안기부

PAGE 1 91.01.23 19:59

외신 2과 통제관 FE

0114

관리번호	91/618

외 무 부

종 별 :

번 호 : MAW-0133　　　　일 시 : 91 0124 1440

수 신 : 장관(아서,아일,아동,대책반,기정)

발 신 : 주 말련 대사

제 목 : 걸프사태 관련 주재국 반응(3)

연:MAW-0087,0105

1. 주재국내 야당인 연호 이슬람당(PAS)은 1.21 걸프 사태 논의를 위한 특별회의에서 인도적, 비전부적 분야에서 이락정부를 지원키 위해 당차원의 자원 봉사단을 파견키로 결정한바 있음.

2. 한편, 걸프사태의 최근 추이및 상기 일부 야권의 움직임과 관련, 1.23 마하틸 수상은 기자회견을 가진바 요지 아래와 같음.

가. 말련은 걸프 전쟁 양당사자중 어느쪽도 지지하지 않고 중립적 입장을 견지할것임. 말련은 이락이 조속 쿠웨이트에서 철수하기를 희망하나, 이를 명분으로한 서방 연합군의 무차별적인 대이락 공격은 반대함. 말련이 대이락 무력사용에 관한 유엔 안보리 결의에 동의한것은 이락의 파멸이 아니라 쿠웨이트의 해방을 위한것임.

나. 이스라엘의 대 이락 보복은 문제를 더욱 복잡하게 만들 것이므로 이스라엘이 계속 자제해주기를 희망함. 이락의 쿠웨이트 철군과 파레스타인 해방 문제는 별개이나 양자를 결부 시킴으로서 문제의 해결이 지연되지 않는다면 이를 환영함.

다. 말련은 이란이 제의한 조기 전쟁종식을 위한 이슬람회의(OIC) 소집을 지지하나 상금 46 개 회원국중 10 개국만이 지지해온것을 유감스럽게 생각함.

라. 일부 야당의 공공연한 이락지원 움직임은 현 상황에서 공평한 태도라고는 볼수 없으며 정부가 이를 통제할 계획은 없으나 각자의 위험부담하에 스스로 판단할 문제임.

3. 상기와 같이 주재국정부는 중립을 표방하나 미국의 주독적인 역할에 냉담한 반응을 보이는 등 내샘으로는 같은 이슬람국인 이락을 은근히 동정하는 기미가 있음. 그러나, 상기 PAS 의 대이락 자원 봉사단 파견 움직임은 실현 가능성이 매우 희박하며 대외적인 홍보에 그칠 가능성이 큼. 끝

아주국　장관　차관　1차보　2차보　아주국　아주국　미주국　중아국
청와대　안기부

PAGE 1　　　　91.01.24　16:46
외신 2과 통제관 BN

0115

(대사 홍순영-국장)

PAGE 2

원 본

외 무 부

종 별 :

번 호 : SGW-0045 일 시 : 91 0124 1730

수 신 : 장 관(중근동,아동,대책반)

발 신 : 주 싱가폴 대사

제 목 : 걸프전쟁(주재국 반응)

1. 싱가폴 국회의 MUSLIM 계 의원 10명은 1.23.자 성명을 통해 걸프전쟁을 팔레스타인 문제와 연관시키려는 사담후세인 이락 대통령의 시도에 오도되어서는 안된다고 싱가폴 회교도들에게 촉구하였음.

2. 동 성명은 이락의 쿠웨이트 점령과 팔레스타인 문제간에는 아무런 직접적 관계가 없음을 지적하고 그러나 중동의 항구적 평화는 팔레스타인문제의 정당한 해결을통해 해결될수 있다고 언급함. 또한 이 성명은 이락의 쿠웨이트 침공및 병합은 강대국의 인접 약소국에 대한 침략행위라고 규탄하고 유엔안보리 결의 678호를 적극 지지하며, 쿠웨이트로부터 이락의 즉각 전면 철수와 더이상의 유혈사태 회피를 촉구함.

3. 한편 워싱톤을 방문중인 이광요 선임장관은1.21. CNN 뉴스와의 인터뷰에서 걸프전은 사담후세인 대통령이 축출됨으로서 끝날것으로 보며,전쟁은 기껏해야 5개월을 넘지 않을 것이라고말함. 문제는 전쟁이 끝난 다음인데 만일 이락이 완전히 파괴되면 인접국에 먹히게 될지도 모르는 상황이 일어날 것이라고 언급함.끝.

(대사-국장)

중아국	장관	차관	1차보	2차보	아주국	정문국	청와대	총리실
안기부	대책반							

PAGE 1 91.01.24 21:25 DP

외신 1과 통제관

0117

원 본

외 무 부

종 별 :

번 호 : SGW-0046 일 시 : 91 0124 1930

수 신 : 장 관(중근동,아동,기협,대책반)

발 신 : 주 싱가폴 대사

제 목 : 걸프전쟁

금 1.24. 당지 유가및 주가동향을 아래 보고함.

1. 유가

가. 두바이산 원유

3월분은 배럴당 16.30 미불, 4월분은 16미불을 유지함.

나. 벙커 C 유(HSFO)

2월분은 톤당 165미불, 3월분은 120미불,4월분은 99불로 폐장함.

2. 주가

STRAITS TIMES INDUSTRIALS INDEX 는 어제보다 9.05포인트 상승한 1,209.31 을 기록함. 끝.

(대사-국장)

중아국 대책반	1차보	2차보	아주국	경제국	정문국	청와대	총리실	안기부

PAGE 1 91.01.24 21:33 DP

외신 1과 통제관

0118

관리 번호	91/637

원 본

외 무 부

종 별 : 지 급

번 호 : THW-0173 일 시 : 91 0127 1700

수 신 : 장 관(중근동,대책반)

발 신 : 주 태국 대사

제 목 : 군수송기 경유

1. 군 의료진 수송기 2 개반 승무원 전원은 1.26(토) 17:40 카라치로 부터 당지 공군 기지에 무사히 도착하였으며 1.28(월) 09:00 당지출발, 마닐라경유 귀국 예정임

2. 본직은 군수송기 도착시 무관과 함께 공항에 출영 승무원들의 노고를 치하하고 격려하였음

3. 군수송기는 도착직후 주재국 공군당국의 협조로 연료 보급을 받았음

4. 동 승무원들의 숙소(맨암호텔)에는 주재국 경찰당국에서 경찰관 2 명을 배치 안전조치를 취하고 있음

(대사 정 주년-국 장)

예 고 : 91.6.30 까지 예고문에 의거 일반문서로 재 분류됨.

검토필(1991.6.30.)

중아국 차관 1차보 2차보 청와대 안기부 국방부 대책반

PAGE 1

91.01.27 20:28

외신 2과 통제관 CF

0119

외 무 부

종 별 :

번 호 : NZW-0032 일 시 : 91 0128 1100

수 신 : 장 관(아동,중근동,대책반)

발 신 : 주 뉴질랜드 대사

제 목 : 걸프사태

1. 1.26 BOLGER 수상은 호주정부가 호주주재 OMRAN이락대사대리 (주재국 겸임)에 대해 72시간내 출국 명령을 내린데 대해 이를 지지한다고 언급하였음. 동 대사대리는 지난주 호주가 걸프전 군사개입을 강화 할 경우 테러 공격을 받을수 있다는 요지의 성명을 발표한바 있음.

2.주재국은 걸프전 발발과 관련 이락주재 자국대사관에서 정규 외교관은 철수 시킨바 있으나, 이를 폐쇄하지 않고 (TECHNICALLY OPEN) 현재 3명의 현지 직원을 두고 운영하고 있음.

3.한편, 주재국 군의료단 제2진 20명이 1.27 민간항공편으로 중동 향발하였는바, 동 의료단은 사우디에서 영국군과 같이 근무할 예정임.

(대사 서경석-국장)

아주국	장관	차관	1차보	2차보	중아국	정문국	청와대	총리실
안기부	대책반							

PAGE 1 91.01.28 09:00 WG

외신 1과 통제관

0120

관리 번호	91/1664

원 본

외 무 부

종 별 : 지 급

번 호 : THW-0178 일 시 : 91 0128 1000

수 신 : 장 관(중근동,대책반,필리핀대사(중계필)

발 신 : 주 태국 대사

제 목 : 군 수송기 출발

연 : THW-0173

군수송기 2 대 및 승무원전원은 1.28(월) 08:35 예정대로 당지 공군기지를 출발 필리핀 CLARK 미공군기지로 향발하였음.

(대사 정주년-국 장)

예 고9: 91.6.30.. 일반

예고문에 의거 일반문서로 재 분류됨.

검토필(1991.6.30.)

중아국

PAGE 1

91.01.28 13:00

외신 2과 통제관 BW

0121

외 무 부

종 별 :

번 호 : MAW-0153 일 시 : 91 0128 1200

수 신 : 장 관(아서,아일,아동,대책반,기정)

발 신 : 주 말련 대사

제 목 : 걸프사태 관련 주재국 반응(4)

1. 1.27 ABDUL HAMID 수상실 부장관은 기자회견을 통해 주재국은 걸프사태의 조속 종식을 위해 '긴급 이슬람정상회의'를 주최할 용의가 있음을 밝힘. 동 부장관은 또한 걸프 전쟁을 성전으로 간주하지 않는다는 주재국 정부의 입장을 재천명하면서 주재국은 계속 중립적인 입장을 견지할것이라고 말함.

2. ABU HASSAN 외무장관도 1.26 기자회견에서 걸프사태의 조속 종식및 쿠웨이트부터의 이락군철수를 위해 유엔이 보다 적극적이고 중추적인 역할을 수행해야 할것임을 강조하면서, 필요하다면 이슬람 기구 (OIC), 비동맹등 국제기구의 중재 역할을 지지할것 이라고 말함.

3. 한편 주재국 야당인 이슬람당 (PAS)은 주재국 정부의 유엔 안보리 결의 (678호)지지 철회를 요구하면서 이락 지원을 위한 자원 봉사자서명운동 (현재까지 500명 서명 주장)을 계속하는 한편, 대 이락 우유 지원을 결의한바 있음.끝

(대사 홍순영-국장)

아주국	장관	차관	1차보	2차보	아주국	아주국	정문국	청와대
총리실	안기부	대책반						

PAGE 1 91.01.28 13:57 GW

외신 1과 통제관

0122

관리번호	91/644

외 무 부

종 별 :

번 호 : MAW-0162 일 시 : 91 0129 1200

수 신 : 장관(아서,아일,아동,대책반,기정,국방)

발 신 : 주 말련 대사

제 목 : 걸프사태 관련 주재국 반응(5)

연:MAW-0153

1. 1.28 FADZIL CHE WAN 외무부 부장관은 기자회견에서 미국및 연합군이 유엔 안보리 결의 678 호를 엄격히 준수하지 않고 무차별적인 대 이락 공격을 하고있음을 비난하고 유엔 안보리에서 이락내 피해 상황 검토와 함께 미국으로 부터의 향후 계획을 청취해야 할것이라고 주장함.

2. 아울러, 동 부장관은 비동맹 외상(현재까지 유고, 알제리아, 베네주엘라,이란, 인도가 동의)들이 내월중 유고에서 회합, 걸프전쟁 종식을 위한 평화안을 마련하는 움직임과 관련, 주재국은 이를 적극 지지하는 바이라고 말하고 주재국도 동 회의에 초청되는 경우 참석을 고려할것이라고 덧붙임.

3. 한편, UMNO 청년지부에서도 1.28 미국의 안보리결의 678 호의 남용을 비난하는 성명을 발표하고 유엔 안보리가 즉각 소집되어 상기 678 호 재검토및 이를 대체하는 결의를 채택하여야 할것임을 주장함.

4. 걸프사태에 대한 주재국의 입장은 당초 유엔 안보리 결의지지및 양 전쟁당사자에 대한 중립적인 입장에서 상기와 같이 친 이락으로 경사하고 있는 느낌을 주고 있는바, 이는 전쟁이 과열되어감에 따라 같은 이슬람국으로서 주재국내 야권및 일반 국민들 사이에 PRO-SADDAM 분위기가 점증함에따라 주재국 정부가이를 수용하는데 그 동기가 있는것으로 보임.끝

(대사 홍순영-국장)

19 91.6.30 까지 예고문에 의거 일반문서로 재 분류됨.

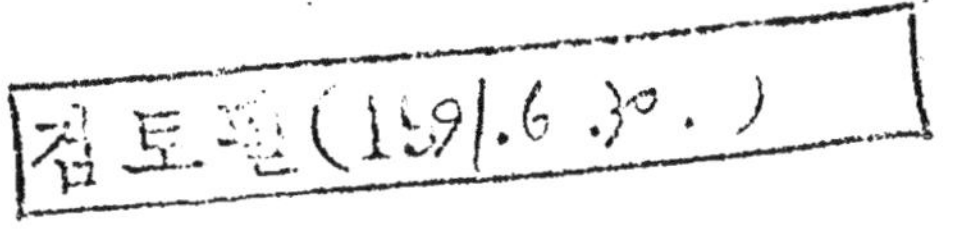

아주국	장관	차관	1차보	2차보	아주국	아주국	중아국	정문국
청와대	총리실	안기부	국방부					

PAGE 1 91.01.29 13:25

외신 2과 통제관 BW

0123

원 본

외 무 부

종 별 : 지 급

번 호 : SGW-0058 일 시 : 91 0129 1100

수 신 : 장 관(중근동,아동,기협,대책반)

발 신 : 주 싱가폴 대사

제 목 : 걸프전쟁

1.28. 당지 유가및 주가동향 아래보고함.

1. 유가

가. 두바이산원유

3월분, 4월분 공히 배럴당 15.80 미불을 유지함.

나. 벙커 C 유(HSFO)

2월분은 톤당 146.30 미불, 3월분은 114미불,4월분은 99불로 폐장함.

2. 주가

STRAITS TIMES INDUSTRIALS INDEX 는 1.25 보다 22.09포인트 상승한 1260.84 을기록함.끝.

(대사-국장)

중아국	장관	차관	1차보	2차보	아주국	경제국	청와대	총리실
안기부	동자부	대책반						

PAGE 1

91.01.29 13:34 WG

외신 1과 통제관

0124

관리 번호	91 - 752

외 무 부

종 별 : 지 급

번 호 : SKW-0103 일 시 : 91 0215 1700

수 신 : 장관(아서,중근동,정일,기정)

발 신 : 주 스리랑카 대사

제 목 : 정세보고

(자료응신 91-7 호)

1. 반정부 데모 계획

가. 오는 2.19 콜롬보 시내 누게고다에서 북동부 사태로 인하여 사망한 청년들의 부모들을 중심으로 약 6 천명이 MOTHERS' FRONT 반정부 데모가 열릴 예정임.

나. 이와관련, R.WIJERATNE 국방담당 국무장관은 2.14 기자회견에서 정치 집회는 허용되나 데모는 단호히 대처할것이라고 밝혀 무력진압 가능성을 비침.

다. 오는 2.21 11 개의 야당연합주최 대규모 반정부 데모도 예정되어 있음.

라. 상기 MOTHERS'FRONT 집회에서는 작년 암살당한 R.DE SOYSA 기자의 모 SLFP 수뇌가 연설할 예정임.

2. 제 3 기 개각동향

가. 소식통에 의하면 프레마다사 대통령은 집권 3 년째를 맞아 오는 3 월중개각을 단행할 것이라함.

나. 동개각 에서는 현 위제붕가 수상이 유임되고 자예와르데네 전 대통령의심복중 하나인 아뷸라 무달리 문교장관이 배제될것이라는바, 이는 최근 상기 DE SOYSA 기자 사인 규명 위원회에 동 장관이 정부 대표 자격발언 지시를 거절하였기 때문이라함.

3. 걸프전 관계

가. 지난 2.15. 개최 비동맹 외상회의에 참석한 주재국 H.HERAT 외상은 동회의에서 걸프사태 해결방안으로서 1)안보리 결의에 따른 쿠웨이트의 주권회복,2)무력중지,3) 이락과 쿠웨이트간 문제의 평화적 해결모색,4) 팔레스타인 불가양의 국민적 권리회복을 포함 국경문제등 중동문제 전반에 관한 국제회의 개최를 주장함.

나. 지난 2.5. 걸프전 관련 연합국 항공기의 콜롬보 기착 허가에 관한 주재국 정부의 방침발표에 대하여 야당 SLFP 는 정부측 결정은 주권을 포기하는 매우 유감스러운

아주국 차관 1차보 2차보 중아국 정문국 청와대 안기부

PAGE 1

91.02.15 21:22

외신 2과 통제관 CW

0125

일이라고 강하게 반박 하였으며, 대부분의 야당이 연합국 항공기의 콜롬보 기착을 반대하고 있음.

(대사 장훈-국장)

예고:91.6.30 일반

예고문에 의거 일반문서로 재 분류됨.

일반문서로 재분류(1991.6.30.)

PAGE 2

0126

관리번호	91-139

외 무 부

종 별 :

번 호 : PAW-0207 일 시 : 91 0218 1200

수 신 : 장관(아서,아이,중동1,기정)

발 신 : 주 파 대사

제 목 : 걸프사태동향(자응10호)

연 PAW-195

1. 나와즈 수상은 연호 마그레브 4 개국및 사우디순방후 2.15(금) 귀국함. 동 수상은 또한 연호 방중일정을 연기 2.26-3.1 간 중국을 방문할계획이라고 발표한바, 금번 방중시 걸프사태가 협의될것이나 긴밀한 양국관계에 비추어 양국관계등도 포괄적으로 협의할 예정으로 알려짐.

2. 한편 야쿱칸 외상은 2.17(일) 이란외상과의 걸프사태 협의차 이란향발하였으며, 동인은 이란방문후 걸프사태관련 2.20. 부터 카이로에서 개최되는 회교 10 개국 외상회의에 참석할 예정으로 알려짐.끝.

(대사 전순규-국장)

예고 91.6.30 일반

일반문서로재분류(1991.6.30)

아주국	장관	차관	1차보	2차보	아주국	미주국	중아국	정문국
청와대	총리실	안기부						

PAGE 1

91.02.18 19:51

외신 2과 통제관 DO

0127

외 무 부

종 별 :

번 호 : SGW-0110 일 시 : 91 0220 1230

수 신 : 장 관(중동일,아동)

발 신 : 주 싱가폴 대사

제 목 : 걸프전쟁(소련제안에 대한 주재국 반응)

1. 주재국의 월칸생 외무장관은 작 2.19.고르바쵸프 소련대통령의 평화제안에 대한 싱가폴정부의 입장을 묻는 기자질문에 대한 답변에서 ''유엔결의는 명백한바, 이락은 무조건 철수해야 하며 사담후세인의 체면을 세워주는 조치나 속이 뻔히 보이는겉 꾸밈같은 조치를 하여서는 안된다고 경고하면서 유엔결의가 액면대로 시행이 되어야 한다''고 강조함. 동장관은 또한 ''이락의 체면을 세워주기 위한 타협조치를 촉구하는 사람들이 있다면 이들은 이락의 쿠웨이트 침공으로 인해 쿠웨이트 국민이 겪은고통을 기억해야 할 것''이라고 덧붙임.

2. 한편 2.20. 자 STRAIT TIMES 지는 ''DON'T SAVE SADDAM'S FACE ''제하의 사설을 게재하였는바, FAX편 송부함.끝.

(대사-국장)

중아국	장관	차관	1차보	2차보	아주국	미주국	정문국	청와대
총리실	안기부	대책반						

PAGE 1

91.02.20 21:06 DQ

외신 1과 통제관

0128

(SGW-0110 유첨물)

The Straits Times

WEDNESDAY, FEBRUARY 20, 1991

Don't save Saddam's face

WITH all the problems Mr Mikhail Gorbachev is facing on his home front, it is not difficult to see why he is anxious to make a splash on the international stage by bringing about an Iraqi withdrawal from Kuwait. With his domestic programmes in tatters and his authority under attack from all sides, success in the Gulf arena would be a much-needed boost to his standing and could do much to silence, at least for a while, the military and political hardliners who complain that his foreign policy, in particular the withdrawal from Afghanistan and Eastern Europe, has turned the Soviet Union into a pitiful, helpless giant. It would help ensure the Soviet Union an important role in the region after the war, including, presumably, that of arms supplier, the one thing it does well for itself and its clients. And even if his current initiative fails, the fact that he is trying to save Saddam's face may win Mr Gorbachev some respite from accusations that he has completely sold out an old friend while toadying to the West.

But much as the world may sympathise with him, if only in gratitude for his contributions to the ending of the Cold War, it would be totally wrong to abet his efforts to save Saddam Hussein by giving the Iraqi dictator this or that guarantee about what will happen after he withdraws. The man has had his chances for an honourable exit, nearly five months' worth of opportunities before the coalition finally acted. He could have said then that he would withdraw and the world would have applauded in relief. Instead, he was all defiance and he spurned even those who went to him virtually on bended knee to offer him deals. By so doing, he has completely forfeited any right to any consideration whatsoever. As the secretary-general of the Gulf Cooperation Council, Mr Abdullah Bishara, a Kuwaiti, rightly put it on Friday, "there is no room for face-saving. There is no room for compromise. There is no such thing as a conditional withdrawal ... Kuwait must be returned whole — lock, stock and barrel".

This is not to say that Iraq's so-called offer to withdraw last week is not to be welcomed. Insofar as it is the first time ever that the regime has even uttered the word, the statement is gratifying indeed. Although clearly an effort to stave off the coalition's ground offensive and win points among waverers rather than a serious suing for peace — the conditions attached to the offer are almost laughable — the "offer" does indicate that the Iraqis are beginning to hurt from the massive, round-the-clock aerial pounding by coalition forces. Unlike the eight-year war with Iran which did not, by and large, affect ordinary Iraqis, this one clearly does. It may not be coincidental that the offer, issued in the name of the Revolutionary Command Council rather than Saddam's, came two days after the spectacular destruction of a hardened bomb shelter in Baghdad. Although a tragedy in terms of the civilian lives lost, it may have helped persuade ordinary Iraqis and possibly some of their leaders, even if not Saddam himself, that his "mother of battles" will only bring them death and destruction, not glory.

But, contrary to what some are saying — that the coalition should slow down or even halt the war now that the Iraqis say they want to talk — the peace "offer" is proof positive that there should be no let-up in the current offensive. Having finally begun to have an impact where it most matters, on Saddam's home front, the coalition forces should press even harder now, so as to force Iraqis to take the next logical step — withdrawal without precondition. And preferably without Saddam. Those bleating about the coalition forces exceeding their UN authority or the importance of giving Saddam a way out must be ignored. Almost without exception, they have not contributed a single body or cent to the effort to free Kuwait and thus have no moral standing to speak of how the war should or should not be conducted. They will do better to worry about Saddam's victims and would-be victims rather than saving his face.

1-1

0129

원 본

외 무 부

종 별 :

번 호 : NZW-0060 일 시 : 91 0301 1230

수 신 : 장 관(중동일,아동)

발 신 : 주 뉴질랜드 대사

제 목 : 걸프사태

1. BOLGER 주재국 수상은 2.28 걸프전쟁의 종결을 환영하면서 휴전실시및 복구를 위한 집중적인 노력이 개실될것인바, 주재국은 유엔안보리의 그러한 노력을 계속적으로 지원할것이며 평화유지및 재건노력에 기여할 용의가 있다고 언급함.

2.주재국은 부시대통령이 발표하기 2시간전에 휴전소식을 미국측으로부터 (주미대사관을 통해)통보 받았으며, 미국무성측은 주재국의 걸프전 참여에 대해 감사를 표시하 였다함.

(대사 서경석-국장)

중아국 1차보 아주국 정문국 안기부

PAGE 1

91.03.01 12:06 WG

외신 1과 통제관

0130

No. 28 /91

The Embassy of the Philippines presents its compliments to the Ministry of Foreign Affairs of the Republic of Korea and has the honor to quote, for the Ministry's information, the text of the statement of Her Excellency, President Corazon C. Aquino, on the ceasefire in the Gulf War :

" WE FELICITATE THE MULTINATIONAL FORCES IN THE GULF UNDER THE RESOLUTE LEADERSHIP OF PRESIDENT BUSH AND THE UNITED STATES, AND THE ARAB COUNTRIES THEMSELVES -- FOREMOST OF WHICH IS SAUDI ARABIA -- FOR HAVING SUCCESSFULLY CARRIED OUT THE ENFORCEMENT ACTION MANDATED BY THE U.N. TO FREE THE EMIRATE OF KUWAIT. THIS IS TRULY A TRIUMPH OF THE FORCES OF PEACE AND OF THOSE PRINCIPLES THAT ALL HUMANITY REGARD AS RIGHT AND JUST.

WE CONTINUE TO SUPPORT THE MEASURES ANNOUNCED BY THE U.N. MANDATED FORCES TO MAINTAIN THE CEASEFIRE AND OTHERWISE COMPLETE THE ENFORCEMENT OF THE U.N. RESOLUTIONS ON THE GULF CRISIS.

THE PHILIPPINE REPUBLIC IS HAPPY TO GREET THE EMIR AND PEOPLE OF KUWAIT ON THE RESTORATION OF THEIR SOVEREIGNTY.

WE JOIN THE REST OF THE WORLD IN WISHING THAT THE GREAT TASK OF PUTTING IN PLACE THE INFRASTRUCTURE FOR A LASTING PEACE IN THAT REGION WILL SOON BEGIN. THE FILIPINO PEOPLE STAND READY TO HELP IN THE DIFFICULT WORK OF RECONSTRUCTION, EVEN AS OUR STRONG PRESENCE OF HUNDREDS OF THOUSANDS OF WORKERS ATTESTS TO OUR COMMITMENT TO THE AREA'S FUTURE ."

The Embassy of the Philippine avails itself of this opportunity to renew to the Ministry of Foreign Affairs of the Republic of Korea the assurances of its highest consideration.

Seoul, 06 March 1991

0131

외교문서 비밀해제: 걸프 사태 40

걸프 사태 아주지역 동향

초판인쇄 2024년 03월 15일
초판발행 2024년 03월 15일

지은이 한국학술정보(주)
펴낸이 채종준
펴낸곳 한국학술정보(주)
주 소 경기도 파주시 회동길 230(문발동)
전 화 031-908-3181(대표)
팩 스 031-908-3189
홈페이지 http://ebook.kstudy.com
E-mail 출판사업부 publish@kstudy.com
등 록 제일산-115호(2000. 6. 19)

ISBN 979-11-7217-002-8 94340
979-11-6983-960-0 94340 (set)

책에 대한 더 나은 생각, 끊임없는 고민, 독자를 생각하는 마음으로 보다 좋은 책을 만들어갑니다.